LETRAS MEXICANAS

La otra mano de Lepanto

CARMEN BOULLOSA

La otra mano
de Lepanto

FONDO DE CULTURA ECONÓMICA

Primera edición, 2005

Boullosa, Carmen
    La otra mano de Lepanto / Carmen Boullosa. — México:
FCE, 2005
    440 p.; 23 × 17 cm — (Colec. Letras Mexicanas)
ISBN 968-16-7462-6

    1. Novela mexicana 2. Literatura mexicana — Siglo XXI I.
Ser II. t.

LC PQ7297   Dewey M863 B2520

Para venta exclusiva en México y América Latina

Comentarios y sugerencias: editor@fce.com.mx
www.fondodeculturaeconomica.com
Tel. (55)5227-4672 Fax (55)5227-4694

Ilustración: Tabla maqueada con incrustaciones de nácar, en José María March,
La batalla de Lepanto y Don Luis de Requesens, lugarteniente general de la mar,
Ministerio de Asuntos Exteriores, Madrid, 1944,
con permiso de The New York Public Library, Nueva York.

Fotografía de la autora: Mónica Aspe

D. R. © 2005, Fondo de Cultura Económica
Carretera Picacho-Ajusco, 227; 14200 México, D. F.

ISBN 968-16-7462-6

Impreso en México • *Printed in Mexico*

Índice

Para mis hijos, María Aura y Juan Aura,
y para mi Miguel Wallace

…mujer española hubo, que fue María, llamada la bailaora, que desnudándose del hábito y natural temor femenino, peleó con un arcabuz con tanto esfuerzo y destreza que a muchos turcos costó la vida, y venida a afrontarse con uno de ellos lo mató a cuchilladas. Por lo cual, ultra que D. Juan le hizo particular merced, le concedió que de allí adelante tuviese plaza entre los soldados, como la tuvo en el tercio de D. Lope de Figueroa.

Marco Antonio Arroyo, *La batalla de Lepanto*

Menos-uno:

Galera

En un lugar de Granada, de cuyo nombre no puedo olvidarme, a la vista de la majestuosa Sierra Nevada, existe una vega con un clima que yo llamaría perfecto. El agua corre abundante, derramándose generosa desde dos ríos, el Huéscar y el Orce. El campo, esmeradamente cultivado por los moros, produce granos, legumbres, frutas sabrosísimas, naranjas que no las hay mejores, capullos de seda de primera calidad, dátiles tan almibarados como los de Zahara, aceitunas para el buen aceite, uvas deliciosas, robustos cipreses altísimos, árboles floridos que perfuman el aire y parrales que protegen con fresca sombra las veredas.

Gozar, pensar, sentir, retozar, comer delicias, conversar, amar, besar, entregarse al placer: a esto invita aquí la tierra. El agua misma, a quien he acusado impropiamente de correr —pues camina con generosa y elegante pereza, siguiendo juguetona los canales trazados más anchos o más estrechos, más o menos profundos según convenga al cultivo y a la apariencia de estos jardines—, parece sonreír mientras calma se desliza.

¿Quién no está bien aquí? El aire es suave y fresco. El cielo azul, aunque no tan resplandeciente como para lastimar la vista. Aquí y allá bailan inesperadas fuentes, y en las albercas los peces de cien colores, nadando bajo un móvil tapiz de hojas y pétalos, parecen suspirar de dicha.

¿Quién no la pasa bien aquí? Los hombres han recreado a la tierra, desmaldiciéndola, privándola de dureza, incomodidades o infortunios, o han vuelto al Paraíso perdido. El ojo se alegra, la piel se satisface, a cada apetito lo colma la belleza.

La sensación de armonía se magnifica por la apariencia de los cerros vecinos. Los más presentan desnudas laderas escarpadas con formas insólitas, paredes de pálida cantera por las que de pronto cae un largo hilo de agua, precipitándose estruendoso. Si bien estos cerros contribuyen a la bondad del clima, también hacen presente la memoria de la aspereza, pero el contraste significa la dulzura de la flor, la suavidad del aire y el azul del cielo.

Todo es verdura a ras del piso, verdes los árboles, verdes las parras, verdes los pastos, verdes las moreras, verdes los olivos —no como aquellos blancos casi plata de las tierras secas—, verdes las hojas altas de las palmeras. Flores y frutos salpican aquí y allá con reidores tonos, y el agua corriente con sus brillos y sus trinos pinta a la tierra de un sólido color de tronco vivo.

En la cumbre de uno de los desnudos cerros vecinos, descuella un antiguo edificio amurallado. Sobresale por varios motivos. Su altura y la dimensión de sus murallas bastarían para hacerlo imponente. Es un inmenso templo. A la caída de Granada en el poder de los Reyes Católicos, Isabel y Fernando, en 1492 (¡si acaso hay quien no lo sepa!), fue transformado en iglesia cristiana, aunque sin campanario. De esto hace 76 años, pues para nosotros corre el año de 1568. Su forma es la de una mezquita, que para serlo fue construida. Los cristianos le respetaron sus generosas dimensiones, y para darla por iglesia sólo le encajaron en el centro del vientre un altar magnífico, con su retablo cubierto de hoja de oro, adornado de varios lienzos, sin duda espléndidos, los más de Cristos sangrantes, una Santa Lucía, sus ojos en las palmas, como acostumbra. Para los nichos laterales del retablo, tallaron algunas figuras, entre las que descuella Fernando II bien ataviado de guerrero en su montura, un casco de ésta sobre la quijada de un moro. El moro trae turbante, pero en todo lo demás viste como un hidalgo cristiano, está tendido boca arriba en el piso, una de las dos piernas dobladas, el torso arqueado con emotiva expresividad, la lanza del Santo encajada en el hombro y el fenomenal caballo, como ya dije, a punto de aplastarle el cráneo. La imagen recuerda y celebra la caída de los moros. Recientemente los moros han cubierto el altar y el retablo con cuatro paredes improvisadas, a falta de tiempo para demolerlo, y para celebrar sus desbautizamientos —si así puede llamársele a que, olvidándose del agua bendita que alivia el pecado original, se han jurado en el culto de Alá— han restaurado la magnificencia de su mezquita con sólo cubrir las cuatro paredes que esconden el altar con hermosas sedas bordadas.

La muralla que rodea esta mezquita-iglesia protege las casas del pueblo, invisible a los ojos del valle excepto por algunos techos planos. El sitio luce desafiante como un inmenso barco —de ahí su nombre, Galera—, prodigiosamente encallado muy tierra adentro, entre la ciudad de Granada y las Alpujarras. Galera aprovecha la formación natural de las paredes del cerro para hacerse inaccesible al valle, una inmensa nave, aunque sin remos. En lugar del palo mayor, la cuadrada torre de la mezquita-iglesia —de esas que los moros llaman minarete— lo ata como un ancla gigante al cielo. Galera domina y es intocable. A sus espaldas se levanta otra pared vertiginosa, una laja inmensa similar a las que lo levantan del valle, pero mucho más alta y completamente vertical, se alza a plomo en la cola del pueblo, termina en la altura como si la hubieran cortado con descuido, desgajado. La muralla del pueblo se hace una con el liso casco de cantera que imita en todo el arqueo de una embarcación, tanto que al tocar el valle casi parecen formar un solo pie, como la estrecha quilla de un barco.

Atrás y en la base de la pared que cuida las espaldas de Galera, hay una terraza casi a la misma altura del pueblo, muy poco más baja, de cantera lisa. Mide no importantes dimensiones, lo más cabrán en ella doscientos hombres a pie, y esto poniéndolos muy juntos a todos. Bajo la terraza, el cerro tiene un aspecto distinto del de las paredes inclinadas que sostienen a Galera; termina en una verde ladera que desciende con relativa y desigual inclinación hacia tierras más profundas que aquellas donde pone el pie Galera, una estrecha, profunda garganta de calor asfixiante —llamada por los naturales «la Cañada de la Desesperada»—, húmeda y torcaz, donde en años mejores se cultivara con gran éxito la caña de azúcar. Ahora, en la situación de los moriscos, Galera se ha conformado con mantener en buen estado el valle a sus pies, olvidando su húmeda y fértil retaguardia. Ha sido una pérdida, pero comparado con lo que se vive en otras villas del Al Andalus, Galera es muy afortunada. La dicha Cañada de la Desesperada está incultivada, pantanosa, es nido de alimañas, cuenco de las fiebres; la vega es paraíso, placer sedante. Galera tiene el pie en un mundo, y da la espalda a otro muy distinto.

La terraza es accesible desde ambos valles, pues su ladera se abre como una falda generosa. En ella ha acampado el mando del recién llegado ejército imperial, don Juan de Austria y su séquito. Han cruzado La Mancha y las montañas de Jaén. Fueron recibidos por el marqués de Mondéjar a las puertas de Granada, donde don Juan de Austria pasó revisión a los diez mil hombres del ejército que se ha puesto a sus órdenes. De Granada tomó amante, la bella e inteligente Margarita de Mendoza.

El campamento es fastuoso y está bien avituallado. La terraza tiene la forma de una media luna: en el pico, por ser muy estrecho y por lo tanto inútil para otras funciones, se ha improvisado un trascorral. En su piso de cantera blanca hay un charco de sangre fresca, y ahí junto, extendido, un pellejo de carnero con tres piernas, cada una por su lado, que aún están por cortarlas. Tiene partida en dos la cabeza, los dos cuernos todavía adheridos a los huesos. De la cabeza sólo le faltan la lengua y los sesos.

Pasando este trascorral, está la cocina propiamente dicha, en la que arde muy tenue el fuego. Las hornillas están pegadas al muro de piedra que los divide de Galera. Inmediatas hay dos mesas, la primera cuadrada, con hermosos platones de cerámica limpios, vacíos y ordenados en pilas. La segunda es larga, también desnuda de manteles, sobre ella se fermenta la masa para hacer el pan, y algunas escudillas de cobre aún rebosan del espeso guiso. Alrededor de esta mesa, duermen el cocinero y sus ayudas —algunos hediendo a alcohol—, los más, como piedras —el maestro cocinero manotea agitado—, reposan la mitad del cuerpo sobre la mesa, sus torsos extendidos, las piernas descansando en la banca o cayendo al piso. El menor de los ayudas, un esclavo de apenas cinco años, Abid, al que los cristianos llaman Jacinto, traído de un pueblo alfombrero de Persia (en la cocina los dedos niños y hábiles son muy preciados, rellenan a perfección las palomas torcaces, extraen con mayor celeridad los piñones, pelan en un santiamén ajos, deshuesan antes de un «Jesús bendito» la aceituna), quien habla dormido, «El mar me marea, mamá», dice, casi cantando, «que me marea», está acostado de cuerpo entero en la mesa, entre las escudillas de metal y los pellejos de vino, ovillado, como si tuviera miedo o frío. Es un angelito, un niño hermoso, rollizo, la carita dulce, fina, la boquita color fresa, los labiecitos perfectamente pintados, la tersa piel, dos sonrosados chapetones sobre sus mejillas.

A la izquierda de las mesas, en la orilla de la terraza, tras un telón malamente improvisado, ropas soldadas cubiertas de sangre aguardan sobre la cantera el agua y la lejía. Son lo único que aquí recuerda a los 400 hombres caídos en este primer día de batalla. Los cubetones vacíos esperan con sus metálicas bocas sedientas. Tres muchachos duermen a su vera, tumbados malamente.

Cierra el espacio de la cocina un grueso tapiz: el envés enseña las puntas de sus múltiples hilos atados, el frente tiene una bellísima Virgen del Rosario en oro. La imagen mira a lo que podríamos llamar la «Cámara Real» —don Juan de Austria es hijo de Carlos V, aunque bastardo—. El piso está cubierto de mullidas alfombras, sobre éstas una enorme y bien aderezada mesa, los candelabros ya apagados, los platos limpios dispuestos para el siguiente banquete sobre el hermoso mantel bordado por monjas sevillanas. Todos duermen, incluso los guardias apostados en la entrada de la tienda, confiados en el centenar que vigila a la orilla de la terraza. En la tienda gobernanta, espléndidamente dispuesta, sobre una mullida cama, está don Juan de Austria en los brazos de su querida Margarita de Mendoza, la granadina, quien también duerme.

Este primer día de enfrentamiento ha sido pésimo para el ejército cristiano. Dos detalles aumentan la agria calidad de la jornada. El primero es que el morrión de don Juan de Austria fue arañado por un mosquetazo. Felipe II, el rey, su hermano, le ha pedido exagere prevenciones para la seguridad de su persona, pero a los ojos del guerrero lo importante es combatir y demostrar su valor. El segundo detalle es que no han podido enterrar a sus muertos, porque dondequiera que clavan la pala, encuentran huesos. La vega, a ojos vistas apacible y bella, esconde, casi a flor, legiones de infieles anteriores a toda memoria. ¿De qué tiempos? Así que han dejado a los caídos a pudrirse en el pantano de la Cañada de la Desesperada.

Ahora don Juan de Austria sueña con una vega de apariencia similar a la que domina Galera. En una vereda de ésta, algo gira, es redondo, un disco que va dando tumbos, despide estridentes reflejos, metálico resuena contra el piso. Corre, y brinca mientras corre. Lentamente comienza a perder vuelo, baja la velocidad de su carrera. Por lo mismo, la rueda deja de caminar en recta, inclinada se bambolea errática, sale de la vereda, en un patio traza empinada un ancho círculo, lento, emborrachado. Cada vez más lento. Es una rodela turca, un escudo redondo de brillante superficie con remaches simétricos en el borde y motivos grabados en el cuerpo, el centro alzado como un chichón. Los círculos que traza al caminar se van haciendo más pequeños, hasta que, de tan lento que va, la rodela pierde el equilibrio, y cae. El metal resuena en la piedra, pegando contra el borde de la fuente central del hermoso carmen, como llaman los moros a sus jardines. Don Juan de Austria despierta con el ruido.

—¡El moro cae! —se dice—. ¡Si la rodela cae en mi sueño, el moro caerá pronto! ¡Sueño de buen augurio!

Y respira hondo, distiende los músculos como no lo había podido hacer en todo el día.

El golpe que ha cimbrado en el sueño también retumba en la vigilia. Lo que ha echado a andar a esa andariega rodela turca es que el más joven de los ayudas de la cocina, el esclavo persa Abid al que llaman Jacinto, el que se acostó a dormir sobre la mesa, ha pateado uno de los platos de cobre y éste ha rodado, primero por los tablones, luego de un salto sobre el banco, de ahí con otro al piso, donde ha continuado girando sobre la piedra lisa, la cantera de la terraza. Pasos allá, el plato pierde la velocidad y viene a caer a un lado del animal sacrificado para alimentar al bastardo, así como a su amante, Margarita de Mendoza, y a los que han compartido con ellos la mesa —Pedro Zapata, hombre en quien don Juan de Austria tiene plena confianza, primero que entró en combate para poner ejemplo a sus hombres, y don Alonso Quijada, consejero y amigo de Carlos V, el padrastro de don Juan (si podemos llamar así al hombre que lo tomó a su cargo cuando el Emperador pidió, y dos veces, quitaran al chico de su vista)—, carnero de cuyos sesos y lengua han hecho también el cocido —pobre, pero exquisito— que se han cenado los cocineros y sus ayudas, del que todavía hay restos fríos en las escudillas.

Aquello que ha hecho patear al niño Jacinto, el persa Abid, ha sido que, a medias dormido, ha intentado zafarse de la rutinaria penetración, que cuando a Jacinto no lo usa éste, lo usa el otro. Por esto se acostó sobre la mesa, para que entre todos lo cuidaran y ninguno se atreviera. De poca cosa sirvió. Apenas sintió un brazo rodeándole la cintura, el niño Jacinto-Abid movió la cadera, intentando rehusar el dolorido culo al de pronto ansioso cocinero, pateó el plato, el plato rodó, el hijo del rey soñó, el plato de la vigilia resonó llenando el sueño del bastardo con su sonido, vuelto una rodela; el plato cayó, y con él, como su sombra, la rodela turca, ruidosa. Así fue como el bastardo dio por hecho que soñaba un augurio favorable.

Todos se vuelven a dormir, el bastardo tan satisfecho como el cocinero, el niño esclavo Jacinto-Abid chilleteando para sus adentros, el plato en el piso de piedra. Antes de amanecer, el cocinero se levanta a terminar de destazar el carnero. Ya hecho, así no haya salido ni el primer golpe de luz de sol, despierta a sus ayudas, excepto a Jacinto. Le permite dormir un poco más, ahora bajo la mesa.

Apenas sale el sol, don Juan de Austria despierta. Oye el taratántara de la trompeta, llamando a sus hombres. Don Juan de Austria se siente el más afortunado de la tierra. Brinca del lecho, vigoroso (aún no cumple 23 años), irradia fuerza y alegría. Tiene la brillante cabeza despejada. No combate la onda de optimismo que lo ha invadido por el sueño de la rodaja turca.

Ora con fervor, musitando: «Plego a Dios omnipotente que el monstruo, vituperio de la natura humana, sea aniquilado y destruido, de tal manera que torne en libertad los tristes cristianos oprimidos».

Al dejar su tienda, ha urdido ya una estrategia para obtener la rápida victoria. Lo habla con Quijada, con Baza, con Recasén, a cuyo mando deja los cañones, también con el valiente don Pedro Zapata: derrumbarán con explosivos un tramo de la pared que protege la espalda de Galera. Abierta en la retaguardia, Galera no podrá sostenerse; simultáneo afilarán veinte cañones al frente de Galera, apuntándolos a un mismo blanco, más que para intentar abrir un camino en la muralla —que saben es inaccesible—, con el propósito de distraer la atención de los sitiados moriscos.

Se apersonan los mineros del ejército (miembros los dos del mismo regimiento, el antes llamado regimiento Nápoles número 24, y a partir de 1567 «tercio nuevo de Nápoles», bajo el mando de Pedro de Padilla, maestre de campo, en su escudo una leyenda: «En la mar y en la tierra»), traman dónde y de qué manera abrirán en la cantera boquetes para rellenarlos con pólvora y, haciéndolos estallar al unísono, causarle un daño irreparable. Si el pueblo queda expuesto, los casi doce mil hombres del ejército cristiano barrerán en un santiamén con los guerreros de Galera. Continuar luchando a los pies de la barcaza de piedra significa un largo sacrificio para los cristianos. No hay villa que resista a la eternidad un sitio, pero don Juan de Austria quiere la victoria pronta.

La idea no tiene vuelta de hoja. El único inconveniente es desplazar el dormitorio de don Juan de Austria, pero el campamento cristiano está a buen resguardo a espaldas de los cañones de Recasén (sólo será necesario enviar de vuelta a Granada a la amante, como lo ha venido pidiendo don Luis de Quijada, por más motivos), de modo que derrumbar la pared trasera de Galera es en resumidas cuentas una idea genial que se debe al ánimo optimista engendrado por el sueño que don Juan de Austria cree premonitorio, sueño fruto del rodar de un plato que ha pateado Jacinto para intentar protegerse el culo de la indeseada práctica nefanda.

Los cañones de Recasén se alistan para disparar contra el muro de Galera. Tiran, tiran una segunda vez, tres, diez. Ya pierden la cuenta de los disparos cuando abren la muralla.

En la retaguardia, los mineros provocan la primera explosión. Desgraciadamente no tiene el efecto esperado: el retumbar destroza buena parte de la terraza, pero sólo abre un pequeño orificio por el que a duras penas cabe un hombre, y esto agachándose. No queriendo dar marcha atrás al

plan, los hombres de don Juan de Austria comienzan a pasar a cuentagotas por la abertura hecha a la pared de cantera.

Adentro de los muros de Galera, el día ha comenzado de una manera
muy distinta. Son tantos los moriscos que se han guarecido aquí para
presentar resistencia a los cristianos, que el solo hecho de proveer a todos de agua y frutas secas exige la mayor coordinación. No hay quienes
sirvan a otros, cada persona debe servirse y estar dispuesta a servir para
la sobrevivencia colectiva.

Nadie tiró de noche una patada sobre un plato metálico, y no sólo por
no haber esclavo alguno en sus cocinas. En ninguna cabeza real gobierna
la nube del optimismo. Porque no está aquí el rey de Granada y Al Andalus, Abén Aboo. Porque el rey Abén Aboo, afanado en preparar su
ejército en las Alpujarras, no ha enviado aquí cabeza que lo represente.

Y porque el optimismo no podía despertar con el golpe y roce de un
plato de metal contra el piso de piedra. Adentro de la asediada Galera,
cada ruido porta otro tipo de señales. El solo pisar de una pantufla
recuerda a aquél el paso fatal del cristiano comendador mayor Recasén
—el mismo que ahora gobierna los cañones— quemando bosques y
degollando a quien se cruce en su camino. Si un joven descansa en aquella reja el pie, haciéndola sonar con la suela, estotro recuerda la villa de
Porqueira invadida por el ejército del marqués de Mondéjar. Si el mismo
joven reacomoda el pie, el oído destotro atiende los gritos de clemencia
de niños y mujeres refugiados por miles en Porqueira y el asalto a las
riquezas ahí custodiadas. Si aquél estornuda, en varias cabezas se recuerda a Juviles, la villa donde el ejército del mismo marqués degolló dos mil
mujeres por dar satisfacción a su crueldad.

La bella, y qué digo bella, bellísima Zaida de cabellos colorados, hija
del pelirrojo y gigante Yusuf, cómplice fiel de Farag Aben Farag, o Ben
Farax —rico comerciante de Granada de la familia de los Abencerrajes,
quien fuera en un momento alguacil mayor del recién formado gobierno
árabe en Al Andalus—, está al mando del cuerpo más grande del ejército
de resistencia, llamado en honor de la fallecida hija de Farag «Luna de
Día». Su lema: «Yo, que he probado el mal, aprendo a socorrer a los
míseros». Las bellas se acomodan sus ropas y pasan revista a sus armas.
Han terminado de bañarse y aliñarse, y se preparan para la difícil jornada. Los hombres están apostados sobre la mezquita y en distintos puntos de la muralla, para tirar al primer cristiano que divisen, si tienen por

seguro que lo fulminarán, pues deben hacer uso racional y mesurado de su muy escasa pólvora. Las mujeres cargan espadas y puñales, y algunas pocas también arcabuces. Todas traen consigo sus velos para, llegado el caso, no mostrar el rostro al enemigo. En los techos de las casas han acumulado piedras y otras cosas arrojadizas de que echarán mano las niñas y las viejas por no contar con suficientes armas.

¡Otros tiempos mejores tuviste, Galera, cuando tus niñas y tus niños usaron las piedras para jugar, cuando las tiraran al piso para marcar el alcance de un salto, cuando las patearan con la punta del pie caminándolas adelante de sus pasos! Las niñas llevan días juntándolas, han arrancado parte de las del empedrado y han aprendido cómo sacarles filo; vuelven armas sus juguetes tallando una punta contra otra.

Las viejas bromean: «¡Buena alacena, los techos de nuestras casas! ¡En la escasez no faltará con qué guisar sopa de piedras!» Nada como ver demasiado para levantar el mejor de los espíritus.

Los niños están al servicio de los hombres, les proveerán de municiones o lo que hiciere falta, han sido entrenados en la preparación de diversos proyectiles.

Los veinte cañones al mando de Recasén se acercan a los muros de Galera, apuntando a un mismo blanco como convinieron. Disparan. Al tercer tiro aparece la primera seña de rompimiento. Disparan de nueva cuenta una y otra vez hasta que los veinte cañones cristianos abren en el muro de la ciudad una entrada suficiente como para el paso de un jinete con su caballo. Han tenido aquí mejores resultados de lo esperado.

Los moros armados dejan a un lado sus arcabuces y proceden a arrojar con el arco estopas encendidas a los cristianos que intentan escalar las paredes; los niños las preparan con diligencia. Los proyectiles están empapados con resina vegetal, se adhieren a las mallas, los cascos y los trajes metálicos de los soldados.

La bella Zaida de cabellos rojizos da órdenes precisas a su contingente. Deben acomodarse a los dos lados del boquete del muro y en la callejuela a que éste desemboca, esperar cubiertas con sus velos la entrada de los soldados cristianos que esquiven a los tiradores, y batirse con ellos cuerpo a cuerpo.

Justo acaba de verificar la obediencia, cuando escucha un estallido a sus espaldas. En pocos instantes comprende, y envía a la retaguardia un segundo contingente. Simultáneamente le llega de viva voz la información: los cristianos han hecho una abertura en la pared trasera de Galera por la que puede entrar malamente un hombre.

«Mátenlos a todos», fue la orden de Zaida. «Cada que alguno asome la nariz, córtensela. Que no quede adentro de Galera un cristiano vivo. Todas veladas, no quiero rostro descubierto. No les daremos un ápice de nuestras bellezas.»

La batalla se prolonga.

La resistencia de las fieras hembras es de una tenacidad que doblega por momentos a la legendaria de los cristianos.

Los mineros no han dejado de trabajar sobre la pared trasera de Galera, mientras el ejército entra al pueblo a cuentagotas. Cada cristiano que cruza el boquete se entrega a un dilatado tormento. Las guerreras moras no se ahorraron con ellos ninguna crueldad. Sobre cada uno de los soldados en que ponen las manos cobran venganza. Las madres dan cuenta de sus hijos muertos. Las hijas, de sus padres perdidos. Las hermanas, de los hermanos que han perdido por las tropelías de los cristianos, los malos tratos, prisiones sin motivo, o los violentos abusos de la justicia castellana. A uno le sacan los ojos. A otro lo desuellan vivo. A un tercero le cortan los labios, las orejas y la nariz. Al de allá le cortan la lengua. Arrancan uñas, destrozan, cercenan miembros. Artesanas, fabricaban un muestrario de martirios. Luego, los hacen pedazos, los cortan como en un rastro, sin ahorrarles golpes a las hojas de sus espadas.

No les bastan las armas para expresar su odio fiero. Ningún filo les es suficiente, y la muerte no calma su sed de venganza. Por algo se llamaba su batallón «Luna de Día». Necesitan del fuego, del tormento lento, del aceite hirviendo, de lo que pueda infligir dolor. Pero tampoco el dolor ajeno en sí les es suficiente. Necesitan hacer sufrir lentamente a cada uno, regodearse sin clemencia.

Esas mismas manos son las que con aguas del río Orce y el Huéscar han convertido en un vergel la vega que reposa al pie de su pueblo, ayudadas del clima y la bondad de la tierra. Acá, también cosechan un cultivo: la crueldad repetida de los cristianos da su merecido fruto.

¿Pero quién quiere que ocurra lo que es merecido? Mejor hubiera sido que no llegara nunca este día. Las recordaríamos complacidos por su lema: «Yo, que he probado el mal, aprendo a socorrer a los míseros».

Los mineros, como he dicho, mientras las crueles manazas infieles forjan sus trofeos en jirones de carne y buches de sangre, han continuado escarbando y plantando cargas de pólvora en el muro. Apenas están listos, las hacen estallar. Han pasado ya dos horas del mediodía. Esta segunda cargada de los mineros contra la pared trasera de Galera estalla con muchos mejores resultados que la primera; la suerte se presenta favorable a los cristianos. El corazón de la base de la pared se abre en un enorme boquete. El estallido fractura la cantera, formándole dos grietas transversales que corren hacia su punta. Al llegar a su tope, la cantera se quiebra, literalmente. Comienzan a llover trozos de todas dimensiones, pedruscos insignificantes y grandes bloques que de caerle encima a un hombre lo aplastarían. Caen con lentitud sorprendente pero decidida, todas hacia afuera del pueblo, rebotan en lo que resta de la terraza y resbalan por la ladera, tropezando unas con las otras, hasta terminar con la existencia misma de la pared.

La espalda de Galera queda abierta de par en par atrás de esta nube de espeso polvo.

En cuanto comienza a caer la inmensa pared defensiva, Zaida comprende el descenlace. Llama a sus guerreras, las arenga, instándolas a ser valientes, y les ordena se alineen bien formadas para fungir de muro humano y defender la plaza «hasta con los dientes. ¡Nadie se quite el velo!» Forman una valla, presenciando la caída de la cresta protectora de su pueblo. En minutos, parte del paisaje se les viene abajo. Pero las guerreras no se mueven.

El ejército de Zaida espera alineado a los cristianos, pisando los despojos de las decenas de mártires. Sus manchados, salpicados blancos velos dejan sólo ver sus ojos. Las alpargatas —pues todas llevan calzado poco fino— ajustadas a sus pies están bañadas en la sangre de sus víctimas.

Cuando el último trozo de la pared da en tierra, la densa nube de polvo se desvanece. Los cristianos se aventuran decididos sobre ruinas sin dar una seña de vacilación, impacientes. Los bloques de cantera recién caídos ahí, los sostienen con fervor perruno, leales. ¡Ah, cantera traidora, que ha poco conformabas la protección imbatible de los moros! ¡Ya besáis las plantas invasoras, esclava fácil, ya le rendís firmeza lacaya!

Las moras, vestidas ahora con doble velo —el propio y el del polvo en que están rebozadas—, extienden los brazos armados para atacarlos. Pero tres mil espadas y un buen número de puñales se quedan con las ganas de sonar contra las once mil armaduras, porque antes de tocarlas estallaron las armas de fuego de los cristianos. Puñales, espadas: ustedes son inútiles. Las piedras que arrojan manos furiosas desde los techos son más dañinas a los cristianos que las hojas y los filos de las entrenadas guerreras, pero pocas alcanzan a golpear a los soldados; las manos que las arrojan no tienen muchas fuerzas. Cada que alguna de las viejas o las niñas

25

que tiran desde los techos se asoma para apuntar mejor, es muerta por arma de fuego. Si alguien de los que apuntan fuera un morisco de Granada, habría reconocido entre estas viejas a la muy respetable Zelda, abuela de Zaida, la cabeza de este ejército, pero no hay quien sepa su nombre cuando la acribillan. Diezman también a las que no se mueven, tirando a locas. Los arcabuceros están apostados entre los de mosquete, llevan sin quererlo un ritmo; tres por minuto los primeros; uno cada minuto, los segundos; dos minutos para el tercero, y el cañón se sobrecalienta al cuarto. Entonces deben esperar antes de lanzar el quinto tiro, reposando el arma en el piso. Los mosquetes, en contrapunto, apoyados sobre horquillas, son disparados por sus tiradores sin pausa. Cumplidas las nueve horas de batalla, se declara la victoria.

Para ésta no hubo quien firmara la capitulación, no hay quien pueda rendirse.

Cuando los cristianos entran a Galera, caminan sobre una alfombra de jóvenes mujeres muertas, sus ropas de seda y sus velos empapados en sangre. Bajo ellas, reposan destazados los cristianos que cruzaron la muralla trasera antes de que ésta cayera. Atrás de ellas, los cadáveres de los pocos varones moros vencidos. Si algo se mueve, los cristianos disparan, hasta que no queda vieja ni niño vivo. Asesinan a todo el pueblo, dejando con vida sólo a los caballos y al ganado flaco de los corrales. Terminada su labor asesina, se entregan al saqueo.

Don Juan de Austria da la orden: que no quede piedra sobre piedra de este pueblo, que se riegue sobre los campos una cama de sal para que nadie pueda volver a cultivarlos. Que se haga una hoguera con todos los cuerpos moros, la mayoría mujeres, la mayoría guerreras. Que no quede memoria. Que de ahora en adelante se diga que Galera no existió, ni su mezquita, ni sus tres mil guerreras.

El saqueo se interrumpe porque ha llegado la noche. De vuelta en su campo, los soldados se embriagan, enfebrecidos por su rápida victoria. Las cocinas se afanan, la del bastardo, las del cuerpo del ejército; preparan festivas cazuelas, han sacrificado todas las piezas de ganado que levantaron en el camino a Galera.

¿Qué tanto celebran estos soldados? Sólo en dos días dieron cuenta de la Galera inexpugnable, pero doce mil arcabuceros y cañoneros poco-hombres no se atrevieron a batirse valientemente contra tres mil espadachinas, una decena de francotiradores y un puño de arrojadoras de piedras. ¿Qué celebran? ¿Las montañas de oro que sueñan hurtarán de los arcones?

Zaida, la pelirroja generala de las derrotadas amazonas, adentro de sí los impreca. Fue de las primeras en caer, y sobre ella tres o cuatro cuerpos la han protegido de heridas más mortales. Quedó inmóvil lo que ha durado esa lucha, lo que un relámpago, ¡nada! Luego pasaron horas largas de espera. La sed ardiente le quema los labios, la boca, incluso la lengua, porque ha perdido sangre. Por fin los cristianos se retiran. Cuando escucha el zafarrancho desatado en el campamento cristiano, se mueve. Desde que el primer cuerpo cayó sobre ella, enlazó su mano con la de Susana, la sujetó fuertemente, sintiéndole el anillo. No soltó esa mano ni cuando perdió calor y se volvió fría, luego tiesa. Dejó de apretarla, pero no la soltó, la tiene aún asida y esto le facilita retirar el primero de los cuerpos que la cubre, porque sin mayor esfuerzo extiende el brazo y lo arrastra a un lado. Lo ha hecho sin demasiada dificultad, como digo. Bien que conoce a las que la han salvado, abrigándola de los disparos de los cristianos, reconoce a los cadáveres sin necesitar verlos. Peleaban a su lado, Susana, Areja, estas dos son de Granada, jugó con ellas desde que eran niñas. Sin zafarse aún de la mano de Susana, la abraza. Quitarse la mano de la mano no es cosa fácil, los dedos están duros como palos, pero lo consigue, y una risa nerviosa y doliente la asedia: la asaeta el recuerdo de un juego infantil, uno que consistía precisamente en sujetar la mano de la contraria e intentar soltarse. Sólo recordarlo la inunda de un dulce temblor pero, sabiendo que Susana está muerta, su sentir se torna agrio, ácido, casi insoportable. Zaida ha aprendido los últimos meses a luchar y a comandar, pero también a no sentir. Este recuerdo la ha tomado de improviso, le asesta directo en la yugular, escapando a su entrenamiento. Zaida llora. Ahora retira de sí a Areja. Ve a sus dos amigas a su lado, quisiera de nuevo abrazarlas, pero siente una rara repugnancia: «¡Están muertas!» La tercera que la ha protegido —acribillada, cosida a balas, más que Areja y Susana— es una niña, una niña de Galera de no más de ocho años. Zaida cree recordarla acarreando piedras que zafaban del empedrado de las calles para atesorar en los techos planos de las casas. Para hacerla a un lado, la ha cargado en sus brazos, acunándola involuntariamente, y siente horror que se suma al dolor y al desagrado, ocultándolos: «Soy cuna de muertos». Luego procede a revisarse a la luz de la luna. La bala no entró, pasó quemándole y cortándole el antebrazo. Se ata una tira de tela para detener la hemorragia, encima venda la herida. Lo demás son raspones, las balas silbaron a su lado, respetando su vida, reconociendo en Zaida a su par, pura pólvora hermana. Con los ojos peina el pueblo hasta donde alcanza la vista, quiere ver si encuentra a Zelda, su abuela, a Yazmina, su madre, que habiendo venido aquí a refugiarse terminaron también de segundas guerreras. Sus ojos no ven sino muertos.

A gatas, Zaida camina sobre la alfombra de cadáveres, primero en la mullida que reposa sobre los despojos hechos garras de los cristianos, luego en la sólida de las moriscas que no alcanzaron a saciar su venganza. Reconoce a su madre, Yazmina, ve tirada a su abuela Zelda a la vera de otra pila de cadáveres, la espalda reventada por una media docena de arcabuzazos. Sigue adelante, ahora adormecida. Al llegar junto a un aljibe, se pone en pie para beber, haciendo uso de un cuenco ahí dispuesto. Hay uno mayor, pero lo ha penetrado una bala. Se limpia lo más que puede la sangre que la cubre, la propia y la ajena. Riega agua abundante sobre su herida, deshace y vuelve a hacer la venda. Retoma su camino, de nuevo a gatas, sigilosa. Cuando siente que ha dejado los límites del pueblo, se pone de pie y echa a correr. Baja veloz la cuesta y, sorteando bloques de cantera recién llegados ahí por la pericia detonante de los mineros, se pierde de vista en la oscura Cañada de la Desesperada.

Fin del menos-uno.

Uno:
María la bailaora

**1. De la caída de Nicosia en poder del Gran Turco, y de cómo la suso-
dicha es recibida en Nápoles, donde está María la bailaora. Se cuentan
algunos pormenores de la vida de María, su infancia en Granada, el
camino que la lleva a Nápoles y su encuentro con un caballero español**, a lo que viene a cuento la cita de Cervantes:

> ¡Oh lamentables ruinas de la desdichada Nicosia, apenas enjutas de la sangre
> de nuestros valerosos y mal afortunados defensores!; si como carecéis de senti-
> do le tuviérades, ahora en esta soledad donde estamos pudiéramos lamentar
> juntamente nuestras desgracias, y quizá el haber hallado compañía en ellas ali-
> viara nuestro tormento; esta esperanza os puede haber quedado, mal derribados
> torreones: que otra vez, aunque no para tan justa defensa como la en que os
> derribaron, os podéis ver levantados.
>
> *El amante liberal*

Nicosia, ciudad de Chipre, ha caído en manos de los turcos. La noticia
ha llegado a oídos de los soldados de la Santa Liga. Descripciones minu-
ciosas de los cruentos crímenes cometidos por los bárbaros, el pillaje, el
saqueo, las vírgenes violadas, los altares profanados, han puesto a los
caballos a comulgar en la catedral de Santa Sofía, usan los cálices de
pesebres... es ya mezquita... los infieles embarcan muebles, tapices,
telas, joyería, el oro y la plata para servir las mesas... los monasterios
arden en llamas... los bárbaros no se detendrán hasta dejar los fastuosos
palacios venecianos reducidos a polvo... Las historias vuelan de boca en
boca en las filas de la Santa Liga, aquí en Nápoles, tanto entre la gente de
mar (los marinos en su jerigonza salada) como entre la de guerra. Los

31

soldados recién enganchados nutren las narraciones con detalles domésticos, aportan al horror su cuota de pan, de queso, de lienzos y tablones; lo que no han visto en casa antes de la leva, ni al asomarse a los balcones de los pudientes, proviene de habladurías, relaciones de quinta y sexta mano sobre lujos y riquezas jamás presenciados y tal vez nunca existentes, habitaciones forradas de piedras preciosas, mesas y sillas de oro, cojines donde se representan los nacimientos varios de los dioses, estatuillas mecánicas capaces de andar, bacines traslúcidos de cuarzo; los veteranos proveen los recuentos de parafernalia guerrera, abundan en corazas, arcabuces, cañones, se regodean en la relación de los estallidos de pólvora, de humaredas e incendios descomunales, decapitan en sus narraciones a madres que están dando el pecho a sus hijos, arrojan hombres valerosos de las torres, despeñándolos por su propia voluntad para no dar al hereje la victoria, ahorcan, despellejan, empalan, violan repetidas veces. Ya alimentada por los soldados, la noticia brinca al resto de Nápoles, se dispara hacia todos los rincones, robusta y vivaz. La mala nueva corre como un reguero de pólvora, incendiando el puerto, el mercado, los comercios, las bodegas, la plaza de la catedral, cada uno de los talleres de los artesanos, de los conventos y monasterios, penetra el arsenal, guarecido a cal y canto en los muros de la villa, se escurre por los patios de las casas, se apoltrona al lado de los lavaderos, las tomas de agua, los vendedores ambulantes. Nápoles se avoraza golosa sobre el cuerpo caído de Nicosia, saboreando cada pasaje de la relación con excesivo y reiterado detenimiento, royendo ávida las majaderías de los turcos. Nápoles vive en carne propia la caída de la riquísima capital de Chipre, y tiembla al saber que ahora los turcos se han enfilado contra Famagusta.

María la bailaora tiene los oídos siempre atentos. Es su natural. Quien baila debe saber escuchar. El bailaor vuelve danza los susurros, los gritos, el agradecido caer de la lluvia en el campo, el desagradecido del torrencial a media villa, el pasar de los coches, el golpear de la barca contra el muelle, los reproches de la esposa al marido, el llanto del niño, el golpe de la palma furiosa contra el rostro del traidor, el quebrarse por error de una copa, el rayo y el trueno, el son de la risa. Pero al oír decir que a Nicosia la están tornando en barrida Salamís, en segunda, el don de la risa, yerta Cártago chipriota, y que están por barrer con Famagusta, María la bailaora no escucha solamente; con los oídos ve, pregunta, interroga; las habladurías la agitan, la cimbran, la zarandean. No las está atesorando para menearlas en sus calcañares; actúan sobre María en el instante; la marean, la hacen perder el pie y la compostura; la desdanzan.

¿Qué más le da a María la bailaora Nicosia o Famagusta? ¿No tiene saciedad con las agitaciones napolitanas? Quien baila pone el alma en los pies, y los pies tiene María ahora en Nápoles, nada que no fuera la ciudad debería moverla, entonada como está con su inarmónico barullo. Nápoles, ruido y lodo y desorden, y riqueza y callejones atestados de populacho, y en cada rincón un taller —ay, María—, donde millares de brazos fabrican, arreglan, deshacen para hacer mejor uso de ciertas partes usando el martillo, el clavo, las pinzas, el pincel, el fuego, sonando el yunque. Nápoles, ay, María, un palacio te llama, abre sus puertas en aquel girar la calle; acá —¡ay, María!— ten cuidado que a menudo asaltan; un paso allá —¡ay, María!— camina dándote; cambia tu ánimo, ay, María, para entonar lo napolitano, sin tropezar, ay, María, sin falsear el paso.

¿Qué tiene que ver María la bailaora con Nicosia y Famagusta? María, ay, baila, que pareces volar al bailar y que al bailar echas anclas; al bailar pones raíz; al bailar te lleva el viento. Al bailar tienes alas en la falda, te sostienes atada a un cordel de viento que baja tenso del cielo. María cuando baila es toda ciudad, y es viento y viaje. María, la ciudad es ahora Nápoles en tu baile. El viento de tu baile es el aire marino que no toca la costa, es también el que llega a tierra luego de haber cruzado el mar, o el que viene espurgado por las islas, de Procida, de Sicilia, o espolvoreado por el Norte del África, como un sirocco benéfico; ay, María, tu baile es la dicha de no conocer muros, cercas, árboles, yerbas, ningún escollo, porque nadie ni nada detiene, María, eso que tú bailas. Nadie que no seas tú. Y en ti sopla, María, y en ti dice: «¡Allá voy!» ¡Tu baile, María!

Y verdad que María baila también al cielo. Del cielo de su baile, no diremos que es el de ninguna parte, que el cielo es cielo, y como tal quita todo freno a quien lo alcanza, que María bien que lo alcanza. El baile de María tiene Cielo, y tiene Tierra, y en tierra, ay, María, atada estás estos días a Nápoles. ¿Por qué la mención de la ciudad de Famagusta te desbaila, te deshace? ¿Qué más te da a ti, María? Tu baile pone raíz, toma el aire, echa anclas, agita las alas de Nápoles y atada vives siempre a Granada. Granada está siempre en tu baile y en ti, María. Porque la bella sin par, la inigualable María la bailaora, nació hace dieciséis años en Granada, ahí creció, ahí murió su madre, ahí quedó cuando su padre —mercader de caballos, y por esto considerado a la luz de la ley «sin oficio»—, desobediente de las ordenanzas reales concernientes a «los egipcianos y caldereros extranjeros» («¿pues yo por qué he de obedecérselas?»), replicó cuando le vinieron a echar en las narices el bando público antes de

33

tomarlo preso, «si yo no sé qué es eso de ser extranjero; a mucho orgullo soy gitano de Granada, mucho lo tomo en precio, ésta es mi tierra, aquí nacieron mis padres y aquí también mis abuelos, que si camino repetido fuera de esta ciudad, es para salir a mercar caballos, pero siempre vuelvo; yo me muevo cuando a bien me venga en gana; nadie me dice a mí ni te vas ni te quedas, que yo soy gitano y soy de Granada». En Granada había vivido María con su padre, que no pertenecía a ningún señor, que se negaba a dar voluntariamente su persona a cambio sólo «de lo que hubiere menester», como repetían los heraldos del Rey que debía hacer cualquier gitano, «lo mismo que entregarse por gusto de esclavo», opinaba su padre, «¿por qué he de hacerme aherrojar? Yo que no traigo clavo en un carrillo ni estoy en el otro marcado por una S, yo soy mío porque ni hemos perdido una guerra, que a las guerras nosotros no somos afectos, ni me atajan sin pólvora a media mar océana para que cautivo me tomen y den por mercadería mis huesos».

Corría octubre de 1566 cuando los guardas cayeron sobre el padre de María. Era un hermoso día, iluminado de la claridad típica granadina. Las calles estaban colmadas de moriscos y cristianos, de gitanos —que no era excepción el padre de María—, e incluso de canalla barretina, los judíos con la gorra que no se les resbala al piso de puro milagro, de donde se ve que Dios no tiene algo en contra de este pueblo, su perdón es infinito.

María, que tenía casi trece años, estaba llenando su cántaro de agua en el aljibe del Peso de la Harina, y se disponía a llevarlo cuesta arriba hacia su casa, cuando oyó gritar: «¡Están cogiendo gitanos en San Miguel el Bajo!» Abrazó su cántaro, echó a correr hacia San Miguel el Bajo. En el camino, lo oyó decir tres, cuatro veces, algunos la prevenían para que no se acercara: «¡Cuídate, niña, están cogiendo gitanos!», «¡tienen a un gitano los guardas!» Otros la incitaban a acercarse: «¡Tu papá, corre, María, corre aquí nomás!, ¡en San Miguel el Bajo!, ¡se lo llevaaan!» Pero cuando ya no tuvo duda de que la desgracia había caído sobre él, fue cuando oyó repetir una y otra vez: «¡Agarraron al duque del pequeño Egipto!» Aqueste comentaba que lo habían tomado por error, y aquel otro corregía que no era verdad, que tenían órdenes expresas de tomarlo a él, al bello Gerardo.

María llegó a la plaza de San Miguel el Bajo. Los guardas se interponían entre el padre y ella, escupiéndole el mandato real. El gitano contestaba como un príncipe, que aunque para los suyos la honra no sea asunto de importancia, muy en alto tienen sus personas, su libertad y sus costumbres.

34

El cántaro era del mismo largo que su torso, María lo abraza y, sin perder la compostura, se agacha, se inclina, se retuerce para mejor ver al padre, intentando entender qué ocurre. «¡Qué niña! —oyó decir atrás de sí—, ¡que no quieres ver los chilladores!» El hermoso Gerardo, alto, bien formado, gallardo, estaba cercado por un puño de guardas, fofos, regordetes, sus rostros sin gracia, carentes de toda altivez; los chilladores eran un atado de despreciables a sueldo de hambre. Le voceaban la letra, que «estás obligado a dejar España sin hacienda ni hijos y lo que aquí más diré», arrojándole las palabras, recitándolas sin énfasis, como si no importaran, pero Gerardo bien que oía que sería castigado de cruelísima manera, y, por ser menor de cincuenta y mayor de veinte, que lo condenarían a servir por seis años en las galeras. Pasados los seis, tenía permiso de irse «a su tierra».

¿Cuál sería esa «su tierra»? Los guardas seguían recitándole especificaciones, sin prestarle mayor atención al decreto que conocían de sobra, hablaban de puro holgazanes de poner manos a la obra. María la bailaora se abraza más al cántaro fresco, pero cuando el padre, gallardo, orgulloso, contesta: «Mi tierra es aquí, Granada; por esto no me he ido, por esto no me iré, porque para un cristiano granadino su lugar es aquí y ningún otro», María deja el cántaro en manos vecinas, se escurre entre las piernas de los guardas y se abraza al padre, adhiriéndosele con desesperada ternura. El hombre deja de hablar apenas siente a su hija pegada a su cuerpo y le responde abrazándola a su vez. Los perezosos guardas callan, sin siquiera pensar qué harán para separar al hombre de la niña, la escena de cariño filial les da pretexto para descansar hasta de hablar. Alguno de ellos hace una seña, y lentamente forman un estrecho círculo para consultarse los unos a los otros, cuidando que nadie más no los oiga, preguntándose si cargar con la niña, si dejarla, si sonsacarla, si jalonearla, formando un apretado corro, las cabezas apoyadas las unas contra las otras, olvidándose del preso. Aprovechando el descuido de los guardas, el papá de María toma la hija de la mano y echa con ella a correr, tan rápidos que ni tiempo de desconcertarse dieron a los blandengues, tomando la carrera. Los guardas, sacados así de su improvisado acuerdo, se despabilan y, sonando los silbatos para llamar a sus pares, salen por piernas tras ellos.

El gitano y la niña vuelan ligeros. El padre de María quiere alcanzar el carril de la Lona pero se detiene a media plaza porque ve acercárseles un puño de guardas, tuerce hacia la izquierda para tomar la calle de las Monjas, pero apenas ha dado unos pasos cuando el gitano ve otro piquete de soldados dirigiéndose a ellos, y corriendo alcanza la puerta de la iglesia. María lo sigue a ciegas, con plena confianza, sin entender que están en peligro. ¡Cuántas veces no han recorrido esta plaza de San Miguel el Bajo, el uno al lado del otro, a veces más de prisa, a veces más lento! Se sabe en casa. Pero ahora, ay, María, están cercados. No hay para dónde escapar.

El padre y la niña trasponen la puerta de la iglesia, pasan frente a las narices azoradas del diácono que cuida la puerta con indicaciones de no dejar entrar a la misa a nadie que no sea un invitado al cumpleaños del duque de Abrantes. Ni tiempo le dan de chistar, María y su padre corren bajo las columnas y los arcos hasta el pie del altar, donde oficia ni más ni menos el obispo Guerrero. La llegada de este par causa una inquietud incómoda en todos los feligreses, nobles y aristócratas vestidos de fiesta. La flor y nata de la aristocracia cristiana granadina, más los recién nombrados por el rey Felipe II para el gobierno de la región, están sentados en las bancas de la iglesia —entre otros Álvaro de Bazán, su hermano Alonso, su hermana Mencia, el duque de Loaiza, al órgano el poeta Gregorio Silvestre, el muy célebre y querido organista de la catedral—, algunos, si no los más, pensando ya en el banquete que se avecina, para el que el duque de Abrantes ha hecho traer cómicos, músicos y el retablo aquel tan famoso, cuya representación sólo pueden ver los limpios de sangre e hijos legítimos, retablo que sólo es invisible para los bastardos y conversos, un teatro fabuloso por el que en forma de marionetas desfilan tigres y ratones, ríos y desiertos, camellos y tiendas de nómadas con Judites y sus dagas y sangre, más todos los prodigios que suele haber en las figuras: «El retablo de las maravillas». Los nobles visten sus mejores ropas, exhiben sus joyas, no hay en la iglesia un solo morisco de los que son mayoría en los callejones granadinos. A la derecha del altar, atrás de las celosías, las religiosas del vecino convento de Santa Isabel la Real presencian sin ser vistas la muy especial misa; han acudido a escucharla incitadas por la esposa del duque, que les ha recomendado recen con fervor por el pronto restablecimiento de la salud de su primogénito. La duquesa Abrantes donó con esta petición una cantidad muy piadosa de dinero. Fuera de las monjas y de su cortejo, las criadas, esclavas y beatas que siempre las acompañan sentadas en las últimas bancas de la iglesia, tratando de devorar con los ojos las telas y las facturas de tan preciosos vestidos, alborotadas, como las moscas cuando huelen inmundicias, por el olor del dinero, todo es elegancia y lujo, y riqueza, y sangre tan limpia que de seguro en unas horas verán, y

36

mucho, el dicho retablo, cerrándose con broche de oro la magnífica celebración.

Y ahora, un gitano en el centro de la ceremonia religiosa, ni más ni menos el más principal entre ellos, el duque del pequeño Egipto, el bello Gerardo. El que merca monturas sin tener licencia del Rey para hacerlo, el que por esto se ha metido en problemas. Él viste elegante, un amplio sombrero de colores le adorna de manera notoria la cabeza, su hija ropas listadas y un sombrerillo de menores dimensiones que imita la forma ancha y abultada del hombre.

Al llegar al pie del altar, el gitano se detiene y deposita a la niña arriba de los escalones. La toma de los dos brazos, la besa en la frente, la gira hacia el obispo, y asiéndola de los codos la hace arrodillarse. A su vez, hinca las dos rodillas, respetuoso, mientras la niña, asustada, volteando a verlo tiende hacia él los brazos, dándole la espalda al cura. La mirada del padre la clava al piso, le exclama: «¡Detente, María!», y con firme voz (y muy a voz en cuello) dice: «Vengo a pedirle al Creador proteja a mi única hija, que no me atrevería a interrumpir la sagrada misa si fuera para salvar mi humilde pellejo. Hija mía, voltea hacia el Santísimo altar, arrodíllate y reza por mí, que yo soy quien soy, un pobre hombre que no puede defenderse ni proteger a los suyos». Como María no le obedece, le repite: «Gira, ¡María!, a rezarle al buen Dios; jamás, hija mía, jamás le des a Dios la espalda», y díjolo de tal suerte que aun siendo un gitano despreciable a los ojos de la gente de bien —y más todavía a los de esta muy limpia audiencia—, el obispo venerable detiene la ceremonia, baja el cáliz con el Sagrado Alimento y escucha qué dice el padre de María la bailaora, quien después de hablar a la hija, pidiéndole no dé la espalda al oficiante —aunque de nada había servido repetirle la orden, que la niña no desclava los ojos del padre, ni baja los brazos, que tendidos piden «¡Abráceme, papá, abráceme!»— ha vuelto a la súplica: «Aquí, al pie del Santísimo altar, deposito a mi única hija, aquí la dejo, que el gran Dios único y trino sabrá tener piedad; la encomiendo a su Iglesia, que mi niña es limpia pasta cristiana cristianísima. Dejo en sus manos su dote para que la ponga en el cuidado de la Iglesia de Cristo.

Dirigiéndose a los muy honorables feligreses, el bello Gerardo continuó: «Amparen a mi hija, por el amor de Dios, tengan de ella buen cuidado, conserven a mi tesoro mujer con honra». El hermoso hombre se desfaja, saca de sus ropas una bolsa cargada de monedas, la arroja tintineante a las manos de la hija, da la media vuelta y se dirige al encuentro de los guardas. Los modorros apenas vienen entrando, dando voces sin importarles un comino la ceremonia ni el duque de Abrantes, llamando al gitano, cuando éste ya va a su encuentro, y caen sobre él cuando todavía está adentro de la iglesia. Los guardas, hechos a los excesos del saqueo cotidiano, gordos, las caras enrojecidas por el alcohol, hinchados los ojos de tanto ver llorar ajeno, los lerdos, sin gracia, salpicados día tras día con sangre ajena, que apenas tienen al gitano cerca, le escupen, lo insultan de lo lindo. De un manotazo le tumban el sombrero, éste cae, danza un poco y se queda en el piso.

Primero María queda pasmada, sujetando con sus dos manecitas la bolsa del dinero, pero al ver a los hombres aventarse con saña contra su padre y comenzar a tundirlo a golpes, quiere también ella saltar, protegerlo, abrazarlo. Su sombrero cae. Quiere, se guarda la bolsa de monedas en la faja, y brinca, pero no termina de lanzarse porque un par de manos, más rápidas que ella —las ve pasar a los dos lados de su cara, blancas, largas—, la asen, clavándole los dedos en los hombros, como firmes tenazas prendidas a sus omóplatos, y el dolor la clava al piso. ¿Cómo la agarran esos dedos, de qué manera que le duele tanto, dónde presionan que le doblan de dolor las rodillas? Son unos ganchos, esos dedos clavados en sus omóplatos, presionándolos la paralizan de dolor. En sus narices, la nube de guardas golpea sin clemencia al padre. María no puede moverse, asida como está. La tunda termina por dejar también inmóvil al padre, tirado en el piso. María quiere tirarse con él al piso, pero esas tenazas a sus hombros ahora la aprietan más, y María quiere gritar... Uno de los guardas saca del cinto el puñal, se sienta sobre la espalda del gitano. Alguien que está a un lado y atrás de la niña, por piedad le tapa los ojos. El hombre del puñal corta de un tajo una y en seguida la segunda oreja del gitano, cumpliendo en esto también las ordenanzas reales: «Los egipcianos y caldereros extranjeros, durante los sesenta días siguientes al pregón, tomen asiento en los lugares y sirvan a señores que les den lo que hubiere menester, y no vaguen juntos por los reinos; o que al cabo de esos sesenta días salgan de España so pena de cien azotes y destierro perpetuo la primera vez, y de que les corten las orejas y estén sesenta días en la cadena y los tornen a desterrar la segunda vez que fueren hallados [...] que los que fuesen hallados sin oficio o sin vivir con señor, sean, si tienen de veinte a cincuenta años, mandados a las galeras reales para que sirvan en ellas por espacio de seis años, debiendo, una vez terminada su pena, ir para sus tierras libremente».

El padre de María la bailaora no gritó, no salió una queja de su boca, se tragó su dolor, sabiendo lo podría estar viendo su hija, e insistía: «¡No me llamen egipciano! Soy gitano de Granada, aquí nací, soy cristiano, mis padres eran lo mismo, me bautizaron al nacer, pago mi diezmo como lo pagaron ellos y mis abuelos». María, sin ver, lo oía y no entendía bien qué estaba pasando, los garfios de los dedos todavía agarrados a sus hombros. La soltaron al tiempo que las otras manos le descubrieron los ojos, y María vio cómo lo arrastraron de las piernas para llevárselo, dejando un rastro de sangre en el piso de la iglesia.

De boca del obispo no salió ni una queja. Las más de las mujeres cerraron los ojos o giraron las cabezas para no ver —o para hacerse las que no veían—, pero los hombres rompieron con el orden de los asientos, acomodándose para devorar mejor algo más sustancioso que el retablo de las maravillas. ¿Habrían detenido los guardas modorros la ejecución de las órdenes si algún importante —el obispo, el duque de Abrantes, algún otro de los ahí presentes nobles— hubiera dicho: «¡Alto! Ésta es la casa de Dios, más respeto», o simplemente: «Suelten de inmediato a este pobre hombre»? En tal caso, ¿el gitano y María habrían salido intactos, obligados los guardas a obedecer a las honorables personas, y otro gallo cantara? Como no abrieron sus bocas ninguno de esos poderosos, ni cuenta se dieron los persecutores de quiénes tan importantes presenciaban su infamia.

El obispo Guerrero había dado por interrumpida la Sagrada Misa, y se había escurrido silencioso hacia el sagrario, olvidando incluso llevar las hostias consigo. Los feligreses en bloque, con María al frente, se aglutinaron frente a la puerta de la catedral. Contrastaban sus ricas lisas ropas con las grises de las criadas y las gitanas listadas de María. Sin comentar, las bocas selladas de sobrecogimiento, vieron cómo los guardas llevan al padre de la niña arrastrando por las losas hasta el centro de la plaza —su rastro siguieron pintando, que la línea trazada por su sangre ojeril pasaba del mármol del pasillo a las piedras de la plaza, adelgazándose un poco más a cada paso—, lo atan para mantenerlo en pie, y comienzan a castigarlo con los cien azotes que manda también el Rey. A un lado de ellos, el pregonero recién llegado grita:

—Andáis de lugar en lugar muchos tiempos y años ha, sin tener oficios ni otra manera de vivir alguna, salvo pidiendo limosna, y hurtando y trafagando, engañando y faciéndovos fechiceros y adivinos y haciendo otras cosas no debidas ni honestas.

María ya no vio cómo le asestaron los cien al bello Gerardo, ni cómo casi muerto se lo llevan, porque han caído sobre ella las criadas de las monjas del vecino convento de Santa Isabel la Real. Pero así fue, se lleva-

ron al gitano Gerardo, conocido por algunos como el duque del pequeño Egipto, por otros como el bello Gerardo, por algunos apreciado por
buen tratante de caballos y tenido por otros como un ladronzuelo que
transforma cualquier burra enferma, llenándole las narices con quién
sabe qué brebajes, en espléndido animal de carga, cualquiera le compra
engañado por sus embustes. A Gerardo lo encadenaron, lo encerraron
unos días, y al verlo recuperarse de la pérdida de las orejas y los tantos
azotes, lo llevaron al puerto de Almuñécar, para afeitarle toda la cabeza
y convertirlo en galeote, encadenándolo al banco, condenándolo al
remo.

Desde atrás de su celosía, las monjas han olido la dote de la niña gitana y han dado instrucciones a sus criadas. El tintineo de la bolsa volando
de las manos del padre al cinto de la niña ha azuzado su codicia.

Como el claustro amarra a las religiosas tras los muros, éstas crecen
externos largos brazos. Esto son su legión de criadas, vestidas de gris
claro y velos blancos, un ejército de afanadas avispas que peina Granada
olisqueando perruno, removiendo con sus siempre insatisfechas manos
y sus barrigas nunca llenas donde quiera, hurgando para encontrar qué
llevar que satisfaga a sus dueñas. Por las manos de estas criadas, las cosas
van y vienen, a diario se vuelven ricas y de nueva cuenta menesterosas,
salen vacías del convento y llegan llenas para volver a ser vaciadas, y
vacías vuelven a salir a llenarse, sólo para volver a quedarse con nada.
Afuera, pescan las cosas, y al entrar al convento son escudriñadas y revi-
sadas tanto que sus manos han perdido hasta las líneas, tienen las palmas
lisas como platos. De esa especie son las manos que agarraron los hombros de María de tanto ser peladas por las monjas, manos que parecen
imposibles de asir, simulan estar cubiertas de una brillante capa de agua,
manos que, si uno sujeta, son secas, ásperas y duras, pero que al ocupar
en las calles el lugar de los ojos de las monjas, tienen la apariencia repugnante del cristalino. La dueña del par de manos que sujetó a María, Estela, parece toda ella hecha de palo y estuco, pero sólo en eso se acerca a
los santos. De palo, porque su piel es insuficiente para cubrir sus huesos,
se estira y se reestira para alcanzar, la boca queda sin un pliegue, tensa y
dura, los párpados jalados dejan ver los dos lados de las irritadas cuencas
de sus ojos. Por vivir casi desnudos, los ojos le lloran a la menor provo-
cación, si hay sol, si sopla un poquillo el viento, si el polvo, cualquier
cosa, y tiene los carrillos enrojecidos de vivir llorosos. En esto también
parece Estela, y más que un poco, la imagen de una santa, que las hay
con las cuencas del llanto talladas en las mejillas. Estela las tiene marca-

das, a veces abiertas, rajadas de tanto llorar. Desde que Estela nació, está enfundada en una piel más pequeña que ella misma, y su cuerpo ha guardado, en relación a ésta, la proporción que tuvo al llegar al mundo. En la punta de sus dedos de esas manos —con que enfadosa detuvo a la niña, lastimándola al sujetarla— la piel se revienta aquí y allá, más todavía junto a las uñas, un vestido demasiado estrecho para esos largos huesos. Parece de estuco, porque su cara y sus manos son marmóreas. Pero no es ninguna santa, que disfruta al saber que le está causando a María dolor.

Estela es rápida, casi efervescente, siempre parece a punto de explotar. Las otras criadas la obedecen dóciles, la temen. Estela es el ojo perfecto de las monjas, un ojillo ambulante, un ojazo con piernas, un ojuelo dando tumbos, un ojete incómodo, irascible, doliente. Apenas pusieron los guardas un pie afuera de la iglesia, Estela, diligente, presurosa, no dejando pasar un minuto, pide a María las guíe a su casa para recuperar sus pertenencias, antes de que se adelante la Ley a barrer con todo, porque aunque no esté escrito ni se grite en alta voz, al capturar un gitano, los soldados caen sobre sus pertenencias para embolsárselas sin mayor aviso. María las lleva hacia el monte de Valparaíso, por la ladera opuesta de la Fuente del Avellano. A la izquierda, la muralla del Albaicín. Cruzan una puerta, esa que los moros llaman Bix Axomais, y los cristianos la del Sol o de Guadix Alta, y topan con las innumerables cuevas donde habitan los gitanos.

Da grima ver el estado en que se encuentra el un día alegre barrio en el monte de Valparaíso. No queda un gitano, ni quien pida leerle a uno la buena ventura a cambio de algunos cuartos; los más se han dado a la fuga cargando consigo y en los lomos de sus caballos lo que pueden e incendiando o destruyendo lo que no alcanzan a portar, por no dejar tras de sí nada valioso a la rapiña. Al ver lo que han dejado, cualquier alma sensata se echaría a correr, aquí y allá hay gallos y puercos degollados, platos rotos, potajes arrojados a la tierra, telas rasgadas, humaredas y flamazos atizados por el reventar de los pellejos de vino, ¿quién quiere ver eso? Y si hay quien estuviese ciego, el olor a grasa quemada, a comida recién sacada del fuego y aventada al piso de tierra, a hornillas mojadas, a la sangre de los animales sacrificados y a las inmundicias arrojadas sobre éstos, le bastaría para que se echase a correr. Pero he aquí a la prolongación de las monjas, yendo de cueva en cueva y de patio en patio, removiendo entre el tiradero, encontrando el brazalete, la cuenta del collar, la moneda, la botella, el cuchillo bueno... Capitaneadas por Estela, quien noche y día tiene que soportar la resistencia de su propia piel, qué va a detenerlas ni qué ocho cuartos, ni qué querer ver o presenciar, que Estela y su piquete son puras manos; a Estela no la detiene nada ni nadie, menos todavía barreras de humo y casas asaltadas por sus propios dueños. La cueva donde vivieran María y su padre está intacta, ahí las ropas, las joyas, los brocados y telas, cada cosa en su sitio. De cuantas han entrado, ésta es la única donde no parece haberse hecho cuerpo el demonio a mediodía, porque aquí no hay vestigios de labores interrumpidas, las huellas de una apresurada evacuación, o destrozos. A un lado de la entrada de la cueva, rodeados de encendidos mastuerzos de varios colores, están atados cuatro espléndidos caballos, ensillados de pe a pa, preparados con sus cordeles de colores para llevarlos a mercar. Presurosas, las diligentes prolongaciones de brazos de las religiosas arrasan con todo, parecen tener diez manos cada una, cargan a los caballos, los desatan, y están por salir sin pausa cuando María, buena hija de su padre, les dice:

—Esperen un instante, que cargados así como van, se les va a ir hacia adelante el aparejo; déjenme acomodar bien el ataharre —y sin esperar respuesta, María atahorró las cargadas monturas.

—¿El qué? —le preguntó Estela, sin sombra de agitación, así por un momento sintiera miedo de la niña, porque por su cabeza pasó un «planea rebelársenos, y cargar sola con su mercadería».

—La banda de cuero que pasa de atrás de la albarda por las ancas, así… —dijo María mientras lo hacía al segundo caballo, con manos habilidosas, y con la misma rapidez acomodó el ataharre a los restantes.

Apenas lo hizo, echaron a correr carrera abajo, brazos, caballos, cargamento, criadas de las monjas y la niña, las riendas de las cargadas cabalgaduras tan bien sujetas que ni siquiera se santiguaron al pasar frente a las iglesias. No pararon frente a la catedral, guardándose hasta los jadeos hasta quedar adentro de los altos portones del convento. Ya protegidas, se detuvieron. Descansaron un momento en las tinieblas que las recibían, para estallar después de un respiro en un alboroto renovado, pero de un ritmo distinto.

María había quedado enceguecida por el cambio de luz, por un momento lo único visible fue la cara estucada de Estela, en sus mejillas corrían las habituales lágrimas, raspando la piel rojiza, tensa, craquelada. María no vio quiénes se hicieron cargo de los caballos, llevándoselos hacia las profundidades del convento, ni quiénes otras se apresuraron a ayudar a introducir el resto de la carga. Percibió el alboroto concertado, entrevió los movimientos rápidos, ágiles, hábiles, medio entendió el múltiple sonar de pasos, el movimiento de bultos, las sombras desplazándose, los murmullos, y de pronto el silencio. María avanzó, mucho más lenta que todo a su alrededor, tentaleando, y en cuanto sus ojos se acostumbraron a la luz, se dio cuenta de que había quedado a solas.

Entonces vio María el patio al fondo, su oscura alberca al centro y el jardín florecido a su alrededor. Caminó hacia él, huyendo con cauta pereza de las tinieblas de la entrada. De los arcos colgaban jaulas de pájaros varios, que anunciaban alborotados la nueva: «¡Ay, María, María, te sumas a nuestro cardumen!» Brincan sobre sus patas, los pajarillos, bailándole la prisión que se le avecina. «Tú estás hecha a las calles de Granada, a los caminos polvosos que llevan al campamento, a los cactus florecidos, a la arena, al olor de las piedras mojadas cuando refresca, a las estrellas, al cielo abierto, al sonar del río Darro, y no a los muros que de ahora en adelante te verán barrer, trapear, hincarse y no para rezar sino para friega que te friega los rincones.»

Le dijeron más: «María, la-bai-la—, serás María la, la-bai-la-bai-la, pero ahora, como tu padre, la-baila, la-bai-la, quedas atada a unas galeras, la-bai-la. Éstas no tienen remo, la-bai-la, María, no tienen mar, la-bai-la, no tienen ventanas a la calle, María, la-baila, pero tienen azotes, tienen castigos, María, la-baila, María, la-bai-la, y aderezará, la-bai-la, para ti, la-bai-la-bai-la, María, platones colmados de hambre, la-bai-la».

María tiene oído perfecto, escucha y entona sin que su voz se mueva un ápice de la nota precisa. Pero tenerlo aquí no le bastó, porque no entendió la lengua de los pájaros, quedose aturdida a punta de nomás —la-bai-la-bai-la— su chir-chirp. Paseó los ojos sedados por el patio, respiró su humedad amable, e inocente se fascinó, entreteniendo en los pájaros toda su atención, aliviándose al mirarlos. Decía para sí: «¡Los pajaritos!, ¡los pajaritos!», y los enjaulados le respondían: «¡Cuidado, la-bai-la, María, la-bai-la, cuidado!» María no los comprendía, creyendo le decían: «Ri-sa-rrí-sa, rirri-sa-rirrí-sa». A sus espaldas, sobre una larga mesa en alguno de los refectorios, las monjas contaban las monedas que le había arrojado el padre, mesuraban a punta de dientes las joyas de su madre, valoraban el saqueo que habían obtenido, y de vez en vez alguna se asomaba para mirar de reojo a la niña, intentando ponderar para qué podría serles útil. Otras en los patios del fondo examinaban codiciosas los caballos mientras les daban de beber y les administraban palmadas admirativas.

Insensible al convento, María se entretiene frente a una de las jaulas. Para acercar más la cara a ella, pone los dos pies en la bardilla baja que protege la vegetación. Ahora puede pegar la cara a la jaula. Se apoya en la columna. Mete uno de sus dedos por los delgados barrotes. El pájaro, un petirrojo copetón, más inocente aún que ella, se agita y se desgañita asustado. María se asusta a su vez, y se separa de un salto. Su movimiento provoca que a sus pies una lagartija se dé por perseguida y eche a correr asustada, dejando tras de sí su cola. María ha oído el meneo que la lagartija ha provocado en las hojas y se agacha a ver. Sus ojos tropiezan con la cola suelta, se acuclilla a observarla, de nuevo fascinada, alcanzando a ver de reojo a la lagartija esconderse agitada entre las plantas. El patio por una única vez la protege. María ha perdido la noción del tiempo. Sólo para ella se había paralizado el paso de las horas, que tanta prisa tuvo Estela para ir a rescatar el patrimonio de la niña, como las religiosas para contabilizar el despojo, embolsar en su bolsa las monedas sustraídas al saquillo, salir a negociar la venta de los caballos y pasar a laborar en otra cosa, mariposa, ignorando a la niña. Al día siguiente, pondrían a vender las joyas, las telas y los vestidos.

María quedó embelesada por la cola movediza de la lagartija, y sólo salió de ese éxtasis para revisar de nueva cuenta, también con enorme gusto, a los parlanchines pájaros (¡la-bai-la-bai-la!), hasta que de pronto se espabiló, y pensó en su papá.

En este preciso momento, en casa del duque de Abrantes comienza la escenificación del famosísimo «Retablo de las maravillas». Primero, lo anuncia Chanfalla: «Yo, señores míos, soy Montiel, el que trae el "Retablo de las maravillas". Por las maravillosas cosas que en él se enseñan y muestran, viene a ser llamado así; el cual fabricó y compuso el sabio Tontonelo debajo de tales paralelos, rumbos, astros y estrellas, con tales puntos, caracteres y observaciones, que ninguno puede ver las cosas que en él se muestran, si tiene algo en su sangre de confeso, o no sea habido y procreado de sus padres de legítimo matrimonio; y el que fuere contagiado destas dos tan usadas enfermedades, despídase de ver las cosas, jamás vistas ni oídas, de mi retablo». Comienza la representación.

Chanfalla y la Chirinos fingen, son buenos cómicos:

—¡Oh tú, quienquiera que fuiste, que fabricaste este retablo con tan maravilloso artificio, que alcanzó renombre de las Maravillas por la virtud que en él se encierra, te conjuro, apremio y mando que luego incontinente muestres a estos señores algunas de las tus maravillosas maravillas, para que se regocijen y tomen placer sin escándalo alguno!

El Rabelín señala las inexistentes figuras, primero ahí está Sansón, le siguen un toro («¡Échense todos, échense todos! ¡Húcho ho!, ¡húcho ho!, ¡húcho ho!»), una manada de ratones blancos, jaspeados y hasta azules, luego hay lluvia, y el agua que cae proviene de la fuente que da origen y principio al río Jordán (tiene la virtud de hacer muy blancas las caras de las mujeres que toque, y rubias las barbas de los varones, restándoles hombría), docenas de leones rampantes y de osos colmeneros, Herodías bailando (la judía escucha la zarabanda, y se menea, «¡Ésta sí, cuerpo del mundo, que es figura hermosa, apacible y reluciente! ¡Hideputa, y cómo que se vuelve la muchacha!»). Los asistentes, en lugar de apedrear el embuste, festejan las apariciones, todas y cada una de ellas ninguna. No hay un solo par de ojos que vea algo moverse en el teatrino, y esto por no haber nada, pero los finos aplauden, conmovidos y muy cuidados que los demás den cuenta de la atención que prestan a tan prodigiosas figuras, narradas por Chanfalla y Chirinos.

¿Será que nadie de los invitados al palacio del duque de Abrantes pensaba en algo de importancia? Porque todos veían lo que no estaba ahí, mientras que para María la sola aparición —en su cabeza— de su padre, le ha borrado, en el momento mismo en que el «Retablo de las maravillas» ha comenzado a correr casas allá, tanto la cola, como la señora lagartija, los pajarillos, sus jaulas y el hermoso jardín del convento. Pensar en su padre ha sido como caérsele encima un relámpago, deslumbrada nada ve de cuanto la rodea. Cuando María pensó en su papá, por un instante quedó tan ciega como los invitados de Abrantes, pero por muy otro motivo. Porque veía, veía a su papá, sin saber dónde estaba ni qué hacía… «¡Papá!» Ni adiós dijo a los habitantes del patio, abatida por el golpe de dolor, de incomodidad, de agitación ansiosa. ¿Dónde estaba el bello Gerardo? ¿Podría correr a reunírsele en algún lado? ¿Qué le estarían haciendo? ¿Vendría él a buscarla? ¿Debía ella echarse a correr tras él? «Quiero irme de aquí», se dijo por primera vez en el convento. Y lo dijo en voz no muy alta, respondiéndole otra a sus espaldas, cascada y risueña:

—Pues si lo vas a hacer, me explicas bien cómo le haces para seguirte, que yo llevo cincuenta años aquí diciéndome lo mismo.

María volteó. La vieja milenaria que se le acercaba algo tenía al andar de pajarillo, su cara de pasa algo de piel de tortuga —los ojos enterrados en las arrugas—. Sus manos eran la suma de esas dos condiciones: parecían abullonadas como el más cargado de plumas de todos los pajarillos —un gordete amarillo canario—, y estaban surcadas de tantas líneas que parecían extremidades de tortuga. Una tortuga pajaril, caminando con lentitud desesperante, las manos arrugaditas como dos garras de rapiña, y rechonchas, muelles como puños de plumas, el caminar sinuoso e inexplicable de una tortuga lenta hasta la exasperación, y esa risa y ese modo, todo en ella era suma de pájaro en jaula y tortuga medio-durmiente.

—¿No tienes hambre? —la viejecita le tendía una prenda con una de sus manos.

—Ninguna hambre tengo —contestó María, queriendo guardar distancia de ese ser tan extraño.

—Pues ya la tendrás, y tanta que te hará olvidar el nombre que te dieron tus padres —le dijo como si fuera un chiste, riéndose cada una de las palabras—. Así que ten, agarra esto antes de que sea demasiado tarde.

Con la mano izquierda, la viejecita le ofrecía un tostado trozo de algo repulsivo, en honor a la verdad, que yo no tengo ante quién fingir la sangre limpia a cambio de andar viendo visiones. Con la izquierda, se metía a la boca una rodaja similar, royéndola sus negros rotos dientes. Rotos, y ya dije negros, y yo creo que neguijón debió de ser, o corrimiento lo que carcomió y le puso de ese color los dientes. En cuanto la cosa esa repugnante, la vieja la roía, la chupeteaba, humedeciéndola con saliva, no haciéndole más fea cara que lo fea que de por sí la tenía, le clavaba otra vez sus casi-dientes, removiéndola en la boca con la mano.

—¿Aquí comen esto? —preguntó María al ver los negros dientes batallar contra la seca y dura raíz tostada.

La vieja dejó de roer y extendió los dos trozos, el ensalivado y el seco, acercándole a la cara ambos.

—¿Que si comemos esto? Depende quién. Las que comen, manjares comen. Las que no comemos, ¡pelos de ratas!, ¡colas de ratones!, ¡sopas de muela de vaca! O humo, humo nomás, que el hambre aprieta en el convento. Llevaras aquí más tiempo ¡y en tu estómago limpio le envasaras!

Se rió, y regresó a roer, pero ahora llevó a la boca el trozo seco, y extendió a María sólo el ensalivado y a medias roído.

—¡Ten, anda, ten!

María se echó a llorar. Se sumaron en su espíritu el humo en las cuevas gitanas, los tiestos de geranios quebrados en el piso, las muñecas abandonadas, las cazuelas rotas, las cucharas de palo, las cosas que hacen la vida diaria grata y que en la huida y el despojo habían perdido todo valor, más la mascada rodaja de quiénsabequé que la Milenaria le decía que debía comerse, y su papá, que ¿dónde estaba?

La viejecita sostuvo las dos rodajas juntas, tomó a María de la mano con la que le quedó libre y caminó con ella dos pasos hasta encontrar asiento en un poyo del patio. María se quedó de pie frente a ella, la monja sosteniéndole las muñecas.

—Ay, niña, niña, niña. ¿Que te llamas María, me dijeron? —María asintió y le contestó:

—Para servirle a usted y al Rey.

—¡No me reies a mí! ¡No me acerques al Rey, es un despropósito! Y no llores. ¿Por qué lloras? No te preocupes por tu padre, que ni andará en malos pasos ni tendrá malignos pensamientos, y eso es más que un milagro en un gitano; pagará sus pecados y terminará santificado, quiéralo o no lo quiera, con el remo en las manos; buen cuidado tendrán de él, diario le darán sus dos platos de potaje de garbanzos, su medio quintal de bizcocho; como es tan joven y tan fuerte, de seguro será buena boya, así que de vez en vez le añadirán a su porción algo de tocino y de vino, y no será malo el tocino, ni malo el vino. ¿Crees que pasará malos ratos? ¡Qué va! ¿Le gusta bailar y cantar, como a un buen gitano? Ahí, mirando el mar, sintiendo el sol en la piel, remará al son de tambores y trompetas.

La buena voz se ahorró decirle que lo fustigarían con los rebenques, y que sobre ésos escucharía imprecar, agarrados a su mismo remo, el susurrar continuo de los infieles, con su mechón de pelo —creían que al morir su Dios (si así puede llamarse al error de los descreídos) los agarraría del pelo para jalarlos a lo que ellos llaman Paraíso y que no es sino una alucinación, un mal sueño, un pecar continuo—, ni le dijo que el bello Gerardo oiría noche y día súplicas persuasivas a Mahoma, en lugar de rezos. Esto y más omitió, decidida a consolar a María, y por lo mismo se largó a contarle un cuento ejemplar.

—*Arrellánese, que todo saldrá a cuajo* —dijo, jalando a María hacia sí. La niña se sentó a su lado—. ¿Te sabes la historia de la princesa Carcayona y su padre el rey Aljafre? Te la voy a contar. Te voy a pedir que, mientras lo hago, midas con la fábula a tu padre. No vayas a creer que él se parece en los detalles a la Carcayona, ¡no, María!; pero en cambio date cuenta que tu padre tiene con ella algo en común, porque santa fue Carcayona aunque no le digan Santa los curas; porque aunque —bajó la voz casi a un susurro— aunque la Iglesia le niegue ser Santa, la Carcayona es Santa auténtica, Santa de veras, Santa y Santísima —la Milenaria volvió a alzar la voz, mirando a María con esos ojitos pícaros que brillaban vivamente atrás de los pliegues de sus arrugas, olanes rodeándole los ojos, para decir:

—Resulta que…

Y al comenzar la Milenaria a contar la historia, un buen número de criadas de la cocina aparecieron como por encanto a oírla. Venían por el cuento, pero también a satisfacer la curiosidad que sentían de la recién llegada. Oían la historia de Carcayona, y miraban con sumo detenimiento a nuestra gitana:

2. El cuento de la princesa Carcayona, contado por la Milenaria

El rey Aljafre, soberano idólatra de la India, había llegado a los cien años sin tener hijos. Su vida le parecía sombría por este hecho, de modo que consultó a los médicos y los astrólogos qué hacer. Le explicaron que su esterilidad se debía a la baja temperatura del cuerpo y del esperma, y le recomendaron como el mejor remedio tomar especias calientes. El rey Aljafre siguió esa misma noche sus consejos, pasó la noche con su esposa y en la madrugada la abrazó, con lo que se concibió la princesa Carcayona, o, según otros dicen, Carcasiyona. Como iba a nacer bajo el signo de Venus, los sabios no pudieron vaticinar si nacería hombre o si nacería mujer. Diez meses después, su mamá dio a luz a la niña y murió en el parto. El rey Aljafre, sin saber si estaba triste por la muerte de la mujer, o alegre por la llegada de un hijo —que, así no fuera hombre como él hubiera deseado, le daba de cualquier manera descendencia—, la encargó a una nodriza. La reclamó de vuelta en palacio cuando cumplió siete años. Le construyó un alcázar todo de oro con hermosos jardines e hizo que le fabricaran para su privada adoración una ídola, toda de oro también, barnizada con aljófar, los dos ojos de esmeraldas verdes y los pies de piedras preciosas. La niña, que tenía el corazón fervoroso, adoró a la ídola, le cantó, le puso flores, le contó los secretos de su corazón, y a su lado fue creciendo, teniendo por un dios a esa falsedad monstruosa. Una tarde, cuando la princesa cumplía once años, el rey Aljafre, su padre, la fue a visitar junto con los grandes de su reino, llevándole regalos, joyas, ropajes, manjares, y se asombró de lo hermosa que se había puesto su niña. Admirado, esperó quedar a solas con ella, se le acercó para besarla y le pidió le cediera su cuerpo para disfrutarlo. La niña se negó a hacerlo con repugnancia, alegándole que eso era algo «que no hicieron ninguno, ni el más insignificante de todos mis antepasados». Enfadado, el padre la dejó.

La fama de la belleza y sabiduría de Carcayona corría extendiéndose.

Varios honorables, poderosos y ricos pidieron al padre su mano en matrimonio, pero el rey se negaba a entregar al tesoro que tenía por hija porque la quería para sí.

Una de esas noches, a la hora de los rezos, la princesa Carcayona contó a la ídola el pesar que la abrumaba, que era el afecto aborrecible que le había cobrado su padre, porque así como la ídola era su objeto de adoración, también era su confidente y mejor amiga. Cuando lo estaba haciendo, la ídola le habló:

—Carcayona, ¿me adoras a mí, tu ídola, como tu única diosa?

—Te adoro, diosa.

En el cuerpo hueco de esa falsedad —así estuviera barnizada de aljófar y tuviera ojos de esmeraldas verdes y fuera toda verdadero oro— se albergaba Iblis, el rey de los demonios. Al oír la respuesta de la niña, la ídola estornudó. Su estornudo echó fuera a una mosca, que apenas salir por la nariz de la ídola, habló a Carcayona, diciéndole:

—¿Y cómo no invocas al creador al haberla oído estornudar? Así debe hacerse siempre, que así como es preciso invocar a Dios al despedirse (¡adiós!), es necesario pedirle ¡salud! cuando se presencia un estornudo. Sólo existe un único y verdadero Dios (¡salud!, ¡adiós!), y esto lo sabemos todas las cosas vivas. Sólo tú lo ignoras, que tu padre te quiere en la ignorancia para gozarte sin que ninguna voluntad superior lo impida. Adora al único Dios, que no vive en cuerpo de ídolo alguno… ¡Salud!, ¡adiós!

Y la mosca se echó a volar. Al oír esto, el corazón de Carcayona se conmocionó, y también el ánimo del rey de los demonios, Iblis, que se arrojó enfurecido hacia afuera del cuerpo de la ídola, saliendo como una nube opaca de su nariz, cacheteando con sus prisas el rostro de la hermosa princesa Carcayona, la misma que cayó al piso conmocionada, perdida la conciencia.

Viendo a la princesa desvanecida y sin razón, que así la noche corriera no volvía en sí, las damas de su cortejo hicieron llamar al Rey. El rey Aljafre vino, trayendo consigo a los médicos más sabios de la Corte, y pasadas muchas horas la princesa recuperó el sentido. Cuando despertó, cuando el amanecer comenzaba a pintar el cielo, Carcayona contó a todos lo que le había ocurrido, agregando que no entendía las palabras de la mosca en lo referente al único dios, que pedía auxilio de los sabios, necesitada como estaba de una explicación. El Rey y padre, en lugar de pedir a los sabios que contestaran a la demanda de la princesa Carcayona, los hizo salir de su habitación e hizo saber a la hija que cuanto había escuchado eran puras sandeces, que la mosca es en sí un ser repulsivo, proclive a adorar las inmundicias, y que de esa índole habían sido sus palabras. Que la única razón del mal pasaje era que estaba siendo castigada por no obedecer a pie juntillas, como obliga el deber filial, el mandato de su padre, que más le valía ir pensando en volver un sí su no, y que se dejara de pensar en moscas parlanchinas, que no podía salir nada bueno de su reflexión.

María interrumpió a la Milenaria:

—¿Una mosca, de la nariz? ¿La ídola estaba hueca? ¿No era de oro macizo?

—Hueca estaba, pero si no lo hubiera estado, igual habría salido la mosca, ¿no ves que esto es milagro…?

—Yo había oído que «para moscas, las que mató san Jorge».

Las criadas en pleno estallaron en carcajadas.

—Ay, niña, niña —rió también la Milenaria.

Aprovechando la interrupción, Estela, que había llegado no hacía mucho, se cambió de lugar y se sentó a los pies de la monja vieja. Ésta le puso los ojos encima examinándola y le dijo:

—La pobrecita —veía las grietas de su piel más irritadas, el humo y las carreras al campamento gitano habían hecho estragos en la enferma—, ahora acabo el cuento y vamos a ponerte las compresas. Preparé ya las yerbas, en un momento te daré alivio. Nada más déjame acabar de contar la historia de Carcayona, les sigo diciendo:

»La explicación del Rey en nada satisfizo a Carcayona, y llegando la noche, cuando estaba otra vez a solas, volvió a hablarle a la ídola con el corazón puro: "Te suplico que me contestes con la verdad a sus preguntas", le dijo, y por respuesta se le apareció una paloma de oro, su cola de perlas rojas, las patas de plata y el pico de perlas blancas esmaltado con aljófar, que dejó maravillada a la princesa Carcayona, posándose primero un momento en su cabeza y de inmediato en el hombro de la abominable ídola. La paloma le habló la palabra verdadera y, contestando a todas las preguntas de la princesa Carcayona, le hizo la revelación completa; le explicó los misterios y las simplezas hondas de nuestra Fe, que es la única cierta; le habló del Dios único, Creador del Cielo, la Tierra y los repulsivos Infiernos, así como de su carácter omnipresente; le habló del Juicio Final; le infundió en el corazón el santo temor al pecado; le describió el Paraíso. El demonio Iblis volvió a salir despavorido de la ídola, pero esta vez ya no pegó contra Carcayona, que supo esquivar con rapidez la fétida nube gris. Porque el demonio huele mal, María, muy mal, e imagínate cuánto más el rey de todos los demonios, que ése era así en el lejano reino de la India.

»Carcayona hizo llamar con urgencia a su padre. El idólatra vino corriendo, muy ilusionado, pensando que la hija estaba ya dispuesta a responder a sus bajas demandas. El rey Aljafre enfureció cuando escuchó la profesión de fe de la hija. ¡Para eso había tenido una heredera! ¡Para que la India fuera gobernada por una cristiana! ¡De ninguna manera! El rey Aljafre la amenazó: o se dejaba de esas convicciones, las que mintiendo él llamó «equivocadas», o la echaría del reino, la aventarían al bosque y le cortarían las dos manos.

»No les hago el cuento largo; así pasó a los pocos días. Carcayona encontró refugio en una cueva. Apenas se acostumbraron sus ojos a la oscuridad, descubrió que en la cueva había osos, lobos, serpientes y otros animales salvajes, y dio por cierto que la devorarían. Pero no fue así, que el Santísimo Dios cuida a los suyos —como hará con tu padre, de seguro, que si tu padre es cristiano, María, no hay de qué preocuparse porque Dios nunca abandona a los suyos— y las fieras le prodigaron por el contrario cuidados, abasteciéndola, de ese día en adelante, de frutas y miel para alimentarse. Una cierva se volvió la compañía predilecta de Carcayona. Un día, una partida de caza del príncipe vecino de Antaquiya dio con el rastro de la cierva de Carcayona y la persiguió y persiguió. La cierva corrió a buscar refugio a los pies de Carcayona, en la cueva dicha, y tras ésta el cazador. Era un joven príncipe, en su reino también se adoraban ídolos. El príncipe se asombró de encontrar en el corazón del bosque a una mujer tan hermosa, le preguntó quién era y en cuanto escuchó su historia, su corazón se inflamó con la fe del único Altísimo Dios, y con esto también de amor a Carcayona. La llevó consigo, junto con la cierva amiga de su amada. La madre del príncipe le cobró a la princesa Carcayona un dulce afecto y el joven príncipe se casó con Carcayona contando con su aprobación. En poco tiempo (ni digo cómo, ni quiero risas, niñas) —y las criadas ahogaron pequeñas risitas suspicaces, ocultando con sus dedos los labios, mirándose pícaras las unas a las otras— le hizo un hijo, y cuando Carcayona estaba por dar a luz, su príncipe tuvo que emprender un viaje, porque así es la vida de los herederos, tienen muchas responsabilidades y guerras que atender, se pasan la vida con la mano pegada a la espada.

»A Carcayona le nació un hermoso niño, y despertó envidias enormes en la corte. Alguien escribió una carta falsa, haciéndose pasar por el puño del príncipe su esposo, en la que exigía la expulsión de Carcayona.

Muy a pesar de la reina madre, Carcayona y el nieto fueron a dar con la cierva de nuevo a su cueva del bosque. Ahí, Carcayona, viéndose sin manos, creyó vería morir a su hijo por falta de atención, pero Dios, que es grandísimo, le dio un nuevo par de manos. Le brotaron, qué te digo, María, como dos flores nuevas, como dos magnolias, como dos, ¡qué sé yo!

»Pasadas unas semanas, el joven príncipe volvió a Antaquiya y descubrió que su esposa estaba ausente, hizo averiguar quiénes habían escrito la falsa carta, los castigó con la muerte, y emprendió el viaje a buscar a su mujer. No le costó trabajo dar con ella, en la misma cueva, con la misma cierva, pero te imaginarás la sorpresa del príncipe al encontrar a su esposa con manos. Carcayona no quería volver con él, creyéndolo responsable de haberla expulsado del reino. Y, en fin, que él se explicó, que Carcayona le creyó, que regresó a vivir con él a Antaquiya, que instauraron la única y verdadera fe en el pueblo entero y que vivieron siempre felices, en vida cristiana y libre de pecado.

»Dígote, María, niña llorona, que tu padre es como Carcayona. Porque ha sido expulsado, y aunque no le hayan cortado las manos sino las orejas —que poca falta le hacen, o a ti o a mí, pues no sirven para nada, están ahí a los dos lados de la cara para ningún motivo, haciendo de mal adorno (¿que le dicen el bello Gerardo a tu padre? ¡Más bello estará sin orejas!)—, atado como estará al remo será tan puro como lo fue Carcayona, que si Dios permitió que le cortaran las manos fue porque quería verla ascender en la dura escalera, y resbalosa, de la pureza. Y desde ahora te voy diciendo que todo terminará bien con tu padre, que se sabrá que lo echaron por un motivo espurio, que…

Fin del cuento de la doncella Carcayona.

3. Continúa la historia que interrumpió Carcayona

Apenas anunció la Milenaria que había terminado el cuento, las criadas que se habían congregado en el patio a los pies de la monja cocinera se levantaron presurosas evaporándose, y Estela entre ellas. María estaba asombradísima con la Carcayona. Nunca había oído hablar ni de ídolas de oro hueco, ni de mujeres mancas, ni de padres queriendo poseer a sus hijas. Quería hacer mil preguntas, pero no se le ocurría cómo formularlas.

—Además, mira —continuó diciéndole a María la vieja monja, mientras que, apoyándose en la niña, se desplazaba con lentitud, llevándola al otro extremo del patio—, que no hay mal que por bien no venga, tu padre nunca oirá decir a los médicos que *tenía mal los hipocondrios y los hígados, y que con agua de Taray pudiera vivir, si la bebiera, setenta años,* ni otras sandeces que una que no trae remo ni cadenas tiene que oír de vez en vez.

»Además, tu padre no enfermará, como una, de opilaciones de hígado y bazo, ni se le dañará el aliento, siempre será *un gayán bien plantado,* que abrazarlo será como *abrazar un tiesto de albahaca o clavellinas. Sano estará como un pinjo verde, sano como un piruétano o manzana.* Mira, aún es más importante que, para gloria de Dios —y aquí es donde te digo que atado al remo quedará puro y ascenderá en santidad—, nunca lo deberán hacer sudar once veces, ni diez, ni tres, que ningún trato venal podrá tener con ninguna mujerzuela, encadenado de los tobillos noche y día.

—¿Sudar? ¿Once veces? —María bebía atenta las palabras de la vieja, estaba por completo absorta en ellas, sin prestar atención alguna a lo que pasaba frente a sus ojos, y haciendo algo que en ella era más excepcional: no atendiendo a lo demás que entraba por sus oídos, que son lo que María tiene más aguzado—. ¿Qué es esto de sudar once veces?

Llegaron a la cocina del convento. Era enorme, de techo abovedado; ardían varios hogares e hileras de hornillas; la mejor de toda Granada. ¡Y cuántas mujeres, de todas las edades! Esas que escucharon el cuento llegaron más rápidas que ellas a la cocina; estaban también quienes participaron en la limpieza de las cuevas de Valparaíso y las que atendieron la misa celebratoria, algunas de rostros familiares a Granada, otras completamente desconocidas para María, caras que veía por primera vez. La vieja dijo en voz muy alta:

—¡Fuera de aquí las que no sean de aquí! No quiero en la cocina a ninguna que no sea cocinera o ayudante, excepto Estela, que necesita curación. Y tú, María, te quedas ahí, calladita.

La obedecieron de inmediato, pero así saliera zumbando un avispero, quedó en la cocina un número enorme, afanadas frente a calderos, charolas, pilas de esto o de otro sobre largas mesas. ¡Cuántas cocineras!

La vieja eligió asiento en un banquillo, al lado de una mesa en la que un par de criadas acomodaban figurillas recién recortadas de azúcar, y otra más joven se apresuraba a guardarlas en orden en el fondo de una caja. En cuanto la mesa quedó libre de las figuras (las cajas llenas y bien acomodadas en la estantería de la entrada), le trajeron a la Milenaria un tazón en el que reposaba una pasta verde oscura y muy perfumada, de olor penetrante, no especialmente grato, pero tampoco desagradable, un olor único que subía por las narices, frío y pegajoso.

María le repitió su pregunta:

—¿Qué es esto de sudar once veces?

—¡Ay, María, María! —contestó, como quejándose, la Milenaria, al tiempo que acomodaba en la esquina de la mesa las dos rodajas que había dejado de chupetear, reblandecidas por llevarlas tanto tiempo en las manos cerradas, repulsivas—. ¿De sudar me preguntas? ¡Ah! ¿Que no lo sabes? —sin dejar de hablar, comenzó a preparar unos emplastos con la pasta de hierbas olorosas—. ¿Qué no es, como andan por ahí diciendo, que por más boba que una gitana parezca, y por más que calle, «éntreles un dedo en la boca y tiéntelas las cordales, y verán lo que verán. No hay muchacha de doce que no sepa lo que de veinticinco, porque tienen por maestros y preceptores al diablo y al uso, que les enseña en una hora lo que habían de aprender en un año»? ¿Y sudar no entiendes?

—Pues y no y no y no, que no entiendo.

—¿Cuántos años tienes, di?

—Doce.

—¿Y en qué pasas tu tiempo todo, que no tienes idea de nada?

—Cosas yo sí sé, pero ésta no. ¿Sudar? Dígame de qué está usté hablando, dígame…

—¿Nunca has pasado, en la calle de Elvira, por el Hospital de la Caridad y Refugio? —María negó con la cabeza a la pregunta de la Milenaria, pero luego asintió, como creyendo recordar de qué le hablaba—. Algunos piadosos caballeros lo fundaron para asistir a las mujeres enfermas de calenturas incurables…

La vieja había ido poniendo sobre la mesa una especie de tablillas de la pasta verde, conforme las formaba con sus regordetas manos. Estela se acercó a éstas, y en ellas sumergió las puntas de los dedos, dejándolas ahí, mientras la vieja le adhería otro par de las mismas tablillas en sus codos y una en la barbilla, extendiéndola un poco para que le tocara hasta las mejillas.

—¿Y sudar, qué? No entiendo de qué me habla…

—¡Valga! —exclamó la Milenaria, sin dejar de hacer sus labores curativas—. ¡Siquiera me replicaras «¡Y no soy mema!», pero callas y así otorgas! Vino a caer aquí la única de las bobas entre las gitanas. Aquí «doña Maribobales, la mondaníspolas…» Fuera yo un Polifemo, un

54

antropófago, un troglodita, un bárbaro Zoilo, un caimán, un caribe, un comevivos y vieras que te saco lo entendida de donde lo estás escondiendo, que... —acomodó una tablilla sobre la frente de Estela—. Estela —le dijo, cambiando de tono—, dime en cuanto te calme el ardor, antes que comience a picar, ¡avísame! —y volviendo a María—: Gastaré saliva; si explico nada sobra, que pazguata no pareces —la viejecita cambió la voz, a casi un susurro—. Sábete, niña, que las malas mujeres contagian a los hombres con llagas que son como fuentes de tanta pus y tanto líquido que manan. Y de la única manera que se cierran, es haciéndolos sudar once, doce...

La viejecita tuvo que explicarle a María con detalle cómo y de qué manera se contraen las llagas, qué partes del cuerpo se entumen de la enfermedad y esas cosas que la niña no había oído nunca, ocupada, como había pasado sus días, en traer agua a la casa, cuidar el fuego, preparar la cazuela del cocido, muy temprano en las mañanas ayudar a su padre a mercar caballos y al caer de las tardes ensayar el arte de bailar y cantar a su lado. Al convento fue a dar para enterarse de las cosas del mundo.

La Milenaria seguía hablándole a María mientras aplicaba sobre el cuerpo cuarteado de Estela, incluso en partes que no puedo mencionar, las retortas de hierbas medicinales muy perfumadas:

—Mejor para tu padre estar con su remo, que ésa es también buena vida pal gitano, pues *dormirá a cielo descubierto, a todas horas abrirá las que son del día y las que son de la noche; verá cómo arrincona y barre la aurora las estrellas del cielo, y cómo ella sale con su compañera el alba, alegrando el aire, enfriando el agua y humedeciendo la tierra, y luego, tras ella el sol, dorando cumbres y rizando montes,* como dijo el poeta, yo nomás repito, que él dijo que el gitano dice: *Ni tememos quedar helados por su ausencia cuando nos hiere a soslayo con sus rayos, y quedar abrasados cuando con ellos perpendicularmente nos toca; un mismo rostro hacen al sol que al hielo, a la esterilidad que a la abundancia.*

Estela intervino, cayéndosele el emplasto de la barbilla:

—*El gitano en la cárcel canta, en el potro calla, en el día trabaja, en la noche hurta; no le fatiga el temor de perder la honra, no le desvela la ambición de acrecentarla, no sustenta bando, no madruga a dar memoriales ni a acompañar a magnates ni a solicitar favores,* ¡dicen!, yo nomás repito.

—Como ya te dije que hago yo —dijo la Milenaria—, que sólo repito lo que se dice aquí y allá, si a alguien no le gusta, no tengo que rendir cuentas.

»¿Y tú, Estela, conque muy sabia? ¡Quién lo creyera! ¡Quién va a creer que la gitana es lerda y la criada del convento sabiondilla! Estela, te has tirado el emplaste de la barba. Te callas ahora mismo, que no creas que tengo toda la vida para hacerte curaciones; mañana es jueves, día de hacer empanaditas de Santa Catalina, y hay que preparar…

La Milenaria no acabó la frase, concentrándose en silencio en acomodar bien sobre la piel abierta las retortas. Apenas terminó de hacerlo, pidió a María se cambiara las ropas. Le quitó también sus aretes y un pendiente que le colgaba al cuello.

—En el convento no se usan prendas de ornato —le dijo—. Cuando salgas de aquí, las pides a la madre superiora.

Pero esto no era muy verdad. A la mañana siguiente fueron vendidas por un pingüe precio, la camisa gitana a un ropavejero, los aretes y el colgante a un astuto joyero, que les aseguró que el colguijo no valía *ni un suspiro*. Mintió. Era la joya más preciada de la no pobre madre de María, la esposa del duque del pequeño Egipto, el hombre más respetado entre los gitanos.

La situación de María en el convento quedó indefinida, excepto por un convencimiento que tenían las monjas: «¿Ella es gitana? Pues advierta que no nos hurte las narices». Tan absortas estuvieron en protegerse de los robos que sospechaban haría María que ni cuenta se dieron nunca de los que ellas mismas *de facto* perpetraron, despojando, como he dicho, de toda pertenencia a la niña. Nunca hicieron de cuenta que el padre había dejado una dote para ella, nunca la creyeron elegible a ser novicia, nunca le llevaron una cuenta. Lo que entró, se esfumó, como los cuatro caballos. Las religiosas, que tan escrupulosas eran contabilizando y en hacer quedar las cuentas en su provecho, aquí mejor optaron por el saqueo.

Como digo, no tomaron a María por novicia. Ni por un instante les pasó por la cabeza que para eso la había encomendado el padre a los cristianos nobles en la Sagrada Iglesia. Nunca volvieron a pensar en el gitano Gerardo, ese hombre tan gallardo. Nunca volvieron a recordar que con ella habían llegado monedas y algunos bienes. Borraron su ingreso como si nunca hubiera ocurrido, y quedó María como una criada más, un sobrante algo inútil, algo molesto, sin confesor, sin educación, sin atención ninguna. Porque para las buenas monjas —la priora, la punta de muy rezadoras, las que son el orgullo, la honra del convento—, María era un estorbo, alguien a quien le hacían caridad, pero qué fastidio, que el mundo está lleno de urgidos, y más bien le hace a cualquiera la proximidad de los generosos que la de quienes están prontos a mamar. Ése era su sentir en relación a María. Las que debieron ponerle alguna atención, preparando para la vida su inteligencia y su espíritu, simplemente la ignoraban. En cuanto a las otras religiosas —las pobretonas, cocineras, platiconas y poco rezadoras, las que habitaban la cocina, las muy queridas en todo Granada por sus exquisitos dulces (de los que buenas monedas sabían sacar la «honra» del convento), las empanaditas de Santa Catalina, los huesos de santo, el huevo homol (mención aparte para el arrope, porque este último no lo ponen a la venta, es sólo para consumo interno en días de fiesta)—, pues éstas, las alegres, fueron ponzoña pura para María, hiciéronla crecer llenándole de ridículos sinsentidos los oídos, la enseñaron a no aprender, a menos que llamemos «enseñanza» repetirle noche y día cuentos, leyendas, poemas, supercherías, porque toda la dicharachería popular entraba por la cocina del convento. En la cocina María se enteró que Roldán —tan de moda en esos tiempos en España, todo cristiano limpio sentía fascinación por la leyenda— *aguija su caballo, galopa a rienda suelta / herir quiere al pagano lo más fuerte que pueda.* Porque si las más de las monjas cocineras no saben leer, todas saben memorizar, y repiten noche y día a pie juntillas lo que les llega proveniente de aquí o de allá. ¿Aquí y allá, dónde, si están en el claustro, tras muros guardadas toda su vida? Pues muy varios aquís, y un número importante de allás, que las manos lisas, las criadas extensiones de las monjas, también tienen orejas, regresan al convento cargadas de fábulas, poemas, cuentos, historias; en las calles de Granada presencian obras de teatro, escuchan a los cómicos, oyen en el mercado declamar a los juglares, decir versos a los poetas; pelan los ojos para devorar todo cuanto se cuenta en los balcones y en los mercados de Granada. El decir mundano entra en torrente al convento y, sin contención ni criterio, se lo pasan al costo a María, maleando de mil formas su inocencia con murmuraciones y consejas. Y por otra parte está el arsenal de sus recuerdos, las infancias, cuanto oyeron decir, vieron hacer y no hacer las niñas que hoy son religiosas. Más oyó María en la cocina de las monjas que cuando vivía en el mundo del brazo de su padre. A su belleza y gracia, las mujeres del convento sumando un cúmulo de consejas, creencias, dichos, versos, cuentos, fábulas, historias, novelas, todos estos poco ejemplares y en nada útiles que no fuera para loar vicios, exaltar defectos morales, enaltecer pecados, blanquear bajezas, tanto y de tal manera que su destino pintaba para que algunos vivos, robándola con trampas del convento, la supieran vender en manos de quienes la volviesen una Coscolina, y que, despojándola de su honor, de Escarramán en Escarramán la pasasen de manos los vivales, pues *Tenga yo fama, y háganla pedazos*, hasta que, con el paso de los años, escondiendo los blancos cabellos *(¡Oh, qué teñir de canas! ¡Oh, qué rizos, vueltos de plata en oro los cabellos!)*, habiendo sido ya de más de cinco tributaria, por un estornudo mal cuidado de mujer pública, dejase viudo a su rufián, su chulo, su Trampagos. Y entonces el padrote Trampagos, el único poseedor de todas sus ganancias, luego de usar ropas negras por sólo unas horas, se echase al lomo a otra pobre trabajada, alguna de nombre Repulida, Pizpita o Mostrenca. Y dirá entonces la elegida:

> ¡Mis bodas se han celebrado
> mejor que las de Roldán!
> Todos digan como digo:
> ¡Viva, viva Escarramán!,

dando a entender que, sin los vivales, no hay mujeres que caigan en tanta infamia:

> ¡Mis bodas se han celebrado
> mejor que las de Roldán!
> Todos digan como digo:
> ¡Viva, viva Escarramán!

El día que oyó María recitar en la cocina estos versos, antes de que pudiera saltar a preguntar lo que no entendía («¿Quién es el dicho Escarramán?»), una de las que espolvoreaban los mazapanes, Lucía (tenía un cutis de cristal, las mejillas sonrosadas, los ojillos azules, el cabello rubio; parecía una virgencita de las de las iglesias, una hermosa efigie hecha para ser adorada; su voz era dulce y delicada), replicó, tal vez sin darse cuenta de que hablaba en voz alta:

—¿De cuándo acá hubo bodas para Roldán? Yo no las recuerdo en ningún verso.

—Cuando Carlomagno en persona le da a Aude la noticia de que Roldán su esposo ha muerto… —le contestó Marta, la más bajita entre todas las monjas, regordeta y morena, desde no hacía mucho bastante bigotona.

—¿Y le ofrece a su hijo Luis en matrimonio? ¡Ahí tampoco hay boda! —contestó la tímida Lucía.

Una tercera persona interrumpió su diálogo:

—Yo me habría casado con Luis sin pensarlo dos veces.

La que quería casarse con Luis era la fea Claudia, tal vez la más fea de todas las jóvenes del convento. Lo era tanto que se decía que su padre la había metido al convento por vergüenza, para que no le viera el mundo el engendro vergonzoso.

—Pues sólo porque no te conocieron no se casaron contigo ni Luis ni Roldán —dijo María.

Al comentario se sumaron muchas risas. Por todas las cabezas rebotaba una idea: «¡Luis, el hijo de Carlomagno, casarse con ese adefesio! ¡Imposible!». A Claudia no la achicaron las risas burlonas; al contrario, la crecían. Contestó:

—Mentira: Luis no se casó conmigo porque…

La interrumpió María, cantando:

—Sólo, ¡ale!, sólo sóoooolo, bonica, ¡ale, ale!, sóooolo, sóoooooolooooo ¡porque nooooooo te vio!

Más risas.

Claudia contestó, alzando más la voz, con los versos de *El cantar de Roldán*, pronunciándolos de manera muy dramática:

—*¡Estas palabras no se dirigen a mí, no quiera Dios, ni sus santos, ni sus ángeles, que después de Roldán, yo siga viviendo!* —y apenas terminó de decirlas corrió a los pies de María y fingió desvanecerse, tirándose sin gracia y con mucho ruido y aspaviento al piso, estrujando en sus manos la última porción de masa a la que estaba por dar forma de rosquilla. Tumbada en el piso agregó—: Nomás dijo la viuda Aude esto y se murió a los pies de Carlomagno. ¡Pero qué idiota —siguió hablando tendida—, cómo no aceptar a Luis, que a fin de cuentas era hijo del emperador! Y cuál emperador, el mismísisísimo Carlomagno… Pero no, la viuda prefirió la muerte…

María le contestó, de nuevo cantando y ahora bailando:

—¡Que no te mueeras, mi hij-aaaaa-aa-aaa, que no te, que no teeeeee mueras! ¡Dale, dale, dale! —palmeó para acompañarse.

La cocina en pleno estalló en risas, y Claudia comenzó a levantarse del piso grotescamente imitando un baile horrible al son de éstas, retorciéndose como un gusano en la sal.

—¡Ah! ¡Conque aquí tenemos cómicas, y tenemos cancioneras! —interrumpió la Milenaria—. ¡Atiendan a las rosquillas, y dejen bobadas para luego!

—Esto tenemos —dijo Claudia— y más cosas, y es mejor la vida del convento que la de Carlomagno con el corazón roto por su Roldán muerto, y encima Aude, la necia, qué pesar.

La fea Claudia se había terminado de levantar del piso, y regresaba a su labor de hacer rosquillas de almendras tostadas con un poco de leche, huevo batido, canela, acomodándolas presurosa en la mesa, como queriendo reparar el tiempo perdido por su teatro. Dejarían secar las rosquillas por una noche para hacerlas esponjar y las cocerían a la mañana siguiente en el horno del pan, antes de revolcarlas en azúcar clara molida.

—¿Cuántos muertos habrá visto Carlomagno? —preguntó Claudia.

—¡Qué pregunta! —torció Lucía.

—Muertos varones, muchos. Muertas mujeres, ésa es otra cosa —dijo Clara, una narigona y alta, la cabeza pequeña, desproporcionada para el tamaño de su enorme cuerpo. Algunas acusaban a su familia de ser judía conversa, pero debían ser puras murmuraciones, que Clara era quien se encargaba de matar patos, gallinas, las aves del corral del convento.

—Y menos cristianas y bien vestidas —dijo la tímida Lucía, hoy envalentonada por quién sabe qué motivo.

—Pues yo no sé si es peor a la nuestra la vida de Carlomagno, que a mí nomás ver morir me revuelve el estómago —contestó Clara.

Más risas ante la declaración de la verduga.

—¿Y de qué se ríen? —agregó Clara sobre las risas—. Yo tomo el cuchillo y tiemblo. Roldán, con esa espada —Clara toma su cuchillo carnicero y comienza a recitar el Cantar—: *el escudo le rompe* —agita el cuchillo en el aire—, *deshace su loriga, y le mete la pica por medio de su cuerpo; la hunde cuanto puede* —las risas casi ahogaban sus palabras—, *alza el cuerpo en el aire y sacudiendo el asta, lo abate en el camino, en dos partes iguales el cuello le ha quebrado.*

Las cocineras en pleno, monjas, criadas y esclavas, se desternillaban de risa.

—¡A trabajar! —gritó una voz—, ¡que se nos endurece la masa!

—¡Cierto! —dijo Clara, bajando el cuchillo—. Es que de pronto no resistí sentirme Roldán.

—En nada simpatizo con él; ustedes lo admiran, por mí que es bestia —dijo Claudia—. ¿Qué le costaba, díganme —todas se aplicaban en fabricar las rosquillas, olvidadas de la risa—, qué le costaba haber dicho «Aude querida, me voy de este mundo sin haberte gozado lo suficiente»? ¡Lo mínimo que podría esperarse de un caballero!

—¿Cómo crees que Roldán iba a decir esas cosas? Te digo que tú ni para esposa de un mesonero, qué ideas tienes —le contestó Clara, todavía con el cuchillo que hizo de espada de Roldán en la mano.

—Bueno, digamos que dijera: «Aude, mujer fiel, lamento irme de este mundo sin haberte besado una última vez».

—¡Besos! ¡Roldán preocupado en besos, cómo vas a creer! ¡Qué burradas! —y Clara zangoloteaba las manos al hablar, meneando su cuchillo sin prestarle atención.

—Bueno, digamos que no besos, que «nuestro amor se perpetuará como un modelo de afecto humano perfecto». Pero en lugar de acordarse de Aude en sus últimos momentos, se largó a adorar a su espada; sus últimos pensamientos fueron para (perdonen la palabra) un cuchillo —señaló la derecha de Clara—, adornado pero muy cuchillo. ¡Valga!

—¡*Durandarte, eres bella; Durandarte, eres santa!* —comenzó Lucía, y de inmediato más monjas recitaron con ella a coro:

> En tu pomo dorado hay bastantes reliquias:
> un diente de San Pedro, sangre de San Basilio,
> con algunos cabellos del señor San Dionís
> y parte de un vestido, fue de Santa María.
> Sería un sacrilegio que fueras de paganos,
> pues sólo de cristianos tienes que ser usada.
> ¡Que nunca os tenga nadie capaz de cobardías!
> Muchas y muchas tierras con vos he conquistado,
> que ahora tiene Carlos de la barba florida.
> Es el emperador por vos muy noble y rico.

—Recuerden —retomó la palabra Clara— que en lo tocante a la espada muchas frases suaves le dijo, pero la agarró a porrazos intentando romperla. ¡Los hombres no tienen remedio!

—Remedio no tienen, ¿pero bodas? —aquí Claudia la fea—, ¡bodas sí ofrecen!

> ¡Mis bodas se han celebrado
> mejor que las de Roldán!
> Todos digan como digo:
> ¡Viva, viva Escarramán!

—¿Y quién es Escarramán? —dijo María, que vio el momento de saltar con su pregunta—. ¿Quién es él, y qué pitos toca en estas bodas?

—¡Valga la ignorancia de esta gitana! Entre Escarramanes debe haber andado, y ni siquiera sabe que Escarramanes son lo que de sobra conoce —dijo la Milenaria, sinceramente asombrada.

—Yo estuve el día que tomaron preso a su padre —dijo una de las criadas que no vestían hábito— y ningún Escarramán parecía. Estaba más vestido que un palmito, si le dicen «bello» es porque es el más bello Gerardo del mundo.

La Milenaria ignoró su comentario y dijo:

—Escarramanes son esos que hablan diciendo: «¡Cuerpo de mi padre!», «¡Oh mi Jezúz!», «Por vida de los huesos de mi abuela», «¡Diga a mi oíslo!», «¡Por san Pito!», y otras sandeces.

La mesa de la esquina, donde las esclavas hacían silenciosas su porción de rosquillas, rió más que ninguna otra.

—Y su hablar es lo de menos, que son del hampa, son ladrones, asesinos, gente indecente —siguió la Milenaria, y recitó:

> Como al ánima del sastre
> suelen los diablos llevar,
> iba en poder de corchetes
> tu desdichado jayán.

—A ti que te gustan los mancos —dijo la Milenaria a María, aludiendo a que María le había pedido varias veces que por favor le repitiera el cuento de la Carcayona—, aquí tienes en estos versos uno para que lo guardes con tu famosa Carcayona:

> Hallé dentro a Cardeñoso,
> hombre de buena verdad,
> manco de tocar las cuerdas
> donde no quiso cantar.

—Yo que él —dijo Claudia—, habría cantado, habría soltado la sopa, contestado a cada una de sus preguntas, sin ahorrarme una. ¿Se imaginan el dolor del potro, el tormento? ¿Para qué callarse, si siempre se puede mentir, figurar, decir sin estar diciendo? Mira que quedarse manco por dejar la boca cerrada, ¡valga! ¡En boca cerrada sí que entran moscas!

—Y yo que tú, si hubiera sido él, no me llamaría Cardeñoso sino Claudia, y en lugar de estar encerrado en prisión estaría en el convento, las dos manos bien puestas en su sitio, haciendo rosquillas… —le contestó la Milenaria.

Otra de las criadas, Aurora —una hermosa hija de hidalgo, a quien su familia había venido a dejar por hambre en el convento, y que esperaba la donación de alguna dote para poder ser recibida como religiosa (y aún soñaba la inocente con hacerse de un marido, tener casa e hijos)— intervino:

—El día que me vinieron a traer, pasamos antes a la casa del comendador Montiel Gil Vázquez de Rengifo, y vi la espada del rey Boabdil. Su empuñadura y abrazaderas y contera de la vaina son de plata sobredorada y están cubiertas de hermosos adornos muy menudos, que si uno les presta atención les ve que remedan ramitas, hojillas y hasta flores, y en la hoja tiene letras castellanas…

—Nos lo has contado cien mil veces —dijo Clara, callándole la boca y abriendo espacio al silencio. Las manos se afanaron sin distracciones ni risas.

La energía de las religiosas cocineras se fue apagando como el cabo de una vela. En cuanto terminó casi imperceptiblemente la jornada, cayeron cansadas, en sus literas las que las tenían, la Milenaria en su cama y en el piso María, interrumpiendo el sueño sólo para sumarse a los rezos habituales. Todavía no salía el sol cuando pusieron manos a la obra para cocer las rosquillas antes de que se endurecieran de más. Sobre todas las rosquillas había marcada una ojiva pequeña y en una de cada doce iba dibujada alguna cosilla graciosa. Era la contribución de la inútil María, porque no era buena para amasar, lavar o cargar. Una y otra vez se oía decir «Esta niña no sirve para nada». Para nada, pero María sabía pintar y lo hacía sobre la masa fresca, sin que nadie en el convento externara sobre sus diseños un solo comentario (aunque todos supieran que los compradores preferían las rosquillas con dibujo: ¡la gracia que hacían las que contenían hombrecitos diminutos parados de cabeza, o perrillos con cara y cabellos de mujer, o personitas con manos en el sitio de los pies y alas donde los brazos!).

Esa madrugada algunas esclavas preparaban el fuego, mientras que las demás se hacían cargo de llenar las vasijas con azúcar molida y canela para revolcar las rosquillas apenas cocidas. Como ya se dijo, no había salido el sol, las más estaban un poco aletargadas, la Milenaria de un humor de perros, la risa que el día anterior había sabido compartir con las otras se había mudado en burla y sarcasmo. Había despertado echando humo por la boca, y escogió por blanco de su bilis a María. No media alguna explicación para su cambio de ánimo, ni el por qué ha tomado a María como blanco de sus enfados. Trae una lámpara de vela en la mano, que debiera usar para revisar las labores; la lleva a iluminar las tetillas generosas y nuevas de María que se dejan ver muy redondas y notables en el mal vestido. Se burla de éstas sin palabras, con señas de las manos y gestos de la cara. María cruza sobre ellas los brazos, tratando de esconderlas, pero la Milenaria le da orden de volver al trabajo, y apenas extiende María los brazos, los pechos vuelven a quedar visibles, grandes y hermosos bajo el mal vestido, y las hermanas cocineras en bloque, haciendo caso de ellas y de los gestos burlones de la Milenaria, se burlan morbosas del cuerpo bien dotado de María. Las más, como la Milenaria, ponen las manos de vez en vez frente a sus costillas y hacen como que las columpian, imitando el menear delicioso de los pechos de María.

Sigue el juego de burlas, andando sin necesitar que nadie lo aliente, y la Milenaria arremete con otra: ahora va contra el acento de María —tan gitano, tan cargado de ausencias—, de inmediato también contra sus espesas cejas oscuras y, por último, cuando la ha preparado ya para que el golpe duela más, contra su padre. Le recita:

Para batidor del agua
dicen que le llevarán
y a ser de tanta sardina,
sacudidor y batán.

Esto de ser galeote solamente es empezar,
que luego, tras remo y pito,
las manos te comerás

—¡Anda! —interrumpe Claudia, intentando atemperar el mal talante y los ataques sin tregua de la Milenaria—. ¡Las sardinas, la entiendo, las trae usted a cuento porque ayer guisamos la moraga de sardinas, su perejil, su aceite crudo y, como era día de fiestas, la aderezamos con vino…! A usted le gusta más que la sopa de ajoblanco, la vuelve loca, ¡no lo niegue!, le gusta más todavía que la cazuela de habas, más que el potaje de trigo con hinojo, pero le sienta peor que las tres servidas en el mismo tazón, revueltas con chorizos y perfumadas con cien diferentes pimientas, que luego de comer la moraga no hay quien quiera acercársele. Aunque usted sea la más querida, la más amada de todas las hermanas, conque coma la moraga… ¡sólo el diablo puede acompañar sonriendo sus flatu-

64

lencias! Por eso piensa en sardinas... se ve que la mala digestión le ha agriado el ánimo. ¿Y qué tanto con las manos? ¿La mala digestión le está haciéndole doler las manos? ¡Porque mire, tanto duro y darle con las manos de algo ha de salir! ¡Cuide que no la castigue Dios dejándola manca, que si por su boca faltan manos a diestra y siniestra, no vaya a tentarlo hacer justicia y poner mano a mano, que en su caso sería un quitar! Apenas ayer nos sacó a cuento uno que las tenía tronchadas por el tormento, hoy vino a poner el mal ejemplo de zarandearlas como quien trae cargando melones y ahora quiere arrancársela a un hombre con el remo y el pito, ¡nomás faltaba! Para colmo, no cualquier hombre: el papá de nuestra María —tornándose a la niña, le dijo—: No te abrumes, no te atormentes, son patrañas; basta con que lo sepas desorejado para que además vayas a guardarlo en tu cabeza con diez dedos menos, desmanizado —y volviéndose a la Milenaria, le preguntó—: Dígame la verdad, ¿hoy tiene usted dolencias?, ¿son las muñecas, los dedos, las palmas, qué es lo que le duele? Si no, ¿qué trae usted con las manos, hermana, que anda bailándolas como Dios no manda y tumbándolas como nueces o huevos, tirando una aquí y otra allá en sus fábulas? ¿Por qué quiere manco al bello Gerardo? ¿Qué trae usted con las manos, madre?

Pero la vieja Milenaria ignoró las palabras de Claudia y, viendo a María a la orilla del llanto —que tanto andarla aporreando con burlas hacía ya su efecto—, arremetió de nuevo contra su padre:

> Inviárenle por diez años
> (quién sabe Dios si los verá)
> a que, dándola de palos,
> agravie toda la mar...
>
> Guárdame de ti un pedazo
> para en acabando acá:
> que seis años de galeras
> remando se pasarán...
>
> Son ruiseñores del diablo
> los grillos que me aprisionan.

María ya no escuchó el final del poema, ni el comentario que la ese día corrosiva Milagrosa espetó acerca de las galeras: «El que las huele, las paga. Entre la mierda reman los galeotes y quien mira las galeras sabe

65

que oler y ver van con cuidado». María no la escuchó porque apenas sonó el «dándola de palos» cuando, llorando de tanto ver sus pechos imitados en manos ajenas y a su padre enmancado y discutido, echó a correr a esconderse donde no llegara la voz de la Milenaria, así fuera que el negro pasillo le infundiera miedo y el crujir de las patas de las cucarachas terror...

Ver a su víctima herida bastó para que a la Milenaria le regresara de golpe el buen humor. Todavía se estaba desplazando María hacia el rincón, cuando la vieja dijo:

—Qué bien que se está en el convento. Aquí ni muchos untos, blanduras, sebillos, aguas y aceites, aquí no hay más redomas que en una botica...: *ungüentos, botecillos y pastillas... / La leche con jabón veréis cocida / y de varios aceites composturas, / que no sabré nombrarlas en mi vida. / Aceite de lagartos y rasuras / de ajonjolí, jazmín y adormideras, / de almendras, nata y huevo mil mixturas, / aguas de mil colores y materias, / de rábanos y azúcar, de simiente / de melón, calabazas y de peras.*

Con el poema que recitó la Milenaria, la cocina en bloque se olvidó de María. Ésta se acurrucó en su refugio, en un rincón oscuro se escondió María, suspendida, oliendo cómo la masa cocida de las rosquillas y el aroma de la canela comenzaban a perfumar todo el convento, y pensaba en dormirse ahí mismo cuando vio venir a Estela, más pálida que nunca, mordisqueándose los labios, tal vez para calmar el dolor de las grietas que se le abrían de continuo en éstos. Al encontrar a María acurrucada al pie de una columna, Estela dio rienda suelta a su mal espíritu:

—¡Gitana floja, holgazana! —la espetó.

Pateó a María con furia, repetidas veces. María se tapó la cara con las manos, resistiendo los golpes sin abrir la boca.

—¡Te detesto, gitanilla, te detesto! —le dijo Estela con voz contenida—. ¡Te odio! Yo me voy a encargar que te dejen sin orejas los guardas, que te encadenen, que te quemen por bruja.

Luego, agregó furiosa:

—¡Dame la cara, cobarde!

María quitó las manos de su cara y vio a Estela rabiar de ira. Los gruesos lagrimones que había conseguido la Milenaria seguían mojándole la cara. Al verlos, Estela rió:

—Te hice llorar, Mariquita de mierda —dijo con un gusto gordo. Y dio la media vuelta, dejando a María a solas con sus miserias.

4. En donde se reseña la llegada de Salustia y se dice el por qué ha mudado a ser esclava del convento

Otro día, cuando recogían los últimos enseres de la cocina y se acercaba la hora de dormir, la Milenaria le habló a María fingiendo voz muy dulce:

—María, que no te preocupes por tu padre. Hasta los más famosos capitanes de la mar corren el riesgo de convertirse en galeotes por un tiempo. Dicen que incluso Dragut, el jefe de todos los corsarios, pasó su tiempo en las galeras, atado a un remo veneciano. El Juan Parisot de la Valeta, gran maestro de los caballeros de Malta, antes de serlo fue tomado cautivo por el corsario Kust-Ali y pasó doce meses pegándole al remo en lo que se encontró con quien canjearlo. Cualquiera le pega al remo, del más distinguido al menos honorable. Basta con ser hombre para poder traer cadenas a los pies. ¡Nada como ser mujer! Es la segunda ventaja, que la primera es no ser levantada en la leva, no tener que irse a la guerra.

Estela entró en ese momento a la cocina, precedida por una de sus perrunamente fieles ayudantes iluminando su paso con una vela. Traía del brazo a una muchachita hermosa de piel muy oscura. Era extraño ver así a Estela, tan cerca de alguien, por la condición de su piel siempre guardaba distancia.

—Esta que ven aquí, la morena, se llama Salustia. Hoy duerme a tu lado, gitana —dijo, dirigiéndose a María—. Me tratan bien a esta mulata de color membrillo. Denle de comer, si no ha comido. Mañana vengo a llevármela.

Estela la soltó y Salustia se dirigió hacia María. Apenas la vio venir, María la reconoció. Era esclava de alguna familia morisca, la había visto innumerables veces cargando agua en el aljibe. ¿Cuál familia? ¡Debía recordarlo! Vivir en el convento la ha adormecido.

—¿Cómo te llamas? —preguntó por decir algo.

—Me llamo Salustia. ¿Tú?

—Yo soy María.

—Qué María va a ser —interrumpió la Milenaria—. Es una gitana, nomás, sin nombre. ¿Tienes hambre, negra?

Salustia negó con la cabeza. La Milenaria dio órdenes de apagar las velas de la cocina. Las brasas del hogar siseaban e iluminaban con tenues intermitencias. Los pasos de la Milenaria se fueron alejando. María se tendió en el piso, en su lugar de siempre, y llamando a la recién llegada con la voz y las manos, le dijo:

—Ven, Salustia, aquí se duerme así, como las bestias.

Salustia se acercó y se acostó al lado de María, mirándola. Acomodó su cabecita sobre el brazo doblado. Los ojos le brillaban. Murmuró:

—María, creo que te recuerdo, te veía en el aljibe de la Harina, ¿verdad? Tú bailas.

—Soy yo. O eso era antes, ahora, ves… Ya me acuerdo de ti. Traías un cántaro precioso, de cerámica pintado.

—El tuyo era de barro.

—De barro cocido. Olía…

—Todo está cambiado allá afuera. Yo era esclava de Lorenzo el Chapiz, ¿conoces a los Chapiz, a Hernán López el Feri, su cuñado? Tienen su casa a la orilla del Darro, aunque son moriscos. Pero ya no soy de ellos sino de las monjas, que ahora los moriscos no pueden tener esclavos, se los han prohibido. Mi amo había pensado igual traerme aquí de regalo, buscando congraciarse de alguna manera con las monjas, acarrearse su favor, que dicen ayuda en mucho. *Pero* le han ganado la partida. Anoche —Salustia bajó la voz—, anoche pasó algo espantoso, María. Los moriscos ya no tienen permiso de cerrar sus casas, los soldados pueden entrar a cualquier hora a revisarlas y así hacen… *Pero* ayer entraron en la nuestra, que diga, la de los Chapiz —conforme Salustia habla, las brasas se van apagando, tal vez más rápido que lo usual, como si su narración exigiera la oscuridad para ser entendida—. *Pero* entraron ayer, ya noche, *pero* ya dormíamos. *Pero* dijeron que venían a buscar objetos heréticos, signos o cosas. Husmearon todísimo, aquí y allá. Exigieron de comer y de beber. *Pero* bebían, bebían. Dijeron que habían encontrado no sé qué, *pero* cuando ya pasaba la medianoche, y cuál iban a encontrar, si habían pasado las horas ya nomás bebiendo. *Pero* entonces se llevaron al señor, *pero* no nos dejaron salir. *Pero* luego regresaron a saquear, decían que hacían algo santo, *pero* no entiendo qué santo ni qué… *Pero* se robaban todo, escogían con cuidado… Ya venía la madrugada cuando… *pero* yo no sé cómo se dice lo que le hicieron. Usaron de la hija del señor —aquí Salustia hizo una pausa. Se comió su retahíla de *peros*, para luego echarlos encadenados—. *Pero, pero, pero* quisieron usarme a mí también, *pero* uno dijo que el que comercia sexualmente con negras se enferma de bubas, así dijeron y me dejaron. Toda me manosearon, eso sí. *Pero…*

Salustia ni parpadeaba mientras le hablaba a María. María cerró los ojos. Quiso no oír. Y mientras Salustia terminaba de contar, María se quedó dormida, un sueño anormal, pesado, un sueño de esos que vuelven los párpados de plomo. «Si los moriscos —terminó diciendo Salustia, cada vez con voz más baja— están planeando levantarse, como dicen, yo sí que entiendo por qué. Ya nadie está seguro en Granada.»

Y su última palabra, «Granada», fue casi inaudible. María soñaba, mientras tanto, con las cadenas que sujetaban el tobillo de su padre. Las imaginaba tal y como son, por parecerse un poco a otras que ha visto en los corrales. En ese sueño, su padre tenía la piel cubierta de pelo de caballo y cada que abría la boca para hablar, relinchaba. Igual —«pero», diría Salustia— lo comprendía, cada relincho le explicaba, y María, llorando, lo entendía y, de una manera que sólo en los sueños se puede explicar, *deseaba* tener pelo de caballo sobre la piel y *deseaba* el relincho en su boca, e incluso la cadena al tobillo. Y ese deseo dulce y corporal la hacía rabiar.

A partir de la llegada de Salustia, el tiempo pareció cambiar de ritmo. Pasaron las semanas como apenas rozando el convento, con tan somnolienta lentitud que María dejó de fantasear con que su padre aparecía a rescatarla. El sol caía en los patios desde el ángulo opuesto, estaba por cerrarse el medio año de María enmurallada. Una noche, cuando María se disponía a dormir al lado del hogar central de la cocina, sobre el rutinario jergón que le hacía de miserable almohada —esta pequeña adquisición, que había sacado de una pila de desechos y lavado y tallado reiteradas veces hasta arrancarle el olor a podrido, la hacía sentirse rica y orgullosa—, Salustia, que pocas veces asomaba en esos lares la nariz (su nueva ama era caprichuda y exigente, la hacía trabajar de sol a sol), entró y se le acercó, diciéndole en voz muy baja:

—María, tengo algo para ti. Una que me das y otra que yo te doy.

—¿Qué te voy dando yo a ti, que nada tengo? ¿De dónde saco una moneda para darte? ¡Buena fuera una monedita, buena fuera una pepita pequeña de lata, algo, algo! ¡Pero nada tengo, chica! ¡Has perdido la razón si crees que yo puedo darte algo!

—Dame tu pan de mañana y yo te doy lo que traigo para ti. Porque tengo una cosa que me han dado para ti, *pero…*

—Sea —dijo María, picada por la curiosidad—, te cedo mi porción de pan de mañana —apenas lo dijo, se arrepintió. ¿Qué podían traerle *para ti*, si María ya no existía *pa-ra-nadie-en el-mundo*? Había pasado el día de su santo sin que nadie le diera qué colgarse al cuello. Nadie la había celebrado, siquiera dicho «¡Felicidades!, ¡hoy es día de tu santo!», con todo y el reza y reza por el día de la Virgen, que, pues por qué nadie lo decía, se llamaba también María. «¡Reza!» ¡Debió ofrecerle a la buena Salustia las castañas atanadas que guardaba en su rincón, las que no servían para comerse pero tenían buen aspecto! ¡Qué estúpida haber prometido cederle su no muy grande trozo de pan de un día a cambio de nada, no había duda que le estaba tomando el pelo! (Cualquiera tomaba el pelo para remediar el hambre del convento, ¡que bien envasada la tenían!, como le había dicho aquel primer día la Milenaria.) «¿Y si no, si en verdad sí es cierto, si tiene algo? ¿Si papá está cerca?, ¿si ha regresado?», pensaba María, «¿si está aquí esperándome, nomasito aquí, para llevarme con él a Córdoba, a Sevilla, a la lustrosa Nueva España? Después de lo de la casa del Chapiz, lo que Salustia le había contado, María ensoñaba con la Nueva España —aunque poco, que María hacía todo en pocas cantidades en el convento: comía poco, dormía poco, imaginaba también poco—.

Salustia tomó a María de la mano y se la llevó corriendo de patio en patio, sin parar un momento, cruzando por lugares que María no ha visto nunca —y que tampoco hoy está viendo—, la lleva en vilo, sin darle un respiro, sin enseñarle cómo orientarse, y sin hablar, sin llenarle los oídos de sus habituales «pero, pero». ¿Por qué hablará así Salustia, a punta de «pero peros»?

El convento de Santa Isabel la Real está instalado donde fue un día el palacio real de los nazaríes. María no lo ha recorrido a sus anchas, ni tampoco a sus estrechas, algo la ha anclado a la cocina. No ha vivido adentro del Isabel la Real como lo hizo en Granada, que en la ciudad donde ella nació se sintió siempre dueña de todo, libre como liebre, mirando un día esto y el otro lo otro. Las semanas, y qué digo semanas, los meses que María lleva en el convento, ha vivido como una coja, como una manca, como una ciega, como una mutilada, como la mitad o una porción menor de sí misma. Se ha vuelto temerosa, se le ha apagado su natural curiosidad; está aterida. Es ya de noche y, aunque la guíe la Salustia de color membrillo, aunque la lleve como una pelusa adherida a su vestido, María siente miedo. Salustia no tiene ninguno, y qué va, parece conocer el lugar como la palma de su mano. Aunque no lo conozca, así se comporta. Debe ser que Salustia se siente aquí como María en Granada, en su casa, o que así es su carácter, insensible a la mudanza de lugares. Una de las veces que María la había visto tiempo atrás en los lavaderos públicos, Salustia llevaba la voz cantante: contaba con lujo de detalles cómo una mujer —de nombre casualmente también María—

procesada por la Inquisición, declaró que conocía al diablo, y que el diablo era un hombre negro. Decía: «Dicen que se le aparecía el demonio en figura de hombre negro… y tenía sus ajuntamientos carnales con ella como si fuera hombre, y tenía el mismo ser y miembros y forma de hombre, aunque negro». Alguna otra de las mujeres que tallaban ropas contra las piedras, le dijo: «¡Sería tu padre, niña!». Y la mulata color membrillo le contestó: «Padre no tengo, que yo sepa. Pero si algún día aparece uno que se diga mi padre, será todo menos un demonio, que yo no saco chispas cuando me acerco al agua bendita».

Ahora la mulata de color membrillo no abre la boca, pero mientras corre por el oscuro convento también se la ve segura, aplomada, va con la misma seguridad con la que aquella otra vez contaba el cuento en el aljibe. María está completamente desorientada, no tiene ni idea si está cerca del corral de las gallinas o del de las vacas, o en el otro extremo del convento, a un paso de la iglesia, o si de la puerta por la que entró y no ha vuelto a salir ni un solo día. La mulata de color membrillo va tan rápido que a María no le da tiempo de ver, y como se desplaza esquivando los puntos de reunión comunitaria para que no las sorprendan vagando sin permiso, por su agilidad combinada con su prudencia, presenta a María el convento como un laberinto. De pronto, en un lugar abierto, y más amplio que todos los que han pasado, Salustia se detiene. La luna brilla pálida, lo suficiente para iluminar el lugar: el cementerio del convento. El piso es de tierra. Las tumbas muy disímiles, tal y como es la vida del convento, las ricas tienen túmulos magníficos, sobre los pechos de las pobretonas sólo pesan puños de tierra y hay algunas lápidas discretas.

María no se ha despegado de Salustia desde que dejaron la cocina, ya se dijo que ha venido adherida, pegada como una lapa, como antifaz, como cinto al sombrero de la otra. Pero al darse cuenta de que están entrando al camposanto de las monjas, María se detiene y recula. Es tal y como una bestia frente a un sapo o una serpiente u otra alimaña. María está a punto de echarse a correr de vuelta a la cocina cuando ve —para acentuar su horror— que blancas nubes iridiscentes persiguen los talones de la mulata de color membrillo, quien camina impertérrita sin perder su aplomo. El miedo atornilla a María, y le saca un grito de la boca.

—¿*Pero* qué te traes tú? —le dice Salustia, que ha corrido a su lado, presurosa—. ¿*Pero* qué no ves que te he guiado por donde nadie nos vea ni nos escuche? *Pero* para que te pongas a gritar como una descosida, ¿*pero* qué te pasa?

—¡Es el hilo del miedo! —le contesta María, volviendo en sí del susto—. ¡Nos vamos ahora mismo de aquí porque espantan! —tira a la negra de la manga y la negra la detiene con las dos manos.

—*Pero* que a mí tú no me jalas. ¿*Pero* qué fantasmas ni qué? *Pero* aquí no hay sino muertos.

—¡Te siguen unos...! ¡Yo los vi siguiéndote, siguiéndote, los fantasmas!, ¡y eran blancos, se arrastraban en el piso y te seguían pegaditos! ¡Vámonos, vámonos de aquí, pero ya!

María había empalidecido. Estaba blanca, blanca.

—¿*Pero* de qué estás hablando?

—¡Que yo los vi, que yo los vi, te lo prometo, vi clarito que te seguían, como nubecitas, pegados a ti!

—Ay, niña, niña, niña. Boba —la interrumpe la esclava—. ¿*Pero* en qué planeta vives tú, a ver, dime? ¿*Pero* nunca habías ido a un camposanto de noche? *Pero* si son los fuegos fatuos, que no es nada sino el fósforo de los huesos; la tierra brilla, el brillo ese flota; *pero* no es nada, sale también de los huesos de las vacas. ¡Fantasmas! ¡*Pero* puros huesos! —Salustia se ríe del miedo infantil de María—. ¡*Pero* qué va, que no seas mensa! *Pero* no son nada, te repito que son los huesos, echan estas luces que hay en casi todos los cementerios. Así se verán los nuestros, como nubes, así saldrán nuestros huesos a darse paseos. Sí que parece que caminan, sí que parece que te siguen, sí que parece que flotan siguiendo a los vivos, *pero* es todo una ilusión, tranquila. *Pero* por eso es que una debe visitar de vez en vez los cementerios, para darse cuenta de que todo es nomás, *pero* de que hasta los huesos disueltos son brillo. *Pero* puro brillo, *pero* brillo falso, como todo brillo... Aquí no hay sino monjas muertas sin hijos, sin nietos, están mudas, no son nada. Ven, sígueme, *pero* vamos a la otra orilla del camposanto. Abrázate a mí. O cierra los ojos, si *pero* prefieres.

María prefiere no cerrar los ojos. Caminando del brazo de la esclava no ve los fuegos fatuos persiguiéndolas. Apresuradas llegan al extremo opuesto del cementerio. Ahí, acomodado contra el rugoso tronco de un gigantesco ciprés, está su, su, su verdadero y único «su» cántaro, el cántaro que María usó durante años para acarrear agua a su casa, el cántaro que cargaba el día en que tomaron preso a su padre y lo enviaron a las galeras, el cántaro que puso en algunas manos amigas —¿las de quién? María no lo recuerda, pero pasa con rapidez en su memoria las caras amigas que ese día la acompañaron en su carrera—.

Salustia le dice:

—*Pero* María, no tienes que darme nada mañana, tu pan es tuyo, ya me dieron por darte el cántaro. Yo no te robaría a ti el pan de la boca, María... *Pero* me pidieron que busques adentro, que trae algo pa-ti. *Pero* te dejo.

—No, no me dejes, que aquí este patio a mí me da miedo... Quédate un momentico, en lo que veo qué trae...

—María, *pero* me tengo que ir. Es la hora que se acuesta mi ama, tengo que estar ahí para vestirla. *Pero* no tienes que cruzar de vuelta. Toma aquí de frente, caminas derecho y llegas a la cocina. *Pero* nunca des vuelta a la derecha o a la izquierda. De frente, de frente y llegas, así nomás —le dice, señalando con el brazo extendido, da con la mano indicaciones de ir hacia la derecha o a la izquierda, indistintamente. Termina de hablar sus peros y se echa a correr hacia las celdas, que en llegando tarde con su ama no hay «pero» que valga.

María sabe perfectamente que está en un laberinto. Sujeta su cántaro, lo abraza estrechamente y sale rápida como sombra de Salustia, cruzando de nueva cuenta el pequeño camposanto.

Ahí, la esclava se detiene, sintiéndola venir:

—Hasta aquí, María. *Pero* de aquí tú síguete sola. Traes contigo el cántaro, está cargado, *pero* yo no quiero problemas. *Pero* no puedo esperarte a que husmees y busques. *Pero* quédate aquí —jala a María, sentándola en una banca bajo una jacaranda esplendorosa, basta la luz de la luna para hacerla estallar en color.

Sin darle tiempo para contestar, la esclavilla echó a correr. Su ama la espera para irse al lecho y no tiene ganas de un castigo. Ya otras veces le han tocado azotes por incumplir, no quiere verlos repetidos. Las esclavas daban a las monjas las comodidades de la mejor de las vidas muelles. Había las que enviaban a sus esclavas a rezar vísperas, mientras se folgaban en sus habitaciones, sin que nadie viniera a molestarlas. Las criadas eran suplentes, amas de cámara, limpionas, cocineras particulares, abastecedoras de todos los caprichos, y, como se dijo ya, su contacto con el mundo. Las esclavas eran esto y más: su calidad de pertenencia a las monjas les daba permiso de cumplir con algunas de las más personales obligaciones, como rezar, ir a confesión, cosas así que no le era permitido a nadie hacer por vía de una criada.

María venció la gana de echarse a correr tras la mulata de color membrillo, porque pudieron más la curiosidad y la esperanza. ¿Para qué le habrían traído «su» cántaro? ¿Quién, con qué motivo, y conteniendo qué? ¿De qué venía cargado? ¿Su papá? La esclava tenía razón: no podía correr con él en los brazos llevándolo «cargado». María se sentó en un poyo del patio. Metió el brazo hasta el fondo del cántaro y su mano fue topando con diversas cosillas que fue sacando, pieza por pieza, una por una, acomodándolas en su regazo. Primero un cabo de vela, un atado de cerillas, un pañuelo blanco amarrado con un listón rosa y un papel doblado. María abre el pañuelo y encuentra dos buenas monedas, redondas y gordas, ¿de qué valor? María nunca ha visto monedas de este cuño y, en honor a la verdad, pocas monedas ha visto en su vida, que cuando vivía con su padre no tenía para qué tocar dinero y aquí en el convento —donde buena falta le hace— no tenía ninguna en sus bolsillos, nada, ninguna, ni un trocito. Claudia les enseñó un día un cuartito de ochavo que alguien le había dado, un triangulito, un regalo, a saber si el trozo de moneda tenía algún valor. María, nada. ¡Y éstas! ¿Son de oro o sólo lo parecen? Mete las monedas al pañuelo, lo vuelve a atar con cuidado y lo guarda con sumo cuidado en su faja. María enciende el cabo de la vela. Desdobla el papel. En éste hay cinco muy bien elaborados dibujos, tres en recuadros en hilera horizontal, un cuarto extendido bajo éstos, y del lado derecho, un quinto vertical. De los tres en recuadro, el primero es la puerta del convento, María reconoce el arco. El segundo repite la imagen, pero la puerta tiene abierta la gatera, de la que asoman dos pies de gitana; el tercero es el gran portón abierto de par en par (que no la puerta regular, la de todos los días, sino el portón completo, como cuando entraron los caballos del bello Gerardo), en el vano dibujada una campana del tamaño de la misma puerta, de la que penden, en lugar del badajo, los pies de una gitana. Abajo de estos dibujos, a lo largo del papel, un toro cubierto por una manta de la cola a la cabeza, de la que se asoman dos pezuñas y dos zapatillas gitanas. A su derecha, en vertical, una espada con un corazón en su punta.

Hay escritas dos frases que María no puede descifrar, porque no sabe leer. Al lado del corazón, dice «Él manda», y arriba de todo el dibujo otra frase de cuatro palabras magníficamente manuscritas. Gerardo el gitano, el bello gitano, el duque del pequeño Egipto, domina la escritura de los números, sabe llevar cuentas, pero no conoce una sola letra. Aunque la mayor parte de sus transacciones eran con moriscos, tampoco sabía usar su alfabeto. María aprendió de él a hacer cuentas, y a llevarlas con claridad en el papel. Pero letras, ninguna. ¿A quién confiarle estas palabras para entenderlas? ¿Quién puede ayudarla, ser sus ojos, leérselas? ¿Quién de las monjas de la cocina sabe leer? ¿Y quién entre ellas no la traicionará a cambio de unos cuantos privilegios? Una delación podría regalar a cualquiera entre las miserables criadas o esclavas del convento privilegios imposibles de conquistar de otra manera, o aunque fuera comida. Y esto suponiendo que alguien sepa leer. María piensa en cómo satisfacer su curiosidad. Su cabo aún ilumina. Si María no sabe leer ni escribir, en cambio sabe dibujar. Extiende el papel a un lado y, con cuidado, copia las líneas que conforman las dos frases escritas en el papel y sobre la arena que cubre el piso del remoto patio las dibuja. Pone el mayor cuidado en hacerlo, intenta ser lo más fiel. Elige una palabra de cada frase, las traza una vez más y otra, repitiéndolas, hasta que las reproduce con total soltura, las tiene ya bien memorizadas. María está absorta haciéndolo, diría que le gusta trazarlas, que le va gustando esto de escribir. María las copia una vez más de memoria, sin ver el recado, ahora con trazos grandes, extendidos. Las compara con el mensaje recibido y ratifica que las ha imitado con corrección. Presta buen cuidado, una palabra es mucho más difícil que la otra, esta rayita va inclinada, de pronto se curva, se acuesta y un poco después se levanta. Guarda el recado en el mismo doblez del cinto en el que acomodó el pañuelo, lo protege igual que sus dos brillantes y hermosas monedas. Está segura de que los pies de gitana que aparecen pintados cruzando la puerta del convento, son los de ella; no le cabe duda. ¡Saldrá, y pronto, de aquí! ¡Qué suerte la suya! ¡Y será para volver con su padre, de seguro! ¡De nuevo correr cuesta abajo, subir lenta las cuestas arriba de Granada! ¡Ya no ve la hora de ir a cargar agua al aljibe del Peso de la Harina, su predilecto! ¿Bajo una campana? ¿Qué quiere decir esa espada, qué el toro? ¡Ya se verá! ¿Será que el toro es de la fiesta de san Juan? María nunca la ha visto (su padre le tiene un miedo fiero, cuando llega el día toma la prevención de esconderse con su hija en casa, o bien salen a hacer negocios en los poblados cercanos a la ciudad), pero le ha oído describir detalladamente la fiesta: los nobles y burgueses se disfrazan de moriscos y turcos, se hacen de escudos y lanzas, celebran la caída de Granada, la victoria del rey Fernando y la reina Isabel sobre Boabdil, el último rey moro. María nunca ha visto cómo sueltan seis o siete toros en la plaza del mercado para que el pueblo los corra y azuce. La caballería, ataviada con trajes moros y turcos, dividida en dos bandos, echando mano de sus grandes arcabuces, dispara salvas, se persiguen en todas direcciones, fingen grandes sobresaltos, avanzan o retroceden adoptando actitudes gallardas. En una ocasión, el emperador Carlos V y la emperatriz visitaron Granada con motivo de esta fiesta, acompañados por una multitud de damas de honor portuguesas. Gerardo, el padre de María, que era entonces un niño, uno más entre los suyos —que hasta que cumplió 21 años no fue nombrado el duque, la cabeza gitana—, presenció con sus propios ojos cómo tres hombres fueron muertos por los toros y un caballo fue herido de tal manera que hubo de rematársele ahí mismo, y le nació el miedo por la fiesta. Los gitanos nunca tienen miedo, pero Gerardo, valeroso duque del pequeño Egipto, tiene uno, uno que no confiesa a nadie. Para esconderlo, no asoma la nariz en la fiesta de san Juan. Los moriscos le agradecen el gesto, atribuyéndolo a su corazón solidario, que no hay quien dude que Gerardo lo tiene.

María sabe ver la escena de la fiesta que nunca ha visto porque ha heredado el miedo de su padre. La retrata en sus adentros como si estuviera ocurriendo, la ve recién aparecida, la siente. Pero ahora no, está en otra cosa, en relación a la fiesta de san Juan sólo piensa que debe preguntarle a alguien cuán cercana está la próxima. ¿Qué fecha es hoy? Se levanta de la banca donde la ha dejado Salustia. Abraza el cántaro y se echa a caminar de prisa, a buscar el camino hacia la cocina. Antes de trasponer el arco hacia el patio vecino, se pone en cuclillas y traza en la arena del piso las letras que ha memorizado. Cruza el patio, y en el momento de elegir cuál salida tomar, vuelve a hacer lo mismo: traza en el piso una y otra vez las dos palabras recién aprendidas.

Este patio desemboca en un jardín sobre el que ningún jardinero ha puesto manos en años. Un rosal ha crecido inmenso y voraz, en total desorden; las ramas parecen brotar desde el ras del suelo hasta el cielo, blandiendo espinas y sacudiendo sus ramas alborotadas. María trata de cruzar hacia el otro lado sin rasparse, ¡qué olor!; las rosas saltan, brincan, unas rojo sangre, otras rosas y aquellas tan blancas... Bajo la luz de la luna la variedad de sus colores estalla.

María duda por un momento en darse o no la media vuelta, pero cuando decide hacerlo las zarzas se han cerrado ya atrás de ella. ¿Por dónde la trajo Salustia, que no cruzaron este roserío? Se ve atrapada entre las zarzas, y María empavorece. El pavor la toma desprevenida. No es el miedo a la oscuridad, esto no se le parece. No es el temer caminar entre patios y salones desconocidos del convento, no es tampoco el miedo al regaño, que si la veían andando a tontas y locas la castigarían con tres azotes. Esto es otra cosa: María la bailaora se siente presa, le falta el aire, algo le oprime bestialmente el pecho. Las zarzas parecen asirla de las muñecas, el cuello y los tobillos. A cada paso que da, las zarzas le saltan encima. María tiembla de pánico. No puede respirar. No hay razón para su pánico, pero el pánico no la requiere: aparece, es. Ahí está, agarrado a María por el camino de las zarzas. María cree que va a explotar. Tiene que correr, salir de ahí a como dé lugar, ¡ya! Pero correr es imposible, las zarzas la cercan. Siente en el cuello una garra dura sujetándola. ¡Se ahoga! Por un instante cree que no puede moverse, echa mano de todas sus fuerzas y quiebra la estatua que creyó ser, separa de su torso el cántaro y asiéndolo a un lado y al otro aplasta con él las ramas, destruyéndolas, quebrándolas. Las ramas le responden, mordiéndole aquí y allá sus desnudos brazos. María contesta a las zarzas atacándolas de nueva cuenta con su cántaro, su cántaro es su furia contra ellas. María está vuelta una sanjorge y las ramas colas de siniestros dragones. O bien las rosas salvajes forman un capullo y María ha caído presa en su centro. Le arde la sangre. No le importa que las espinas la arañen, se avienta contra las ramas a troncharlas a punta de cantarazos, hasta abrir una salida al nido en que ha caído. De pronto, cuando ha casi vencido a las zarzas rejegas, la golpea un recuerdo y es tal la intensidad de éste que María trastabilla, casi se cae: María está viendo y sintiendo a su mamá. No es una visita cortés de su memoria, *ahí está* su mamá de cuerpo completo, ahí la siente, pegada con ella, diría que la toca, la huele. María ha regresado a un momento preciso hace seis, siete años. Su mamá la está abrazando, pegándola a su pecho, no la dejó separársele, la ahoga. María lucha por zafarse con tanta fuerza como su mamá por adherírsela al pecho. La abraza hasta la asfixia. Extraño recuerdo, que María ha conservado enterrado por mucho tiempo: su mamá la está ahogando contra su propio pecho, la oprime tanto contra sí que María no puede respirar. La memoria se explaya:

María y su mamá están en el mercado. De pronto, así haga un calor de *no se aguanta*, porque una partida de soldados cristianos se acerca, y sólo oír «¡Allá vienen!», para que no vean y no oigan a su hija, la esconde entre sus ropas. María no tiene ninguna gana de estar ahí, con ese calor se sofoca, empecinada quiere separársele, pero mamá la aprieta, la sujeta, la envuelve más con la ancha falda, y mientras más pelea María por salir, más literalmente la aplasta mamá contra su cuerpo, inmovilizándola. María pelea sin entender que su mamá la está escondiendo; pelea, pelea hasta que llega el momento en que necesita luchar para poder respirar, tanto es el celo con que se la repega mamá. Y luego una nube azul, grisácea, con pequeños destellos como dolorosas dentelladas de luz.

¿Cuántos días pasaron antes de que María pudiera oír la explicación siguiente? Se había exigido a todos los gitanos que empadronaran a sus hijos para darles forzosa educación cristiana. Corría el decir, y la mamá de María lo creía a pie juntillas, que si uno empadronaba a sus hijos o sus hijas, se los llevaban a Valencia para nunca más volver, y a eso no estaba dispuesta, a perder a la niña en manos de los soldados.

María pelea sin entender que su mamá la esconde, la protege; María no sabe de ninguna otra amenaza que no sea la de su propia mamá intentando asfixiarla contra su propio pecho, no aparece ningún soldado, ningún censo, ningún empadronamiento, ninguna ciudad de Valencia, sólo siente a su mamá enemiga pegándola a su cuerpo, y luego nada, perder la conciencia, desvanecerse, desmayarse a falta de aire.

Cuando el piquete de soldados se retiró y mamá sacó a la niña de entre sus ropas, les llevó un buen rato traerla de vuelta al mundo. Mamá había echado a su pez fuera del agua. Por no verla pescada, ahí estaba, los dos ojos bien abiertos, tendida como si no tuviera piernas, lacia como si en su cuerpo no hubiera carne roja, ningún músculo, ninguna sangre, blanca como un pescado o una flor.

María siente ese mismo ahogo ahora entre las zarzas. Como si todas esas hermosas rosas, ese olor empeñoso e intenso, esa escena que debiera ser bella, se convirtiera en remedo de aquella otra que ocurrió años atrás, reproduciendo el momento engañoso en que el hijo vive como algo asesino el abrazo de su propia madre. Recordó que, cuando volvió en sí, bañada en agua —por cierto, de rosas—, aquella vez que su mamá la había ahogado para salvarla del guarda, lloró al ver a la madre, y se abrazó al padre diciéndole que no quería nunca más la cargara «ella, que no se me acerque más nunca mamá, que se ha vuelto mala; ¡mamá quería ahogarme!»

Oyéndola, su mamá se echó a llorar, diciendo a voces: «¡A qué nos han reducido!, ¡a que nuestros hijos crean que somos nosotros quienes queremos hacerles mal!, ¡nosotros, que nos quitamos el pan de la boca para protegerlos, esconderlos…! ¡Que el cielo maldiga mis entrañas, que tuvieron que nacer y hacer nacer en esta tierra maldita! ¡Vámonos ya de aquí, Gerardo, por algo somos gitanos, hay que irnos de aquí!»

El padre de María las abrazó a las dos, intentando serenarlas. Se habían congregado alrededor de ellos un buen número de gitanos, cuanto amigo tenían había corrido a ayudarles en este predicamento. Gerardo dijo:

—Tranquilas, mujeres, mis mujeres, ¡calma! Ésta es nuestra tierra, ésta la bella Granada, éstos nuestros amigos… Todo está bien, ya pasó. Aquí no hay madres que actúen de madrastras, ni… —y la madre de María, zafándose del abrazo, estalló:

—Qué bondades... tú... de dónde las sacas... —decía llorando—, mira qué nos hacen pasar los nuevos reyes, que nos toman por bestias y nos hacen hacer las cosas que... —hablaba como una loca, trastornada, no repuesta de haber visto a su hija yerta, a su alegría, su tesoro, a punto de ser ahogada por sus propias manos.

La madre de María no se repondría del incidente. Quedó tocada por el ala de la locura. Nunca volvió a abrazar a María, temiendo más que el rechazo de ésta, la *calidad* de su abrazo: por un pelo perdió a su hija bajo tres palmos de tierra por culpa de su abrazo, por protegerla. Y, como a refugiarse de esto, corrió a vestir ella misma su capa correspondiente. Porque pocas semanas después del incidente del mercado, la madre de María murió. Y María creyó que ese abrazo que la había querido matar, era lo que se la había llevado; si no la había matado, sí había abierto para sí misma las puertas de la muerte.

El día en que pasó lo que se cuenta, el duque del pequeño Egipto estuvo a la altura. El bello Gerardo fue firme, no lo doblegó la escena, no perdió la serenidad un instante, ni cuando vio a la niña pálida y sin respirar, laxa y sin sentido, casi muerta, ni cuando su mujer gritó, lloró y aulló. Como ya se dijo, los rodeaba un buen número de gitanos y también algunos curiosos moriscos. Gerardo quería acabar con el llanto de la madre, espantar el susto de la hija y distraer la atención de los que se habían juntado; por esto se soltó a narrar lo que aquí se reproduce y que no es fábula sino realidad. Gerardo lo hizo saber entonces, dijo que no mentiría, que deshilarían sus labios la trama de una historia que él sabía muy cierta. Es imposible contar aquí la historia como lo hizo él, porque para decirla el hermoso Gerardo echó mano de sus no pocas gracias: palmeó cuando lo consideró preciso, pidió lo acompañaran aquí y allá con el rasgar de una guitarra y armó las frases de principio a fin con tanta gitana manera que era un placer enorme escucharlo. Aquí no habrá palmas ni habla gitana, vendrán los hechos de pe a pa, añadiendo explicaciones que Gerardo no necesitó por tener acostumbrados a los suyos con sus fábulas. Gerardo fabuló la historia como si estuviera ocurriendo ahí mismo; aquí es necesidad mudarla al pasado:

5. La historia de las dos Rosas del sultán Soleimán: Gul Bahar, Rosa de Primavera, y Khurrem, Roselana la Alegre; donde Gerardo canta además versos de Yahya, el poeta

Bajo la tutela de la madre del Sultán, y protegidas por cuarenta eunucos negros, como es su costumbre, vivían cien mujeres en el harén del gran Soleimán el magnífico. La madre de Soleimán velaba porque todas aprendieran las artes necesarias para acompañarlo; les enseñaba a bordar, a adquirir buenos modales con el objeto de hacerse gratas a los otros, a lucir sus bellezas naturales; las guiaba en sus lecturas y estudios para hacerlas capaces de conversar y proveer el placer de la discusión, así como a discernir cuándo es más prudente no abrir el pico. Aprendían por ella a ser bellas, a dar y recibir placer, a hacer de la menor siesta un edén restaurador o sin mesura, dependiendo del ánimo del Sultán. Con paciencia y cuidado, la sabia madre del sultán Soleimán las preparaba para que, cuando cumplieran los quince años, el Sultán considerase elegirlas. Si llegaban a los veintiséis y el Sultán no les había prestado atención, eran entregadas en matrimonio a alguno de los hombres de la Corte, que gustoso tomaba a la bella. Porque todas y cada una de las cien esclavas que conformaron un día el harén de Soleimán —número módico para un Sultán, porque Soleimán fue siempre discreto en todas sus costumbres— eran bellas, tributo de sangre que pagaban los vencidos a las fuerzas, esclavas reclutadas en todos los confines del imperio otomano, que, aunque no alcanzara a cubrir, como presumía Soleimán, el «Oriente desde la tierra de Tsin hasta la costa oceánica del África», sí abarcaba buena parte del mundo.

Soleimán tenía hijos varones con dos de las cautivas de su harén. Rosa de Primavera —Gul Bahar—, una beldad circasiana, era la madre de Mustafá, su primogénito, joven dotado de todas las virtudes necesarias, incluso las más apetecibles, para ser sucesor del gobierno del inmenso imperio. Mustafá era por este motivo el predilecto del padre. Inteligente, cauto, piadoso, respetuoso de las tradiciones de su libro, Mustafá era además muy hermoso y —virtud no menor que todas las anteriores— un buen poeta. Mustafá era el designado para ser el sucesor. Por el momento vivía en Magnesia, donde gobernaba en nombre del padre.

Roselana, la favorita —Khurrem—, hija de un sacerdote ortodoxo ruso, llamada también «la Alegre», era la madre de otros dos hijos varones. El mayor de éstos se llamaba Selim, nosotros lo apodaremos «el disipado». Hacía no mucho que Soleimán le había llamado públicamente la atención, instándolo a dejar el vino, las mujeres y las irrefrenables francachelas que eran un escándalo en la Corte y un mal ejemplo para el resto del país, exigiéndole que siguiera los preceptos coránicos y que se deshiciera de Murat, su compañero de juerga y parrandas. Selim lo obedeció en esto último, haciendo asesinar a su amigo, pero lo demás quedó muy por verse. Pues Selim, que era bajito y regordete, como su madre, gustaba más de las mujeres y las fiestas que de la guerra. El menor de los hijos de Roselana era Bayesid, considerablemente más cauto y cuerdo que Selim, pero también más apagado y sin ningún encanto particular.

Ya viejo, Soleimán se casó con Roselana, su favorita, y optó por serle fiel. Los años lo volvieron todavía más religioso e inflexible.

Roselana sabía cuál era el destino de sus hijos. Cuando Soleimán muriese y Mustafá —dotado, como ya se dijo, de todas las virtudes necesarias para ser un espléndido sucesor— fuera nombrado Sultán, los dos serían pasados a cuchillo, costumbre desde que Mahomet II se había apoderado de Constantinopla hacía ya cien años, con la intención de limpiar al gobierno del imperio de posibles traiciones y enemigos.

Roselana tramó cómo proteger a sus hijos. Primero que nada, le hizo la vida imposible en el harén a Rosa de Primavera, hasta que lo abandonó y se guareció con su hijo Mustafá en Magnesia. Rosa cometió un error enorme, pues Mustafá quedó sin protección alguna en el harén y sin influencia por esto en la Corte.

La Alegre había casado a su hija Mirhmah con el gran visir Rustem, un hombre siniestro, famoso por ser incapaz de reír o siquiera sonreír. Había nacido sin esa cualidad, como los perros y otros animales. La Alegre y Rustem hicieron caer a Mustafá en descrédito a los ojos de su padre. Le hicieron creer que Magnesia era un centro de sedición, y que ésta era capitaneada por Mustafá. Mezclaron sus mentiras con verdades para ser más convincentes. Supieron cómo hacer arder la sangre del padre, encendiéndolo en contra de su amado hijo.

Mustafá tenía una enorme influencia entre los jenízaros, el cuerpo selecto de su ejército, todos, por cierto, esclavos, de modo que si el Sultán es siempre hijo de una esclava, el gran guerrero es un esclavo traído de otras tierras.

El sultán Soleimán estaba en pie de guerra contra los persas. Hizo llamar a su hijo al campo de batalla. Mustafá se apresuró a cumplirle, llegó a Eregli de madrugada y fatigado donde se encontraba Soleimán con su ejército, entre las salinas y el monte Tauro. Mustafá acababa de cumplir los cuarenta años. El gran visir Rustem con otros miembros de la Corte se apresuraron a besarle las manos y colmarlo de regalos. Luego lo acompañaron, rodeado de sus jenízaros, a la tienda del padre, donde tendría lugar la audiencia privada. Mustafá entró a la tienda. El sultán Soleimán estaba ahí, pero atrás de una cortina de seda. Cuatro mudos lo esperaban armados hasta los dientes. Cayeron sobre él, lo vencieron y lo estrangularon frente a la mirada de su padre. Lo canta el gran poeta turco Yahya, albano de nacimiento, que había sido jenízaro:

¡Una columna de la tierra se ha quebrado
porque los intrusos del tirano han asesinado al príncipe Mustafá,
han eclipsado su cara iluminada por el sol!
El oculto odio del mentiroso, su vana falsedad artera,
ha encendido el fuego de la separación y ha hecho llover nuestras lágrimas.

En las corrientes del dolor se ha ahogado
el plenilunio de la perfección, el nadador de los mares
    del conocimiento;
viaja hacia el Vacío, asesinado por un destino vil.

No se le conoció ningún crimen, ninguna infamia,
¡oh santo, oh mártir, loco es el mal que te han traído!

Desecho en la faz de la tierra, regresó a la tierra que le pertenece
    con certeza,
desabrochado de la nuestra,
y jubiloso se dirigió directo a presentarse ante Dios.

¡Ay! ¡En el espejo de la Esfera apareció la cara del destino funesto!
Dejó la burda ordinariez de la tierra,
se fue donde no se conocen las veleidades de la fortuna.

En pocas horas cayeron también sobre el único hijo de Mustafá, un niño todavía de brazos. Un eunuco, Ibrahim, lo llamó hacia sí ofreciéndole una mandarina por la que el niño dejó el regazo de su madre. El eunuco, apenas lo tuvo a la mano, lo estranguló frente a la mirada horrorizada de su madre. En unas pocas horas, un padre y una madre de la misma familia real vieron matar ante sus ojos a sus respectivos primogénitos; ella, sin su aprobación; él, por sus propias órdenes. Ninguno de los dos podría sobreponerse. A Soleimán lo mataron en pocos días los remordimientos, pues no pasaron muchos antes de que empezara a sospechar que todo había sido un engaño. Y a la madre del hijo de Mustafá se la comió en poco tiempo la tristeza, llenándole los pechos de cáncer.

Esto pasó hace no mucho, el 12 de diciembre de 1553. Ya se sabe que Soleimán acaba de morir y que el disoluto Selim lo sucedió en semanas. Hay los que dicen que ocultó durante quince días su cadáver para asegurar con certeza que la sucesión cayera en su persona.

Fin del cuento de las dos Rosas del Sultán que narró Gerardo a María la bailaora cuando era niña.

6. De vuelta con María en el convento, entre las zarzas

A punta de cantarazos fieros, María sale del pozo de zarzas, camina sobre las ramas rotas. Carga de nuevo su cántaro bajo el brazo, acomodado en la cintura, sostenido con su cadera. Unos pocos pasos adelante, María se encuentra con un caballo. No es ninguno de los que el padre de María había preparado meses atrás para vender, éste tiene una montura finísima, es un caballo de rico. María pasa la mano por el cuello del hermoso animal: está cubierto de sudor aún tibio. Alguien acaba de descabalgarlo. María pone la mano bajo sus belfos: el caballo respira agitado. Está perfectamente ensillado, listo para partir de nuevo. ¿Llevando a quién? ¿Qué monjas cabalgan por las noches, disfrazadas de qué? ¿Son bandoleras, amigas de los monfíes, o son persecutoras de monfíes, salen de noche a limpiar de ellos los caminos? Los monfíes y salteadores, de quienes ha oído decir que «salían a saltear de noche, mataban los hombres, desollábanles las caras, sacábanles los corazones por las espaldas, y despedazábanlos miembro a miembro; hacían cautivos a mujeres y a niños dentro y fuera de los muros de la ciudad, y los llevaban a vender a Berbería». ¿De quién es este hermoso animal? María sabe, y de sobra, que el convento no los tiene, que las religiosas no quieren monturas. Le han dicho mil veces que nada hay más inapropiado para una virgen que treparse a la silla de un caballo. Esto es lo que ha oído María, que tanto los extraña; toda su vida hubo caballo o pollino o asno cerca de ella, el padre los preparaba con cuidado antes de mercarlos. Desde muy pequeña, el padre la entrenó para montar, era una jineta experta. Pero aquí en el convento, ningún montar, qué va. ¡Encierro de vírgenes! Aunque, claro, están las viudas. La misma madre superiora es viuda, joven y viuda. El convento fue fundado para recibir viudas, y sigue la tradición de acogerlas. Puede que María no lo sepa, que no sólo la superiora, un buen número de religiosas son viudas. ¿De quién es el caballo? María peina con los ojos, buscando alguna figura en movimiento, pero nada ve. Atrás de ella, los rosales entremezclados delatarían cualquier intromisión, un minúsculo movimiento agitaría locamente el mazacote de zarzas, todas entrelazadas las unas con las otras, cualquier sacudida haría saltar la red de ramas y rosas que hace unos instantes tenía a María tragada en su vientre.

La luna ilumina con claridad. Desde donde está María, no se ve ventana donde se trasluzca encendida alguna vela. María afina el oído: no escucha nada. De pronto, sí, oye con toda claridad el crujir de unos goznes y el cerrar de una puerta. Se dirige hacia esta puerta. Llega a una plaza (plaza puede llamarse a un patio tan inmenso) que tiene en el centro una alberca. En uno de los costados está la celda principal del convento; María la reconoce, es un aposento de dos pisos y de cuatro habitaciones, el de la madre superiora. María ha estado aquí algún par de veces, es el extremo del convento opuesto a la cocina. Clara la ha traído desviándose del camino a los corrales más que un poco para enseñársela, contándole historias de la viuda, cuando van por pollos o gallinas para el guisado. María deja su cántaro en el borde de piedra de la alberca, acomodándolo donde unos helechos lo acojinan, y se acerca a la puerta de la celda, cuidando de no hacer ningún sonido. No escucha nada. Se sienta en el escalón de la entrada y pega la oreja a la puerta. Distingue dos voces distintas, la de un hombre y la de una mujer, altercando. Oye otra puerta abrirse, cerrarse. Las voces se apagan. Silencio. María espera oír algo más, pero no se escucha nada. Despega la cara de la puerta. Traza en el escalón, con sus dedos, las dos palabras aprendidas; apenas hecho se levanta y camina retirándose con enorme precaución. Toma su cántaro de entre los helechos y se echa a andar con rapidez.

María quiere llegar cuanto antes a la cocina, para orientarse sólo sabe que debe dejar a su espalda el camposanto. Aunque haya venido aquí con Clara, no conoce nada bien el camino que la lleve de vuelta. Al fondo del patio o «plaza» de la madre superiora, encuentra una puerta abierta que da a un pasillo, lo toma y encuentra al final de éste dos puertas. Las dos están abiertas. Se asoma: la derecha da a un amplio refectorio, la izquierda a una capilla con un pequeño altar, la Virgen iluminada con velas, los floreros repletos de rosas. Elige el camino de la capilla, desemboca a un salón y éste a su vez a un patio. ¿Es el mismo que ha cruzado ya? El cielo se está cubriendo de nubes, cada momento es más difícil distinguir en las tinieblas. La aprensión de María crece. Trae su cántaro apoyado en la cintura, sin darse cuenta lo va tamborileando ansiosa con la punta de sus dedos. Sale del patio, toma un pasillo rodeado a un lado y al otro con pequeñas portezuelas —debe de ser donde viven las religiosas de bien, aunque ya no las principales—, trata de no hacer ruido con los pies («¡No los arrastres, por Dios! —se va diciendo— ¡No los arrastres!»), mientras las yemas de sus dedos golpetean en el cántaro, para ésas no tiene oídos. Pasa a un salón, rodeado por los cuatro costados de esos agujeros pequeños que los moros llaman ventanas. Toma la puerta del frente y sale a otro patio. Se dirige en línea recta a su alberca central, y reconoce la banca que ocupó el primer día que llegó al convento. La luna ha quedado velada por las nubes, pero basta la pálida luz que dejan filtrar para saber que aquí fue donde la Milenaria le contó la historia de Carcayona. María pierde la aprensión que la acompaña, baja el cántaro de la cintura y asoma en él la nariz: el olor del barro húmedo le inunda el cuerpo de memorias. Ahí está su papá frente a ella, ahí los amigos, el ruido de su barrio, los cantos y los bailes al caer la tarde, ahí su casa: todo lo ve María, como si el olor del barro que recuerda el agua guardara vivas sus memorias. María siente un festivo alivio, sube el cántaro casi a la altura de la cabeza y se echa a correr, llevándolo en los brazos extendidos, segura de su camino, hacia la cocina; se siente ligera, casi exhilarante; se siente ella misma; como cuando vagaba por las calles de Granada, está de nueva cuenta entera, completa. Vivir entre estos muros ha sido faltarle a diario un trecho de sí misma. María creció con los pies en la calle de Granada, la casa era sólo para dormir y oír cantar al padre porque él canta en todo sitio. El cántaro le regresa lo que ha extraviado. Ya no le importa perderse en pasillos y refectorios completamente oscuros, tropezarse contra las baldosas disparejas de patios con trebejos en total desorden, ya le tiene sin cuidado el jardín de enmarañados rosales. Su cántaro es además su escudo, es su guarda, es lo que a Roldán su fiel espada, y es incluso más que una Durandante fiel, pues nadie podrá nunca hacer mal uso de éste. Sin detenerse, vuelve a apoyar el cántaro contra su cuerpo, camina arreciando el paso y, en un respiro, casi sin darse cuenta, llega a la cocina. Todas duermen ya. ¿Cuánto tiempo estuvo vagando? Ni el perro se levanta a recibirla. En silencio se dirige a su rincón habitual. Ahí se sienta: no tiene sueño. Está agitada. Oye su propio corazón, golpeándole el cuerpo, queriendo salírsele, purrún-rún, purrún-rún. Bailaría. Cantaría. Abrazaría a su padre. Correría. No puede hacer nada de esto. Ya no se atreve a dejar la cocina y recorrer pasillos umbríos y patios impredecibles, su ilusión de seguridad se ha derrumbado. Piensa para sí: «¿Por qué no pasé por el corral de las vacas?», y se siente más perdida que nunca, desconcertada: no conoce el convento. Acuesta su cántaro, lo mira, la alegra pensar que va a dormir a su lado. Una vez más, en la oscuridad, con la yema del índice ensaya sobre el piso las dos palabras que ha memorizado, traza las que acompañan los dibujos que según María narran su salida del convento. Hace las líneas de las letras con sumo cuidado, sintiendo bajo la yema del dedo la suave caricia del hollín. Las repite. Las traza otra vez, y otra, más veces la palabra más corta y sencilla, y va formando un semicírculo con las letras, un semicírculo que la encierra. Se acuesta de frente a sus trazos; buscando acomodo para intentar dormir, pasa uno de los brazos sobre el cántaro, flexiona las piernas. Se siente como si hubiera retornado a su casa, por un momento feliz. Así sea María quien abraza al cántaro, el cántaro es quien la sostiene. Se queda dormida sin darse cuenta.

A la mañana siguiente la despiertan tres cosas simultáneas: las carcajadas nerviosas de Claudia, la voz alterada de la monja Milenaria y el silencio gélido proveniente de las otras hermanas, de las esclavas y de las criadas, un silencio que punza. Todo ocurre demasiado cercano a ella, diríase que pegado a sus oídos, pero María está decidida a fingir ignorancia, porque en su dormir está ocurriendo un sueño al que quiere alcanzar a verle el cabo. Tiene el cuerpo adolorido: no se ha movido de posición en toda la noche. Está tal y como se acomodó cuando cerró los ojos y se quedó dormida, el cántaro abrazado con un brazo al pecho, su otra mano pegada a la cara; así la cadera le moleste, no se mueve, no va a arriesgar nada antes de verle el final al sueño que todavía está teniendo y en el que deja un pie mientras el resto de su persona se asoma muy a su pesar a la vigilia. Las risas y las voces insisten. María se abraza más al cántaro, aprieta más los ojos, se detiene con más fuerza a la orilla del sueño: un toro vestido con toga blanca patalea sobre sus patas traseras, levantándose caracolea; gesticula como una persona, con las patas delanteras parece argüir algo, sus movimientos simulan los humanos. A la altura de la cintura, el toro se quiebra, se inclina al frente como si fuera una persona, se dobla su tronco, si el del toro es un tronco. Inclinándose, el toro levanta algo del piso y apenas hacerlo se endereza, de nueva cuenta como una persona. Es y no es un toro. Es y no es un minotauro. Es y no es animal, y es y no es persona. Cada uno de sus miembros es mitad humano y mitad animal, y es y no es de cuerpo completo las dos cosas. Es todo toro; es todo humano; es un minotauro sin cuerpo dividido. Ahora María nota que tiene las patas calzadas, trae sus alpargatas moriscas. El toro se echa más hacia atrás, se sacude la manta que le cubre el cuerpo, y ésta resbala al piso: el toro es un ser *desnudo*, tiene piel de humano. En su pecho hay dos tetas bien formadas. María extiende la mano para tocárselas. ¿Son de él, son de *ella*? ¿El toro es *ella*? En la vigilia, las carcajadas y las palabras que la rodean suben de tono, sobresale la voz de la Milenaria en extremo enfadada. «¡Que se callen! —piensa María— ¡Déjenme con mi torito un momento!» ¿María llama «torito» a ese monstruo? «¡Torito! —le dice María con la cabeza—, ¡torito mío!» Las voces que la quieren despertar topan con un espejo adentro del sueño, y ahí resuenan, ahí también gruñéndola, ahí diciéndole agitadas y altaneras: «¡Que no le toques las tetas al toro, a *la* toro!» María aprieta más los párpados y se abrocha más todavía a su cántaro. Cae una patada sobre su espalda, estrellándole la frente contra el barro de su cántaro, obligándola a abrir los ojos. ¡Adiós, torito, adiós con todo y tetas! El sueño se evapora. María gira enfadada la cabeza a ver quién la ha pateado y encuentra —para su total sorpresa— a la madre superiora en persona, arengándola.

María abraza más su cántaro, pegándolo al pecho, y se levanta casi de un brinco del piso. Por un momento siente que el cántaro se le resbala, que casi se le escapa, pero lo tiene bien sujeto, es una ilusión. En este momento María cae en la cuenta de que el cántaro ha disminuido de tamaño, que ya no es el enorme recipiente que ella llevaba arriba y abajo por las calles de Granada. La noche anterior, con el miedo, con la oscuridad, con la excitación, con las monedas en el cinto, no percibió el cambio. María ha crecido, es más alta que cuando entró al convento. Esta conciencia es su primer signo de despabilamiento, al que sigue pisándole los talones el comprender que el motivo completo del alboroto es lo que su dedo trazó en el piso la noche anterior, cuando refrescaba su memoria, haciendo sobre el hollín los trazos que había copiado al lado del camposanto. Las hermanas señalan las palabras pintadas por María en el tizne del piso. Esto es lo que ha arrancado carcajadas nerviosas, enfado en la Milenaria y la insólita presencia en la cocina de la madre superiora. Lo siguiente que comprende de golpe es que Claudia, la más fea entre las feas, sabe leer, probablemente también la Milenaria, aunque eso está por verse.

—Yo no sé leer —dice, pensando que eso debe justificarla y perdonarla del torbellino que ha levantado entre las monjas.

—Sería el demonio entonces —dice furibunda la madre superiora.

—La niña trae consigo puesto el demonio —dice alguien atrás, que María no alcanza a ver—. Miren: trae tiznada la sien y la mano…

—Que no fui yo, que no fui yo, que no sé yo qué dice aquí… —dice María, con tanta sonoridad como si fuera un canto, y con los piececitos golpea el piso subrayando cada sílaba. Que si te echas a bailar, María, que si te eeeechas a bailar, anda, María, María, zarandea a un lado y otro tu hermosa cara, tinta del hollín que recogió tu dedo—. ¡Lo juro por san Gabriel, en nombre del ángel mayor yo les prometo que yo no sé leer, no sé escribir, yo no he hecho nada!… ¡Por mi madre que me mira desde el cielo! ¡Yo no fui! ¡Yo puedo explicárselo, madre, no lo hice yo, solamente copié esas líneas aquí para que alguien me dijera qué dicen!

María no sabe que al invocar a san Gabriel hace parecer mayor su crimen, pues es el santo que adoran los moriscos, convencidos como están de que es su protector. Todas oyeron san Gabriel como si fuera invocado Luzbel y los otros amigos con quienes vive en el infierno. Cuando apareció la mención de la madre, ya estaban todas con los oídos sellados de horror ante la niña. Y no hubo quien oyera que deseaba explicarlo.

—«Alá manda, Alá, Alá, Alá manda.» ¡Escribir en el convento esto! ¡Jamás en la vida de este santísimo lugar se había escrito adentro de sus muros esa maldición, ese cáncer!… Debemos llamar al obispo Guerrero ahora mismo, y que la Inquisición se encargue de la gitana. Nunca debimos dejarla entrar, siempre supe que era un error tenerla aquí —dijo la madre superiora.

—Déjeme confesar a usted, que sí tengo algo que contarle para enseñarle a usted mi inocencia, madre —dice María, envalentonada ante el peligro, hablando recio y mirando con sus dos flamas de ojos a la superiora—. Quiero decírselo a usted, sin que nadie más lo escuche. Debe oírlo. Por los caballos que un día mercó mi padre, escúcheme, por uno, por uno solo de los caballos, uno que anoche vi aquí…

A la mención de un caballo, respondiendo a la mirada de María —raros poderes tienen las gitanas—, la madre superiora, aunque enfadadísima, aceptó escuchar a la niña. Las dos salieron de la cocina.

—Ayer por la noche —dijo María, bajando la voz, apenas se aseguró de estar fuera del alcance de las otras—, no podía yo dormir; dejé la cocina y caminé vagando por los patios del convento. De esto sí pido perdón, porque de esto sí soy culpable. No pedí permiso a nadie. Me perdí, porque yo no conozco este convento, y me vi rindiéndoles mi respeto a las que yacen en el camposanto. Saliendo de éste, cuando aún no mucho me le alejaba, bajo una jacaranda en flor me senté en una banca de piedra que ahí hay, usted debe conocer de qué hablo. Y ahí, a mis pies, vi esas palabras escritas una y otra vez en el piso de tierra. Estaban hechas con otras que no sé qué dicen, porque yo no sé leer, no sé entender. Pero a éstas, que eran cortas, las memoricé, me aprendí sus formas. Luego caminé unos pasos, vi estas dos otra vez escritas, igual en el piso, y aquí y allá las volví a encontrar varias veces, hasta que llegué a un jardín de rosales y apenas cruzarlo como Dios me dio a entender, que no fue fácil, topé, y casi diría yo *tropecé*, con un caballo, un hermoso caballo fino que alguien acababa de desmontar, le pasé la mano por el cuello, lo tenía sudado. Yo iba a dar noticia hoy mismo de eso que vi, que no puedo imaginarme de quién será; se lo iba a decir a la Milenaria, a Estela, a quien quisiera oírme; el caballo estaba adentro del convento; paradito, atado a un árbol, bien ensillado y enjaezado; lo vi, lo toqué con esta mano que es mía. No me detuve a averiguar, porque pensé que caballo en Casa Santa no es cosa de bien, hasta temí que fuera una aparición del demonio. Del demonio debió ser, que tal vez vino cabalgándolo, bajó a escribir esas cosas en el piso, y luego, ¡no sé!, quiero creer no está ya aquí; madre, debió ser el demonio, que entró en caballo al convento... Quién sabe dónde más habrá escrito eso. Yo me vine corriendo, corriendo. Llegando a la cocina, me acosté, no podía dormirme, por el susto del caballo —que de la maldad de lo escrito en el piso no tenía yo ni idea, si no sé leer—, y, de pura nerviosidad, repetí en el piso, sobre el hollín, con la punta de estos dedos que ve, lo mismo que vi allá arriba junto al camposanto escrito sobre el piso. Sí, yo lo hice con las yemas de los dedos, porque iba a preguntar hoy a alguna de las hermanas que me dijeran qué era lo que yo había encontrado ayer escrito, junto al caballo que le cuento, del que a usted o al confesor iba a dar yo cuanto antes noticia —María tomó un respiro, y reemprendió, aún con mayor vigor y aplomo—. Mi mano trazó lo que mis ojos vieron sin comprender varias veces en el piso del convento. ¿Quiere usted que se lo enseñe donde lo vi, y que le diga dónde estaba el caballo? ¿Quiere que le rastree para usted sus huellas y siga las de quien lo desmontó, que le diga por dónde anduvo el demonio ese? Aquí dicen, en el convento, que no sé hacer nada bien, pero eso —rastrear huellas— puedo hacerlo muy bien, porque mi papá es mercader de caballos y bien me enseñó a olerlos, seguirlos y a leer sus huellas. Eso sí lo sé leer. Yo sé leer las huellas aunque alguien, con voluntad, las haya borrado. Yo sé distinguir entre las de un caballo y otro, entre las de un hombre y otro, entre las de una mujer y otra. Mi papá me enseñó a rastrear bandidos y caballos extraviados. Vamos allá arriba, le muestro el

«Alá manda» («¡Jesús bendito!», dijeron las dos en respuesta a coro), esa maldición escrita en el piso junto con otras palabras que de seguro dirán cosas peores; yo le muestro a usted y al cura que usted traiga las huellas del caballo, que deben estar ahí marcadas claramente en la arena del piso; así el demonio las haya barrido al salir, yo se las leo. Y rastreamos el paso del demonio, buscamos dónde más dejó escrito y qué, y si son palabras usted las descifra, que yo eso no sé. Yo sólo copié en el piso de la cocina las mismas que vi allá, en el fondo del convento, para preguntar qué significaban, por si acaso las de arriba se borran, por si esas que vi fueran sólo una aparición nocturna. Tal vez todas las noches el demonio llega a caballo, tal vez todas las noches está haciendo maldades en esta Casa Santa. Usted ve qué es lo que pasó... Yo no sé escribir, yo no sé leer: sólo copié en el tizne para el bien de todas, para que se supiera, pero no imaginé que fuera cosa así tan bestia lo que significaran esas letras... Si no fue un demonio, serían monfíes, yo qué sé...

La superiora había cambiado completamente de expresión. Ya no estaba enojada sino visiblemente preocupada, y muy pálida. Habló sin cambiar:

—Usted se me calla ahora mismo, niña. No dice ni una palabra del caballo ni de las frases vistas allá arriba a nadie, absolutamente a nadie —cuánto se alegró en este momento de no haberle asignado confesor—. Ni de las palabras que vio escritas, ni del caballo, ni de nada. Con las cosas del demonio no se juega. Yo voy a checarlo ahora mismo. Usted, niña, ni una palabra, o la llevo al obispo, que él la corrija de andar pintando en el tizne lo que no entiende y de ver caballos que no existen y maldiciones escritas en el piso. Siga diciéndolo y terminará quemada en leña fresca. ¿Le queda claro?

María asintió, bajó los ojos y guardó silencio.

La madre superiora se recompuso y regresó como ráfaga a la cocina. María la siguió como los fuegos fatuos la habían seguido ayer a ella, pegadita a sus talones, como atraída, como sin fuerza propia, como si fuera de vapor o una sombra. La superiora arengó a todas las religiosas, criadas y esclavas de la cocina con voz muy firme:

—Limpien ese piso, que ésta es casa de Dios. Rieguen después ahí agua bendita. Por respeto al convento, tienen prohibido terminantemente repetir lo que hoy pasó aquí. Se acaba esta historia. Esto queda entre yo, María y su confesor, y se hará justicia y se le dará remedio. No quiero oírla repetir, porque, si yo la oigo, será la comidilla de Granada. Repito: tienen expresamente prohibido volver a hablar esto. Si alguien se atreve a repetirlo, recibirá un castigo ejemplar. Aquí nunca se ha escrito esta maldición, estos muros no lo han visto, ni ustedes tampoco.

Dio la media vuelta y salió presurosa. «¿Cuál confesor?», pensó más de una.

Clara dice muy quedo, casi al oído de María:

—¡Ni cuando era el palacio de la reina mora se escribía o decía aquí esa palabra, «Alá»!

María no abrió la boca. No hizo un solo gesto de complicidad. Tampoco ella quería saber nada más del asunto. Si era verdad que la madre superiora iba a olvidarlo, ella también lo enterraría. Las hermanas se fueron retirando de la escena del crimen, ninguna más abrió la boca, nadie volteó a mirar a María. La bailaora no hizo nada, no dijo nada a su vez. Antes de limpiar el piso del tizne, intentó leer el «Alá manda» que había escrito, pero no pudo, no distinguía qué quería decir qué. En cuanto terminaron de limpiar, la Milenaria regó sobre ese tramo del piso agua bendita, musitando rezos que las otras hermanas y las criadas coreaban, con miedo en el corazón. Lo mismo hizo sobre María, después de tallarle con un trapo, inmerso también en agua bendita, la cara. En cuanto al trapo, lo tiró al fuego de una de las chimeneas donde harían ese mismo día horas más tarde dulce de leche en enormes calderos. El fuego estaba preparado desde la madrugada.

Mientras esto ocurría en la ardiente cocina, la madre superiora se había dirigido presurosa hacia el poyo de piedra que está al lado del camposanto. A su pie, leyó en el piso, escrito en la arena: «Que Alá te proteja», y a su lado «Él manda». Con las suelas de sus zapatos talló las frases, y las varias veces que había «Alá» y «manda» escrito aquí y allá, borrándolas por completo. Cruzó hacia el patio de las rosas. Se detuvo en la entrada del patio, bajó la vista y leyó «Alá manda». Borró la palabra con las suelas, sin pensar en nada, sin levantar los ojos. Si lo hubiera hecho, habría leído en el arco de la entrada principal a este patio, en la moldura de piedra del nicho de la derecha, estas palabras inscritas en lengua arábiga:

> Estoy aderezada como doncella en rito nupcial,
> dotada de la mayor hermosura y perfección.
> Contempla este estanque,
> y fácilmente conocerás la verdad de mi aseveración.
> Examina también mi tiara y verás cuán se asemeja a la dulce aurora
>   del plenilunio.

Pero la madre superiora no alzó la vista. Dio la media vuelta y se dirigió a su celda. Antes de entrar, puso los pies en el escalón, donde vio con horror escrito «Alá manda». No le quedaba sino rezar y encomendar su alma a Dios, pero antes de hacerlo tomó del pretil de un balcón la jarra que se usaba para regar las flores y la vació sobre el escalón, para limpiar toda seña de esas letras malditas. La gitanilla había dicho «Así el demonio las haya barrido al salir, yo se las leo»; más valía echar agua. Se hincó a intentar rezar para calmar su exaltación.

Si lo que la madre superiora buscaba rezando era paz, no la tendría esa misma noche. En el siguiente pasaje se relatará lo que pasó tal como lo recuerda la ciudad. Para hacerlo, al vuelo se explicarán algunas cosas que ocurrieron después de las últimas prohibiciones reales que se pregonaron el 1º de enero de 1567 ante los alcaldes del crimen de la real Chancillería, el corregidor y todas las justicias de la ciudad con gran solemnidad de atabales, trompetas, sacabuches, ministriles y dulzainas, en plazas y lugares públicos de la ciudad y de su Albaicín.

7. Pasaje donde comienza la segunda huida de María la bailaora

Corría el año de 1567. La opresión de que eran objeto los moriscos de Granada se hacía a diario más dura, causando entre ellos el vivo deseo de un alzamiento. A las prohibiciones ya imperantes, y que no eran pocas, se sumaron en meses la de tener esclavos negros, la de usar armas, la de acogerse a lugares de señoría para salvarse de la persecución, la de gozar de inmunidad eclesiástica. Agréguese a esto el grave peso de los tributos, el conocido rigor y la rapacidad de los recaudadores (o como ellos les dicen: almojarifes) y —lo más importante entre todo lo arriba dicho— la insolencia de los soldados que se alojaban en las alquerías y las casas de estos moriscos con el pretexto de perseguir delincuentes y refractarios, causando grandes gastos a sus patrimonios, y vejaciones de violencias y desafueros que no paraban nunca. Eran más los delitos que los soldados cometían que los delincuentes que apresaban, nadie dará versión distinta. Por todo esto estaban los moriscos irritados, tramando cómo defenderse. Con toda razón manifestaban ira, seguros de que su Majestad había sido mal aconsejado y que la premática sería la causa de destrucción del reino, y comenzaron a hacer juntas en público y en secreto.

So pretexto de recaudar dineros para comprar ropas castellanas a las moriscas, las autoridades cristianas desmantelaron y vendieron los baños del Albaicín. Aquí, a la afrenta se sumaba la burla, que la plata desapareció como por encanto, no viéndose convertida nunca ni en lana ni en paños, ni en faltriqueras ni en mantos. Fue don Pedro Deza, presidente de la Chancillería, quien hizo destruir todos y cada uno de los baños, que eran uno de los más grandes deleites de los moros, y quien ayudado por otros buenos cristianos desapareció sus frutos, evaporándolos en favor de sus bolsillos. El último día de diciembre de este 1567 las mujeres debían abandonar sus ropas de seda y sus atavíos árabes, y debían empadronar a todos los niños y niñas de su raza para que recibieran de ahora en adelante educación cristiana —o les fueran sus hijos arrebatados, llevados a otras ciudades, como se decía se había hecho con los de los gitanos—. Los montes vecinos de Granada estaban plagados de monfíes, que así se hicieron llamar los moriscos recién convertidos a salteadores, que cada día eran más, y razón tenían de serlo: mejor parecía la vida al acecho y en el rigor y la inclemencia de los montes, que su vida doméstica, pues vivían los moriscos ofendidos vivamente en sus hábitos, en la seguridad de sus vidas y sus haciendas, en su religión, e incluso en sus costumbres domésticas. Encima de todo, don Pedro Deza había revocado el permiso de portar armas que había dado como excepción a los distinguidos, y había hecho prender a traición a los varones de algunas familias ricas y poderosas por considerarlos sospechosos. Todo Granada tenía motivo para temer la justa ira de los moriscos, que no parecían dispuestos a cruzarse de brazos como respuesta a tantos ultrajes.

Fue entonces, y no en tiempos de Almanzor, como se dice ahora, que en Vélez, esa ciudad bañada por la orilla del mar y las aguas fértiles del río Vélez, donde siempre hay clima benigno, en cuya tierra generosa los moriscos supieron hacer producir magníficamente granos, legumbres, frutas sabrosísimas, en especial las naranjas de singular regalo y los dátiles almibarados como los del Sahara, que un príncipe morisco tenía una hija de hermosura sin par, discreta e inteligente, a quien le fabricó un hermoso palacio con cármenes deliciosos para divertirla. El cristiano alcalde, un viejo brutal, la codiciaba. La joven tímida no correspondió a sus insensatos deseos, y el viejo, sin cosechar su respuesta, ayudado por sus criados, la ultrajó infamemente. El padre, ciego y despechado, armó a sus vasallos, cercó la villa, degolló al raptor y a todos los de su raza, asesinando sin mayores miramientos también a los de los pueblos vecinos.

Esto vivía Granada cuando María la bailaora escribió sobre el hollín de la cocina del convento las palabras «Alá manda», causando inquietud y enfado en sus llamadas hermanas, que más sus amas, sus dueñas, o mejor sus tiranas parecían, salteadoras de sus tres monedas y sus dos joyetas corrientes, y asaltadas de la única buena. Tal era el estado de alarma de la ciudad, al que las monjas no eran ajenas, que no había rincón de Granada insensible a lo que acontecía, un pasaje sin par en su historia. María recibió su cántaro y el mensaje la noche del 19 de abril, amaneciendo el 20 con la cara teñida de tizne. El 21 la indiscreción de un soldado cristiano terminó de turbar la ciudad. Si fue indiscreción, ya hablaremos de esto.

Era una noche encapotada y húmeda. Acababan de dar las ocho y media cuando se escuchó el sonar de la campana de la Vela con toque de rebato, alternándose con los gritos del soldado que la tañía, que gritaba: «¡Cristianos!, ¡mirad por vosotros!, ¡esta noche seréis degollados!» Los hombres salían abrochándose los jubones y las calzas con una mano y empuñando en la otra el arcabuz y la espada. Las mujeres corrían también despavoridas buscando refugio más seguro que sus casas. Un grupo numeroso de éstas se agolpó a la puerta de nuestro convento, el Santa Isabel la Real.

La madre superiora dio instrucciones a las criadas, a las esclavas y las beatas que habían ya aparecido (las beatas, falsas viejas rezadoras, vestidas de negras gruesas telas, infatigables como las criadas y como éstas tesonudas y persistentes pero sólo en comer, tacañear y ansiosamente hacerse de beneficios a costa de bellezas, juventudes y sudores ajenos, quienes contraviniendo los preceptos de la orden, andaban arriba y abajo del claustro, con total libertad de movimiento). Se abriría la puerta principal, y vigilarían con celo a quién darían entrada. Ningún varón, de ninguna edad, ni recién nacido, podría entrar. Por lo mismo no se aceptaría adentro a ninguna a punto de parir, no fuera a nacerle un hijo. Tampoco podrían entrar mendigas ni mujeres que no fueran de bien, ni conversas, ni bastardas. Las hermanas junto con las criadas y las esclavas corrieron a la puerta principal del convento, a punto de ser derribada a puñetazos por las desesperadas que ya se imaginaban en manos de monfíes. Entreabrieron la portezuela para seleccionar a las que podrían entrar y a las que debían dejar afuera. Comenzaron a dejar pasar adentro a quienes fuera pertinente, eligiendo con el mayor cuidado entre la masa que pugnaba por meterse, aceptando grupos de madres con sus hijas y criadas, viudas cargadas de todas sus valiosas pertenencias, vejestorias cubiertas de cuanto velo y tafeta y lienzo tenían en su casa, que no encontraron mejor manera de ponerlos a resguardo. Las niñas lloraban, las jovencitas reían nerviosas, las mayores trataban de conservar la sangre calma, cuidando no dejar fuera a alguna de sus hijas. Una perdió por completo la compostura cuando la intentaron echar fuera. Terminaron por sacarla a empujones haciendo fuerza contra el siguiente grupo que pugnaba por entrar, armándose un alboroto. La expulsada amenazaba a las monjas con venganzas, desgañitándose. Las que deseaban entrar se sumaban al revuelo, jaloneándola hacia aquí y allá. María se pegó a la expulsada gritona, adhiriéndosele como para empujarla afuera, que mucho se resistía, y pegada a ella, escudada por las que pugnaban por entrar, se escurrió afuera. Ahora entendía preciso la seña indicada en el recado recibido la noche anterior. El revuelo del tañer de la campana y los gritos imprudentes del soldado la habían puesto en alerta. Por esto María tomó a la chillona de la cintura y se le repegó a la espalda como punta de lanza, trasponiendo la puerta principal del convento desprovista de nueva cuenta de su cántaro, armada solamente de su falda en andrajos y de la camisa rota, prendas con que habían reemplazado las religiosas a su hermosa camisa con franjas de colores, el manto atado al hombro, el sombrero y las muy finas faldas gitanas que vestía al llegar. Guardaba en el cinto sus dos monedas.

Había un revuelo jamás visto en la callejuela que bordeaba la entrada del convento. Los frailes de san Francisco habían dejado sus celdas y corrían armados hasta los dientes hacia la plaza Nueva. Uno de esos monjes se haría en breve famoso como guerrero. Pero ésa es otra historia…

8. Pasa el franciscano guerrero

El 10 de enero del año de 1569, Cristóbal Molina, un fraile franciscano, con un crucifijo en la mano izquierda y la espada con una rodela en la derecha —que no sólo un don Juan de Austria, cuando ha sido condenado a la vida religiosa, siente el deseo de usar las armas—, los hábitos cogidos con una cinta, llegó con el resto de la tropa cristiana al Pasopuente de Tablate. A esas alturas de la guerra de las Alpujarras, los cristianos se creían vencidos, y en este lugar preciso estaban en efecto acorralados, que no había dónde más ir, ni encontraban salida para su muy dificultoso encierro. El fraile dicho, Cristóbal Molina, acomodando un tablón sobre un lodoso barranquillo, de manera que parecía insensata, saltó. Cuando todos esperaban verle caer, se admiraron de contemplarlo salvo en la orilla opuesta. Tras él saltaron dos soldados ordinarios. El primero, que no supo apoyarse con bien, como lo había hecho Cristóbal Molina, cayó, pero el segundo pudo seguirle el paso, y tras él lo hicieron los demás, sin que hubiera otras pérdidas.

Final del pasaje que atañe al franciscano y soldado.

9. Continuación de la segunda huida de María

La llorosa expulsada y la liberada María iban en la misma dirección que los frailes, hacia la plaza Nueva. Se cruzaban con hordas de mujeres apretujándose ansiosas por alcanzar y trasponer las puertas del convento, hacia las que también se dirigían hombres armados para protegerlas del ataque y para ayudarlas a seleccionar quién era lícito entrara a guarecerse, reteniendo a las que debían quedar afuera, porque beatas, criadas y hermanas no se daban abasto. Desde afuera de las paredes del convento, los armados varones harían pie de guardia. La callejuela era estrecha y el tumulto apenas cabía. Los frailes, María y la gritona avanzaban muy lento y con gran dificultad, escurriéndose por la calle de la Tiña en sentido contrario a las mujeres. De pronto, un caballo torció en la primera bocacalle, derramándole la gota al flujo humano que desaforado intentaba correr por la atestada callejuela. María pierde a la gritona que la ha ayudado a escurrirse y tropieza de narices con el lomo del caballo entrometido —quien no consigue, en el apretujadero de la multitud, terminar de dar la vuelta y alinearse con los muros de la callejuela—: es el que ha visto la noche anterior al lado de las zarzas, adentro del convento. Sí, sí, no le cabe duda de que es el que ha visto la noche anterior. El caballero que lo monta golpea con la pierna el hombro de María, desbroza de obstáculos el camino, hace a ésta y a aquélla a un lado para acomodarse alineado al muro del convento, quiere alcanzar la entrada. María alza la vista, revisa las elegantes ropas del caballero, alcanza de reojo una mirada displicente que la barre sin verla. El jinete es un enorme moreno hermoso, el bigote bien atezado. ¿Provendría de la puerta trasera del convento, o apenas se dirigía a su entrevista nocturna cuando sonaron las campanas a rebato? Ignorando el golpe en el hombro que la insta a moverse, María pasa la palma de la mano por el cuello de su montura —ningún sudor,

96

ese caballo se ha echado a andar apenas hace un instante; o viene del patio del convento, o lo acababa de montar ha dos pasos—, hecho lo cual María ágilmente se pega al muro para dejar pasar a la enorme y bella montura, e intenta aprovechar la onda que causara su paso para avanzar contra corriente. Por momentos se hace todavía más espesa, ¡cuánta mujer buscando refugio!, ¡cuánto varón corriendo armado!

María consigue dejar la calle de la Tiña y baja presurosa hacia la plaza Nueva por la vacía calle de los Negros, en donde se halla reunida una multitud iluminada bajo decenas de hachones. Ahí se averiguó que un centinela de la torre de la Vela se había alarmado al ver encendidas lumbres en la torre del Aceituno y, teniéndolo por un alzamiento de moriscos, había tocado a rebato. Las luces sin duda que habían brillado, que mal no vio el soldado, pero habían sido encendidas por cuatro soldados destacados por un alguacil para velar por aquella parte de la muralla. Lo más que se hizo fue redoblar las rondas, y todos volvieron a sus hogares.

Todos, menos María. Por la puerta del convento volvieron a cruzar las que habían entrado, las mujeres salían diligentes hacia sus casas después de depositar debidas y generosas limosnas. Pero sólo las beatas cruzaron en sentido opuesto.

María se sentía desconcertada. Cierto que era su ciudad, pero tan noche y con tanto ansioso meneo parecía ser otra. No la hacía sentirse mejor el que fuera quedándose vacía. Pensó que sería pertinente alejarse siquiera un poco más del convento, cruzó la plaza Nueva, se echó a andar sobre Cuchilleros, cuesta Rodrigo del Campo, Pañera, y tomó Pavaneras a la izquierda. Apenas lo hizo, algo llamó su atención al pasar frente a la casa de los Tiros, *algo* en la mil veces vista fachada, las cuatro estatuas que —había oído decir a alguno de los amigos de su padre— eran Mercurio, Teseo, Jasón y Hércules, vestidos a la romana. María conocía las historias de los cuatro, más de una vez, pasando enfrente, había oído contar de manera rápida —y a saber cuán fidedigna— sus aventuras. El ojo de María ha caído en un detalle nada insignificante: sobre la puerta está esculpida verticalmente una espada tocando con su punta un corazón, y a su lado las dos palabras que María no comprende pero reconoce: ÉL MANDA. Arriba de éstas, hay tres aldabones de bronce, uno triangular, otro cuadrado y el tercero octogonal, cada uno de ellos sujeto a la pared por un corazón sobre el que está escrita la misma leyenda: ÉL MANDA (EL CORAZÓN MANDA), y al lado de esto: ¡GENTE DE GUERRA! EJERCITA LAS ARMAS. EL CORAZÓN SE QUIEBRA HE-

CHO ALDABA LLAMÁNDONOS A LA BATALLA. ALDABADAS SON, QUE LAS DA DIOS, Y LAS SIENTE EL CORAZÓN.

Ésta, sin duda, es la segunda seña en el recado. María se arrellana en el vano de la puerta, se hace un ovillo sobre el escalón de la entrada, y espera que amanezca. No hay peligro que la vengan a buscar del convento, donde no consiguen ponerse en orden, algunas viudas retrasadas alegan haber perdido esto o aquello, un vejestorio se ha sentido enferma y han debido llamar a un doctor, y las criadas hacen lo que pueden para no perturbar el claustro de sus amas, desconcertadas ante la situación inesperada, fatigadas por las altas horas de la noche, ayudando atolondradas a hacer mayor la confusión.

10. Donde se plantea una objeción, María corre por las calles envuelta en toritos, conocemos brevemente a Andrés y a Carlos, y mientras se presenta al pelirrojo Yusuf, al espadero Geninataubín y a Farag, María comienza su vida entre los moriscos

Eso es lo que se cuenta que pasó esa noche, pero ¿es verdad que el soldado no sabía, que tocó irresponsable las campanas a rebato, sin más pretexto que haber visto esas luces? ¿Y el cohecho de que fue objeto, entonces, no cuenta? Porque el soldado dicho recibió de Farag Aben Farag, rico comerciante y tintorero del Albaicín, descendiente de los Abencerrajes, un puño de monedas contantes y sonantes. Y fue por esas contantes que el soldado tocó a rebato, no porque viera humos o fuegos o lámparas encendidas, sino oros y platas en su bolsa. Las campanas habían tocado obedeciendo a Farag Aben Farag, que tramaba así sacar a María del convento, y hacer entrar en la ciudad, aprovechando el revuelo, una carga importante de armas y municiones. De no haber sido así, los moriscos, encerrados en sus casas, hubieran temblado del pavor de verse asesinados por esa masa enloquecida. Pero no fue tal. Se encerraron a cal y canto desde antes que sonaran las campanas, tomando todo tipo de prevenciones porque habían sido advertidos, y esperaron a que los cristianos se congregaran en la plaza Nueva y oyeran que el rebato había sido un malentendido. Farag es Farag, si algo no le falta a este hombre es audacia, audacia y cálculo: con esta falsa alarma Farag quiere matar varios pájaros con un solo tiro. Farag, el que dice: «¡Confiarle algo a un cristiano! Los huesos de mi perro en el desierto merecen más mi confianza que uno de ellos, que...», y se larga, por ejemplo, con alguna de las historias de los despreciables Borgias, a las que era tan afecto por encontrarlas ilustrativas: «Hubo uno, Papa por cierto, que tuvo a sus tres hijos con la tabernera Vanossa dei Cattanei, Cesare, Juan y Lucrecia. Cesare, cómplice de su padre el Papa en crímenes repugnantes —cometían incesto con Lucrecia, hermana e hija, la bella Lucrecia de boca de botón de rosa, cabello rubio como el trigo y los ojos azules—, Cesare, decía, apuñaló y echó al Tíber a su hermano Juan, el duque de Gandía. ¡Entre cristianos se cuecen habas hasta en las mejores familias!»

Antes de ir a Farag —que un buen trecho iremos, como lo hace Granada, de su brazo—, veamos qué pasa a María en el portal de la casa de los Tiros, donde hay posibilidad de que las criadas del convento la encuentren cuando salgan mañana temprano a vender o a comprar leche. El convento es dueño de cinco vacas que no viven en el convento, pero todos los amaneceres recibe la leche aún tibia y parte de ésta sale de inmediato en manos de las criadas para ser vendida todavía tibia de casa en casa. Las vacas producen más que lo suficiente para el consumo diario —considérese que diario sólo comen bien las pocas privilegiadas que bien comen—, pero los días de hacer dulce de leche no basta la de las vacas del convento, de modo que unos días el convento vende leche y otros la compra. María no recuerda si éste es día de comprarla o de venderla, pero fuera para un motivo o para el otro, al abrir el día algunas caras conocidas podrían topar con ella.

María la bailaora lo sabe, pero entiende lo que el recado le señala. Esperará en el portal el amanecer para echarse a correr cuesta abajo y luego cuesta arriba, hacia el Albaicín, donde encontrará a más de un amigo de su padre. María se acomoda en el piso, se acuerda de su cántaro abandonado en el convento, lamenta su ausencia, se ovilla, y sin darse cuenta se queda dormida. Todavía es noche cerrada cuando la despierta el sonido del tropel bajando por la cuesta, los toros y torillos rumbo al rastro, sus pezuñas golpeando las calles empedradas. Sin pensarlo dos veces, María se incorpora y se echa a correr con ellos, que aunque la lleven por el camino largo al Albaicín —si no que en sentido contrario—, ella da por un hecho que ésta es la siguiente indicación a seguir.

Los dos pastores que cuidan de los toros conduciéndolos a marcha forzada por las calles vacías se hacen cargo de inmediato de María. No es nada sencillo correr al lado de una docena de toros en callejuelas anfractuosas. Los pastores la guían como si fuera parte del rebaño, dándole indicaciones con la punta de la vara, tocándole el hombro. Le indican que se desplace hasta el extremo izquierdo del rebaño, justo por la mitad del rebaño, y en ese punto la conservan mientras corren por callejones cada vez más cerrados, librándola de ser aplastada por las bestias y cuidándola cuando desembocan en la plaza abierta. El mayor de los pastores —un joven delgado, alto, las piernas y el cuello demasiado largos—, Andrés, divertido, golpea sin parar el hombro de María, jugueteando con ella. Andrés es de la misma edad que María, tendrá 14 años, el bozo le cubre apenas la cara. Le excita correr por los callejones adivinándole los tobillos a la hermosa. Le dice: «¡Este torito no se me escapa!» y otras frases golpes. María no le sonríe, ninguna gracia le hacen sus frases ni sus suaves. Corre a todo lo que le den sus piernas e intenta entender el lenguaje de la vara, temiendo se la lleven los toros entre las patas. El más joven de los pastores se llama Carlos. Es redondete, no tiene aún bozo, mira a María tímido, apenas de reojo; se atreve más a observar la excitación de Andrés que al objeto de ésta. Se ríe nerviosamente viendo así a Andrés, es torpe, a cada tercer paso titubeando se tropieza. Camina mirando a un lado, por costumbre no pone el ojo donde irá a dar su maltrecho pie. Carlos y Andrés, como María, son hijos de gitanos.

Llegando a la puerta de las Orejas, llamada también de las Manos y de los Cuchillos —porque comenzaba a hacerse entonces costumbre exponer en la puerta manos y orejas cortados a los malhechores y las armas cogidas por la justicia (se castigaba con cortar una mano el pecado nefando, el robo, el ser gitano y otros crímenes), la que hacía poco llamaban también de Bibarrambla, que es decir la puerta de la Rambla, a la que un poco antes llamaban la de Bibalfarax, según recuerdan los viejos de Granada, que quiere decir la puerta del Caballo—, bajo el segundo arco, más pequeño que el primero y también de piedra, donde está esa pintura de Nuestra Señora de la Rosa que llaman así por la flor que tiene el niño, una persona esperaba a María: Yusuf, comúnmente llamado el gigante Yusuf.

Yusuf es un hombre enorme, de cabello y melena colorada, tan alto que da pavor, corpulento y magnífico, hermano de Cidi Hayla, defensor de Baza y primo de Abdalla el Zagal. Ha heredado el color encendido de sus cabellos de uno de sus ancestros, el rey Abu Said el Bermejo, de cuyo matrimonio nació Yusuf, también rey de Granada. En Granada, los hermanos de los monarcas moros no son asesinados, como en la negra Berbería y entre los turcos de Constantinopla; ocupan cargos no muy honorables, pero gozan de riqueza y algunos pocos privilegios; de no ser así, Yusuf, el sobrinonieto de rey, no habría nacido.

Al ver venir a los toros, abriendo sus dos brazos grandísimos, el gigante pelirrojo Yusuf extendió un gran lienzo blanco que cargara consigo. Andrés gritó:

—¡Ale, el torero! —y golpeó con su vara a María, señalándola.

El corpulento pelirrojo Yusuf le contestó:

—¿Esto es mi mercancía?

—¡Ésa es! —le replicó con voz infantil Carlos, sin parar de correr.

—¡Ahí tiene a mi torito! —gritó Andrés.

El pelirrojo Yusuf se arrojó con la sábana extendida para atrapar a María, deteniéndola y envolviéndola al mismo tiempo. El lienzo de tela era enorme; el pelirrojo Yusuf envolvió con éste el pequeño cuerpo de María, de tal suerte que, ya terminado de enredar en torno de ella, parecía ser una pieza de tela llevada a vender al mercado. Asiendo al bulto, se lo echó en andas, relativamente pequeño en brazos del gran gigante. Era ésta una última prevención de sus salvadores para protegerla en caso de que alguien la hubiera venido siguiendo, prevención de todo punto inútil porque en el convento aún no se daban cuenta de su ausencia. La ciudad aún no despierta, aletargada después de la difícil noche, los guardas acababan de irse a dormir y hacía muy poco que reinaba en las calles completo silencio. El sol apenas comienza a asomarse. Pero además, ya llegado el momento, ninguna gana tendría la madre superiora de enviar brigadas a traer de regreso a la gitana endemoniada. Para ella era un relativo alivio saberla perdida, escondiéndose lejos de cualquier confesor posible.

Unos pasos adelante, el gigante Yusuf con su bulto en brazos se escurrió por la puerta de una de las casas que están afuera de la primera muralla de la ciudad, en el corazón del arrabal de la Bibarrambla, donde ejercen su industria los artesanos —herreros, cerrajeros, carpinteros, alabarderos y cordoneros entre otros—. Yusuf metió primero el bulto, luego se agachó para caber en la puerta. Cargándolo cruzó el patio, entró al taller celosamente guardado tras doble muro y puerta. Las dobles paredes son muy altas para proteger al barrio del ruido ahí producido. Al entrar quedaron sumergidos en el infernal pozo de sonidos. Decirle *infernal* es lo más apropiado, porque desde tan temprana hora son insoportables el calor y el estruendo.

El taller de Geninataubín labora a marchas forzadas cuando el resto de la ciudad duerme. Mucha labor tenía delante, intentando reparar aquella bárbara barrida de espadas que un día hicieron los cristianos en las casas moriscas. Porque en 1563, hacía cinco años, como medida precautoria, los cristianos escudriñaron en 16 377 casas moriscas, peinando en ellas 14 930 espadas y 3 854 ballestas. A ojos de los cristianos, Genina-taubín tiene un taller de herrero, donde se hacen las mejores rejas y lámi-nas de plomo, las más para vendérselas a ellos. Pero los moriscos saben que Geninataubín es maestro espadero. Por esto trabajaba a doble mar-cha, pues siempre puede mostrar a las frecuentes inspecciones de los sol-dados cristianos objetos para su entera satisfacción, y guardar para su comercio secreto espadas y puñales.

El moro Yusuf depositó su carga sin desenvolverla, a la que le gritó —con vozarrón que hacía juego con su enorme cuerpo, alcanzando a sobresalir con claridad del ruidero insoportable que los envolvía—: «Te me quedas ahí, niña, ¡no te muevas!», hecho lo cual se dio la media vuel-ta y se dirigió hacia el corazón del ruido.

Entre yunques y fraguas, rezos y letanías para medir el tiempo de este o de aquel otro procedimiento (cubrir con barro el filo, sumergir en agua el acero, someterlo al fuego), golpeteos del martillo contra el yunque, agua siseante, está el maestro espadero Geninataubín, en ese momento diciendo: «Dios es único, Dios es solo; no engendró ni ha sido engen-drado, ni tiene compañero alguno». Apenas acabó la frase, retiró la espa-da del fuego y comenzó a golpear la hoja. La cara enrojecida, el pecho descubierto, en la cabeza el turbante de tela ligera, una manta atada a la cintura, nuestro pelirrojo Yusuf se le acerca y le grita al oído:

—¡Traje ya la mercancía!

El espadero Geninataubín deja en alto el martillo mientras oye el mensaje con atención.

—¿En buenas condiciones?

—Creo que perfectas.

—¡Alabado sea Alá! ¿Está aún envuelta?

—Envuelta está.

—Avisa a Farag, está en casa de Adelet; no ha pegado el ojo en toda la noche; pidió que tú mismo le informaras en cuanto llegaras.

—¿La otra mercancía?

—La otra llegó ya, está en su sitio.

Apenas terminó la frase que se refería a la carga de armas de fuego que Farag había conseguido entrara de contrabando al barrio morisco, apro-vechando el alboroto producido por las campanadas, el espadero Geni-nataubín dejó caer el martillo sobre la hoja y continuó golpeando. A su lado, un artesano sumergía una espada en agua fría, rompiéndose el barro que cubría su filo con objeto de hacerlo más fino y punzante. Sumándo-se al ruido del taller, se oía al fondo el griterío de las ocas, también asistentes de la labor del espadero Geninataubín. Desde el corral anexo hacían lo propio: comer plomo por las noches para cagarlo oxigenado al otro día. Sus excrementos eran levantados y echados al fuego, para, fundiéndolos, conseguir el hierro.

El gigante pelirrojo Yusuf se dirigió hacia la puerta. Pasa frente a María, hecha un bulto, que no se había movido un ápice, y, como si lo hubiera hecho, le recomendó otra vez, con voz tronante:

—¡No te muevas, dije! —y se echó a la calle. Pasó frente al aljibe inmediato a la casa, dejó atrás la mezquita del Hadidin y otra que está ya trocada en iglesia, la de santa Magdalena, y ahí entró al carmen del cerero Adelet (que más adelante hubiera de hacerse famoso, porque en su casa convinieron en alzar el grito de rebelión el primer día de enero de 1569), donde lo esperaba Farag Aben Farag, el comerciante y tintorero que ha financiado la noche de desorden, sobornando al soldado para que toque las campanas a redoble.

Farag está enfrascado en una discusión agitada con un grupo selecto de los suyos, en la que las frases van y vienen con rapidez, subiendo en cada intercambio el volumen y el tono de la plática. Hacía un momento habían estado hablando de una de sus grandes preocupaciones, la crisis de la seda, pero ya lo habían hecho a un lado. Como el espadero, se reunían a deshoras, pues era ley que las casas moriscas debían dejar abiertas las puertas noche y día, y aprovechaban las horas del sueño cristiano para practicar las labores que exigían total discreción. El grupo estaba formado por moriscos ricos, gente aristócrata, acostumbrada a llevarse siempre la mejor parte del pastel, en tiempos muy recientes humillados, y desde el primer momento llenos de ira. Los más vestían como un castellano, unos pocos «a la morisca», y un par de muchachos portaban turbantes turquescos —detalle muy a la moda, la mejor manera de mostrar a sus pares que ellos «sí», así fuera más para la mofa colectiva que para obtener de su grupo algún tipo de respeto—. La discusión en el momento versaba sobre Francisco Núñez Muley, para ellos Almulhacen Almutaguaguil, del linaje de los reyes —el único miembro de la Corte real nazarí que no puede emigrar, pues en Marruecos reina la dinastía que ha derrocado a su padre y le ha hecho matar, y quien debe por lo tanto bautizarse, atado de manos por los cristianos—, yerno de Maley Haÿén, un día paje del arzobispo, recaudador del impuesto de la farda, casi niño, quien en el año 66 elevó un memorial al presidente de las reales Audiencia y Chancillería de la ciudad y Reino de Granada, para que se suspendiese la ejecución de la Pragmática, que prohibía a los moriscos la lengua, el traje, la música y otras costumbres, tan queridos para ellos como significantes para su alegría. La discusión, como digo, había subido de tono, ya se gritaban los unos a los otros, los que apoyaban al Muley y los que lo condenaban, considerándolo algunos blando, otros torpe para guiar a los suyos, otros incluso traidor; sus defensores, en cambio, un dechado de virtudes diversas.

En el momento en que entra el gigante pelirrojo, una voz categórica y serena ha conseguido silenciar a todas las demás, pero cuando dice: «Según Badis ben Habuz, el sabio, así se debe defender la Andalucía», arrecia la discusión, una verdadera tormenta. Esta frase, aparentemente inocente, repetía el letrero que tiene el «Gallo del Viento», la veleta que reposa en la torre de la casa del Gallo (un palacio «tan extraordinario por sus bellezas y magnitud que no tiene comparación con ningún otro de muslimes ni de infieles», según Aben Aljatib). La veleta representa a un caballero vestido a la morisca, con lanza y adarga, al que llamaban el Gallo del Viento.

—¡Defender la Andalucía así, al son del viento que sople, sin hacer nada para detener la llegada de la tormenta que se avecina, es una irresponsabilidad suicida!

—¡Es dejarse —decía otra voz incluso más furiosa que la anterior— conducir a ojos cerrados al matadero, poniéndoles en las manos el lazo para que nos arreen!

—¡Se equivocan! ¡Es la única estrategia posible! ¿Cómo no se dan cuenta? ¡Si respondemos, nos arrasan! Debemos permanecer impasibles. Es nuestra mejor arma. Si atacamos, morimos. Los cristianos esperan que ataquemos, sería su pretexto para aniquilarnos.

—¡De ninguna manera!

En la reunión sobresalía un hombre sentado al centro que no estaba exaltado como los demás. Era la viva representación de la desolación. No participaba en el debate. De cuando en cuando, si había una pausa o encontraba cómo hacerla, salía de su letargo aparente —todo tristeza— y decía: «El Rey envió guardas a nuestro pueblo quesque para limpiar la región de malhechores, quesque para terminar con los monfíes o aquellos que de otra manera contravienen las leyes. Yo los recibí porque el Rey lo mandó; les di comida, les di casa, les di mis respetos y ellos me respondieron robándome hasta la última moneda, y cuando no hallaron qué más hurtar me quemaron la casa».

Repetía su discurso una y otra vez, idéntico. La primera, había añadido al final una petición de justicia o venganza, a la que respondieron los presentes. La segunda, alguno aprovechó para decir: «Cualquier inquisi-

dor —que así se llaman esos ladrones— nos acusa de practicar en secreto
ritos no permisos, para confiscarnos la propiedad y abusar de nuestras
mujeres, bien al amparo de la ley lo primero, y del uso que hay ahora lo
segundo». Ahora, ya que lo había repetido decenas y decenas de veces,
ya nadie le contesta nada, lo dejan decir (cuando mucho, alguien mur-
mulla, en tono irónico, «el que tiene oro, tiene moro», repitiendo el detestable —y muy común y corriente— dicho castellano), le rinden respeto teniéndolo al centro; y cada que habla, lo escuchan. Era costumbre
de sus reuniones sentar un hombre en el centro, un quejoso, un supli-
cante, una víctima que no participaba sino con su testimonio. Nunca faltaba quién ocupara el sitio, los moriscos —como diría Farag— «nos hemos vuelto mercadería, vivimos soportando el ultraje cotidiano. Nadie
nos respeta ya, de todos somos abuso. Hasta los sacerdotes, que un pueblo entero vino a Granada en bloque a pedir *nos cambien al cura, o nos
hagan el favor de casarlo con alguien, que todos nuestros hijos nacen con
sus ojos azules»*.

El gigante pelirrojo caminó hasta pararse enfrente de Farag.

—¿Todo está bien, Yusuf? —dijo Farag al tenerlo en las narices, cambiando a la lengua aljamia (esta que otros llaman castellano), tal vez para
neutralizar el alterado tono de su voz, como si preguntarlo fuera hablar
sobre la belleza de una flor.

—*La* recogí de entre el rebaño —le contestó Yusuf, subrayando el femenino, también en castellano—, me la señalaron los pastores... —y
brincando al árabe—: Sigue en el manto la mercancía.

—Suéltala —contestó en su lengua Farag—, y comienza desde hoy a
enseñarle el uso de la espada. Desde hoy, no podemos dejar pasar un instante, ¿entiendes?

—¿La espada? Farag, ¿sabes que es una niña? Es mujer, creí sería un
muchacho, pero con los toros sólo venían sus pastores y una niña.

—Hija de un hombre valiente, caído en desgracia. Un valiente, y honorable: el duque del pequeño Egipto, Gerardo, tú lo conoces. La enseñas, Yusuf, tú la entrenas y que tus mujeres se encarguen de bien vestirla
y darle cuidados. Es quien nos conviene para nuestro plan, es hija de
gitano, ésos saben guardar mejor que una tumba los secretos.

—Es una niña.

—Es casi una mujer, y... —Farag contestó impacientado, y dejó la frase sin terminar. Atrás de él había oído decir «Si a uno hallan un cuchillo,
échale en galera, pierde su hacienda en pechos, en cohechos y en con-
denaciones. Somos perseguidos de la justicia eclesiástica y de la seglar»,

y saltó a la discusión obviando preámbulos y detenimientos, cambiando sólo el tono de su voz, que ha regresado al del acalorado debate, gritando casi: «¡Si cae Malta…!» Los moriscos deseaban la caída de Malta en manos de los turcos. Si Malta terminara por caer, llegaría ayuda turca, y con su alianza reconquistarían la «reconquistada» Granada, quitándola del gobierno cristiano, volviéndola a como estuvo ocho siglos, a la tutela mora. Aún no cayera Malta, pensaba para sí Farag, que las costas estaban casi indefensas, las «patrullas» habían sido enviadas a Sicilia. Los corsarios de Tetuán utilizaban a su gusto Motril. Pero los turcos habían prometido ayuda si ganaban Malta.

Sin escuchar la frase que conocía de sobra —«¡Si cayera Malta!» (hace semanas había más optimismo, pues se espetaba «¡Si cae Malta!», creyendo que los turcos se apoderarían en un santiamén de la isla, pero pasan los días y los cristianos están venciendo. Así sean muchos menos los Caballeros de Malta tienen centurias de sabiduría guerrera, pero más que esto el clima, las fiebres malsanas…)—, el pelirrojo Yusuf se retiró a un rincón del hermoso jardín del cerero Adelet sin decir una sola palabra más. Adentro de su cabeza la frase se columpiaba: «Es una niña, ¡con un puño de mierda!, es una mujer, dile a Farag que esto no puede ser, que tú no lo vas a hacer, que…» Eso se decía a sí mismo, mientras en el carmen los que discutían con Farag continuaban citando o rebatiendo al Muley. El Muley, cuya respuesta a la nueva premática que lastimaba e irritaba a los moros terminaba diciendo:

«¿Cómo se ha de quitar a la gente su lengua natural con que nacieron y se criaron? Los egipcios, surianos, malteses y otras gentes cristianas, en arábigo hablan, leen y escriben, y son cristianos como nosotros… Claro está ser esto un artículo inventado para nuestra destrucción, pues no habiendo quien enseñe la lengua aljamia, quieren que la aprendan por la fuerza y que dejen la que tienen tan sabida para dar ocasión a más penas y achaques, y a que viendo los naturales que no pueden llevar tanto gravamen, de miedo de las penas dejen la tierra y se vayan perdidos a otras partes o se hagan monfíes. Quien esto ordenó con fin de aprovechar y para remedio y salvación de las almas, entienda que no puede dejar de redundar en grandísimo daño, y que es para mayor condenación. Considérese el segundo mandamiento, en aquello de mandando al prójimo: no quiera nadie para otro lo que no querría para sí; que si una sola cosa de tantas como a nosotros se nos ponen por premática se dijese a los cristianos de Castilla o de Andalucía, morirían de pesar, y no sé lo que se haría…

»¿Qué gente hay en el mundo más baja o vil que los negros de Guinea? Y consiénteseles hablar, tañer y bailar en su lengua por darles contento. No quiera Dios que lo que aquí he dicho sea visto con malicia, porque mi intención ha sido y es buena. Siempre he servido a Dios nuestro Señor, y a la Corona Real, y a los naturales deste reino, procurando su bien; esta obligación es de mi sangre, y no lo puedo negar...

»No desampare vuestra señoría a los que poco pueden...»

Ensimismado, el pelirrojo Yusuf peleaba en su cabeza con Farag sin abrir la boca, dando la espalda a la reunión. «¡Una mujer!», repelaba en silencio, «¡una mujer!, ¡enseñarle *yo* a una mujer a usar la espada! Y es casi una niña... ¡Por mí que sea hija de un archiconde, lo de mujer no se lo quita nadie!» Yusuf salió del jardín del cerero y caminó ida y vuelta, una y otra vez, de la casa del espadero Geninataubín a la casa del cerero, sin detenerse, su cabeza fija en una idea, meneándose como un péndulo, y esto lo fue apaciguando. Concluyó, dejando de pelearse consigo mismo: si Farag lo había decidido, así iba a ser; no iba a enfadarse con Farag por ningún motivo, menos todavía por algo que, la verdad, viendo cómo estaba la situación de su gente en Granada, no tenía gran importancia. Porque qué más daba, con ignorar que la niña era mujer, bastaba. «Además, ni es mujer ni es hombre: es una gitana.» Traspuso de vuelta la puerta del taller y casa del maestro espadero Geninataubín, donde a marcha forzada un ejército de vulcanos —hechos idénticos a fuerza de marrazos— se afanaba en forjar armas. María, de pie e inmóvil donde el pelirrojo la ha dejado, sigue cubierta bajo el manto que no le permite ver nadita. No se ha atrevido a dar un paso, a extender un brazo, a hablar, a acuclillarse. Está muy atenta, concentrada, volviendo imágenes lo que escucha. Aquí voy a contar lo que, en su larga espera, mientras Farag discutía con los suyos y el pelirrojo Yusuf peleaba consigo mismo, se imaginó María en la casa del herrero y espadero:

11. En casa del espadero...

Lo que María imaginaba por los ruidos del taller del espadero Geninataubín, no se parecía en nada a esta hermosa casa árabe de fachada discreta, el patio central con su alberca bordeado por hermosos pasillos de verjas talladas en madera, el piso y un trecho del muro adornados con

107

mosaicos, el verdor perfumado, las frescas y amplias habitaciones, y en uno de los patios laterales fraguas, yunques, barriles de agua, mesas de trabajo y, entre éstos, los sudorosos cuerpos de los artesanos, los gritos con que aguzan sus marrazos, las voces alzadas; en otro patio, las ocas, graznando incansables. Lo que María se imaginaba era que estaba en plena mar abierta. Oye el ruidero de los yunques, siente el calor de la fragua, oye los golpeteos, siente el fuego, la aturden las ocas que graznan imparables y más la letanía que va vociferada sobre los graznidos, esa con la que los artesanos miden el tiempo que deben guardar la espada al fuego, cuyas palabras llegan rotas a María, gritos trozados, y que pondremos enteras aquí:

«Con el nombre de Dios piadoso y misericordioso. Antes de hablar y después de hablar sea Dios loado para siempre. Soberano es el Dios de las gentes, soberano es el más alto de los jueces, soberano es el Uno sobre toda la unidad, el que crió el libro de la sabiduría; soberano es el que crió los hombres, soberano es el que permite las angustias, soberano es el que perdona al que peca y se enmienda, soberano es el Dios de la alteza, el que crió las plantas y la tierra, y la fundó y dio por morada a los hombres; soberano es el Dios que es uno, soberano el que es sin composición, soberano es el que sustenta las gentes con agua y mantenimientos, soberano el que guarda, soberano el alto Rey, soberano el que no tuvo principio, soberano el Dios del alto trono, soberano el que hace lo que quiere y permite con su providencia, soberano el que creó las nubes, soberano el que impuso la escritura, soberano el que creó a Adán y le dio salvación, y soberano el que tiene la grandeza y crió a la gente y a los santos, y escogió dellos los profetas, y con el más alto dellos concluyó»,

y dando y dando vueltas a lo que oye y percibe, María da por hecho que está en el fragor de una batalla naval. ¿Por qué? Porque todo es para María inusitado, nunca ha oído, nunca ha olido y sentido lo que aquí siente, y da por hecho que está en un lugar muy lejano, viviendo algo distinto, algo que no podía estar ocurriendo en *su* Granada. Algo tiene de razón al creerse tan lejos, si a los moriscos les está terminantemente prohibido el uso de armas, tanto en el campo como en sus casas, a excepción de un pequeño cuchillo para el pan y otro especial para pinchar la carne. ¿Cómo va a imaginar lo que hay ahí? Huele el olor del taller del espadero y cree olfatear la pólvora estallando, la sangre de los heridos, la mar revuelta; siente el calor de sus fraguas y cree es el fuego abierto por los proyectiles y la sal del mar en la piel, percibe el calor que no es el del sol y padece un mareo que le ha dado, que se siente ir y venir parada en sus propios pies, como si el suelo la balanceara. Porque algo le ha pasado en su cuerpo. Algo extraño, algo también ansioso, algo que es oscuro y le pone toda la piel en alerta, algo que la despierta, la abre sensorialmente a una vigilia peculiar, a una vigilia alterada. Y María, nuestra bailaora, en medio de una batalla se imagina cerca de su padre, navegando, siente la intensa grita del océano, el fragor de la batalla, atando cabos se ha transportado —¡ay, María!— a una batalla en plena mar. María siente miedo, emoción, ansiedad. María siente algo correrle por la cara interior de las piernas, bajando por los muslos, deslizándose lento y pesado hacia las rodillas, gotearle en los talones, algo que viene de una excitación desconocida, que le nace en el vientre, algo que es físico y también intensamente espiritual, como si le resbalara el alma misma, cayéndosele. María cree, porque lo siente, que las mechas encendidas, que las balas, que el viento caliente de las explosiones están ahí mismo ocurriendo. Y quiere correr y no puede, porque debía obedecer al que ella no sabía que era pelirrojo, Yusuf, flama él mismo en su barba y sus cabellos. En casa del espadero y herrero, según María…

…¡cuchara de palo!

12. Las lecciones de Yusuf

Apenas entró, ya sin dar explicaciones a los artesanos, el pelirrojo Yusuf volvió a tomar su bulto, la pieza de tela con alma humana —la envuelta y enredada en larga sábana María, la escapada a campanadas del convento, la tocada por el corazón tocado por la espada («¡Él manda! El corazón manda»), la proveniente de un tropel de toros—, y salió de la casa del espadero Geninataubín, corriendo con su envuelta carga calle arriba. Pasó rápido frente a tres o cuatro casas hasta llegar a la propia. Ahí depositó a María en el piso, en un patio idéntico al del herrero, y volvió a repetirle «¡No te muevas!» María lo obedeció otra vez, pero ahora más rigurosamente: no movió el cuerpo, y dejó de percibir y de pensar. Siguió con sus ensoñaciones, creyéndose a media mar océana aunque ya no les creía mucho. El pelirrojo Yusuf hizo llamar a las mujeres de la casa. La primera en correr a su llamado fue Zaida, su hija, que ni siquiera se alisó los cabellos para verlo, saltó de la cama al padre. Zaida es pelirroja como Yusuf, delgada y menuda como su madre. Su cara tiene la dignidad del gigante y la gracia de la madre. Es bellísima, lo sabe todo el mundo; los ojos enormes, las tupidas pestañas, la boca de labios carnosos, la cara tan bien formada, los párpados de ese color ligeramente más oscuro, las mejillas encendidas… Tras ella llegó su abuela, la vieja Zelda. Zelda tiene los cabellos blancos —de joven los tuvo negros—, la cara surcada por arrugas, y es muy delgada también, y pequeña, pero tiene un carácter de generala. Las siguientes en llegar fueron las tres jovencitas que ahora vivían en casa: una porque el padre estaba de viaje, Susana; las otras dos —Leylha y Marisol— porque la vida afuera de la ciudad de Granada se había vuelto peligrosa, si no imposible, y sus padres las habían dejado al cuidado de Yusuf y otros amigos, alternando sus estancias. La última en aparecer fue la hermosa esposa de Yusuf, Yasmina, perfectamente ataviada, su aspecto impecable y radiante como siempre. En cuanto todas estuvieron presentes, aún sin retirarle a María el envoltorio, pidió salir a los criados para hablar con ellas a solas, y comenzó: a «esa niña que aquí ven» (nadie le interrumpió para preguntarle «¿cuál?», que ver, lo que se dice ver, sólo veían un bulto de tela), «deben tratarla como a una de las nuestras. Farag me la ha encomendado —señaló hacia el bulto de tela, contestando a la pregunta no formulada—; la hemos rescatado la noche anterior de donde los cristianos la tenían esclavizada, de un convento». «¡Qué horror!», pensaron a coro Zaida y Susana, «¡en un convento!» Yusuf hizo una pausa, aprovechando el efecto que él bien que sabía causaba el término «convento». Siguió diciendo que porque Farag lo pedía, debían tratar a esta gitana como a una joya, como a una más de la familia. Luego agregó en otro tono: que muy contra su voluntad, porque el buen Farag lo pedía, él debía enseñarle el uso de la espada; y que debía comenzar a hacerlo en cuanto ellas la tuvieran vestida y preparada. Apenas dijo esto, y como alma que agarra el demonio, Yusuf salió por piernas. Confesar a las suyas lo que tenía que hacer, le había vuelto a poner a hervir la sangre. Estaba furioso. Y lo dijo para sí mientras salía: «¡Y no me parece nada bien, espada con mujer no es cosa buena. Si Farag lo dice, se hará, pero por mí que esto es una locura, que…» El pelirrojo siguió hablando consigo mismo por las calles, como un loco.

La hija del gigante Yusuf, Zaida, y Susana, la amiga hospedada temporalmente en su casa, pusieron las manos rápidas sobre el bulto, picadas por la curiosidad. La abuela, la madre y las otras amigas les ayudaron a retirar la tela de la cara y cuello de «la mercancía». Estaba tan enredada en el largo lienzo, envuelta como un capullo, que se dieron por satisfechas con descubrirle la cara y los hombros. María las miró asustada. Ahora sí que no entendía. Se quería tallar los ojos, pero los brazos estaban apretados bajo la serie de dobleces de la tela. «¡Otra vez entre mujeres!», pensó María para sí, con desilusión. María estaba acostumbrada a vivir con hombres. Desde que su mamá había muerto cuando ella tenía cinco años, siempre se había visto rodeada de hombres. Luego cayó en el convento, y cuando creía verse acompañada de un ejército en lucha en medio de la mar océana, vino a dar a un serrallo morisco.

Las mujeres se le acercaron con curiosidad a ponderar sus bellezas, a festejárselas. Le tocaban las cejas, le acariciaban el cabello, le sentían su piel, poniendo a María de muy buen ánimo. Le preguntaron qué sabía hacer:

—Decían las monjas que yo no sirvo para na'a —respondieron todas con risas—, que como toda gitana soy de una haraganería a toda prueba, que «no soy para dar migas a un gato» —las moriscas se rieron de nuevo al oírla decir lo que a menudo decían los cristianos para infamar el buen espíritu de los gitanos—. A mí lo que me gusta es bailar, cantar y mucho dibujar, y si alguien me enseñara a leer y a escribir estoy segura de que eso también me encantaría. ¡Ah! ¡Otra cosa! Aprendí a hacer rosquillas de almendra con las monjas, y no me quedan nada malillas; pinto en cada rosquilla una pequeña voluta, así las vuelvo gitanas.

Mientras hablaba, las mujeres le habían hecho bajar el lienzo hasta un poco más de la cintura, descubriéndole el torso entero y, viendo las garras que vestía, desnudándola de éstas. María lució bellísima, el oscuro y largo cabello suelto, la piel aceitunada.

—Primero debes darte un baño, ¡la casa entera huele ya a ti, que apestas a cristiana! Te quitas los andrajos en que te han dejado las monjas, ¡harapos vergonzosos hablan bien de ellas!, te acicalas y adornas, y luego nos bailas. En cuanto a las rosquillas… ¡Si no hieden a cuerpo de cristiano, aceptamos gustosas nos las hagas cualquier día! —le contestó Zaida, la hija del pelirrojo Yusuf, encantada con la gracia de María.

—Dime una cosa, ¿cómo te llamas?

—Me llamo María.

—¿Te llamas María? ¡Eres María la bailaora! —la bautizó la vieja Zelda, pasándole la mano por el enredado y nada limpio cabello—. Yo misma te enseñaré a leer y a escribir. Yo me hago cargo con gusto de eso.

—¿Y pintar? —preguntó María—. ¿Alguien hay que me enseñe a pintar retratos?

—No, niña —le contestó Zelda—. Eso no, no entre los nuestros. Pero si aprendes a escribir bien, poca falta te hará ningún color, con las palabras los tienes todos.

De inmediato la pusieron en manos de las criadas para que la limpiaran, saliendo del salón donde la había clavado con su tela el gigante Yusuf. Zaida envió un recado a Luna de Día, la hija de Farag, a que viniera a ver bailar a la recién llegada, y se retiró a sus habitaciones a aderezarse propiamente.

Las criadas, un verdadero enjambre de jovencitas, blancas y negras, moras de España y bereberes, llevaron a María a la habitación que ocuparía en esta casa. Limpia, con lecho bueno, con ventana al jardín, María nunca había habitado algo tan rico y hermoso. Al desenredarle el lienzo, las criadas descubrieron que María había tenido su primer sangrado, el hilo de la menstruación corriéndole entre los muslos, en las rodillas, hasta llegarle a los tobillos, y de inmediato lo vio María, asustándose, aunque sabía ya que algo así ocurría a las mujeres, pero una cosa es saber, y otra muy diferente verlo pasarle a una misma. Las criadas le explicaron qué era lo que ocurría, la serenaron diciéndole que no era nada extraordinario, «mira, nos pasa a todas», le enseñaron cómo cuidarse esos días para que no manchara sus ropas, ni nadie se diera cuenta de sus días. Luego la lavaron —evitando cantarle las abluciones— y la perfumaron, la vistieron de seda, como a una mora, proveyéndola también de calzados y joyas a la morisca. ¡No la malvistieron con humildes zaragüelles, alcandora de angeo teñido y una sábana blanca!, la ataviaron cuan elegantemente puede estarlo una morisca, su alheña (un polvillo rojo que obtienen de un arbusto del mismo nombre, sacándolo de sus raíces, que muelen para obtener el tinte) en las manos y el cabello, tiñéndole de naranja las uñas y de un tono rojizo el oscuro cabello, vistiéndola con una hermosa camisa de tela fina; como las usan ellas, apenas le cubriría el ombligo. Luego los elegantes zaragüelles de tela pintada, en los que casi entraba en la cintura la camisa. Encima de estos zaragüelles o bragas, unas calzas de paño, plegadas de pliegues muy pequeños para hacerle ver las piernas extraordinariamente gruesas, como les gusta a esas mujeres. En los pies, escarpines pequeños y ajustados. Sobre la camisa, un jubón pequeño de varios colores, las mangas ajustadas. Y en la cabeza, un tocado redondo, encima del cual pusieron el manto blanco que le llegaba hasta los pies. Pero el manto lo retiraron de inmediato. Debía usarlo al salir de casa, no cuando vagara por sus habitaciones o jardines. Las criadas no dijeron a nadie que María sangraba.

Guardaron su secreto. Si iba a usar la espada, debía permanecer como una sin-sangre. Nadie debía enterarse. Y apenas tomaron las criadas la decisión, guardaron la menstruación de María celosamente como un secreto, para que no existiera, borrando todas las costumbres que rodean a la sangre menstrual.

Apenas la vieron vestida y aliñada, las mujeres la cubrieron aún más con elogios, encontrándola más hermosa, y la acompañaron a desayunar. Yusuf apareció al poco tiempo con los dos pastores de toros. Sólo dejar los toros en el rastro, los muchachos se habían pegado a la entrada de su casa, a preguntar cómo estaba «la mercancía», y si había alguna otra cosa en que pudieran ayudar, cargando sendos enormes sacos al hombro en los que guardaban todas sus pertenencias. No tenían dónde pasar la noche que no fuera en la calle, y parecería que en realidad lo que querían era pedir morada, pero sabían dormir en cualquier sitio tan bien como esconderse de los abusos de los soldados. Estaban ahí porque Andrés quería volver a verle los tobillos a la gitana. Yusuf topó con ellos al regresar de una caminata que no tenía más objeto que calmarle el enfado y ayudarlo a recuperar el buen talante. Al verlos, el gigante pelirrojo Yusuf los revisó de arriba abajo y decidió incorporarlos a las lecciones. Le humillaba menos enseñar la espada a un grupo donde sólo una de tres fuera mujer. En silencio, tomó su colación, que compartió con los muchachos. Mandó que el patio quedara a solas, dijo: «No quiero espías», y todas las mujeres de la casa obedecieron.

A partir de este momento, Yusuf dedicaría horas diarias a entrenar a María en el uso de la espada. La primera lección fue para ella un plomo. En parte porque no había dormido la noche anterior y porque con su primera menstruación se sentía cansada, extraña. En parte porque Yusuf no la dejó moverse, y María sólo se siente bien cuando se está meneando, no sabe estarse inmóvil. Yusuf intentó enseñarle cuáles eran los nombres de todas las partes de la espada, y lo hizo con gran detenimiento, explicándole qué debía apreciarse de ésta y qué de aquélla, alabando lo alabable, señalando los posibles defectos.

Al terminar, Yusuf salió por piernas hacia la calle. No conseguía quitarse el mal talante. Los dos muchachos y María se sentaron en un poyo del patio central de la casa. Las mujeres habían desaparecido, no se las escuchaba. Se oía no muy cercano el graznar de las ocas vecinas, acompañadas por uno que otro golpe del martillo.

—Para mí que aprender esto de picar con la espada es lo mismo que no hacer nada —dijo Andrés—. Lo que yo quisiera es salir de este pueblo y viajar por otros. Quiero conocer las calles empedradas de oro de Cádiz. Quiero tomar un barco e irme a las Indias. Y nunca volver.

—¿Eso quieres? ¿Nunca volver? ¡Yo soy de Granada! Sí que quiero ver otras villas, pero no volver aquí, eso no. ¿Las Indias? Ahí la gente se anda desnuda, nomás visten plumas en la cabeza —contestó María.

—En las Indias corre oro en los ríos, ¿de dónde crees que traen el de Cádiz? Nunca hace el calor que aquí nos fastidia. En lugar de callejones hay limpios canales por los que corre fresca agua, y no hay lo de Granada, esto de que de este lado del Darro se viva apretujados; de aquél, vida de reyes. Allá todo son palacios, casa tras casa una Alhambra. Todos son ricos en las Indias, todos comen a diario cordero…

—El cordero no me gusta, ¡huele a chivo!

—O ternera, pues, carne, la que quieras. ¿O tú qué quieres?

—Comer queso. Subirme a un barco y rescatar a mi papá. Luego trabajar con él en el comercio de caballos, es lo nuestro —sin esperar comentario alguno de Andrés, María le preguntó al pequeño—: ¿Y tú, Carlos? ¿Tú qué quisieras hacer, dónde quisieras estar? Dinos.

Carlos ya se había hecho esa pregunta antes de que María se la sorrajara. Él quería a su mamá, es lo que él quería, volver a casa. Sólo que casa ya no había, que se las habían quemado.

—Yo quiero irme a la guerra —dijo, por decir, por parecer hombre.

—¿Tú? ¡Qué va! —le contestó María, dejando de un salto el poyo en que estaban sentados—. ¡Vámonos!

—¿Adónde vamos? —le contestó el valiente Andrés, asustado de su decisión tempestiva.

—A pasear, dónde más; a recorrer las calles de Granada, que hace siglos no lo hago. No cuenta como paseo irse entre toros, ¿tú dirás?

—Tú no vas a ningún lado —oyó decir María a sus espaldas—. ¿Quieres regresar al convento?

—Me echo el velo en la cara —contestó María, volteándose para ver quién le hablaba. Era la esposa de Yusuf, Yasmina.

—A solas, de ninguna manera.

—Que no voy a solas, voy con Andrés y Carlos.

—Ningún Andrés y Carlos. Estos dos muchachos se me van ahora mismo de aquí. No los quiero husmeando en mi casa, fuera, shuzz, si no entienden palabras, entenderán el modo de los perros, shuzzz, shuzz, ¡fuera, dije! —Andrés y Carlos salen por piernas, cargando los sacos voluminosos con que habían llegado—. María, tú eres ahora una de las nuestras. Cuando salgas de casa, debes llevar el velo en la cara, y debes ir

114

siempre acompañada, siempre en grupo, las más personas mejor, y si va con ustedes un hombre o dos, todavía mejor. Pero si puedes no salir, hazlo. Las calles de Granada no son ya seguras, María. Ya no es como era antes.

Las mujeres se habían congregado alrededor de ellas. María no contestó al verse rodeada, aunque adentro de sí se decía: «¡Que ruede el mundo y cambie en lo que quiera la ciudad, que yo paseo!», pero no dijo nada. La hermosa pelirroja Zaida le pidió que bailara, y la idea encantó a María.

—¿Pero con quién les bailo? ¿Sola, sin músicos?

Justo decía María esta frase, cuando entraron de nueva cuenta los corridos jóvenes pastores de toros; necios, querían inquirir algo a Yasmina, la esposa de Yusuf. Pero antes de hacerlo, al oír lo que decía María, Andrés saltó:

—¡Eh, María! ¡No necesitas bailar sola, que nosotros dos somos musicantes y sabemos la música nuestra, la que llaman egipciana…!

—¡Mentir es cosa fácil! —le dijo María.

Yasmina arremetió:

—¡Les dije que se fueran!

—Pero no nos dijo cuándo podríamos volver —dijo el ahora sí valiente Andrés—, y quedamos con el señor Yusuf de regresar a la lición siguiente. Para esto volvimos a preguntarle y a darle a usted las gracias por el desayuno, que no lo hicimos al irnos apresurados. Señora, gracias. ¿Nos permite acompañarle el baile a María?

Del saco que cargaba, antes que la mujer le contestara, Andrés sacó un pandero y unos cascabeles. Yasmina estuvo a punto de echarlos fuera, pero la abuela Zelma le apretó el brazo, calmando el mal talante de la hija: «Déjalos cantar, Yasmina, qué te quita. Está por venir Farag…» Carlos comenzó a sonar los cascabeles, Andrés a zarandear su pandero, y los dos a cantar con una voz dulcísima, como dolida, una voz que estaba cargada de ritmos y era al mismo tiempo lenta, rompía el alma.

En eso estaban cuando entró Farag. Las mujeres se volvieron a recibirlo, pero él hizo seña de que todos atendieran la música. A Farag le encanta la música.

María no se ha dado cuenta de la entrada de Farag, su benefactor. Escucha a los dos niños cantarle, se llena de memorias y, barriendo de sí toda porción dolorosa, comienza por mover un pie a su compás, luego el otro, las manos, los brazos, el torso y en menos de lo que se cuenta, ahí está bailando con enorme gracia. Los tres chicos gitanos se han transformado. Oyéndolos cantar y viéndola bailar, a nadie le pasaría por la cabeza que no tienen casa, comida, sustento, familia. Las moriscas y Farag están embelesados. María y Andrés hacen una pareja que ni los ángeles, bellos, expresivos, fascinadores. Bailando y cantando no son niños. Carlos se tornaba invisible, pura voz y ritmos. De sus bolsillos ha sacado castañuelas y las hace tronar, suenan también dulces. Carlos y Andrés cantan y suenan sus instrumentos para ellos mismos, y para María. Carlos conserva los ojos cerrados casi todo el tiempo, Andrés los tiene abiertos clavados en María. Pero ella, en cambio, baila para todos; con sus negros y brillantes ojos va cubriendo el jardín, las galerías, explora mientras se muestra. Abanica su hermosa y luenga cabellera, detiene la mirada en Farag, lo reconoce («¡El amigo moro de papá!»), entiende todo. Piensa, porque María sabe pensar mientras baila: «Él me salvó, él me trajo aquí, él me va a llevar a mi padre, lo hará otra vez libre, venderemos otra vez caballos», y al pensar en caballos, su baile se llena de un ingrediente más, algo que sólo espera uno de una mujer, sus movimientos cobran algo que nunca han tenido antes, una cadencia femenil, sensual. Las moras y Farag estallaron con aplausos de alegría. María se inclinó frente a Farag, dobló frente a él las piernas, el cuerpo, los brazos, y después de humillarse así frente a él alzó su cara y abrió enormes sus ojos, diciéndole más con ellos que con estas palabras:

—Señor Farag, buen Farag amigo de mi padre, el gitano Gerardo. Le vivo agradecida, soy su sierva…

—No eres mi sierva. Eres una de los nuestros. María, es lo menos que podía yo hacer.

—Así nos pusieras en riesgo a todos —repeló atrás de él Yasmina, hermana de Farag, esposa de Yusuf.

—¿Riesgo? Ningún riesgo, Yasmina.

Las mujeres ignoraban que durante la noche había entrado la «otra» carga, la de las armas de fuego. No era conversación que fuera necesario sostener con ellas. Eran pocos quienes conocían este movimiento, Adelet, Yusuf, Farag y únicamente los hombres que ayudaron a hacerla entrar y que la enterraron en distintas cajas en tres diferentes patios.

—¿Ninguno? —arremetió Yasmina—. Por un pelo vienen a quemarnos las casas los cristianos. Provocaste un alboroto que puso a todos los nuestros en riesgo. Si no se hubieran apostado sus soldados a la entrada del Albaicín y bajo la puerta de Bibalfarax, vete a saber si no nos hubieran linchado.

—¡Basta! —la ataja Farag—. ¡Presumo que crees que dejé al azar lo de los soldados cuidando las entradas a nuestros barrios! ¡También lo pensé!

—¡Tampoco era total garantía! ¡Si estaban de perezosos! Nos pusiste en riesgo y no debiste hacerlo, ¡admítelo!

Nadie en la tierra se atrevía a hablarle a él como lo hacía Yasmina. Pero así como Yasmina lo objetaba, todos sabían que nadie como ella lo defendía y cuidaba. Yasmina adora a su hermano. Y Farag la adora a ella, pero no es suficiente su adoración como para que comparta con ella todos sus secretos. «Es mujer —se dijo Farag un poco impaciente— mujer al fin, mujer».

Zaida adora al tío también, incondicionalmente, y oye la reprobación de su madre con desagrado. Se dice a sí misma: «¡Tenías que decir puerta "Bibalfarax", como sólo la llaman los viejos. ¡Es la de las orejas y cuchillos, mamá! ¿No tienes ojos?»

María no se ha movido, sigue inclinada frente a Farag. Éste le pasa la mano por la cabeza y le dice:

—De tu padre, no hay nuevas todavía. Las habrá y habrá manera de pagar un rescate. Levántate, María.

Luna de Día se acercó a María, le tomó la mano y le dijo:

—Bailas hermosamente. Ahora nosotros corresponderemos. Espera un momento.

Mientras las moras se preparan —pues corrieron a más aderezarse y a hacer llamar a sus músicos—, las criadas trajeron un asiento para Farag, lo refrescaron, le ofrecieron vino, y dieron a los gitanos de beber agua y de comer frutas. Yasmina se había olvidado de echar fuera a los muchachos, como había pensado hacerlo apenas terminaran. Bien que entendía ella a qué habían vuelto: eran dos perros sin dueño, pero lo había olvidado al oírlos cantar y tocar sus precarios instrumentos. Las moriscas regresaron adornadas con perlas de gran belleza y piedras preciosas en cuellos, orejas y brazos, primorosamente ataviadas y acompañadas de sus músicos. La última que entró fue Luz de luna, *entre todas las de su gente no había nadie mejor aderezada, ni la más rica mora de Fez, ni de Marruecos, ni las de Argel con sus perlas tantas. Así quedó escrito: Tenía cubierto el rostro con un tafetán carmesí. Por las gargantas de los pies, que tenía descubiertas, eran notables dos carcajes, como llaman los moros a las manillas, al parecer de puro oro. La camisa era de cendal delgado y se traslucía, dejando ver otros carcajes de oro, sembrados de muchas perlas. En los cabellos (que parte por las espaldas sueltos traía, y parte atados y enlazados por la frente) se aparecían algunas hileras de perlas, que con extremada gracia se enredaban con ellos. Las manillas de los pies y manos asimismo venían llenas de gruesas perlas; el vestido era una almalafa de raso verde, toda bordada y llena de trencillas de oro.* Así llegó vestida Luz de luna.

Reunidas, bailaron al son de tres flautas, dos violas y un par de tambores. Interrumpieron el baile para que las mayores cantaran en coro vivos ritmos, mientras todas daban palmadas acompasadas y gritaban alegremente. María y sus dos compañeros se sumaron al canto. Encontraron en qué ritmos unir sus voces. Esto fue la primera vez, pero repitiéndolo y con el tiempo consiguieron hacer de dos cantos diferentes, coros entremezclados que parecían irse bien y daban deleite al oído.

Sobre el patio, arriba del segundo piso, los criados habían tendido una cuerda floja. Las jóvenes subieron y bailaron sobre ésta, luego se abrieron de piernas *con total descaro* y mientras hacían muecas decían con voces estridentes una frase que explicaron a María; quiere decir: «Todo el que vive aquí puede ganar el cielo».

María miró esta escena, y quiso, quiso, quiso estar arriba, bailar como las moras. Quiso aprender a usar la cuerda floja y a ser así de descarada. El corazón le brincaba en el pecho. Se había puesto blanca de tanto que lo deseaba.

Entraron a comer. Las mujeres a un salón, los hombres a otro y los dos pastores en la cocina con los criados. Del resto del día, en lo que toca a María, no hay nada que contarse. Había quedado como aterida de deseo, quería pisar la cuerda floja, y si pensaba en algo, pensaba en eso, pero más que nada se sentía holgazana; el poco dormir, la menstruación, la pereza de la lección plomo, la emoción de la casa nueva, eran demasiadas cosas para digerirlas de golpe.

Apenas se vio sola Yasmina con su marido, le dijo:

—Farag sabrá por qué hemos de convertir a una gitana en uno de los nuestros, no repelo, y me aplicaré en educarla y hacerla una mujer de bien. Lo que sí es que yo no puedo dejar a esos dos holgazanes que metiste a casa andar sueltos y con libertad por aquí y por allá. Mira cuántas mujeres jóvenes hay en esta casa. Pierde cuidado de María, que yo me encargo de cuidarla, pero están las amigas de Zaida, las que tenemos provisionalmente, las que no esperábamos, las que llegan sin avisar, apenas puedo llevar recuento de tantas muchachas. Y luego están las criadas, ni te digo cuántas nuevas tenemos. No las busco, tú me has dado indicaciones de dar a las más que se pueda trabajo, y cada día tocan por mares la puerta. ¿Qué va a ser de los nuestros? Las cosas se van poniendo de mal en peor, no hay trabajo en los campos, las fincas cierran por cientos. Hablo de criadas blancas, no diré las bereberes, que también hay nuevas; piden trabajar por la tercera parte de la paga habitual, o siquiera por comida; me parte el corazón; no sé decirles que no si son de las nuestras. Por eso digo que por qué una gitana, si tenemos más deber, o debiéramos tenerlo, con las nuestras, pero ya no repelo más de eso. Lo que sí es lo de los dos holgazanes, pues cómo, yo no puedo cuidarlos noche y día, y de esos dos no me fío. Si estuviera ciega, los pasara, me fiaba de ellos, pero tengo ojos y tengo oídos, no quiero esos dos muertos de hambre arriba y abajo como dueños y señores. De ninguna manera.

Yusuf le prometió que pondría a los chicos en cintura. No tendrían permiso sino de venir a la lección y a cantar. Fuera de eso, la calle. Eso le dijo en voz alta a su mujer. Adentro de sí explicó: «Dormirán donde Adelet, cuidarán de las ocas».

13. La segunda lección de Yusuf

En la segunda lección, Yusuf insistió en que María debía aprender a pararse:

—Que no estás de pie, tú, niña, sino volando. Tienes que dejar caer todo tu peso en los pies. Si no lo haces, en dos golpes te tiran. Ven aquí, da un salto, cae.

Caer era también como no hacer nada. María cayó varias veces, con gracia, y en cuanto vio a Yusuf complacido, le dijo:

—Yusuf, yo lo que quiero es aprender a andar en la cuerda floja, allá arriba, como sus mujeres…

—Lo aprenderás después, María. Es contrario a usar la espada. Las mujeres vuelan en la cuerda floja, por eso no se caen. Si un guerrero vuela, el enemigo lo tira al primer porrazo. Debes dejar de desear pisar la cuerda floja y en cambio concentrarte en esto.

—¡Es que yo quiero! —insistió María. Estaba acostumbrada a gobernar con sus caprichos a su padre. Pero Yusuf no era gobernable por caprichos.

—«Quiero» aquí, en esta casa, no es válido. Se hace lo que se debe y se tiene que hacer, o si no lo que acarrea a los demás placer. Nunca más vuelvas a decirme eso de «es que yo quiero». No voy a volver a oírlo. Y escucha esto: «quieras» o no andar en la cuerda floja, ya lo harás. Te llegará el momento. Te espera a ti como a todos nosotros el puente de la cirata. ¿Sabes qué es eso?

María negó con la cabeza.

—Cirata, o ÿirat, es un puente largo y tan angosto como un cabello que cruza tendido sobre el infierno. Lo tenemos que cruzar tanto los buenos como los malos. Todas las ánimas pasan por la acirata, como también lo llaman, las buenas en su camino al cielo, las malas para caer precipitadas en el horno eterno. Pero hoy no estamos allá, por suerte, sino aquí.

Al decir «aquí» Yusuf blandió la espada. La movió hacia un lado y el otro, la hizo silbar.

—Ten —la pasó a María—, hazlo ahora tú, hazla cantar.

María intentó hacerle salir algún ruido. Pero por más fuerzas que ponía al movimiento de sus brazos, su espada no silbaba.

Al término de la lección, la espada de María comenzó a silbar.

Como el día anterior, apenas terminaron con ella, las mujeres salieron al patio y con ellas sus músicos. Cantaron hasta que llegó la noche, comieron y durmieron todos con el corazón en paz.

Así pasaron varios días, casi iguales los unos a los otros, con la salvedad de que María se fue volviendo muy diestra en la espada, aventajando con mucho a Carlos y siendo buena rival del ágil y valiente Andrés. Llegó el momento en que el manejo de la espada ocupó todas las imaginaciones y reflexiones de María. La espada le dio un gusto, una alegría que no le daba nada más. Se diría que la espada le daba placer, buscando la palabra precisa. Cierto que comió y bebió cosas magníficas, que durmió en lecho espléndido y en habitación que no era un jergón en la cocina, que la trataran como a una persona de bien, de buena cuna —que cuna buena hay también entre éstos—, una más de los suyos, y que María volvió a bailar, casi a diario, primero para las mujeres de la casa, luego también para su maestro e incluso para los visitantes, y en casa de Farag, y de visita en casa del espadero Geninataubín, y en diversas fiestas de los moriscos. Pero nada era comparable con el placer que le daba aprender el manejo de su arma. Y ya que lo tuvo, este placer, los días se sucedieron casi sin sentirse, las semanas, los meses. Junto con el arma, se le aparecían sólidos sueños. Mientras la practicaba, María se soñaba blandiéndola en situaciones heroicas de variada índole. Ella era san Jorge, ella era Roldán, ella era Héctor, ella era ahora la protagonista de muchas de las historias

120

que había escuchado a lo largo de su vida. Ella era también el dragón: un dragón mujer, que armado y con un par de largos brazos sabía defenderse de toda intrusión. De modo que en esa casa, en muy pocos días, María se hizo en todos los sentidos mujer, porque había vuelto a las ropas de una mujer hermosa, porque había retornado a la ciudad (con el velo cubriéndole la cara, se atrevía incluso a pasar frente al convento, su antigua prisión), porque apenas llegando había tenido su primer sangrado, y tras éste uno cada mes, y porque había vuelto a bailar —y con esto a traer a su cuerpo la memoria de los suyos—, pero más importante que todo porque, también en esa casa, en esos mismos muy pocos días, María pobló de otras tramas a sus imaginaciones ocupando sus pensamientos en aventuras insólitas, una más bizarra que la otra.

Su baile estaba reservado a los patios de sus benefactores y a los hermosos cármenes en las afueras de la ciudad, porque María necesitaba bailar con la cara descubierta y los brazos semidesnudos, como hacen también las moriscas. En la calle podría ser reconocida por alguna del enjambre de criadas del convento. María se preguntaba qué haría Estela si la sabe entre moros. ¿Le echarían las monjas encima la Inquisición temida, y de paso contra sus amigos; o la meterían, sin decir ni agua va, de nueva cuenta a fregar pisos? ¿O les daría lo mismo y preferirían tenerla lejos? Ahora una muralla la dividía de Estela, una muralla, un velo y la grata compañía protectora de su encierro.

Aun sin las calles de Granada, María se fue poniendo cada día más radiante. Al tiempo que se crecía de esta manera, nuestra María fue ahí vista, por primera vez en su vida, como se mira a una mujer bella. Bajo las ropas y la alheña, las rutinarias abluciones, los cuidados de las mujeres, la buena alimentación, el cómodo lecho, el baile continuo, el uso de la espada y la sangre que aprendió a surtirle de ella misma, María floreció, se abrió como un botón de flor, se tornó en esa cosa magnífica que es María la bailaora. Se convirtió en la hermosa bailaora que hemos conocido apenas de reojo páginas atrás en este libro.

María baila sin miedo, como bailó de niña, y baila como entonces con la gris alegría de los suyos, pero ahora su baile tiene otro elemento (y no digo el que es obvio, porque su baile se fue contaminando de lo que ella encontrara gracioso en el de las moriscas): María es ahora una mujer hermosa. Todos quieren verla. Todos adoran verla. Todos la festejan. Todos la llaman «María la bailaora» y le han puesto encima otro sobrenombre, que expresa más nítidamente el sentir colectivo: «Preciosa». Preciosa, María la bailaora. Su baile no es ya sólo un juego. Su baile no es ya sólo una repetición de los de sus mayores, no es tampoco un dejarse llevar por el viento de los cantos ajenos, pues María misma canta, y tanto canto como baile se dejan menear por un perturbador silencio que María sabe traer al centro de la ronda. En los corazones que la miran se despierta una alegre manera de saber que el dolor existe, que la vida es esta cosa que es, y así baile con el rostro descubierto y así lo haga sin miedo, algo tiene el baile de María de fuga, de escaparse, de irse, de salirse de todo.

La ciudad morisca entera se hacía lenguas sobre Preciosa. Los cristianos sabían de oídos que existía y atizaban con esa desconocida el extraño fuego que los devoraba cuando pensaban en «las» moriscas. No se decía que Preciosa era gitana, se la llamaba «la bailaora» simplemente, y la imaginaban tentándolos con sus ropas de seda. ¡Hasta las mujeres sabían que había una tal Preciosa incitadora del pecado! Alguna vez se pronunció su nombre en el convento, sin saber que Preciosa y María eran la misma persona. De María se decía en la cocina que se había evaporado, que eso pasa con las gitanas por ser cosa del demonio. Daban su caso por concluido aunque no se cansaban de imaginar, y hasta jurar, cómo la habían visto desaparecerse: «Apenas sonaron las campanas a rebato, pintó un alazán sobre el hollín, mero donde escribió esas maldiciones, que a María eso de pintar se le da, ¿se acuerdan, las figurillas que dibujaba en las roscas de canela? Al dicho alazán le pintó una buena silla, le pintó las riendas y luego de trazarle todos los detalles se subió a su lomo, con lo que el caballo relinchó, y los dos salieron corriendo entre la multitud hacia las Alpujarras». El hecho es que María ha regresado al baile y que en él sabe correr y muy bien fugarse. Que mientras lo hace ingresa al mundo de la espada. Que el pelirrojo gigante Yusuf la enseña y que ella, María la bailaora, llena cada movimiento de gracia gitana sin perder precisión, sin girar el filo hacia un ángulo errado, sin cometer error. Sus movimientos son precisos, su gracia es mucha. En dos docenas de semanas, María parece ya dominar la espada, mientras que por sus oídos entran muchas otras cosas, las más en desorden, desperdigadas (las interminables discusiones de casa de Adelet llenan de ecos las charlas de toda casa morisca), sube por sus pies el vibrar de los varios bailes granadinos, por su cara hermosa y por la forma graciosa de su cuerpo las miradas de quienes la han acogido, que la miran sabiéndola hermosa y llena de gracia. Mientras más la ven, más quieren verla.

A estas primeras docenas de semanas, se suma otra, que en su placer también pasa corriendo. El tiempo corre fértil. La muy tierna juventud de María se avoraza, ávida; devora; nunca se sacia; cuanto la rodea se vuelve suyo. No tiene nada, es una huérfana sin sitio. Pero lo tiene todo: cree ser la dueña de su mundo.

14. La alcaicería en casa

Una tarde, llegó a la casa de Yusuf la esposa de Farag, Halima, quien, además de ser cuñada de Yasmina, era su amiga desde la infancia. Tenía el temperamento contrario, el día se le iba en pensar en fiestas y divertimentos. Estaba, como siempre, visiblemente contenta, y venía a buscar a su Luna de Día. Atrás de ella, sus criadas cargaban algunos bultos.

—¡Aaaah de la casa! —gritó Halima al entrar—. ¡Vengo por mi hijaaaa!

Todas reconocieron su voz. Yasmina fue la primera que salió corriendo a su encuentro.

—¡Halima! ¡Enhorabuena! ¿A qué la visita?

—Pasaba enfrente, acabo de encontrar unas prendas tan magníficas que tenía que decírtelo, y tengo que probárselas ahora mismo a mi Luna de Día, porque esa mercancía va a volar, si no le quedan, mejor elegir otras cuanto antes, ¿está aquí, verdad?

—Aquí la tienes. ¿Quién las vende?

—En la alcaicería han abierto una nueva tienda. Tienes que ver la mercancía, te digo que no va a durar, sobre la calle de los Sederos, antes de llegar a la de Lineros…

Atrás de ella habló la única criada vieja, Casilda.

—Señora Halima, no es Lineros sino la calle de Hamiz Minaleyman.

—¿Cierto? Tú debes saberlo mucho mejor que yo, será en esa esquina entonces…

—¿O era al lado del Mercantil, donde venden marlotas, almaizares y el Chinchacairín? —dijo una de las criadas jóvenes.

—Yo digo que no, pero… tal vez —respondió la vieja Casilda, dudando.

—Halima, ¿cómo voy a dar con el sitio? Entre doscientas tiendas, en las que a menudo se venden sedas y paños, en esa que puedo llamar pequeña ciudad, con sus muchas callejas y diez puertas… ¿Cómo voy a encontrar la que dices? Dime algo más que me ayude a llegar. ¿O es que en realidad no quieres decirme, porque estás pensando en ir y comprarlo para ti todo?

—¡Todo! ¿Todo? ¡No tienes una idea de cuánta cosa vende ese hombre! Como si acabara de vaciar un barco completo de vestidos y telas, unas maravillas que vienen de Constantinopla, él dice... ¿Por qué me dices esto? ¿Estás enfadada por algo otro? ¿Cuándo me acuerdo yo bien del nombre de las calles? Y menos puedo con las de la alcaicería, que como tú bien dices es imposible. Mira, que sí te explico, voy a intentar: hazte de cuenta que llegas de aquí allá, apenas cruzando la cadena de hierro que impide entrar a los caballos, al lado de donde duermen los perros...

—¿Cuál puerta? ¿Yo enfadada? No; sé que eres un caso perdido. Y nada guardo en tu contra, cómo crees...

Yasmina abrazó a Halima, y ésta respondió con efusividad a su gesto.

Luna de Día y Zaima aparecieron con María. Venían con las caras encendidas, y parecían no poder dejar de conversar, absortas en su plática y muy agitadas. En estos pocos días las tres se habían hecho inseparables amigas. No les eran suficientes ni los días con sus noches para decirse todo lo que tenían que decirse. Casi a diario dormían juntas, se bañaban juntas, se peinaban juntas, comían juntas excepto algunas excepciones, y sólo se separaban las unas de las otras para que María tomase sus lecciones —además de las de Yusuf, Zelda fue muy constante en darle las de leer y escribir, y María la bailaora muy aprovechada porque en muy poco lo hacía con cierta soltura—. Al encontrar a las dos amigas abrazadas, cada hija corrió hacia su mamá. Halima abrazó a su Luna de Día y Yasmina a su Zaida. María quedó como una pieza suelta, mirando la escena. Cada hija tenía a su madre. María la bailaora no tenía ninguna. Yasmina, sin soltar a su Zaida, le tendió los brazos, diciéndole: «¡Ven acá!, ¡anda! Tú también eres mi chiquita; aunque hayas llegado hace poco, también eres mi hija, mi otra hija que el mundo me ha regalado. Eres *mi* Preciosa». Al terminar de decirlo, abrazaba ya también a María.

—Es verdad —agregó Zaida—, María, eres mi hermana, mi hermanita nueva, eres la «Preciosa» de todos nosotros —y a su vez abrazó a María.

Las criadas seguían cargando los bultos de Halima. La vieja Casilda habló, rompiendo el encanto del momento:

—Señora Halima, que se nos hace tarde, que el señor Farag quiere cenar temprano, ¿no le dijo?

—Ya nos vamos, si venimos por Luna de Día.

—¿Que vienes a buscarme, me dicen? —preguntó Luna de Día a Halima—. ¿A dónde me llevas, mamá?

—Quiero ver si te sientan unas camisas que te he comprado.

—¿No podríamos verlas aquí? Así, si no me queda una, le queda a Zaida, y si no le queda a Zaida, vemos si a María, o si no las cambiamos...

—¡Perfecta idea! Así no tengo que explicar lo que no puedo explicar, y si hay algo que cambiar enviamos a las chicas.

—¡Que se nos hace tarde! —insistió la criada vieja, pero ni quien quisiera oírla. Fatigada, se sentó en el piso, al lado de los bultos.

Un gesto de Halima bastó para que las otras criadas empezaran a desempacar todo género de telas y prendas de vestir. Alborotadas, las cinco mujeres comentaban cada artículo incansables; se probaba una esta prenda o la otra, entre todas criticaban, la aprobaban o la enviaban de vuelta, y las criadas fueron y vinieron una y otra vez a la alcaicería cambiando ésta o aquélla, o trayendo bajo el brazo más que el mercader les daba a probar. Todavía faltaba por decidir algunas cosas; Luna de Día ya se había decidido por tres camisas, unos zaragüeyes y un par de hermosos calzados, y Zaima y María también habían escogido, hasta Halima y Yasmina, sus sendas camisas hermosísimas, pero ya estaban fatigadas. Acordaron continuar por la mañana e ir las jovencitas juntas con las criadas para ver qué más tenía el mercader, regresarle unas prendas, inquirir por otras.

—Yo las acompaño —dijo Yasmina.

—Voy también contigo —contestó Halima, y agregó—: Y ya nos vamos, pero ahora mismo. Le prometí a tu tío —dijo a Zaida—, le dije que lo veríamos a cenar temprano. Quiere acostarse pronto, con esas reuniones de las madrugadas...

La criada Casilda dormía en el piso. Halima la despertó y ayudó a levantarse («Vamos, nana, ya nos vamos»), mientras las otras criadas jóvenes terminaban de hacer los bultos apresuradas para regresar a casa.

15. El maestro se ausenta

Al día siguiente, antes de la lección de María, que se retrasó porque Yusuf tuvo negocios con Farag fuera de la ciudad, se dirigieron hacia la alcaicería. Iban Zaida, Luna de Día, Yasmina y Halima, y también Leylha y Marisol; de vuelta en casa de Yusuf oportunamente. Llegaron a las tiendas pequeñísimas y de mezquina construcción que se agolpaban una al lado de la otra. Los moriscos vendían infinitas labores de diversas formas y variedad de objetos, copias de sedas labradas, calzados, sombreros, abanicos, anillos, lo que uno imagine. Todas las mujeres venían veladas, y muy juntas las unas de las otras. En la calle del Tinte, vieron venir un grupo numeroso de soldados cristianos, los últimos salían de la aduana de la Seda. Yasmina tuvo sabio temor —cada día más engreídos y groseros, los soldados maltrataban cuanta morisca cruzaba con ellos, sin importarles su condición social—; reaccionando, buscó con los ojos escapatoria donde guarecerse e hizo entrar a todas al primer patio que vio abierto, la trastienda de uno de esos comercios. Justo enfrente de ellas acababa de entrar otro grupo de mujeres, las criadas de las monjas capitaneadas por Estela. Yasmina cerró la puerta apenas vio a la última de las suyas adentro, María, algo retrasada porque se había distraído observando algo en otra tienda, sin percibir los peligros. En el momento en que oyeron cerrar la puerta, las moriscas rieron aliviadas. Ahí estaban a salvo de los manoseos de los soldados, de sus groserías y abusos.

Están en la trastienda de uno de los mayores comercios de alimentos de la alcaicería. Pomos de miel, aceite de oliva, aceitunas, jamones colgando del techo, pasas, azúcar, especias, harinas. El espacio no es mucho; las moriscas —cubiertas con sus velos y vestidos de seda— se codean con las criadas de las monjas enfundadas en rudos vestidos grises, la cabeza cubierta con blancos velos, los brazos y manos cargados de cajas y charolas de dulces. Estela habló:

—¿No podrían esperar para su negocio afuera, señoras? ¿No ven que no cabemos aquí? ¡Fuera, fuera!, ¡a la calle!, ¡inoportunas!

Frente a la puerta cerrada sonaban los pasos del piquete de soldados cristianos, que en este instante preciso pasaban frente a esta construcción. Las moriscas no abrieron la boca, temerosas. Estela se dio cuenta de inmediato de lo que ocurría. «¡Perras!», las llamó con voz muy baja, pero audible. Las empujaba hacia la calle porque sabía a qué las exponía. Viéndola hacer, las criadas que venían con Estela, como siempre obedientes, lanzaban también empellones contra las moriscas. La puerta de la calle comenzó a ceder.

—¡Cuidado con las charolas de los dulces!, ¡se les vuelcan! —dijo María, pensando que eso detendría a Estela.

—A esa voz la conozco —dijo en voz alta Estela, quien empujó con más fuerza, sus manos de piel rota sufriendo, pero su alma disfrutando la maldad que hacía.

—Yo también conozco a las que empujan, y oigo pasar afuera a los soldados —dijo la voz del tendero, quien al oír ruido acababa de entrar por el vano interior a la trastienda—. Basta. ¡Monjas! ¡Dejen de empujar a las mujeres! Si no lo hacen, no les volveré a comprar sus dulces jamás.

La amenaza contuvo a Estela. Este comerciante era su principal comprador.

—¡Esa voz la conozco! —volvió a gritar Estela—. ¡Que se quite el velo!

—En mi casa, ninguna mujer se quita el velo por la fuerza, Estela —el tendero morisco conocía de sobra a este espantajo, tanto como la historia de María, Preciosa, la hija del bello Gerardo. Pero al mismo tiempo que él hablaba, Yasmina se descubrió la cara. Estaba tan cerca de María y todas tan apelmazadas contra la puerta, que bien podría haber sido ella quien hubiera hablado.

Yasmina fulminó con su mirada y su belleza a la espantosa Estela. El tendero habló:

—¡Yo conozco esa cara! Salúdeme por favor a Yusuf. Dígale de mi parte que, con todo respeto, su mujer está cada día más bella.

Yasmina le sonrió y con un solo movimiento tiró otra vez el velo sobre su rostro, sin abrir la boca y sujetando fuerte, con su brazo izquierdo, la cintura de María, quien temblaba de miedo.

El tendero hizo pasar a las criadas con su mercancía al mostrador de la tienda. Los compradores miraron la escena azorados. En una tienda morisca, estaban para atenderles esas cristianas vestidas de semimonjas. Algún distraído pidió a Claudia:

—Ey, deme un cuartillo de limones secos.

Con lo que Claudia se rió:

—Yo sólo le sirvo y le doy a Jesucristo.

—¡Válgame! ¡No quiero aquí disquisiciones teológicas! —dijo el tendero—. Dejen sobre el mostrador todas las charolas de los dulces y dos de las cajas, les pago en este momento, y vayan saliendo por aquí…

El tendero abrió la portezuela del mostrador y las dejó pasar. Ya del otro lado, entregó a la mano doliente de Estela las monedas exactas.

—Cuídese esa piel, no se ve nada bien. ¿No le han servido los emplastos? Tengo otro remedio nuevo, si quiere probar. Mire —sacó algo del mostrador, una larga hoja, suculenta y con espinas a todo lo largo de sus dos orillas—, lo pone a asar y ya que esté frío lo aplica. Le va a servir mejor que nada. Viene de las Indias. Me lo paga luego.

Estela iba saliendo con su hoja de sábila, cuando el tendero le preguntó:

—¡Oiga! ¿Cuándo me vuelven a traer roscas con figuras pintadas? Me las piden muy seguido, no se las quieren llevar sin adorno, quieren comprar las de los hombrecitos que ponen entre las piernas las cabezas.

—No —contestó ruda Estela—, ya no hacemos gracejadas así en el convento, ni las haremos. Nuestros dulces son dulces serios.

Los asistentes del tendero continuaron atendiendo a la clientela, y él regresó a la trastienda, donde las moriscas lo esperaban para darle las gracias.

Estela, por su parte, iba en la calle como alma que se lleva el diablo; estaba segura de que no había oído mal: esa que había escuchado era la voz de María.

—Era la voz de María, ¿verdad, Claudia?

Claudia asintió, pero objetó:

—Parece que se le ha mudado a otra, ahora la voz de María vive en una mora.

—¿De cuándo acá las voces caminan? No le va esa voz a esa cara, además. Yusuf: no olvido yo ese nombre, ni esa cara.

La hoja que el tendero le había dado para calmarla no aliviaba el enfado de Estela, ni el gesto de generosidad, ni la promesa de alivio que encarnaba —el tendero tenía razón: la piel de Estela estaba peor que nunca—. Estela tenía alma de lebrel. Lo único que la habría saciado era ver a las moras arrojadas a la calle justo cuando pasaba el piquete de soldados. Verlas caer redonditas en sus manos, verlas insultadas, jaloneadas, humilladas, manoseadas; ver que los soldados les arrancaban los velos, les levantaban las camisas, eso la habría saciado. Si la escena hubiera ocurrido, Estela no estaría tramando cómo y a quién decirle que María la gitana vivía ahora oculta entre los moriscos, que la protegía un hombre de nombre Yusuf.

María, por su parte, sólo lamentaba no haber salido de casa sin espada. Buena cuenta habría dado de todos y cada uno de esos soldados. Pero sabía bien que contra Estela no se hubiera atrevido a esgrimirla. Algún terror le había plantado la adefesia a su debido tiempo, cuando la tenía bajo su coto en el convento; un terror con el que María no se atrevía a enfrentarse.

16. María la bailaora y su maestro

De esto habrían pasado unos cuantos días, cuando Yusuf tomó la decisión de que María había vencido ya toda torpeza en el uso de la espada —María había aprendido tanto como él podía enseñarle, mucho más de lo que él la imaginó capaz en un principio—, y el maestro la llevó al jardín de la casa de Adelet el cerero, a una más de las interminables reuniones donde los moriscos planeaban, se organizaban y sostenían sus cada día más acaloradas discusiones. María les había bailado reiteradas veces, y al verla venir creyeron que de nueva cuenta les bailaría. Yusuf tomó la espada y dijo:

—Ésta es mi alumna, por órdenes de Farag. Le he entregado todo lo que sé en lo concerniente al manejo de la espada. Voy a batirme hoy con ella. No lo hemos hecho nunca. Quiero mostrarles cuánto domina la espada. Lo deben ver Geninataubín, también nuestras mujeres —en este momento entraban las de la casa de Yusuf, Yasmina, Zelda y Zaida con sus amigas, Susana, Areja, Leyhla, Marisol, y tras ellas el dicho espadero, que a todos los había hecho llamar con antelación el gigante pelirrojo.

Farag hizo llamar también a Luna de Día y a su esposa, Halima, y la voz corrió de casa en casa. El patio de Adelet se fue llenando de cantidad enorme de moriscos, hombres, mujeres y niños. Afuera y en la esquina se apostaron algunos para cuidar que no se acercaran soldados cristianos. A fin de cuentas se trataba de Preciosa. La expectativa no podía ser mayor.

—María, ¿estás lista?

—¿Contra usted, maestro?

—Contra mí.

—¿Por qué no contra Andrés? Contra él lo he hecho siempre. Contra él sí sé. A usted no lo he visto una sola vez batirse. No sé cómo responder a sus golpes.

Andrés y Carlos estaban de pie al lado de María.

—Por lo mismo, y porque hoy será el último día que pelees en un patio de Granada.

En los corredores del patio reinaba un alboroto de asombro. No sólo porque no hubieran visto nunca usar la espada a una mujer. Yusuf era considerado por la comunidad el mejor de todos, el más grande luchador en esta y en otras armas. Donde apuntaba, ponía la bala. Donde golpeaba, vencía. Y era tan inmenso, y en cambio María tan pequeña y delgada, que no podían entender la naturaleza de lo que ahí ocurría. Además, como ya se dijo, todos estaban congregados porque gustaban de ver a María, la Preciosa.

Cuando Farag preguntó «¿Están listos?», comprendieron que en efecto el encuentro iba a ocurrir y guardaron un silencio de tumba.

Andrés rabiaba, sin saber qué nombre ponerle a lo que ocurría en su corazón. María tenía razón: él tenía que pelear con ella, ella era «su» compañera. Si no fuera porque tenía el corazón generoso, se habría pensado que lo de Andrés era envidia. Pero no era envidia. Era rabia, rabiaba de rabia, de no ser él quien la hiciera lucir como el prodigio que era con la espada. Rabiaba porque otros la iban a ver, rabiaba de celos por sentirse despojado, por creer que perdía «su» propiedad. Que bailara y fuera hermosa no le importaba, que todos la comieran con los ojos lo enorgullecía. Bailaba al son de «su» melodía, de la melodía de Andrés, su músico. Pero ahora pelearía sin que él participara. Todos la verían sin él; todos sabrían que Andrés está sin ella, despojado.

El encuentro comenzó en total silencio. La esposa de Yusuf, Yasmina, rabiaba de otra manera que Andrés, de pura cólera. ¿Por qué se atrevían a exponer a «su» María? Podría salir malamente lastimada. Zaida no rabiaba, estaba picada de curiosidad, y en cuanto comenzó el encuentro gozó más que nadie en todo el patio la delicia del arte de María.

María pelea con un modo muy personal. Ha asimilado las lecciones de Yusuf pero se ha empeñado en no pisar, contraviniendo las órdenes del maestro. Dadas sus pequeñas dimensiones, no pisar sino volar le es favorable. Pelea como un picaflor, como un colibrí pelea, ágil, fuerte, inteligente, concentrada. La pesada espada es en sus bellas manos como una vara, y esto causa asombro, que más de uno pensó que ella sería incapaz de sujetarla, no se diga controlarla, hacerla bailar. El acero centelleó y relampagueó. Y María es hermosa, sí, Andrés lo comprende más que nunca, que peleando contra ella y haciéndole la música para su baile no había tenido la distancia propicia para contemplarla. ¡Ah, qué bella es! Se clava su belleza como una espina en el alma de Andrés, lo castiga con un dolor inmenso, insoportable. María viste como una completa y hermosa morisca y el traje resalta todavía más su gran belleza.

La esposa de Yusuf, Yasmina, cierra los ojos en lo que ocurre el encuentro. Farag ni siquiera parpadea. Los otros viejos no respiran. El resto del pueblo morisco, que se ha agolpado en los pasillos del patio de la casa del cerero Adelet, admira a María. Pero todos sienten también cierta tristeza e inquietud al ver al gigante pelirrojo, el invencible Yusuf, ser paulatinamente derrotado por la casi niña, la picaflor, la bailaora. Es verdad que ella aprendió porque él es muy buen maestro y esto engrandece al gigante Yusuf, pero su derrota afecta a los presentes; los días son siniestros y éste se une a los malos signos.

Vencido, perdida su arma, herido en un hombro, aunque de manera superficial —María domina a la perfección la espada, sólo lo ha rozado—, Yusuf habló:

—Farag, he ahí una prueba más de mi lealtad. María ha aprendido todo lo que Yusuf puede enseñarle a alguien. El resto está también listo. Sólo falta que Geninataubín le entregue la mercancía.

—Y una nueva espada —agregó Geninataubín—. Este espadero no supo, al ceder la que trae, que iba a ser para una maestra. Le daré una que la hará invencible. Con su filo matará cuarenta enemigos, así vaya sobre el mar picado, a bordo de una nave a la deriva.

Farag se levantó de su asiento. Pidió a todos que salieran. Entró a un salón hermosamente dispuesto acompañado únicamente de Adelet, Yusuf, Geninataubín y María. Y esto fue lo que dijo:

17. Las palabras de Farag Aben Farag, tal como quedaron entonces guardadas por la memoria de los suyos

—María, tu maestro te ha enseñado todo lo que él podría hacerte saber. Felicito a los dos, a Yusuf por haber sido tan buen maestro y tan generoso, y a ti, que incluso aventajas al mejor.

»Tu vida en Granada, hermosa María, nunca va a ser vida suficiente. Estarás siempre escondida y, como todos nosotros, bajo la sombra de una guerra cruel. Tu gente ha salido de aquí, los que te apreciamos somos a diario amenazados. Hemos buscado cómo conservar el legítimo derecho a nuestra tierra; siete siglos han vivido aquí los nuestros y deseamos que puedan hacerlo nuestros nietos y los hijos de nuestros nietos, porque ésta es nuestra tierra. María, tú no puedes quedarte aquí, he pensado un viaje en todo bueno para tu persona y que sería beneficio para nosotros los moros de Granada.

»Los cristianos echaron de esta tierra a los judíos, a los gitanos, y ahora quieren hacer lo mismo con nosotros. Algunos de los nuestros preparan un alzamiento armado para protegernos de las presentes vejaciones y la futura expulsión. Estoy convencido de que esto no valdrá de gran cosa, a lo sumo retardará nuestra salida, porque no podremos pasar los siglos en pie de guerra. Ésta es nuestra tierra, nuestra más que de los cristianos, que nuestros gobiernos son los que supieron construir en Granada toda forma de riqueza, la seda, los canales de riego, la aceituna y el aceite. No quiero la guerra, pero no porque le tenga miedo, soy tanto un hombre de Letras como de Guerra. Creo que debemos estar armados y prepararnos para protegernos, sin duda, pero que tenemos que encontrar una manera pacífica de hacernos valer como los legítimos dueños de esta tierra nuestra. Hemos urdido una estrategia diferente a la de nuestros amigos que, con el favor de Alá, nos asegurará Granada. Hemos de probar que uno de los nuestros trajo aquí la fe en Jesús, y que lo hizo obediente al mandato de la madre de su Cristo.

»Hemos escrito con mucho cuidado y respeto a la verdad —que la verdad es que Granada es nuestra tierra— unos textos donde queda comprobado lo que digo. Los haremos pasar por antiguos, enterrándolos en puntos clave, acompañados de eso que los cristianos llaman reliquias. Ya está hecho un primer volumen, escrito y grabado sobre hojas de plomo, porque como estos libros serán nuestra mejor espada, los hemos forjado como armas, embelleciéndolos de la mejor manera. En él se cuenta que san Cecilio, que era moro, trajo a esta península la palabra de su profeta Jesús. Es el Evangelio de san Barbabás. En su lengua y su aspecto convence, parece un libro antiguo.

»Necesitamos ahora que la revelación se haga pública de la manera más notoria. Lo haremos así: tú llevarás el libro a Famagusta y lo enterrarás al lado de los cimientos de la torre de la iglesia o convento que allá te indiquen nuestros amigos. Luego, lo encontrarán albañiles que harán reparaciones. El volumen fue terminado en el taller de Geninataubín y lo tenemos celosamente guardado, fuera de este barrio, con amigos. Tú, María, vas a ser nuestra embajadora en Famagusta. Tú llevarás el libro. Tú lo esconderás. Tú lo harás encontrar, convencerás a quienes consideres pertinente que lo hagan. Vas provista de tu baile, tu belleza, tu espada y tu fe en que ésta es nuestra tierra, la de tu gente, la de nosotros que somos los tuyos. Por nuestra parte, haremos aparecer en Granada otros de estos libros sacros. ¿Te queda claro?»

Farag estalló en un acceso de tos muy acusado. De inmediato varias mujeres entraron corriendo a socorrerlo. Su tos no paraba. Alguien habló a María: «Se pone así desde que estuvo la última vez enfermo, si se emociona por algo demasiado. Retírate, María, déjalo descansar, está muy agitado». Atrás de la explicación, seguía la tos de Farag, y alguna voz diciendo: «¡Se nos ahoga, se nos ahoga!»

Fin de las palabras de Farag.

Dos:
Nápoles

18. De vuelta a Nápoles, donde dejamos hace unas páginas a María la bailaora, y donde se dan cita un número importante de soldados de la Santa Liga

Antes de toser, el buen Farag contestó la pregunta que aquí se formuló páginas atrás: ¿qué tiene que ver con María la bailaora la caída de Nicosia y la amenaza inminente a Famagusta, cuando lo que ella baila es el fervor, la agitación, la locura de Nápoles y la memoria de lo que fue Granada? María la bailaora tiembla como toda la Europa cristiana por el descenlace en Famagusta. Los venecianos prominentes han dejado sus palacios, cargando consigo las más de sus riquezas, creyendo ya inminente el ataque de los turcos. Si cae Famagusta, verán entrar a casa al Gran Turco, Venecia será de los otomanos. Causa horror la caída de Nicosia, llamada así en nombre de Nike, la diosa de la victoria. Un ultraje a su nombre: Lala Mustafá sitió Nicosia 46 días. Al final sólo resistían quinientos venecianos encerrados en el palacio de gobierno. Los asediaban veinte o treinta mil turcos. Éstos enviaron a un monje griego a pactar los términos de la capitulación. Nicolás Dandolo, gobernador de la ciudad, aceptó los términos de la rendición impuestos por los turcos, pero Lala Mustafá, faltando a las leyes de la guerra, no los respetó, asesinó a todos los sobrevivientes a sangre fría. Lo mismo hizo con los veinte mil griegos que habitaban la ciudad, masacró a los inocentes sin clemencia. Morir no fue lo más terrible, ser muerto con el filo directo de la espada fue considerado por muchos miserables un privilegio. Dejemos de lado la avaricia de que dieron muestra los vencedores; los que decían haber presenciado el horror reseñaban que cuanta crueldad y brutalidad

135

son posibles fueron infligidas sobre hombres, mujeres y niños por igual. ¿Qué podía esperarse de un intrigador de su estofa? Arrebató el trono al sabio —aunque cándido— y hermoso Mustafá Bayezid —hijo de Rosa de Primavera, que había sido la favorita de Soleimán en años anteriores— para ponerlo en manos del perverso Selim —hijo de Roselana, esposa única de Soleimán en sus últimos días—. Selim II se convirtió, como era previsible, en un sultán ignominioso y cobarde: no se presentaba nunca en los frentes de guerra, faltando también en esto al ejemplo de su padre, quien fuera hombre religioso e íntegro. Bajo el mando de Soleimán el Magnífico el ejército otomano con sus legendarios jenízaros fue invencible. Ahora Selim II, sentado en su trono, el diamante más grande que hayan visto en su pulgar, pasa los días rodeado de placeres, protegido por un cuerpo militar formado por cien enanos, las cabezas desproporcionadamente grandes, las cortas piernas zambas, ataviados con telas bordadas de oro, cada uno en las manos su pequeña cimitarra, afilada y brillante, cargada de joyas. Y continúa cosechando victorias. Cayó Chios. Cargaron con tributos a Ragusa. Cayó Naxos. Cayó Nicosia.

Las victorias son manejadas de diferente manera por los altos mandos de Selim II. Jamás hubiera permitido Soleimán el Magnífico que no se respetaran los acuerdos de capitulación acordados por ambas partes. Pero éstos son otros tiempos. Lo único que perdonó Lala Mustafá fue la vida de dos mil niños y jóvenes tiernos, los más hermosos de Nicosia, para hacerlos embarcar hacia los mercados de esclavos de Constantinopla. Aun vencida y embarcada en la mar, Nicosia continuó resistiéndose: a bordo de una de las naves, una joven de edad muy tierna —pues no alcanzaba los trece años, podríamos decirla niña—, Amalda de Rocas, sorrajó el último golpe prendiendo fuego a la bodega de pólvora, volando consigo a los ochocientos esclavos y una carga de valor considerable, toda botín de guerra.

El riesgo inmediato es la caída de Famagusta.

María la bailaora sabe que tiene que viajar a Famagusta, debe llegar, necesita buscar a los amigos de Farag, sembrar el libro de hojas metálicas que lleva consigo. Tiembla más que un veneciano cada que oye que la catedral de Chipre ha caído. La siguiente es Famagusta —lo dice todo el mundo— y de ser así, si cae la ciudad, ¿dónde depositará el objeto de su misión, el que lleva ya dos años consigo? ¿Fracasará? María ha recibido confusas noticias de los moriscos y Granada, revueltas, incompletas y todas ellas malas; cada día les quedan menos esperanzas, y una de esas disminuidas y pocas viene en los brazos de María y *debe* llegar a Famagusta. Si cayera Venecia no zumbarían los oídos de María, pero Famagusta… ¡Famagusta! ¡Farag! ¡El libro!

Nápoles reverbera con la caída de Nicosia, y María que baila Nápoles reverbera doblemente. Se escucha decir «no han dejado casa ni templo que no incendiasen y saqueasen, hasta los sepulcros violaron creyendo encontrar en ellos con qué satisfacer su codicia». Y María piensa en incendios y saqueos, y oye barrer sus sueños, escucha cómo se hacen espuma y vapor, y cómo deshechos desaparecen. De esto, a su modo, habla Nápoles, con esto vibran los napolitanos y los soldados de la Santa Liga que vienen de todas las naciones cristianas. Incluso hay voluntarios ingleses, y hasta un puño de franceses, así sea su nación tan poco generosa, aquí están. Nápoles es el baile de María la bailaora, es verdad, pero en Nápoles pone los pies porque tiene el corazón hinchado, y el viento que sale de éste la navega hacia Famagusta.

Es de noche en la ciudad. Nadie recuerda ahora la hambruna que hace muy poco la azotó. Nápoles se embriaga, se excita, se llena de la pólvora que la hará soltar su carga, su ardiente, estruendosa expulsión hacia el Mediterráneo de los soldados de la Santa Liga. En la ciudad, todo prepara esta descarga; ¡tú baila, María, baila! María, la bailaora de Granada, oye agitada los relatos que abundan en detalles sobre la caída de Famagusta. Los escucha en vilo. María la bailaora, que es toda pies cuando baila, que no tiene rival en sus danzas, sueña. Sus pies son el narcótico de quienes la ven bailar, transportan a los hombres, a las mujeres, a los niños; cuando se mueven, sus dos pies danzantes embelesan, sacian. A fin de cuentas, ella es Preciosa. El sacristán la espía con la puerta entreabierta, suspirando porque el baile no acabe nunca, los niños dejan de chilletear mientras la contemplan, los viejos vuelven a sentir que tienen músculos: María baila a Nápoles divinamente y baila así porque sueña. Sueña preciso, sueña real, sueña abordando los objetos de sus sueños, sueña cayendo de pecho directo en lo que sueña, y desde que llegó a Nápoles, hace diez meses, María la bailaora pasa las mejores horas de sus imaginaciones en Famagusta. Hay que agregar esto al encargo *muy* sagrado que debe entregar. Si en algún momento María la bailaora soñó con Nápoles, nunca fueron sueños tan perfectos ni placenteros como los que ha tenido con la impecable Famagusta. Nápoles es sucia, ruidosa, caótica; hay tanta gente viviendo apiñada aquí, en tan absoluto desorden, que es difícil no sentirse siempre perdido en ella. La Italia española junta de las dos penínsulas lo más ruidoso, lo más estridente, lo más poco armónico. Nápoles es el recodo intrincado en el que esos dos fuertes temperamentos se ayuntan, sólidamente frenéticos.

La turba ruidosa para la que baila María la bailaora por las noches, que barniza cada gesto de expresiones procaces, no tiene la frescura de la granadina, ni el inocente asombro de los pueblerinos, ni el júbilo de los huéspedes en las posadas de los caminos, ni la efervescencia de la población móvil de algunos otros puertos, ni la fresca iridiscencia de la argelina, ni carece de la devoción a la que María se ha acostumbrado sin saberlo. Y ahora, los hombres del Gran Turco están por barrer con su nuevo sueño. María llegó a Nápoles para, ansiosa, juntar las monedas que la transportarían a Chipre. Lala Mustafá y sus hombres le decapitan a donadores generosos, violan a una amiga con la que habría podido montar una casa para acoger sus bailes, incendian la pensión donde viviría, saquean las tiendas donde ella habría comprado —el bolsillo lleno de monedas— telas para adornar un escenario mullido de cortinones, orinan al lado del confesionario en el que María la bailaora habría acomodado sus rodillas y murmurado pecadillos (más para ser vista confesarse y no ser acusada de mahometana), y queman en hogueras inútiles de un golpe decenas de hachones con que habría iluminado en las noches el salón repleto de hombres muy ricos. «Porque nada hay como bailar a los varones. Las mujeres siempre sienten adentro, así sepan esconderla, un poco de envidia.»

El Gran Turco arrasa con sus sueños chipriotas, se come su futuro. Se enciende su sangre en contra de él cuando escucha aquí y allá decir «ahora atacará Famagusta». ¿Quién sabrá ahora que Famagusta es donde la Virgen María dijo que se había de hacer una junta en el tiempo del final del mundo, y que en esta junta un hombre flaco y humilde leerá un texto sagrado, y dejarán los errores que antes tenían y las herejías, y el Evangelio será diferente al que hoy tienen, que no habrá en el nombre del Padre y el Hijo y el Espíritu Santo, sino solamente un Dios, único? Lo dice el libro escrito sobre hojas metálicas que atesora María la bailaora, el que sabe que tiene que enterrar y hacer descubrir en Famagusta. En esas páginas, la Virgen también encomienda a san Cecilio (que es moro) que viaje a Iberia para predicar la palabra de Dios en esas tierras salvajes. Si el primer cristiano de la península fue un moro, ¿con qué derecho pueden echar a los moriscos los hombres de la mucho más nueva corona de los Habsburgos?

La nueva que corre junto con la caída de Nicosia y el inminente ataque a Famagusta es que los catalanes han recibido la orden de desalojar las Baleares, y esta noche la pequeña colonia catalana de Nápoles ha encendido en la plaza del mercado una hoguera grandiosa. ¿En seña de enfado, en seña de aceptación de los bienes perdidos, en seña de rebeldía, en seña de duelo? En seña de llamar la atención sobre el trágico hecho, que tanto afecta los intereses catalanes. La multitud se congrega a su alrededor, proviene de los barrios napolitanos más diversos; la ciudad se ha vaciado para atestar la plaza del mercado. La leva está presente, pero no es mayoría; los napolitanos enfebrecidos sobrepasan el ánimo de los soldados. Hombres, mujeres, religiosos, estudiantes, soldados, todos discuten, vociferan; combaten desde ya a los turcos, apeñuscados en la plaza celebran una improvisada fiesta. Desde el podio que los catalanes han levantado, el heraldo real informa de las últimas ordenanzas, acciones, mensajes del rey Felipe II. Lee de cuando en cuando los ya muy escuchados papeles de la leva, repeticiones de lo que ha voceado durante el día. Acullá, canastas llenas de bocadillos recién hechos por manos expeditas que han visto ésta es la suya para embolsarse algunas monedas —circulan encontrando espacio a costa de empujones, tirones, jalones para hacerle paso a la vendimia—. Esotros venden tripas cargadas de vino. Y María la bailaora baila. Alrededor de ella hay un tupido círculo al que tiene fascinado. Baila y canta, y en lo que canta está presente la guerra, deja caer las sílabas lentas, repasando cada vocal, acariciándola, estirándola, «Malditos sean los tuuurcos», la acompaña la guitarra y el pandero. Un grito procaz se escucha: «¡Que les corten las manos por putos!»

Antes que estallen las risotadas, María la bailaora responde rápida, acompañando el rasgar de la guitarra de Carlos con el sonido de sus tacones, soltando cada sílaba en los intervalos del zapateadero: «Las espa- (entre una sílaba y la otra, remata con el tacón, tronando en la madera) ño-las (y entre palabra y palabra, el golpe es doble, ¿cómo consigue María la bailaora hacerlo sonar tan largo?) los pi-que-te-te-te-teaaaaaaa-mos (caen los dos tacones al unísono, válgame válgame cómo, cuánto suenan)». «¡Ale, ale, ale!», grita Andrés, el panderetero. Sigue María la bailaora, «y en las cazueeee-eeee-ee-eee-eeeeeee (suben sus es hasta el cielo, bajan corriendo al infierno, valga, María, valga tu voz, valga), en las cazueeeeeeee-eeee eeeeelas», de nuevo «¡Ale, ale, ale!» el panderetero, y «a los moros-moros-moros-moritos nos los guisamos» remata la bailaora, arrancando una verdadera estampida de aplausos. Iluminada por el fuego de la portentosa hoguera, María la bailaora luce la más bella del mundo. Baila, baila también mejor que nunca, mejor de lo que nunca nadie ha bailado esta danza nueva, que nunca la ha bailado nadie, pero si la hubieeeeeeeeeeeeeera bailado alguien, nadie la habría podido bailar mejor que esta hermosa y bella, porque ahora su sueño está acicateado por el deseo de recuperar la perdida Famagusta. Porque en el baile y en la música de esos tres gitanos, se escucha la pérdida, se percibe la casa incendiada de Carlos por los soldados de Castilla, se siente la muerte de los de Andrés, se huele al bello gitano prisionero, el duque del pequeño Egipto, la pestilencia de los pisos mal fregados del convento, la canela de los dulces adornados con las figurillas cómicas que sabe trazar María. De la misma manera, se oyen en el canto y en su baile todas las fábulas, leyendas e historias que estos tres gitanos han oído en su vida. Su canto y su baile es testigo y es delación, es alivio y es olvido. ¿Quién le pone palabras en el momento? María la bailaora baila al son de los aplausos, hasta que baile y aplausos a una terminan. María la bailaora, *de Granada para servirle a usted*, se dobla, pone su cabeza pegada a las rodillas, extiende los brazos y el cuerpo para recibir la aprobación de sus adoradores. Los aplausos estallan de nuevo.

Carlos deja a un lado la guitarra y pasa entre la multitud recogiendo monedas en un gorrete que obtuvo quién sabe dónde, llueven más a los pies de Andrés, que no deja de sonar el pandero. El círculo que rodea a la bailarina es reemplazado por otro, los nuevos espectadores esperan ansiosos el que imaginan precioso espectáculo, que el muro humano frente a ellos no les ha dejado ver lo que han recibido de manera tan efusiva. María se refresca la cara con agua, echa el hermoso, brillante y largo cabello hacia atrás con un gesto de su cabeza, prueba el tablón y los tacones de sus dos zapatos. Golpea el piso para recomenzar, alza la vista, y encuentra, ahí, un par de ojos clavados que llevan en su lugar ya un largo rato. Baja del tablón y se dirige a ellos.

«¿Usté que tanto me ve? ¿Ya vio? ¿Ya pagó lo que vio? ¡Ande ande, andando!» María la bailaora le truena los dedos frente a la cara, y apenas lo hace repara en las ropas del bello moreno, la banda color de rosa al pecho, el oscuro traje de negra lana de Bretaña, señas de riqueza y distinción. María la bailaora no se detiene, así se haya dado cuenta de su estúpido error. Truena de nueva cuenta los dedos, y al son de los dedos comienza a cantarle: «¿Usté que taaaa-aaaaa (sube y baja, también la letra de María la bailaora baila) aaaa a-aaanto me ve?». Gira la cabeza hacia Andrés, que está terminando de guardar las monedas en la bolsa de fieltro, quien obedeciendo a la orden de sus ojos, golpea con la palma el vientre del pandero. «¡Usté! ¡Usté! ¿Ustéeeeeee, que tanto ve?» «¡Ale, ale, ale!» «Que aquí aquí aquí aquí aquí / no hay-y-y-y-y-y moro moro no hay ni moro ni hereje: ¡Salga!» «¡Vaya, vaya, vaya!» «Deme licencia a i-i-i-irme con ustéee»… El pandero sonó solo. Tras él, las sonajas de María la bailaora, las repicó con cálida gracia y, cuando nadie la esperaba otra vez, la voz, de nueva cuenta esa voz danzante, esa voz acariciadora: «Mateeeee-eee-ee-eeeeeee-, mateeeeemos turcos, ¡juntos, juntos, juntos!» «¡Juntos, juntos, juntos!» La multitud completa coreó, acompañando el baile: «¡Juntos, juntos, juntos!»

Algún impertinente, muy fuera de lugar, queriendo romper la *magia*, el *duende*, la *gracia*, grita: «¿Y las castañuelas, linda?» Pero María ni lo voltea a ver, ni le contesta, se guarda para sí: «¡Vete a la mierda tú con tus cuatro mitades duras! Yo no quiero castañuelas, me ensordecen, no son para mi baile. Dejé de usarlas hace años. No las quiero».

María la bailaora baila exclusivamente para uno, y la masa, la turba, la chusma arde deseándola, arde en círculo, arde más alto, más intenso, más caliente que la inmensa hoguera vecina, «que no se ha visto hoguera así, que nosea-noseaaaaa visto hoguera así». Carlos, su dulce e impecable guitarrista, arrastra el tablón de María la bailaora, lo pone bajo sus pies, y la bella suena los taconcillos de sus zapatos contra él. Los tacones de los zapatos bailaores. Mientras, los ojos de María inspeccionan al mirón. Cree reconocerlo.

En cuanto al pecho de esos dos clavados ojos, hay pechos que no-les-di-go, no-leeeees di-go, saben arder sin mostrar los efectos del incendio. Pechos que sostienen caras impertérritas, caras que no enseñan, que no dejan saber del humo, la consunción, que no dejan ver, que no dejan ver, que no, que no dejan ver el carbón traslúcido de tanto arder, el rojo rojo pálpito del que se está consumiendo. Pechos bajo los que dos piernas sinceramente bien plantadas, firmes, no delatan el temblar, el parpadeante temblar del fuego. Este hombre es de ésos, el que vestido con ostentosa riqueza deja caer monedas en el cajón del panderetero. Pero hay fuegos que arden más, que arden más, que arden más que el fuego. Fuegos que son fuego que arde, y arrastra y arrasa, y arrastra y arrasa, fuegos que son consunción del mismo fuego. Y este fuego es de eeeesos, el que ha encendido María la bailaora en el pecho vestido lujosamente, es fuego de fuegos. Y el hombre, así sea de madera dura de fresco ciruelo, así nada nada nadita mía, nada nada nadita mía lo penetre, ha quedado traspasado, herido, quemado, trastocado, y temblando se retira, visiblemente agitado deja la plaza.

No soporta más la belleza ardiente de María.

En este estado no puede ir directo a su casa. ¿Quién podría dormir con el incendio ardiéndole de esa manera en el pecho? ¡Ni un dios de los antiguos!

—No podría dormir, ni yo, qué va, ni nadie; que no que no quenonono nono no podría dormir. ¡Ale! ¿Quién de los que devoran a María podría dormir? ¿Retorno sobre mis pasos, me vuelvo a verla más que nada, que nada, que nada quiero más que verla ver-la-ver-la verla una vez más verla, otra vez verla, una vez más? —se dice, por completo poseído por el ritmo, la música, la voz, el cuerpo de María.

Hoy ha llegado a Nápoles un nuevo contingente de soldados de la Santa Liga, las calles bullen su apetito fresco. Decenas de hombres medio ebrios se agrupan aquí y allá. A la noticia de Famagusta y la hoguera de los catalanes se suma esta carne recién llegada que busca en el puerto a toda costa placeres y diversiones para cruzar la noche.

Una banda de muy malos músicos desafinando baja por vía Margherita (a sus dos lados las tabernas exhalan bocanadas de ebrios, absorben soldados más frescos), tocando sus ruidosos instrumentos. Al frente de la banda, una rubia, ebria y despechugada, desaliñada, despeinada y desembellecida, privada en su agitación de su normal belleza (¿qué le pasa, qué ha puesto así a la antes linda, qué tiene esta joven ajada, qué tiene esta tristeza que le quiebra la piel en prematuras arrugas, que le embizca los ojos, que le enreda el cabello, que la perfuma de esta manera horrenda, de puro abandono? Es como una casa que los amos han debido dejar en medio de una guerra, así su cuerpo). La cara batida de afeites corridos a punta de lágrimas («¡Ay!, ¡no te talles los ojos, no te frotes la boca, las mejillas!») se contorsiona semejando un baile procaz, abominable. Se retuerce como la víbora de un paraíso, otra vez. La banda la sigue, ella precede a la banda. Suenan a una díscola, provocadora insatisfacción, sus acordes incuerdos; a la proa de su buque llevan este acrostolio de cabellos teñidos, alborotados, una abundante melena que también va dando de gritos como la falsa fea.

La banda le canta:

Parece que como incendios
al instante que la topo;
y todos los arremetes
me azuzan el dormitorio.

La ebria viene mascullando algo para sí, como si no oyera lo que le cantan:

142

Lo culto de su tocado,
de su donaire lo docto,
lo discreto de su ceño
tienen al pecado absorto.

Haz tu curso, niña,
si es que navegas;
no de puerto en puerto,
de puerta en puerta.

La turba se repliega, se mueve a un lado, se pega a las entradas de las tabernas para dejar pasar la banda ebria. Nuestro hombre se planta en el centro de la calle. La rubia agitada exhibe las tetas. Las raíces de su rubio cabello son blancas, blancas como sus cejas; pero aunque sea una marchita, no es una vieja, su cabello se ha llenado de canas así sea joven. ¿Qué pesar hay en esta falsa, qué traición hay en su dolor? Este siniestro espolón de los músicos se dirige a clavarse directo hacia nuestro hombre, y el hombre no se mueve.

—¡Quítate, necio! —le grita en medio del zafarrancho, la misma que va corriendo a clavársele—. ¡Quítate que ahí te voy!

Nuestro hombre se planta más. La rubia se le arroja a los brazos. Nuestro hombre entrecierra los párpados, los ojos vagan sueltos atrás de ellos, perdidos, se le van, se le van, los ojos se le van. Toma a la falsa rubia del cabello revuelto, le besa ahí mismo la boca con algo que es más mordisco que beso, y la mantiene sujeta del cabello. Los músicos los rodean, coreando con exclamaciones faltas de gracias («¡Yupa!, ¡chupa!, ¡beso!»). Nuestro hombre interrumpe el beso, no suelta a la muchacha de los cabellos, arroja a los músicos una moneda y les da una orden:

—Sigan carrera abajo, que esta rubia se queda aquí conmigo. Tú —señala a un guitarrista, un muchacho joven de redondos ojillos asustadizos—, tú te quedas aquí, y toca, ¡toca!

Los músicos caminan calle abajo sin dejar de sonar sus instrumentos, cantándole a la rubia, si se puede llamar canción a su desorden:

¡Ropa afuera, canalla!
Vayan fuera esas ropas;
vengan acá esas sayas…

El guitarrista asustadizo rasguea sin ton ni son, buscando alguna melodía. ¡Qué comparación con nuestro buen Carlos, que es música de los dedos a la barriga! No se puede decir que a éste le suenen mal las cuerdas, que lo cierto es que a éste ni le suenan y, si acaso, ¿a quién le cabe duda de que esos porrazos no tienen un pelo de música? Nuestro hombre sigue sujetando a la falsa rubia de los cabellos, la cabeza echada a un lado por la fuerza del jalón. Con esta compañía, nuestro hombre se enfila hacia arriba, alcanza en pocos pasos la calle de Toledo, de aspecto muy diferente a vía Margherita, los palacios de los españoles, los hermosos árboles, y continúa caminando, sin soltar su presa y seguido por el joven músico. Piensa: «¿Conque "¡fuera ropa!"? ¿Tienen idea de qué están hablando? "¡Fuera ropa!" es el grito a los galeotes, el instante previo al remo; de donde se quitan las camisas y desnudos se someten a su...» Pero lo cierto es que no se lo dice con tantas palabras, el pensamiento le pasa por atrás, como una ráfaga, pero ráfaga no es, porque sus decires van lerdos, atenuados, son pensamientos sin pensamientos.

El guitarrista los sigue. «¡Toca!», le dice nuestro hombre, don Jerónimo Aguilar, comandante del ejército español, le repite girando hacia él la cara. «¡Toca!, ¡imbécil!, ¿no me oyes? ¡Toca!, ¡no dejes de tocar! ¿Sabes una guaracha, una jácara?» La muy ebria rubia casi no puede caminar, su meneante tenerse en pie más parece un grotesco baile, ella toda un casi casi, que casi está de pie, casi doblada, casi no camina, casi baila. Casi es hermosa, casi es rubia la rubia, que las canas casi rubias son, casi es fea, que lo sería si no se interpusiese la piedad entre quien la vea y su persona, porque el hecho es que debiera ser bella, ¿por qué no lo es? En sus canas se ve no mucha edad, pero sí mucha tristeza. No han recorrido más de treinta pasos en vía Toledo, cercados por altos muros sin ventanas, cuando nuestro hombre se detiene frente a una pequeña puerta rematada en un arco; abre el candado que, asido a dos arillos de fierro, guarda la entrada y verdaderamente arroja dentro a la teñida rubia.

—¡Pasa! —dice al músico, habla dando órdenes marciales—, éntrate y encuentra asiento en la banquilla que hay pegada al muro de la izquierda. Toca un jaleo, una seguidilla, un vito, una guaracha, lo que mejor te sepas, ¡y cierra esos ojos!

El músico tentalea con los pies, se desplaza arrastrándolos hacia su izquierda. De nada vale cerrar o abrir ojos adonde nada nadita nada, ¡ea-ea-ea! (rasga, rasga su guitarra), ninguna mirada puede penetrar, ni la propia. Su rodilla pega con lo que debe ser un banquillo. Rasga las cuerdas fuerte, rápido extiende la mano, confirma con ella que ahí hay un

144

asiento, pasando sobre éste la palma, regresa la mano rápida a su instrumento y ¡rasga!, ¡rasga!

La habitación está completamente a oscuras, pero el joven guitarrista cierra los ojos, apretando los párpados, y golpea aporreando las cuerdas de su guitarra.

Su música no tiene gracia. ¿Y cómo digo que ese ruido es música? ¿Quién me da permiso de mentir tan flagrantemente? ¿Alguien le habría enseñado cómo hacerla? ¿Quién le puso en las manos el instrumento, quién le dijo que él podía tocarlo? En medio del alboroto de la banda pasa inaudible, pero aquí, a solas, en la oscuridad, le pega a la guitarra de manera que no hay cómo esconder lo que es: ¡un músico atroz!, un no músico músico, un impostor. No despierta ninguna simpatía, con esa mirada de ratón, esa cara dura inclemente. Se para como un músico, sujeta la guitarra como un músico, pone la cara inocente del músico y dice versos que sabe de memoria. Pega fuerte a las cuerdas, jalonea arrancándole acordes chirriantes sin que le duela al alma producir, con tan hermoso instrumento, esperpénticos sonidos, en medio de los cuales tira estos versos:

> Merluzas son las lindas,
> y por salmón se pagan;
> comedlas como pulpos:
> azote son su salsa.
> El amor es nadador,
> desnudo y desnudador.
> El amar es, pues, nadar,
> desnudar y desnudar.
> Al agua no la temen
> ni mis brazos ni espaldas…

19. Da comienzo la verdadera historia de Alonso, el músico sordo

Alonso es, como María la bailaora, originario del reino de Granada, no de la ciudad del mismo nombre, sino de Azarcoya, hacia el camino de la Plata. Su madre lo encomendó a los once años a un monje, con la pretensión de que los hábitos le infundieran el deseo de vestirlos, pero el religioso era un hombre desalmado y tacaño, y el único hábito que

145

supo infundir al muchacho fue el de mentir. Comenzó a hacerlo como se empieza todo, como un novato, pero con el paso de los meses se convirtió en maestro, un verdadero maestro del mentir. Primero supo utilizar las mentiras para esquivar los frecuentes castigos, luego le fueron buenas para solaz y diversión, y con el tiempo se volvieron un placer tan grande que, si a la larga escapó del monje y huyó de su pueblo, fue más con el deseo de poder engañar a voz en cuello, que con el de dejar de padecer maltratos y mala vida. Porque Alonso era insensible a toda comodidad y placer; descubierto el gozo de mentir, todos los demás le parecían inferiores y sin encantos. Se hizo pasar por cualquier cosa, pero, como era muy despierto, al poco tiempo aquello que fingía pasaba a ser uso y costumbre y hasta habilidad. Hasta que encontró cómo mentir de manera que pudiera seguir mintiendo haciéndose pasar por músico, desde el día en que encontró desolado en el camino a un pobre guitarrista ciego, muerto su acompañante, al que dio confianza diciéndole era vecino de ahí y que lo acompañaría hasta donde encontrara comida y techo; prometiéndole que lo llevaría a su pueblo, lo condujo a un barranco sin más gracia que un inmundo riachuelo por el que corrían aguas puercas. Ahí lo tundió, le arrebató la guitarra, corrió al pueblo, dio voces diciendo que a su compañero músico le acababan de asaltar y abandonar en tal y tal barranco, y subiéndose al primer carromato que pudo, cargando la buena guitarra y la bolsa con monedas, abandonó el lugar en dirección contraria. Así descubrió que no tenía oído ninguno para la música y que con ese escudo pegado al pecho, con sólo hacer como que rasgaba las cuerdas, mentía. Porque Alonso es sordo como una tapia. Andará de falso músico hasta que se fastidie y necesite mentir de otra manera.

Fin de la historia del músico sordo.

20. Vuelta a la falsa rubia

Si algún momento encontramos, volveremos a la historia de Alonso; ahora debemos regresar adonde hemos quedado suspensos. Puede que nuestro hombre sea tan sordo como Alonso, porque no le echa encima alguna cosa arrojadiza para hacerlo silenciar. Sigue con la falsa rubia sujeta del cabello. La ha llevado al centro de la oscura habitación. Ahí le pide, con ese tono con el que parece exigir todo: «¡Baila!, ¡finge que me bailas como María la bailaora!»

—¡Otro! —grita la ebria—. ¡Otro! Uno más y prometo despeñarme de la torre más próxima que puedan alcanzar mis botines… ¿Qué tanto le ven a esa bailaora, para mí que bien flacucha?

—¡Baila! —le grita ordenándole nuestro hombre, irritado por sus «estúpidos» comentarios.

Un grupo de antorchas provenientes de la calle pintan en un ángulo de la pared las celosías de los balcones del cuarto vecino. Los trazos iluminados bailan. El brazo de la guitarra se ilumina por un momento. El músico abre los ojos, ve la puerta abierta al cuarto vecino, y ve la habitación, vacía. En la que se encuentran no hay más muebles que la banca de piedra al lado de la puerta, ahí donde el músico se sienta.

La luz proveniente de la calle se desplaza hacia el centro del cuarto, donde la rubia se revuelve adentro de sus revueltas ropas, echa a un lado las caderas, las mueve al otro, tuerce el talle, tira hacia atrás el cuello como queriendo zafarse de su cabeza, zarandea el torso, agita la testa. Nuestro hombre la ha vuelto a coger del cabello, alza el brazo para tenerle alto la cabeza. Las antorchas de la calle los iluminan. La rubia se alza la falda, el músico rasga más fiero las cuerdas y cierra los ojos, mientras que la mujer toma la otra mano de nuestro hombre, la guía a su talle, y mete la propia en las calzas del hombre, bajándoselas.

El hombre toma a la falsa fea rubia en vilo, da tres pasos, traspasa la puerta por donde ha entrado la luz de las antorchas. A un lado de la puerta hay una cama y ahí tira a la mujer, soltándole por fin el cabello. Se arroja sobre ella, y sin ceremonia alguna, que mayor no podría ser su erección, nuestro hombre la penetra en agitada prisa violenta, vuelve a tomarla de los cabellos teñidos, con rápida desesperación, buscando eyacular. Uno, dos, la toma del talle y la entra y la saca. En la pequeña habitación de al lado, Alonso rasga y rasga las cuerdas, los ojos bien cerrados, sin pensar. Nuestro hombre, en medio de su agitación, está frío: golpe, golpe, da otro golpe con las caderas, golpe. Ruge diciendo «¡Baila!» Nuestro hombre le aplaude así a María la bailaora, vino a aplaudirle a esta oscura habitación, vino a aplaudirle haciendo de todo su cuerpo una palma, y es la rubia teñida la otra contra la cual golpea. ¡Dale, dale! Menos de una docena de aplausos, y nuestro hombre eyacula sin mayor placer, le disgusta aplaudir mecánico y frío contra el cuerpo de esta falsa fea. Apenas surte de él su eyaculación, sus manos sueltan a la falsa rubia. Se incorpora, le da la espalda. Se levanta de la cama y se faja. Escucha la

147

no música del guitarrista y le espeta: «¡Cállate, muchacho, ¿qué es eso que rasgas?» Gira, la mujer sigue tendida en el lecho. La toma de nueva cuenta de los falsos rubios cabellos, y le tira de ellos y de las revueltas ropas, empujándola y jalándola hacia afuera de la habitación del fondo y de la que ocupa el músico, esperándolos con los ojos bien pelados. Sale con ellos dos a la calle, cierra tras de sí el candado, regresa sus pasos, y al llegar a la esquina donde se unen la calle Toledo con vía Margherita, suelta a la rubia con ascos, le pone dos monedas nuevas en su laxa palma y le da una más pequeña al también falso músico. La rubia se desploma en un escalón al pie de la entrada de una taberna y ahí se queda, muda, inmóvil, ebria, como una muñeca maltratada. El joven Alonso se sienta a su lado, pone la guitarra frente a su vientre y comienza a golpearla de las cuerdas, fuerte, fuerte. ¡Qué arte el suyo!

21. El amor busca a María la bailaora

Nuestro hombre se echa a caminar a toda prisa, carrera abajo, hacia el puerto. Ahora él es quien parece estar bailando. Lo ha poseído una alegría infantil, se le sale de la boca un cantejuelo, «María, Preciosa, María la bailaora». En el revuelo de Nápoles nocturna no le será imposible rastrearla. La ciudad en las noches divide con claridad su territorio. La mitad que está al norte del centro, hacia las tres puertas a tierra, Nápoles duerme. Al sur de la catedral, hacia el puerto y la porción que corre paralela a la costa, Nápoles vela, toda calle y callejuela es un río de gente. Los vendedores de comida y bebida se desplazan con ellos, siguiendo su flujo. En las plazas se aglutinan alrededor de cantantes, músicos, actores, bailarines, mujeres viles, bufones y contorsionistas, se arremolinan para escuchar pregoneros o vendedores de objetos insólitos, o incitadores al juego, o en torno a las mesas puestas al aire libre donde los soldados libran partidas de dados y baraja, cruzando apuestas. Los afeites, que las mujeres compran de habitual celosamente a escondidas, son vendidos de oreja a oreja, guardados en saquillos de colores chillantes, junto con remedios para evitar la concepción, cremas contra las picazones, esas cosas.

Nuestro hombre camina con paso apresurado. La multitud ebria avanza en ondas, el nuestro va como una flecha directo. Los demás están de fiesta, exaltados; él, así ahora feliz, va al mando de una misión, él es

148

mensajero, general, bala del cañón, correveidile y el arcabucero, en esta expresa misión le corresponde estar a cargo de todo; tiene prisa. La turba aquí y allá canta, grita; en ondas la gente se menea, partícipe de una misma ebriedad. Nuestro hombre peina las calles con apresurado paso marcial. Aquí una mujer intenta vendérsele, allá un procurador de vicios hace lo mismo, acullá le invitan a beber, esotro le quiere arrancar unas monedas a cambio de una dudosa bebida humeante, y sobra quien le ofrezca exquisitos vinos de Ischia, Prócida, Capri, Graganano, el más exquisito aún de las faldas del Vesubio. Él no se detiene, no escucha, sus ojos traspasan como un filo a prueba de sombras la noche. Es como un animal cebado, pues en esa alborotada y móvil multitud océana, pronto da con ella, aunque ¿quién sino él puede jurar que eso que ve es María la bailaora? En la plaza vecina al convento de Santa María Donna Regina, al pie de un árbol, sola, sentada sobre sus piernas encuclilladas, la cabeza prácticamente escondida entre ellas, María la bailaora descansa. Para otros estará irreconocible, pero no para nuestro hombre, él sabe que es ella, la reconoce porque lo intuye; se detiene; se clava. Se despabila. Su vista va tras otra prenda, da pronto con un vendedor de vinos que ha venido siguiéndolo (coreando: *Pruebe la suavidad del Treviano, el valor del Montefrascón, la fuerza del Asperino, la generosidad de los dos griegos Candia y Soma, la grandeza del de las Cinco Viñas, la dulzura y apacibilidad de la señora Guarnacha, la rusticidad de la Chéntola… Madrigal, vino Coca, Alaejos, recámara del Dios de la risa, Esquivias, Alanís Cazalla, Guadalcanal y la Membrilla, ¡y no olvidar Ribadavia y de Descargamaría —que pudo haber tenido en sus bodegas el mismo Baco, porque son para conocedores, para el que sabe como usted saber lo bueno—!*»). El vendedor se le adhirió a los talones a pesar de su gesto de negativa, convencido de que nuestro hombre será un buen cliente, «por esas ropas y ese modo». Con una seña nuestro hombre llama al persistente: «Consígueme un litro de lágrimas de Tiberio y dos pocillos finos para beberlo. Los quiero ahí, al pie de ese árbol. Unos bocadillos, los más exquisitos que encuentres, chorizos van bien, jamones; unas frutas». «¿Pan?» «Pan nunca sobra.» El joven sale corriendo a buscar el generoso encargo, y nuestro hombre se acerca a María la bailaora. Si sin bailar es casi irreconocible, así escondida, arrebujada sobre sí misma, es casi invisible.

—María.

Sin alzar la cara, hablándole a sus propias piernas, la hermosa voz le contesta: «Respondo a *María la bailaora de Granada para servirle a usté*. Déjeme descansar, ahora ni bailo, ni canto, ni respondo. Le advierto: bofetones sí que sé dar a quienquiera me moleste, que para esos no estoy nunca fatigada».

Nuestro hombre se sienta a su lado, también acuclillado como ella. El ágil y expedito vendedor está ya de vuelta, cargando dos banquillos y tras él un asistente con una mesa y una larga y gorda vela. Le dice a nuestro hombre:

—Aquí tiene su mercé.

El ayuda del vendedor tiende sobre la mesa un blanco mantel, enciende el cabo de la vela, pone tres naranjas sobre un plato dorado. Nuestro hombre se acomoda en su banco, saca su navaja, y procede a pelar meticuloso la fruta, sin apresurarse, extrayendo de ésta una sola anaranjada y curvada tira. En el momento que la extiende sobre el mantel, de manos del vendedor cae en el plato dorado un chorizo, y a su lado otras ponen un platón con uvas y nueces y a sus costados dos finos platos hondos rebosando caliente potaje de alubias con jamones. El vendedor corta en rodajas gordas el chorizo, coronando sus guisos. María la bailaora no ha alzado la cara ni por el olor del guiso caliente, ignora el improvisado banquete. Una vendedora de velos pasa cerca, nuestro hombre la llama, le compra un largo encaje blanco y una curvada peineta adornada de recortes de piedrecillas brillantes, y le pide los entregue a María la bailaora, que así esté a su lado sigue doblada, dentro de sí. La vendedora se acerca a ella.

—Niña, niña linda, tenga. Mire qué le ha comprao el hombre, diga si quiere este encaje blanco y esta peineta, o escoja cualquier otra, usté diga.

María desenvuelve el nudo de su cuerpo, saca su cabeza del refugio de sus brazos. Ve el velo y se estira risueña a tomarlo, sonríe más cuando ve la hermosa peineta. Se los pone y alza al hombre los ojos, sonriente.

—María, que se enfría la comida —le dice nuestro hombre.

—Dije que soy María la bailaora de Granada, que así me llames —le respondió al tuteo.

—María la comedora de Granada, para servirle a usté, ¡anda!, se enfría, ¡vente acá!

Las lágrimas de Tiberio llegan en una garrafa de cerámica. El vendedor escancia este vino exquisito en sus dos copas y hace poner en la mesa el pan, un plato con ostiones abiertos en su concha, y un trozo de pierna de puerco asada, aún humeante.

¡He ahí un banquete!

María levanta la cabeza, mira la mesa bien dispuesta en medio de la

150

plaza, el rico hombre para quien bailó sentado frente a ella, el que ella creyó reconocer, y sin manifestar ninguna sorpresa se levanta, se sacude la falda, agita su cabeza para esponjar su cabello y mirando el banquillo dice:

—¿Y qué, no hubo silla buena?

—¡Conque María la quejaora! ¿Qué malo tiene el banquillo?

—Que si tú hubieras bailado el día entero, también querrías asiento bueno. ¿Cuál es su nombre? Yo no como con desconocidos —dice todavía de pie.

—Mi nombre es Lotario.

Bastó esa palabra de tres sílabas para que María la bailaora se sentara en el banquillo, que pareció sentarle la mar de bien. Siguió nuestro hombre hablando:

—Con ése me bautizaron mis padres. Lotario soy, fui alférez hace tiempo. Viéndote pienso: «Presto se acabará mi pena, y presto comenzará mi gloria». ¿De dónde eres tú?

—Que ya te dije, soy de Granada.

—María la granaora, que es justo «tomar las reinas los nombres de sus reinos».

—¿Cuál es tu historia, Lotario?

—La tengo. ¿Quieres oírla?

—Quiero.

—Que no es corta.

—Que no importa.

—Sea. En Florencia nací, en Florencia viví.

Al hombre le da un acceso de tos que le impide continuar con su historia. María lo oye toser, y el escucharlo le trae vivas ciertas memorias auditivas que casi la ensordecen. ¿Qué oye? La tos que suena la transporta a otra, a la de Farag, la que le impidió años atrás hacerse oír cuando le llegó el turno de decir «Entiendo, acepto», la tos que le tapó la voz la noche antes de dejar Granada, cuando…

22. De regreso con María, a Granada, cuando los moriscos todavía tienen en la ciudad muy buenas casas

El acceso de tos de Farag interrumpió su discurso. No hacía mucho que el morisco había enfermado, aquejado de tantos pesares; ¿qué otra cosa podía esperarse en un alma buena? Por lo mismo no pudo oír la respuesta de María a su «¿Te queda claro?» A María nada le queda claro: libros, páginas de plomo, san Cecilio, apariciones, legitimidades, un lugar de nombre Famagusta, ¿de qué demonios le hablan?, pero tiene la mejor disposición para emprender el viaje, incluso descontados el agradecimiento y la lealtad que siente por Farag —que la obligan a obedecerle a ojos cerrados—. La seduce de una manera inexplicable la idea de dejar Granada. ¿Porque es gitana y esto no se quita ni aun disfrutando de las mejores comodidades y costumbres? ¿Porque vivir encerrada en una casa de mujeres la asfixia? ¿Porque el peso de la mirada de aprobación de los sabios le pesa? ¿Porque en esta acosada comunidad no hay espacio para permanecer sin ser vista, revisada, escrutinizada? ¿Porque la miman, la quieren, la admiran, la ven crecerse y ella florece? Porque así su vida fuera ahora un paraíso comparada con la que llevó en el convento, a ratos se envidiaba a sí misma, a la sí misma aislada que vivió sin que nadie la tomara en cuenta. ¡Qué extraña es María la bailaora! Allá se la ignoraba las más de las veces, ni se le daban atenciones ni apenas restos de comida, y se la bañaba a diario con desprecios. Acá, en el serrallo, todo son elogios. No que María quisiera *dejar* Granada —esto sólo porque no sabe esa niña lo que en Granada le espera de quedarse: la guerra y, tras la derrota, la esclavitud, verse marcada en público como una bestia—, pero le ilusiona salir del cerco que le ha tendido Granada, un corral para su alma de gitana. Suspira por el padre, suspira por la vida que llevaba con él, que, así fuera menos rica que su vida mora, le daba cuerda para correr por las calles, bailar y cantar y oír cantar y ver bailar en las plazas y salir cabalgando por los caminos de vez en vez, hacer hogueras a campo abierto, dormir tendidos sobre la tierra, gritar a voz en cuello, bañarse en ríos donde no se han construido civiles orillas de piedra o caminos y calles gobernando el paso del agua. Se sabe confinada, reconoce su jaula de plata.

Después de oír a Farag hablar, el gigante pelirrojo Yusuf la llevó presuroso a su casa. Cuando llegaron —¡los oídos que tiene un serrallo!—, las mujeres, sus protectoras, están agitadas preparando su salida. Están Zelda, la abuela, Yasmina y su hija Zelda con su inseparable Luna de Día. Ninguna de las criadas era parte del secreto. Zaida está encantada, las más de sus amigas no han dejado Granada sino para visitar los cármenes que están en las afueras, algunas pocas han llegado hasta Córdoba, otras hasta Sevilla, no más. Zaida quisiera viajar, quisiera irse con María, visitar cuantas villas se han nombrado y otras; si pudiera, cruzaría la mar océana. Sueña desde hace tiempo con irse, así sea a la negra Berbería, le apetece cualquier lugar del norte de África, si pudiera escoger se iría a Marruecos. Mejor todavía si pudiera llegar más lejos, hasta la Constantinopla, o las muy ricas Indias que tienen las calles forradas de oro. Y lo dice alborotada cuando reciben a María: «Te envidio y me alegro por ti».

«Yo —dice la madre de Yusuf, la vieja, la viuda Zelda— quisiera (o yo hubiera querido, que a mis años parece mejor decirlo así) viajar por el norte del África. Hubiera querido ver camellos, ver medinas a la orilla del mar, el Coliseo que dicen existe cerca de donde Dido fundó Cartago. Ahí hubiera querido ir, donde las mujeres vivieron sin varones. Quisiera haber ido, que ahora como están mis huesos… No puedo ni imaginar lo que sería el viaje ahora, con mis huesos…»

Yasmina no participa en la plática. Está furiosa. Apenas enterarse, ha preguntado a un asistente de Adelet por los pormenores del viaje y se ha enterado que María va a salir acompañada de los dos niños gitanos, Andrés y Carlos. Parece una leona enjaulada agitándose impaciente de un lado al otro. «¡Si sólo son dos niños!», espeta a Yusuf apenas entra a la casa. «¿Quién va a cuidar de María?»

—María puede cuidarse sola y cuidar de ellos dos, no hay de qué preocuparse.

Yusuf tiene sus propias preocupaciones. Ignora el estado de ánimo y la queja de Yasmina y camina hacia las habitaciones donde preparan la salida de María. Yasmina lo sigue, casi gritando:

—¡Pero la compañía…! ¡Yo no dejo irse a esta niña del brazo de esos dos bribones! Me la van a echar a perder. No, definitivamente. Y si tú no se lo dices, corro ahora mismo a decírselo yo en persona a Farag, no me voy a quedar con los brazos cruzados, ¡cómo crees! ¡Sobre mi cadáver!, ¿me entendiste? ¡Y no doy un paso atrás! Si se la llevan los dos bribonzuelos, tú no me vuelves a ver nunca! ¡Me largo a Galera y no me vuelves a ver nunca! ¡Te quedas sin esposa! ¡Tú me dijiste que era una de las nuestras! Pues bien: una *de las nuestras* no se va así como así, a cruzar mundo del brazo de dos zarrapastrosos. ¡Cómo crees! ¿En qué están pensando tú y Farag?

El ensimismado Yusuf había llegado adonde las mujeres estaban congregadas, seguido por la gritadora, que parecía más agitada a cada paso. Al detenerse, Yasmina dejó de hablar un momento, el suficiente para tomar aire y espetar a todo pulmón:

—¡Contéstame, esposo mudo!

Yusuf no alzó su pesada vista del piso.

María fue quien contestó; hincándose a los pies de Yasmina, tomándole una mano y besándosela dijo:

—Mamita… ¿Puedo llamarla «mamita»? Mamita mía, que hace cuánto no tenía yo mamita. ¿Sabe usted que mi mamá murió hace tanto que no recuerdo su cara? Lo he intentado muchas veces, pero no sé, yo era tan niña… Usted, Yasmina, usted es mi mamita. La quiero. Pídame usted lo que quiera, que yo la obedezco. Pero esto no, esto a mí no me lo pida. El señor Farag me ha confiado una labor, que es un secreto y que puede favorecer a todos los moros de Granada. A mí no me cuesta nada, ¿quién va a querer atacarme, si no soy sin usted sino una gitana huérfana? Voy a hacer ese viaje. Le juro por el cariño que le tengo, que para mí es lo más preciado, que conservaré mi corazón puro y no olvidaré ninguna de las maneras que usted me enseñó. Yusuf, su marido, me enseñó la espada: usted algo igualmente importante, cómo comportarme como una mujer de bien. Le viviré agradecida. Por lo mismo, me toca retribuirles, y lo haré con lo que Farag trama para el bien de su gente. ¡Que vivan mil años los moros en Granada!

Yasmina lloraba sin saber qué decir. Las palabras de «su» María, «su» Preciosa, la han dejado sin furia, ya sólo herida. Zaida toma a María de la mano y la lleva hacia su habitación. Ahí, en una hermosa bolsa de seda, comienza a guardarle sus pertenencias. Zelda entra también, lleva en las manos un broche que pone en el pecho de María, diciéndole palabras que María no comprende, en árabe. Son parte de un poema:

Mi corazón se me escapa.
Ay, Dios, ¿acaso volverá?
Tan grande es mi dolor por mi amigo,
enfermo está, ¿cuándo sanará?

Yasmina entra también, completamente repuesta, como un gato doméstico. Revisa lo que Zaida ha guardado en la bolsa, añade un par de calzados, guarda la hermosa bolsa de seda en una de cáñamo burdo y, con suaves empujones, la boca cerrada, saca a las tres de la habitación para llevarlas a comer al comedor.

Como en días de fiesta, se sientan todos juntos a la mesa, hombres y mujeres. Los músicos aguardan la seña para empezar sus canciones. Las charolas colmadas de comida están por salir de la cocina, cuando el espadero Geninataubín entra. Lleva el cabello alborotado —acaba de volver a vestirse la camisa— y tiene la cara colorada por el fuego de su fragua.

Tan agitado está que ha cometido la imprudente locura, o el atrevimiento, de cruzar la calle, de su taller a la calle de Yusuf, en plena luz del día con una espada en la mano cubierta solamente muy a medias por un bello manto rojo. Es una espada bellísima, brillante, no demasiado grande. En el puño tiene labradas unas palabras que María no puede leer porque están en aljamiado, esas grafías árabes que usan los moriscos para escribir las palabras cristianas. A lo largo de la hoja tiene escrita en cristiano una frase en el centro, como un carril: «Quien toque el filo de mi espada, tocará la puerta de la muerte». María la lee en voz alta.

Geninataubín es convidado a comer y acepta. Una esclava le acerca una vasija de agua fresca para que se refresque.

Zelda se levanta de la mesa, dice algo al oído de Yusuf, su hijo, y sale presurosa. Regresa en breve tiempo, y apenas entra clava los ojos en María y camina hacia ella como si sus ojos la hicieran avanzar.

—María, tengo dos regalos para ti.

—¡Más regalos! ¡Cómo y cuánto han sido ustedes generosos conmigo!

María se levanta, hinca una rodilla frente a Zelda e inclina frente a ella la cara. Zelda levanta la cara de María y con las dos manos le enseña una cadena. De la cadena pende una cruz, también de oro. Zelda voltea la cruz, la torna para que vea el envés: hay cuatro pequeñas espadas labradas en sus brazos, en el centro un corazón engarzado —una piedra colorada y brillante, tallada bellamente como un corazón—, y alrededor de éste unas palabras escritas en letras finísimas que Zelda lee en voz alta:

—«Él manda, el corazón manda.» ¡Alá manda! Te estamos dando —explica Zelda— un escudo para acompañar tu espada. Muéstralo cuando lo creas oportuno, bastará esa seña para protegerte en los más de los sitios de España. Si te encuentras con alguno de los nuestros, enseña el envés de la cruz. Entenderán la seña, sabrán que este objeto es un escudo.

María miró la cruz de uno y de otro lado con sumo cuidado. Los ojos se le llenaron de lágrimas. Las monjas la habían despojado, las moriscas la terminaban de hacer rica: a sus dos monedas de oro en el cinto y la espada rica, sumaban el broche de oro y la cruz de doble cara con un zafiro empotrado.

—¡Es hermosísima! ¡Es demasiado hermosa!

—Y esto —dijo Zaida, extendiendo la mano— es tuyo también. Contiene una moraleja. Velo y obsérvalo bien.

Zaida entregó a María algo que era como un liso mosaico de metal y en forma de triángulo. A primera vista tenía alguna gracia, pero muy menor.

155

—Tómalo —dijo Yazmina—, míralo bien.

María tomó el pequeño objeto liso y delgado. Lo revisó. En una de sus tres bases tenía una cejilla. Tiró de ella, jalándola hacia arriba. El triángulo se abrió quedando sujeto de uno de los tres bordes. Era un espejo, o, mejor dicho, dos espejos triangulares.

—La cruz te protegerá entre los nuestros, la girarás y comprenderán a quiénes perteneces —le dijo Zelda—. Es otro compañero de viaje. Míralo bien. ¿Qué ves? Sujétalo cerca de tu cara.

—Veo mis dos ojos, abajo de ellos mi nariz.

—Te ves a ti, y en ti la belleza de Granada. Al verte, nos ves, ves el corazón morisco de la península, que es decir lleno del Mediterráneo, del África, de Asia, de Iberia y de Europa; de las Indias también.

—El corazón gitano —agregó Yasmina—. El que pertenece a todo el mundo porque es granadino. Eso no te lo puede robar nadie. En el espejo nos llevas contigo, ahí te acompañamos, vamos de tu mano. Guárdalo y cuídalo.

—El corazón que no es de esa cosa aguada y sin sabor que se llama la «sangre limpia» —agregó en voz muy baja Zaida.

—El corazón manda —dijo Zelda—. El corazón manda. Y el corazón es el mundo.

María cerró el espejo. Se desfajó y lo guardó envuelto en su cinto junto a las dos monedas que había recibido en el convento. Lo volvió a atar y a esconder entre sus ropas.

Con pasos ligeros, Zelda regresó a su lugar. En cuanto encontró acomodo, comenzó la música y las charolas con comida llegaron a la mesa. Todo lo hacían a la usanza de ellos.

Cuando se levantaron de comer, Yasmina abrazó muy tiernamente a María, diciéndole adiós sin palabras. Zelda salió del salón sin voltearla a ver siquiera. Luna de Día despidió a sus esclavos y criadas, quedándose con María y Zaida a dormir. En lugar de irse cada una a su lecho, las jóvenes se reunieron en el de María. Era su última noche juntas, la última en que podrían conversar como venían haciéndolo desde que María había llegado hacía treinta semanas a esta casa, treinta y pico largas semanas. Las tres habían cambiado en este tiempo; más que ninguna María, que entró niña y criada, y salió mujer, guerrera y dueña bien vestida.

Pasada la medianoche, Luna de Día llevó la plática a un tema serio y solemne. Ya no quedaba vela ni lámpara alguna encendida.

—Jurémonos las tres lealtad por el resto de nuestras vidas. Yo sé que lo hicieron tu mamá y la mía, Zaida, y mira cómo han seguido siempre amigas. Si a una le falta el pan, la otra se lo quitará de la boca para compartirlo. Jurémonos algo similar.

—Pero hagamos mayor el juramento —dijo Zaida—. Juremos que si a una le ocurre algo, las otras dos la vengarán con su vida —dijo Zaida.

María guardó silencio. Sus dos amigas quedarían en Granada al amparo de sus familias, mientras que ella comenzaría una aventura de la que no tenía ni idea cómo saldría librada. El juramento le parecía desigual, comprometía a sus amigas desmesuradamente.

—Dilo, María, di «lo juro».

—No puedo decir «lo juro» porque no quiero comprometerlas. Yo qué sé qué habrá en esos caminos que me esperan… No quiero ni debo poner ese peso en sus vidas.

—¡Ya pareces mamá! —la interrumpió Zaida enfadada.

—No, no lo digo como tu mamá, no es por imitarla; es puro sentido común. No tengo ningún miedo, pero el juramento es desigual. Ustedes se quedan en la ciudad, ustedes tienen familia, casa. Yo soy una gitana sin…

—¡Basta ya! ¡Guárdate para otro esas sandeces! Júralo. Si no quieres hacerlo, yo lo juro en nombre de las tres —dijo Luna de Día.

Zaida agregó de inmediato:

—Yo lo juro y lo recontrajuro en nombre de nosotras tres. Júralo, María.

—Lo juro —dijo María no muy convencida.

—Y si una falta… —dijo Luna de Día.

—¿Qué? —la interrumpió Zaida.

—Si una falta al juramento…

—Lo haremos pagar con su vida —cerró la frase Zaida.

—Lo juro.

—Lo juro.

—Lo juro.

Silencio. Luego, risas que comenzaron en boca de Luna de Día, siguió Zaida y luego María, las tres desternilláronse un buen rato en inexplicable exaltación.

23. El viaje de María

Antes de amanecer, los dos pastores (que lo fueron de los toros y lo pasaron a ser también de las ocas gritonas del espadero) llegaron por

157

María. Silbaron en la puerta y María salió. Los tres gitanos visten como cristianos. Sólo Yusuf se despierta a darles la despedida. Como no quiere arriesgarse a otra tormenta de Yasmina, se desvive en gestos pero no abre la boca. Besa a María en la frente, sin palabras.

Yusuf tiene prisa porque se vayan, temiendo que Yasmina despierte, y con sus gestos despedidores los azuza. Los ve avanzar, sus ojos los embeben a pesar de la oscuridad: a la bailaora se le nota en todo que es una nueva cristiana, porque cada prenda es nueva. Los chicos visten con menor riqueza. Los chicos van cargando su saco de siempre, más una guitarra que los moriscos les han regalado para el viaje, junto con todas sus prendas de vestir también nuevas. María trae un bulto no muy grande que guarda el saco de hermosa seda y dentro de él sus ropas moras de seda, sus escarpines, su velo y un juego de ropas gitanas, de las que se ha hecho viviendo en casa de Yusuf para interpretar con hermosura mayor sus bailes. Se alejan apresurados de casa de Yusuf. La noche es tan oscura que María no puede verles las caras a sus acompañantes. Oye sus voces y los imagina. En sus voces oye también la despedida a la ciudad, la van narrando en voz baja, diciéndola como si la estuvieran viendo. Al pasar frente a la casa del Castril, Andrés dice:

—Ahí se lee «esperando al cielo».

—¿Y qué quiere decir este «esperando al cielo»? —preguntó Carlos.

—Quiere decir —le contestó María— que los dos son unos distraídos, porque en la fachada de esta casa hay un fénix, y el fénix es el animal o monstruo que vuelve a renacer todos los días, no el que anda esperando el cielo. Quiere decir que Andrés no sabe leer, porque no puede decir «esperando al cielo» y pintarse un fénix, no hace sentido.

—Sí que sé leer, María, no mucho pero algo sé, te lo prometo. Dice lo que te digo, porque además me lo dijeron... y porque tengo buena memoria. No me equivoco.

Regresaron sobre sus pasos y se detuvieron un momento frente a la fachada de la casa del Castril para confirmarlo, pero la noche era cerrada, no llegaba a tierra el brillo de las estrellas ni algún resplandor de la luna, el cielo estaba encapotado y era imposible ver más allá de sus propias narices. Retomaron apresurados la marcha. Pasaron frente a la iglesia de San Pedro y San Pablo, que el albañil Pedro Solís acababa de terminar en este año del 1567, y pasos después entraron al barrio que se llama de Axares o Alixares. Se detuvieron en la casa 14 de la calle del Horno del Oro. Cruzaron la puerta. En medio del patio había una alberca, a sus costados las galerías de tres arcos con adornos moriscos. Un criado los guió hacia el segundo piso. Cruzaron pasillos, salones, llegaron a una sala con un arco a la entrada y un bello artesonado con tirantes de lazo, la tablazón cubierta de adornos moriscos y en el arrocabe, repetido, «Sólo Dios es vencedor —leyó María—. Salvación perpetua». Ahí estaba Geninataubín —vestido tan diferente que parecía irreconocible, como un caballero cristiano; ¿por qué vestía así?, ¿para caminar en las tinieblas sin ser llamado a dar cuentas? (los moriscos acostumbran vestir cristiano, pero el espadero, por su bárbaro oficio, viste un muy delgado lienzo atado abajo de la cintura, el resto del cuerpo desnudo)—, acompañado por un hombre principal que María no cree conocer, iluminados apenas por una temblorosa vela. Diciéndoles palabras que realzaban la importancia de su misión, le hicieron a María entrega de lo que debía llevar y saber acomodar en Famagusta —el primoroso libro con hojas de metal, el que había de ser enterrado para hacerlo llamar antiguo, y luego hallado—; se lo mostraron no muy lentamente, sólo para que viera de reojo la belleza de lo que le encomendaban. Lo envolvieron celosamente y lo enfundaron con un saco muy burdo. Al bajar las escaleras, a la entrada de la casa, les dieron también dos bolsas grandes con provisiones para el camino y unas monedas en una hermosa bolsilla rebordada que pusieron en las manitas de María.

Por piernas dejaron la casa. Los criados de ésta emprendieron con ellos el camino cargando bultos y bolsas, lo necesario para el viaje, y en algo que pareció segundos ya cruzaban la puerta de Guadix, donde los esperaba otro amigo, éste embozado, al que Andrés trató con suma familiaridad, quien les proveyó de tres caballos buenos y frescos y una mula de carga. Acomodaron con su ayuda y las de los criados las bolsas de provisiones, sus equipajes y, con enorme cuidado, el libro que María debía transportar para convertirlo con argucias en un objeto milagroso. Pasos adelante, como ya comenzaba a amanecer, se reunieron con otros viajeros. Los más iban con rumbo a Barcelona, para de ahí embarcarse a uno u otro lugar del Mediterráneo. Serían dos docenas, casi todos varones jóvenes, mercaderes, algunas mujeres —la esposa de uno de los embajadores del obispo y sus damas de servicio, más dos esclavas que estaban al cargo del bienestar del grupo—, dos frailes y el séquito del señor obispo, su embajada al Vaticano. Compartirían con ellos sólo un trecho del camino, porque su destino era distinto, pero salir acompañados de las proximidades de Granada era lo más conveniente, porque como ya se dijo abundan los salteadores de caminos.

Desde que comenzaron la marcha, iban pasos adelante del resto de los viajeros, el único que los precedía era uno de los guías, un flamenco pícaro llamado Manuel, tan joven como ellos. Comparados con los demás, la carga que llevaban repartida en cuatro rocines —sus panderos, guitarra, castañuelas y cascabeles, sus ropas gitanas o moriscas y el libro aquel, el hecho sobre plomo, tan pesado como hermoso— era de lo más ligera. María desconocía los pormenores del viaje. Andrés había recibido todas las indicaciones de uno de los hombres de Farag y del mismo Yusuf.

El campo que rodea a Granada es rico y está cultivado prolijamente. Las moreras para la seda y los olivos para las aceitunas compiten por cada ápice del suelo. Todo es bello y todo atendido, ordenado, noble. Bajo el cielo azul radiante, el verdor apacible. Donde se ponga la vista se topa uno con la riqueza de un buen cultivo. Pero en cuanto el terreno comienza a ser más desigual, grandes tramos están abandonados, este año no han sido siquiera cuidados. Los signos del desorden y la guerra civil que se ha ido expandiendo se ven escritos en los cultivos; es la grafía de los campos.

Cuando ya Granada no les queda a la vista y han dejado atrás la primera torre vigía, bien apuntalada sobre la cima de un cerro mediano, y el sol pega ya con maligna furia, cruzan nariz con nariz con otros viajeros.

Son un piquete de personas vestidas todas de manera casi idéntica. Así no son militares, ni lo parecen, en algo emulan un tercio: sus gestos y manera de hablar son idénticos, se han cortado los cabellos igual, hasta sus calzados parecen haber sido hechos por el mismo zapatero. Sus criados también visten como ellos —aunque sus hábitos estén cortados en telas de menores calidades y más burdas tijeras—, también gesticulan a coro y se peinan como sus amos. Todos traen espada al cinto y ninguno arma de fuego.

—¿A cuánto queda Granada de aquí? —les preguntan a modo de saludo.

—No más de seis horas.

Estaban ya cansados sus rocines y aprovecharon la aparición de este otro grupo para detenerse. Descabalgaron, los que venían de Granada de sus rocines, los que iban hacia Granada de sus borricos. A la vera del camino había un frondoso roble; bajo él se acomodaron los dos grupos de personas y, mientras los criados de ambos daban de beber a las cabalgaduras, comieron cada quien su pan, compartieron con algunos su vino y conversaron al amparo del castigo del sol por unos momentos.

—¿Vieron en el camino salteadores?

Los viajeros sólo tenían curiosidad en saber pormenores del camino;

nada de esta partida les llamaba ningún interés, ni siquiera la notable belleza de Preciosa. Si alguien se la hubiera descrito antes, estarían embelesados. Son de los que saben apreciar sólo a través de los ojos de otros.

—Los salteadores no se ven —les contestó la preciosa María la bailaora—. Por eso son salteadores.

—Todo parece en orden —reforzó Manuel—. Pero yo les aconsejo que no retarden demasiado su marcha, mejor entrar a la ciudad aún con la luz del día, que sí abundan los monfíes.

La partida de hombres iguales y cobardes no era de mercaderes, ni de frailes, ni de soldados, sino que parecían estudiantes, por lo que María les preguntó:

—¿Camino a la Universidad?

—A eso vamos.

—¿Y van a ver a quién? —preguntó uno de los peregrinos, uno de los hombres del obispo, que conocía bien el mundo universitario.

—¡Querrán oír que digamos «a Juan Latino»! —el resto de la partida de iguales estalló en risas, seguramente por algún chascarrillo privado.

—¡El etíope! —dijo otro entre carcajadas. Los idénticos no podían parar de reír.

—¡Etíope y sabio! —carcajeó otro, literalmente retorciéndose de risa, con lágrimas en los ojos de tanto reír.

—No vamos buscando a nadie —contestó el primero que había tomado la palabra, cuando pudo reponerse del ataque de risa, y añadió, ya muy serio y excesivamente solemne—, vamos a anunciar una llegada. Atrás de nosotros viene el licenciado Vidriera.

—¡Ah! El hombre más sabio de Salamanca —contestó el hombre del obispo, amigo personal de Pedro Guerrero—. ¿Y a qué viene?

—A demostrar su sabiduría, la universidad lo ha invitado. También a buscar una cura para su mal y a leer esas alguacias o jofores, que las profecías de los moriscos se han vuelto proverbialmente famosas, aun siendo para nosotros por completo desconocidas. Lo que el licenciado Vidriera quiere es poner sus ojos en ellas y ver si su fama corresponde al objeto.

—¿Y a qué esas risas con Juan Latino? —preguntó el mismo hombre del obispo que había tomado la palabra.

—Que nos hace gracia esa leyenda. ¡Un etíope sabio, escribidor de textos latinos y griegos! ¡El esclavo de Sessa, un maestro en el claustro de la universidad! ¡Qué pamplinas!

Los entogados estallaron en carcajadas. Alguno otro dijo:

—¡Es que la gente se traga cualquier cosa!

—¡Comerán zapatos, si hay quien tal les aconseje!

El granadino los atajó:

—No es leyenda.

—O es tan leyenda o visión como ustedes mismos —agregó otro hombre del obispo.

Lo interrumpió uno de los entogados reidores:

—¡Otro que se la cree! —todos estaban otra vez risa y risa, se doblaban de carcajear, aquél hacía de simio mientras hablaba en latín, diciendo en esa lengua: *Aetatis suae anno...*

—Tanta leyenda o cosa de encantamiento son ustedes como lo es Juan Latino —repitió el hombre del obispo con voz enfadada.

—Juan Latino es un sabio granadino —dijo el segundo—. Nació en Guinea, aunque otros digan que en la Berbería, y es cierto que es negro. De niño fue mercado esclavo con su madre en Sevilla, fue del duque de Sessa y antes del padre, el conde de Cabra.

—No es leyenda ninguna —dijo otro, un hombre ya mayor y muy serio, que no había abierto en el resto del camino la boca.

—Está casado con Ana Carlobal, de familia muy principal...

—Una familia muy querida en Granada...

—Es hija del licenciado Carlobal, veinticuatro de la ciudad...

—Y gobernador de todas las propiedades del duque de Sessa...

Contaban la historia de Juan Latino a coro, uno arrebatábale la palabra al otro.

—La supo enamorar, y no era fácil de roer ese hueso...

—Porque la Ana Carlobal era vista un muy buen partido.

—Y no tiene un pelo de fea..

—¡Qué va!

—...ya la había cortejado buscando sus favores más de uno, sin recibirlos, se entiende.

—Juan Latino era su maestro, de latín y de vihuela. Un día le tomó la mano a Ana, y ella lo permitió. A la siguiente lección, se la tomó y se la besó.

—En la siguiente lección, no sólo le tomó la mano, sino que le metió la mano en la manera, esa bolsa que tienen los vestidos.

—Eso la enfadó. Le retiró la mano al Juan Latino y se levantó de su asiento, negándose a terminar la lección.

—A la siguiente lección, el negro Juan Latino le tomó la mano, se la besó y cuando quiso proceder a meter la propia en la manera de Ana, encontró la bolsa cosida.

—Entonces fue él, Juan Latino, quien se levantó de la mesa y dejó sin terminar la lección. No se presentó a la siguiente, ni a la siguiente, hasta que pasaron tres semanas sin clases.

—Uno de esos días, el licenciado Carlobal encontró a Juan Latino en la calle y le preguntó: «¿Por qué no ha venido ya a darle clases a Ana? ¿Algo ocurrió? Ella parecía tan ilusionada, y yo percibí en ella tantos progresos que...»

—Juan Latino le contestó: «Licenciado Carlobal, con todo respeto, es que con su hija no hay manera».

—El licenciado Carlobal volvió a casa y reprendió a Ana: «Mira, hija, que yo sé que eres muy inteligente, ¿por qué has holgazaneado teniendo un maestro así, que te puede hacer sabia? Lo he encontrado en la calle y me ha dicho que ha interrumpido las lecciones porque contigo "no hay manera"».

—Ana, que además era bellísima de joven, se ruborizó de la vergüenza. Ahí en caliente y en las narices de su padre escribió una nota que decía...

Los hombres del obispo continuaban arrebatándose la palabra, hablando con celeridad. Los estudiantes estaban paralizados ante la escena.

—«Estimado maestro Juan Latino: tal vez la última lección me encontró usted cerrada, y hasta diría yo cosida.»

—«Cosida, cerrada, no había manera...»

—«Pero tenga usted por seguro que a la próxima me encontrará usted en la mejor de todas las disposiciones para tomar cuanto su merced tenga a bien entregarme.»

—Juan Latino regresó a casa de los Carlobal, tomó la mano de Ana, se la besó y puso la propia en su manera, y así continuaron las lecciones...

—Tantas que se casaron y ahora tienen cinco hijos.

—Cuatro.

—Tal vez cuatro.

La ligera diferencia de opinión frenó la cascada de anécdotas de los hombres del obispo. Aprovechando la pausa, otro de los entogados viajeros terció:

—¡Todo esto es mentira!

—No, ninguna mentira, el negro Juan Latino existe y nadie conoce la gramática latina como él... —contestó airado uno de los del obispo.

—Es leyenda pura...

—¿Ustedes lo creen así? —terció el mismo muy enfadado—. ¿Qué ganan con negar lo que es cierto?

—Si él es leyenda, ustedes son menos que leyenda, que ninguno es conocido sabio, renombrado y respetado —le hizo frente otro de los hombres del obispo—. ¿A qué la risa? ¿A que es negro?

No sabían los estudiantes que los hombres del obispo Guerrero y el obispo mismo eran, como él, ardientes defensores de Juan Latino, el sabio etíope, ni que en Granada decir su nombre en algunos círculos era desatar una guerra. El obispo Guerrero había hecho cuanto estuvo a su alcance por conseguirle a Juan Latino una cátedra en la Universidad de Granada, pues le tenía un inmenso aprecio. Vio su causa perdida, porque no suplieron al maestro Pedro de Mota ni con Villanueva ni con Latino, los dos candidatos, sino que, por no querer quemarse las manos en tan debatida cuestión, lo hicieron con un hombre traído expresamente de Toledo, muy inferior a estos dos candidatos, y esto considerando que la sabiduría en gramática de Juan Latino doblaba y con creces la de Villanueva.

—¿A qué la risa? —insistió otro de los del obispo, el serio que se ha dicho, con tan fría solemnidad que enfrió por completo el ánimo festivo de los estudiantes.

—¡Deben estar bromeando! —insistió el impertinente estudiante.

—Bromeando estarás tú, junto con toda tu descendencia y tus padres y tus abuelos, por los siglos de los siglos y en el averno, amén ¡Púdrete, cretino! ¡Quien no respeta a Juan Latino, perdido sea por su ignorancia!

—Los esclavos no son hombres —se desgañitó otro estudiante que hasta el momento había guardado silencio—. No es porque sea negro, si negro es esa sombra de que hablan, que a mí me han dicho de cierto que no es más que una mentira. Los esclavos no…

—¡Viva Juan Latino! —gritó otro de los del obispo interrumpiendo la frase del estudiante, ya sin ninguna mesura.

Los hombres del arzobispo desempuñaron sus espadas.

—¡No digan «viva el licenciado Villanueva»! ¡No elogien a ese medio-cre de rostro bien pálido, de cerebro vacío de sesos, porque les sacamos los ojos, idiotas!

La partida de Vidriera perdió toda mesura:

—¡Muera Latino! ¡Viva el licenciado Vidriera: blanco, puro, limpio, frágil y excelente!

—¡Viva Vidriera, que es espíritu fuerte en cuerpo débil, intocable como un ángel!

—¡Muera el sucio Latino: negro cuerpo, todo es un culo sucio!

A la mención del culo sucio, las sangres de los defensores de Latino, los hombres calmos de la embajada del obispo, ardieron:

—¡Muera Vidriera, *mens sana in corpore sano*!

—¡Los de Latino nos dan la razón del ano!

—¡Batámonos uno a uno, como caballeros! —agregó otro de los del obispo, poniendo un alto a ese indigno cruce de improperios.

El primero en dar un paso al frente fue el más bajo de todos los entogados, un muchacho delgado como los demás y el más impertinente, quien, blandiendo su arma, les espetó:

—Defiéndanse como puedan, pues que defienden un perro.

El hombre del obispo que dio un paso al frente le contestó citando una loa a Juan Latino:

> ¡Gloria al duque de Sessa
> maestro de tantos buenos
> honor de tantas escuelas!

Estalló un duelo verbal generalizado. Cruzaban de un lado y del otro fábulas y verdades del negro Juan Latino:

—¡Mentirosos, fabuladores, creedores de necedades y mentiras! Repitan con nosotros que un día, encontrándose indispuesto, lo visitó un señor principal, y Juan Latino, por estar enfermo, lo hizo pasar a su recámara. El principal se asombró al ver metido un rostro tan oscuro en sábanas tan blancas. Y Juan Latino le dijo: «¿De qué se asombra usted, en qué me encuentra extraño o fabuloso? ¿No ve que soy como una mosca en leche?»

—Es amigo de Diego de Mendoza, de Gregorio Silvestre, el organista de la catedral y muy respetado poeta, maestro de los versos en once sílabas, ¡ninguna mosca en la leche!

—Un día, habiendo sido ignorado en cierta reunión por uno de sus amigos, Juan Latino le reclamó: «¿Y tú por qué no me saludas?», a lo que el dicho amigo le contestó: «Porque creí que eras una sombra de alguno de estos caballeros».

Los estudiantes rompieron a reír y los del obispo vociferaron:

—¡Que eso no es leyenda, que pasó, fue Gregorio Silvestre quien le gastó la broma, pero entre amigos es válido, si hay respeto y consideración!

Las espadas relumbraron en los puños. Eso estaba a punto de convertirse en un verdadero zafarrancho. María, subiéndose de manera muy graciosa a una rama del árbol, como jugueteando, gritó, llamándoles a todos la atención:

—¡Auxilio! ¡Auxilio!

—¿Qué te pasa? —corrió a ella Andrés.

—Grita conmigo, Andrés, grita…

Y «¡Auxilio!» gritó Andrés, y con ellos también Carlos y Manuel, que no entendía a qué venía tanto grito, también gritó.

Las espadas dejaron de blandirse, todas pusieron sus puntas hacia el piso.

—¿Qué pasa aquí? ¿A quién están quemando vivo?

—Que esto es absurdo —dijo con voz aplomada María—. Si Juan Latino es o no es leyenda, lo sabrán los entogados apenas pongan un pie en Granada y esto es decir aquí, a la vuelta de la esquina. ¿Para qué derramar sangre por ese asunto, necios? Dejen de batirse. ¡Basta!

—Esta niña tiene toda la razón —dijo el hombre más serio entre los de la partida del obispo.

—La tiene —asintió el cabecilla de los estudiantes.

Prontamente, como si aquí no hubiera pasado nada, los dos grupos guardaron sus espadas, se dieron las manos en señal de paz y se despidieron, intercambiando bienaventuranzas y bendiciones, regresándose cada uno a su camino.

Al caer la noche, la pequeña partida de las mujeres se tendió a dormir por un lado y los hombres por el otro. Un grupo permaneció frente a la hoguera, Andrés, Carlos, Manuel el joven guía, María y otros tres o cuatro jóvenes tontinos, los cargadores de mercaderías que apenas se vieron sentados y con las flamas en el rostro, pararon de producir ruido, suspendieron sus risotadas y frases cargadas de maldiciones y palabras incomprensibles y, sin mayor formulismo, comenzaron a cabecear y se quedaron dormidos. Andrés los vio a todos cabeceando, en sus sueños profundos, y se creyó a solas con María y Carlos, olvidando a Manuel, a quien escondía el tronco de un árbol muerto sobre el que él descansaba su cuerpo. Andrés dijo a María en voz transparente: «Ya comenzamos el camino a Famagusta».

—¿Dónde está Famagusta?

—En una isla que se llama Chipre, es su ciudad principal. Para llegar a Chipre vamos a embarcarnos cerca de Almuñécar. Unos amigos de Farag nos esperan en su barco, nos dejarán directo en Nápoles. En Nápoles tenemos que hacernos de dinero; lo haremos bailando. Llenamos los bolsillos de monedas y tenemos que encontrar —ahora sí que por nuestros propios medios— cómo llegar a Famagusta, donde nos esperan otros amigos de Farag, algunos moriscos que dejaron Granada, hartos de maltratos.

María cosió a Andrés a preguntas y Andrés fue pródigo en detallar sus respuestas —con tal de detener a Preciosa un rato más a su lado—: que si antes o después de Almuñécar estaba la playa donde los esperaba el barco para conducirlos, que si quiénes eran los del barco («Moros libres, María, renegados que se han echado a la mar»), que si cómo era Nápoles, que si mil cosas más. Andrés dijo las verdades y las mentiras que le convenían. Lo de bailar en Nápoles era cosecha propia, una fantasía que Andrés acariciaba muy adentro de sí y que deseaba ver cumplirse. Gozando sus palabras no tomó la prevención de no ser oído por nadie. Craso error. El flamenco Manuel, escondido en la oscuridad con que lo protegía el tronco del árbol seco, tomaba nota en la cabeza, pensando cómo podría beneficiarse de los secretos que ahí oía.

24. Malas nuevas

El flamenco Manuel no es la única sombra siniestra cercana a María y a los suyos. Esta noche, la primera que María pasó fuera de Granada, un grupo de guardas del rey, ebrios y arrogantes, sin respetar costumbres, mostrando cuán bestias son los hombres que son bestias, habiendo forzado las cerraduras que las guardaban, irrumpieron en las habitaciones de la única hija de Farag, Luna de Día, el mayor tesoro de esa casa, repitiendo una escena que se iba haciendo común en toda Andalucía. Sin ponderar el peso de sus acciones, ebrios y engreídos, después de humillar y manosear a las criadas, las ataron una a una para que nadie corriera a dar aviso o buscar auxilio para su desventura. Actuaban en silencio, pero fuera de esta seña de prudencia, no se ahorraban un ápice de incordura. Ya atadas y embozadas todas las criadas, se apoderaron de la joya de la casa, y humillándola y con violencia la poseyeron una y otra vez, algunas en grupo, habiéndola despojado de todas sus ropas, excepto un trapo con que forzaban su boca al silencio. Habiéndose hastiado de su desventura, salieron, cerrando tras de sí la puerta. Dejaron a todas las criadas atadas, a Luna de Día bañada en sangre, tirada sin fuerzas en el piso, que de tanto gozarla la habían quebrado, rompiéndola donde sólo suele hacerlo el paso de un hijo. Su único acto de piedad fue desembozarla.

Cuando Luna de Día oyó alejarse sus pasos, dijo a sus criadas: «No digan una sola palabra de lo que ha ocurrido. No pidan auxilio. No intenten zafar sus manos de las cuerdas donde han quedado atadas. Mañana, cuando entren a buscarnos, no repitan a nadie lo que aquí ha pasado. Aquí nadie entró, nadie supo; aquí nada pasó». Dicho lo cual, se levantó de donde a la vista de todas había padecido el infierno, y con pasos tambaleantes se dirigió a su lecho.

Cuando llegó la mañana, el espanto corrió por la casa de Farag al encontrar a todas las acompañantes de su hija atadas de manos y embozadas, enloquecidas por el horror presenciado, pero mucho más todavía porque la bella Luna de Día —quien se había vuelto a vestir con ropas limpias por dejar con algún recato su ultrajado cuerpo— fue encontrada ahorcada con su propio velo. A su lado había un recado, una nota al padre, explicándole con pudor pero sin escatimar los detalles necesarios, incluyendo la descripción detallada de cada uno de sus verdugos, que así todo hubiera ocurrido al abrigo de la noche, la desgracia fue iluminada por algunas velas de los soldados cristianos, dejando los ojos de su víctima impresos con las imágenes abominables. Comenzaba diciendo: «Farag, padre mío». Son fáciles de imaginar las subsiguientes palabras; no es necesario repetirlas.

Al leerlas, a Farag se le rompió el alma. No asistió a la rutinaria discusión en casa del cerero Adelet —cuando le tocaría estar al centro, en el lugar del plañidero—, ni a las que la siguieron. Rompió con sus amigos, que no necesitaron explicaciones, ni chismes, ni delaciones: la escena era más que habitual esos días, y al saber de la muerte de Luna de Día y de las esclavas atadas de manos, lo comprendieron todo. Farag envió un correo a uno de los cabecillas de los alzados en las Alpujarras, un joven morisco criminal que, por su belleza, arrogancia, bravuconería y violencia, había sabido agrupar al lado suyo a los más peligrosos forajidos de su estirpe, varios renegados, los más criminales. No diremos su nombre por no faltarle el respeto a quien un día llevó el título de Rey. Cuando éste le contestó favorablemente, comenzó con él una intensa correspondencia y un intercambio incesante y vertiginoso de informaciones y objetos. Farag le facilitó armas y dineros, le auxilió a planear estrategias. Más importante aún: le prometió abrirle la entrada a Granada y respaldarlo con un ejército de ocho mil turcos que no tenía duda podría reclutar. Envió correos para esto a Sokolli, gran visir en Constantinopla, y a algunos corsarios bereberes, pero de sus hermanos en Alá, aunque no recibió negativas sino frases cordiales, poco iba a llegar, nada sino cartas y pequeños regalos en escasos correos. Los turcos no estaban dispuestos a participar en una guerra riesgosa que para ellos no tenía el ingrediente detonante de la venganza. Sabían de sobra que los enfrentaría desde un ángulo riesgoso con el monstruo del rugiente católico imperio, no tenían por qué poner a sus marinas en riesgo innecesario. Planeaban por el momento ponerles frente de batalla en costas más orientales que las de Andalucía. Debían abrir la puerta por donde era lógico, no comenzar por el gozne, que si alguien intenta tirar de alguna por ese punto, se garantiza darse de lleno en las narices.

En cuanto a los voluntarios, que Farag creyó, encendido de ira y con su ánimo enardecido por la necesidad de venganza, se apelotonarían en las costas para combatir a los cristianos, también se equivocaba.

Mientras se afanaban en estas negociaciones y convocatorias, Farag hizo también otra cosa. Le atormentaba el hecho de haber entrenado a la gitana en el uso de la espada para que supiera defenderse en los hostiles caminos, y no haber previsto que su hija necesitaba también aprender a manejarla. ¿Cómo pudo haber cometido tal error? Desde ahora, cada una de las suyas dormiría al lado de un filo para protegerse. Hizo que todas las mujeres de su casa fueran enseñadas por el pelirrojo gigante Yusuf, quien dejó de encontrar el ser maestro de mujeres una labor detestable. Yusuf había comprendido, como Farag, que habían cometido un error fatal por no haber comenzado las lecciones antes; se dio prisa a entrenar a las mujeres, dedicándole especial atención a su hija, la hermosa pelirroja Zaida. En buen momento la había hecho salir de Granada, a raíz de los lamentables sucesos en casa de Farag, porque al día siguiente de la tragedia, con órdenes de la Inquisición, registraron su casa. Habían oído decir que ahí se ocultaba una criada gitana huida del convento. Estela había encontrado la manera de azuzar la codicia de los requisidores. Se hizo lenguas de la belleza de María y de las riquezas de estos moriscos. Fueron sus habladurías las que alebrestaron a los guardas que habían irrumpido ebrios en casa de Farag. Fue así como, validos de documentos legales, peinaron la casa de Yusuf, buscando ya bien fuera a María o algún signo de herejía, rebuscando con silenciosa tenacidad algo que echarse en sus hambrientos bolsillos. No encontraron nada de lo primero. La casa había sido cerrada y abandonada la misma mañana que ocurrió la tragedia de Luna de Día. Sus bolsillos no salieron tan vacíos como habían entrado, aunque tampoco cargando los puños imaginados de monedas. Ocurrida la inspección de los cristianos, Yusuf creyó que las suyas estarían a mejor resguardo aún más lejos y las hizo llegar hasta la villa de Galera, donde tenían propiedades y donde la conformación del pueblo mismo les daría protección. A los pocos días se les reunió, llevando consigo a más granadinas moriscas, Aleja y Susana, Marisol y Leyhla. En cuanto corrió la voz de que Galera era refugio para moriscas, muchas otras vinieron de los pueblos vecinos. Yusuf estuvo con ellas dos intensos y largos meses, entrenando también a las mujeres. Al pasar las ocho semanas, salió de ahí para comenzar un peregrinaje magisterial; era imprescindible que las mujeres se supieran defender en todo el reino. Llevaba consigo a Leyhla y a Marisol, quienes lo ayudaban en la enseñanza por motivos que se explicarán más adelante.

Tanto en Galera como en las otras villas, Yusuf fue maestro, maestro de maestros. A Zaida la entrenó además en todas las artes de la guerra de que su pueblo tiene memoria. Hizo lo mismo con algunas otras cabecillas. En poco tiempo, decenas de las suyas se hacían duchas en el uso del filo, y comenzaron a practicar también el uso del arcabuz. Llegado el momento llegarían a ser muy útiles las guerreras en diversos puntos de Granada; el más celebre fue el batallón en Galera, donde rechazarían la embestida de los hombres de don Juan de Austria, humillándolos con sus cabellos largos de doble manera. De la caída de Galera ya se ha hablado al comenzar este libro. A Halima, la madre de Luna de Día, la hemos omitido porque merece un aparte en la historia, y aún es demasiado pronto para reunirnos con la hermosa pelirroja Zaida, pues estamos aún en…

25. …el viaje de María

María y sus compañeros ignoraban de cabo a rabo los siniestros acontecimientos que habían ahorcado a la familia completa de Farag, y no veían venir los otros que se irían sumando, precipitando a Andalucía a la muy violenta guerra civil que algunos llaman de las Alpujarras. Cada paso que daban estos tres viajeros apresurados para dejar atrás Granada, los acercaba más a la Granada de sus memorias; la iban entretejiendo entre los tres, y digo los tres porque aunque Carlos —de temperamento más silencioso y tímido— aportara menos, las puntadas que agregaba al tejido eran de sustancial importancia. Porque Carlos conocía bien el temor y la ansiedad, y acicalaba sus memorias con éstos, con obseso cuidado. Cada uno había tenido a su manera su Granada ideal y cada uno la iba exponiendo y regalando con todo detalle a sus compañeros en su apresurado caminar. El vértigo de su marcha —los muchachos iban como el viento— atizaba el deseo de acercarse a la Granada de sus recuerdos. Atrás habían dejado ya a sus primeros compañeros de viaje, excepto Manuel, el flamenco, el guía, que, presa de una prisa súbita, los había precedido hacia Almuñécar, luego de proveerles de indicaciones para no perderse. Sin dar explicaciones, se había desprendido de los hombres del obispo y se había echado a volar. Los tres gitanos tomaron la ruta que pasaba por pueblos, para tener más seguridad por las noches y lugares donde guarecerse. Mientras viajaban, como he dicho, hablaban de Granada todo el tiempo, sin parar. La explicaban, la vendían, la abrían, los unos a los otros la hacían codiciable, la diseccionaban, construyendo para los tres su *pertenencia* a esta ciudad. La compartían en frases que comprimían imágenes y recuerdos, pues con la rapidez de sus monturas no podían sostener una conversación formal. Viviendo la ciudad, ninguno de los tres la había sentido tan próxima ni tan imprescindible, tan hermosa o tan llena de las gracias que ahora le atribuían a boca de jarro, pródigos. Dejando Granada, la recuperaban como nunca antes la habían tenido. Fue aquí que María supo que «de Granada es María la bailaora, de Granada sus cantos y sus bailes, lo mejor de Granada para servirle a usté». No cuando oyó a su padre llamarse en la desesperación granadino, ni entre los acosados moriscos. Los compañeros de viaje le entregaban «su» Granada, le crecían el orgullo de ser de «su» pueblo gitano, la hacían establecerse mientras caminaban por senderos polvorientos. Se diría que olvidaba que debían llegar a Almuñécar y que cerca de ahí tomarían el barco que los llevaría a Nápoles.

Viendo, como iban viendo, su Granada imaginaria, prestaban poca atención al deterioro de los campos que recorrían, cada vez más notorio, hasta llegar a lo patético. Las moreras estaban en el abandono, los olivos plagados, las vides marchitas. La caligrafía de hilos bien trazados con que los cultivos le hablan al Creador estaba tachonada por los rayones hechos con las malas hierbas. Los campos quemados y secos eran un griterío de malentendidos, un gemir que expresaba con clara voz el sentir de este pueblo perseguido en su propia tierra. Acercándose a la costa, en un punto tan triste como los otros, Carlos los regresó a la tierra, rompió el sueño granadino sobre el cual viajaban señalando hacia un punto sombrío de la serrezuela:

—Hagan de sus ojos linternas y miren: ahí estaba mi casa, ahí vivíamos, cuando vivíamos...

Un puñado de casas quemadas, los muros derrumbados, en plena ladera escarpada, al lado de unas cuevejas, sin techos, casi venidos abajo. Nadie dijo nada. Carlos no volvió a abrir la boca hasta que entraron a Padul. Ahí se acercaron a la fuente a dar de beber a los caballos. Ya bebían las cabalgaduras cuando un viejo ciego se acercó a ellos y les preguntó dónde iban y de dónde venían. Uno de los gitanos le contestó:

—Dormimos en Granada, y vamos a Nerja.

—¡Gitanos! —gritó el ciego, a voz en cuello—. ¡Salgan de aquí, en este pueblo cristiano no queremos gitanos!

Convocados por las palabras del ciego, una nube de niños vestidos en harapos y cargados de baldes salió de las casas directo hacia los gitanos, arrojando sobre ellos cuanta inmundicia cabe, misma que sacaban con sus manezuelas de los baldes dichos. Llovían corazones podridos de manzanas, huesos y pellejos, duros mendrugos, raíces y varas tronchadas revueltas con mierda de vaca en gordas retortas, cuanto habían ido juntando para arrojar como proyectil sobre los infelices viajeros que acertaban a parar en la fuente. Los tres gitanos subieron a sus caballos —en el momento mismo en que subían a sus cabalgaduras un niño se les puso de frente y los orinó, lanzando hacia los tres un abundoso chorro, en medio de risas— y escaparon de los ponzoñosos niños, que en desorden gritaban: «¡Los gitanos, que los capen, que los desollen!, ¡córtenles las oreee-eeeejas!», lanzándoles todos escupitinas.

Apenas dejaron la plaza y la calle principal, los maldosos niños se cansaron de correr tras ellos. Además, ya no tenían qué arrojarles. Regresan con las caras llenas de satisfacción y los baldes vacíos a sus casas.

Viéndose afuera del pueblo, y que nadie los seguía para arrojarles más inmundicias, creyéndose a buen resguardo, descendieron de sus cabalgaduras para limpiarse y limpiarlas de cuanta cosa arrojadiza les había caído encima, algunas fétidas, de modo que echaron mano del agua que traían consigo para quitar de sus ropas y cuerpos las huellas de los inmundos proyectiles.

—¡Maldito pueblo de mierda, que no estaba tampoco para que tuviéramos ninguna gana de quedarnos ahí más de un minuto! ¡En Granada jamás pasaría eso! —dijo María, pero de inmediato se mordió la lengua. Recordó a su padre tirado en el piso sin orejas. Recordó cómo oyó que decían que se veía, pues ella no vio bien, y su memoria era por lo mismo más dolorosa. La imagen se meneaba en su cabeza, como vista tras un espejo de agua, pero esa agua en que se reflejaba era María misma. Impreso sobre ella, su padre desorejado sangraba. Su corazón se le comprimió aún más. En ese ánimo estaban, y terminando de limpiarse cuanto les había caído encima, cuando, sin que lo apercibieran, como aparecido de la nada, se les acercó un viajero que se disponía a entrar al pueblo; parecía más fatigado incluso que ellos. El hombre, que ya no era nada joven, los abordó:

—¡Que Dios los bendiga, hermosos niños! ¿Adónde van?

—Vamos hacia Fuengirola —le contestó Andrés, cambiando su destino al vuelo.

—¡Fuengirola! ¡No dejen de ver la torre en el cabo de Calaburras! *Iugum Barbetium, …hoc propter autem mox iugum Barbetium est / Malachaeque flumen urbe cum cognomine / Menace…* ¿Comprendido?

Y bien acabó de hablar, bajó de su cabalgadura y de un mismo salto se tendió al suelo, acostándose bajo la sombra de un árbol, tirándose cuan largo era, disponiéndose a reposar enfrente de ellos. Para ser, como parecía, un hombre de notoria edad, su agilidad era sorprendente. Lo pensó María, pero en lugar de espetárselo, le contestó:

—Comprendido ni un pelo de lo que usted ha dicho —escuchar el latín de los curas le había cambiado radicalmente el ánimo.

—¡No van para Salamanca!

—¡Ni que estuviera manca! ¿Se baila en Salamanca?

—*Hoc propter autem mox Iugum Barbetium est:* por otra parte, inmediatamente más allá de éste («el Chrysus» es lo mismo que decir «el Guadiaro») está el monte «Barbet»… *Malachaeque flumen urbe cum cognomine Menace…* y el río de la ciudad de Malaca, conocida también como Menace (Mainaké). De modo que no pasen sin ver, muchachos, si a Fuengirola van, no olviden prestar atención a la torre del cabo de Calaburras, que es mucho más anciana que los romanos.

«¡Anciano! —pensó para sí María—. ¡Este hombre es un ágil anciano! ¡Qué de insensateces dice! ¿De qué demonios habla?»

—¿Y tanta inmundicia aquí junta? —preguntó el viajero, refiriéndose a las cosas arrojadizas de que ellos se habían despojado, cáscaras de frutas, huesos de vaca…

—Véngase acá y le cuento —le dijo María.

El anciano se incorporó tan ágil como se había dejado caer, sus largos cabellos blancos cayéndole en la frente. Era delgado, mucho más alto que los tres almendrados gitanos. Estaban los caballos ya bien atados al árbol que el viajero había elegido para sombra; los cuatro, lentos y serenos, caminaron unos pasos hacia otro más frondoso —una hermosa acacia floreada— y bajo el cual no habían venido a parar ni tortas de mierda ni cáscaras de fruta. Ahí se tendieron en el suelo encima de la hierba.

—¿Usted viaja solo? —le preguntó María, extrañada de ver a un hombre tan digno sin acompañamiento alguno.

—Solo no voy ni vengo. Ya verán venir a los criados. ¿Que cuándo será este «ya» que les digo? He ahí un difícil asunto. Imagino que cuando vuelva a caer en mi vida un saco de monedas, y pueda pagarles lo que les debo. Soy pobre, es la verdad, viajo a solas como cualquier mortal. Siete criados tuve cuando fui un monarca, y toda una corte entera para servirme. Todo eso pasó. *Todo llega, todo cansa y todo se acaba:* lo escribirá algún genial escritor; lo sabe cualquiera, es la ley de la vida.

—Nosotros somos cualquier mortal, más pobres que usted, si nos fijamos en monturas y vestidos, y venimos a tres.

—¿Qué, en tu pueblo no te enseñaron que una dama como tú no debe hablarle de frente a un caballero? ¿No ves que los poderes de las damas son tan inmensos que de aquí yo saldré herido irremediablemente? Sábete, hermosa, que me has herido aquí —señaló su corazón— y de qué manera —el hombre suspiró, agitó su melena blanca, suspiró otra vez. Algo tenía de león su suspiro, algo de flor su cabellera.

—¿De qué pitos habla éste? —preguntó María a sus dos acompañantes.

—Hablo de pitos claros, niña, de tu hermosura. Y mira que veo más: este joven —dijo señalando a Andrés— bebe los vientos por ti.

—¡Y no la ha visto bailar usté, no se imagina! —díjole Andrés—. ¡Que si ya le rompió el corazón, se lo romperá en diez mil pedazos!

—Que si me da tres monedas, o dos, o una muy buena si es sólo una, yo le bailo —terció María.

—¡Niña! ¡Que además de hermosa hablas como la mujer que hablaba como el Corán! ¡Todas tus palabras son joyas de versos!

—Versos y reversos, ¿de qué habla éste? —volvió a preguntar María, ahora en alta voz y dirigiéndose a sus amigos.

Los jóvenes habían sacado su comida, que repartieron con el lobo viejo, porque muy sabio sería, pero viajaba sin faltriquera, las manos vacías como un miserable.

—¿Conoce usted Famagusta? —le preguntó Carlos, que sintió en él más confianza que en sus compañeros. Largas horas había pensado en cómo sería la tal Famagusta, pero no podía hacerse ni remota idea.

—¿Que si conozco Famagusta? Bien que la conozco. Allá fui a dar, y no camino a Jerusalén como llegan muchos. Yo fui a certificar si era cierto aquello que me habían contado: «La lluvia nunca cae del cielo. No conocen el frío, el calor; no hay quien necesite vestirse. Las mujeres dan a luz sin dolor y los niños, al llegar al mundo, saben ya parlar varias lenguas, se valen por sí mismos y regalan a sus madres con golosinas traídas del cielo, las cargan en sus puños, tan limpios como limpios llegan ellos. Las cocinas no requieren de fuego, sus guisos se sazonan a punta de puro soplo: su aliento está cargado de especias».

—¿Y es eso verdad? —le preguntaron los seis ojos que lo veían, en la voz de María.

—¡No es verdad! Quien me lo dijo confundía ciudades. La ciudad donde esto pasa está más allá. De Famagusta ¡qué les digo! Yo escribí sobre ella, yo mismo, con mi mano, en un librillo que hice de viajes hace un tiempo, *De la isla de Chipre y de los puertos que en ella son*.

El león dejó de hablar como si rugiera (con vigor y una especie de extraña furia dulce) y, cambiando su tono por el de decir una letanía, como recitando sus palabras, escupiendo todas al mismo ritmo, como si nada significaran y fueran para arrullar, y tanto que costaba mucho trabajo seguirles el sentido, dijo lo siguiente:

—Esta isla de Chipre es muy bella y muy grande. Tiene cuatro ciudades principales, cuidadas la una por el arzobispo de Nicosia, las otras tres por el mismo número de obispos.

»En Chipre se encuentra Famagusta, uno de los principales puertos del mundo, donde arriban cristianos, moros y otras muchas naciones.

»En Chipre hay una "montaña de Santa Cruz", que no es sino un monasterio donde viven sólo monjes negros. A su lado está la cruz del buen ladrón, así algunos necios crean —a falta de creencias mejores— que esa que ahí está es la cruz verdadera de Nuestro Señor.

»En Chipre yace el cuerpo de san Jorge, al que celebran con grande fiesta en aquella tierra.

»En el castillo de Amos está el cuerpo de san Hilario, y lo tienen muy dignamente.

»A las puertas de Famagusta fue nacido san Bernabé apóstol.

»En Chipre el hombre se vale de los canes y de unos lobos muy prestos, que llaman papiones, para cazar las bestias salvajes.

»En Chipre la tierra es mucho más caliente que la de acá. Para estar más frescamente, comen donde han cavado fosas que a uno le dan hasta las rodillas; están alrededor de las fuentes de agua, las aparejan y uno se entra a ellas y se sienta. Cuando hay grandes fiestas y visitantes extranjeros, hacen poner tablas y bancos por las calles, así como nosotros hacemos acá, pero aun habiéndolos bien aderezados, los chipriotas se apartan para estar a su modo frescos, ellos prefieren sentarse, como he dicho, en tierra.

»Pero, me digo, ¿qué es Chipre, comparado con el Imperio completo de los otomanos y sus costumbres? Perdí mi tiempo escribiendo de esta isla, cuando debí poner en tinta algo que más interesara al buen lector, como la historia de Ajá, la doncella que salvó san Jorge de la cueva donde la tenía guardada el dragón, que la rescató cuando estaba a punto de devorarla el monstruo (y no sólo por su espantosa forma, sino porque ese dragón no tuvo madre, y el que a madre no llega… ¡qué puede uno esperarse!). Fue así:

26. La historia de la doncella Ajá y el dragón, contada por Juan de Mandavila, interrumpida con carcajadas locas y sin mucho sentido

—¿Ustedes saben cómo es la historia de Ajá?

»Hubo una vez un dragón —pavoroso y gigante— que tenía en su poder a una princesa prisionera. El dicho animal había nacido de un platón de comida descompuesta en la mesa de un tirano cruel. Apenas nacer, comió a todos los que ahí le vieron, porque llegó al mundo con apetito y con tal permaneció hasta alcanzar su fin.

»Decía yo que Ajá, que no cualquier princesa, ni una prisionera cualquiera… Ella era Ajá, la niña de los ojos de su padre, la mujer más hermosa de esa isla. La más rica también. Y si cualquiera que no fuera el dragón la tuviera, ese alguien iba a ser rey. Porque Ajá, la niña de los ojos de su padre, es hija del único soberano de esa isla, y si digo soberano es porque ese rey no le paga quinto a ningún otro. Tiene su propia flota, goza de sus propios vinos, tiene en casa sus propios esclavos, y recibe de varias otras islas tantas alcabalas que uno bien puede decir que es un rey mucho muy rico. Se había alzado con el poder cuando el dragón devoró al tirano. ¿Que de dónde vino el padre de Ajá? Algunos dicen que su padre, como su dragón, no tuvo progenitores. Yo no lo sé de cierto, pero juraría que es mentira, que el que no tiene padres… aunque esto del bien de los hijos… porque entre éstos muchos viven esperando se abran las bocas de las tumbas y se carguen a sus padres, para gozar de sus bienes…

»¿Que cuál isla? ¿Que de qué isla les hablo?

»Una isla grandiosa donde vuelan dragones, caminan unicornios y los pegasos hacen su nido y ponen unos enormes huevos, azules y con pintas.

»¿Que dónde está esa isla?

»¿Por qué tanto preguntan?

Los gitanos se miraron los unos a los otros, ¡ninguno había preguntado nada!

—¿Por qué quieren saber dónde está la isla, cuál es su nombre, de qué color son las pintas de los huevos de los pegasos y qué es lo que nace de los huevos dichos? ¿A qué tanto andar picoteándome con preguntas? La que más me molesta —de sus preguntas— es la que dice: ¿Cuántos dedos tiene el dragón en cada pie y mano?

El viejo echó a reír como un descosido. Los tres gitanos lo miraban, y de tanto verlo reír, echaron a reír también. Viendo que todos reían, el viejo se puso muy serio y continuó:

—Yo no creo que debamos estar aquí riendo. Porque este asunto de Ajá es uno en extremo serio.

»Sin Ajá no hay san Jorge. Sí, ya sé que el dragón había tomado a algunas otras, pero todo había sido entrenarse para un día tener consigo a Ajá. Y con Ajá hizo algo que no había hecho con ninguna otra: pasarle sobre el manto su horrorosísima cola llena de escamas rugosas. Se la pasó y se la volvió a pasar y, al hacerlo, el puerco dragón —porque este dragón fue muy puerco— sintió lo que nunca antes había sentido en su vida: que se le saciaba por un momento su incontinente apetito. ¡Muy tragón sería, pero por la cola se saciaría!

De nuevo sus inexplicables risas, a las que no dio tiempo a nadie de responder, pues el Juan de Mandavila continuó:

—Porque Ajá era la mujer más hermosa —perdona tú, bella, que así lo diga, aunque te voy a ser verdadero: tenía tus ojos, tenía tu boca, tenía tu rostro, tenía tus manos, toda lo que eres tú tenía, así fuera en otro tiempo (con lo que no quiero decirte para nada que a ti te espere un dragón) (aunque, ya que estoy siendo verdadero, debo decirte, hermosa, que eso que llaman belleza no sirve sino para atraer dragones, y suele acarrear de único problemas, porque lo bueno sólo puede ser imantado con el alma) (aunque, niña hermosa, no creas que te estoy diciendo que la belleza es una maldición, de ninguna manera. Y si fuera maldición —aquí rió otra vez el viejo—, ¡ésta pasa!, ¡con la edad se desvanece! Antes que te des cuenta estarás sufriendo su abandono, te dejará, niña, te dejará la belleza, serás más fea que la cáscara de una nuez, que una almendra sin pelar, que qué te digo... ¡Que yo, para que me entiendas!, ¡porque las mujeres viejas se ponen más feas que yo!) (Así que te digo, niña, que Ajá tenía lo que tú, pero además era rica y no era gitana sino cristiana vieja, y no era vieja —que tampoco lo eres tú, cierto— y era hija de rey. En cuanto a las viejas…)

Aquí María interrumpió los largos paréntesis del viejo:

—Yo no lo veo feo, eso de ser vieja. A mí Zelda, que fue quien me enseñó a leer y escribir, y otras cosas igualmente buenas, y además me dio cariño, yo nunca la vi fea, y era muy, muy vieja.

—Ni tan vieja —dijo Andrés, por decir—. Viejas son las que uno ve en la iglesia, ¿qué tal esas que parecen brujas?

—Brujo pareces tú, horrendo… —lo insultó María, disgustada de que le llevara la contra el también bello.

—Tú di lo que quieras. Pero, hermosa, cuando ya no lo seas y te dé vergüenza que te miren (y muy poco ocurrirá, que la vejez te volverá invisible para los que hoy te admiran), cuando sepas que el tiempo te ha hecho repugnante… Re-pug-nan-te… Pues Ajá —retomó el viejo—, porque en ella estábamos, era bella y era joven cuando la tenía el dragón. Luego fue vieja, sí, y tal vez —aunque no me sé esta parte de la historia— tal vez ella misma se volvió un dragón con los años (aunque entre una vieja y un dragón, ¿qué puede uno encontrar en común? ¡Ni los pliegues del dragón son tan horrendos como las arrugas del cuello que…!).

Estalló en risas.

El viejo charlaba llenando el habla con paréntesis y risas locas. Siguió:

—Porque para mí que Ajá atrajo al dragón, que si no hubiera habido Ajá no habría existido ningún dragón, ¡para mí que las bellas son las que hacen dragones! Y dragones son ellas mismas, ¡que apenas abren sus hermosas bocas nos queman! ¡Y nos devoran! ¡Y nos devoran! ¡Y nos devoran!

El viejo hombre gritaba como un desaforado, repitiendo la frase tres veces, cada vez más alto. Andrés, María y Carlos no sabían cómo reaccionar a sus gritos, pero, nerviosos y por no dejar, los tres soltaron sus carcajadas frescas, ante lo que el viejo también se carcajeó, dejó de dar gritos anunciando llegadas de infieles y continuó:

—Aunque yo nunca me he dejado devorar por ninguna. Yo tengo a la mía que adoro, vive en un pueblo en el que nunca he querido poner un pie y le tengo la más fabulosa adoración. Y no es vieja.

»¡Mujeres! ¡Que en toda se esconde una princesa Ajá, que es lo mismo que decir que atrás de cada una hay un dragón! ¡A temerlas!

»Por otra parte…

Dio un salto de donde reposado les había contado estos trozos de fábula y se puso a gritar dichos, cada uno con su Ajá:

—¡Ajá enlodada, ni viuda ni casada!

»¡¿De cuándo acá Ajá con Albanega?!

»¡Hácelo Ajá, y azotan a Marote!

Fin de la historia a trozos de Ajá, la doncella que tenía el dragón de san Jorge, como la contó el Juan de Mandavila.

27. Continúa el encuentro con Mandavila

—¿Y qué más escribe usted? —le preguntó María, entre interesada y desconfiando de este hombre, que ahora ya no le parecía anciano y comenzábale más bien a parecer un loco.

Pero el hombre ya no contestó a su pregunta. De un momento a otro dejó de oírlos, sumergido en Dios sabrá qué pensamientos. Su semblante cambió de expresión. Les dio la espalda, hablando para sí mismo, diciéndose: «Cuando yo fui Juan de Mandavila, y escribí el *Libro de las maravillas del mundo*», y quién sabe qué más musitaba para sí. Sin parar de hablar, e ignorándolos como si no estuviesen, subió ligero a su montura, aguijó las espuelas, hizo como que cabalgaba hasta que los tres gitanos le desamarraron del árbol las riendas, que el viejo había olvidado desanudar, y se fue sin decir ni adiós.

Los nuestros, por su parte, reiniciaron el camino, cantando y cabalgando sin descanso, rompiendo con sus canciones aquí y allá sólo para hablar de Granada y para soñar en voz alta con sus otras dos ciudades. Fantasearon con Nápoles y Famagusta, construyendo sus destinos en fabulosas villas.

Su siguiente parada fue a la entrada de Mondújar. Después de lo que les había acontecido con los niños de Padul, pocas ganas sentían de trasponer las puertas de la villa, y se sentían suficientemente seguros a su vera. Ahí encendieron su fuego al llegar la noche. Los dos chicos comenzaron a hablar entre sí, buenos bribones eran —Yasmina tenía ojos—, en el caló que ellos hablan.

Estaban exhaustos de tanto cabalgar, así que aunque les fascinara jugar a hablar de tan mala manera y a María le intrigara y quisiera seguirlos, rendidos por el agotamiento, sin haberse llevado nada a la boca, en breve se durmieron. Los despertó el paso de un cortejo que salía de Mondújar. Veían una señora en hábito de peregrina sobre una litera, acompañada de cuatro criados de a caballo, y en un coche dos dueñas y una doncella. Además venían dos acémilas cubiertas con dos ricos reposteros y cargadas con una rica cama y con aderezos de cocina. Eso era como viajar con castillo a cuestas. El aparato era principal, la peregrina parecía ser una gran señora.

28. El breve encuentro con la señora Peregrina y el comportamiento apegado a las tradiciones de la gitana María

—¡Ale! —los abordó Andrés, creyéndose comandante de su partida—. ¿Quién viaja?

—Acompañamos a la señora Peregrina.

—¿Y quién es la señora Peregrina?

—Es señora muy principal —dijo alguno de los criados—. Es viuda, no tiene hijos que la hereden, hace meses que está enferma de hidropesía, y ha ofrecido irse en romería a nuestra Señora de Guadalupe vestida en ese hábito —su nombre único que podían divulgar era el de «la señora Peregrina».

—Pues que Dios la bendiga y la Virgen la cure a usted, señora —dijo Preciosa, nuestra María—. Y si quiere un momento detenerse, yo aquí le bailo y mis amigos le cantan. Como soy gitana, y a mucha honra de Granada, puedo leerle en la mano su ventura.

La señora Peregrina hizo un gesto a sus criados. Era de facciones hermosas, pero algo había en su rostro de rota tristeza. Sacó de un bolsillo de aguja de oro y verde tres monedas. Con una hizo el gesto de dársela a Carlos, que corrió a recogerla, la segunda fue para Andrés y la tercera, de mayor valor, para María.

Apenas recibidas, los muchachos sacaron sus instrumentos. Carlos toca la guitarra que es una primura, las cuerdas cantan en sus dedos. En cuanto a Andrés, cantó un poco sin alma, por ser la mañana tan temprano y tener la barriga vacía, y por hacerlo a cambio de una moneda, pero no lo hizo mal. María bailó hermosamente, aunque, como el canto de Andrés, de manera un poco fría. Pero en su caso no era por la moneda, sino porque miraba el rostro de la mujer pensando qué iba a decirle.

«Nunca he leído ninguna ventura —se decía en silencio— y yo no quiero mentirle a esta mujer, algo debo decirle que sea cierto».

Apenas terminaron de bailar, la señora Peregrina hizo gesto a los suyos de continuar la marcha. María corrió hacia su litera:

—¡Señora Peregrina! Usted me dio una moneda porque yo se la he pedido. Y yo se la pedí también para darle la buenaventura. Ya la ha leído mi corazón.

La señora Peregrina, que no había abierto la boca, le dijo:

—Preciosa (pues oigo que así te llaman los chicos en su canto, y lo eres), déjame irme de aquí con un buen sabor de boca, que mis tristezas son muchas. Yo no creo en eso de leer las manos y venturas, me parecen patrañas.

—No le diré ninguna patrañuela. Le hablaré a usted, directo al oído, ¿me permite?

La señora Peregrina hizo señas a los portadores de su litera para que ahí mismo la dejaran reposar.

—Ustedes canten, Andrés y Carlos, que yo debo decirle cosas que sólo ella puede escuchar.

María se sentó en el borde de madera de la litera, sin rozar siquiera la tela de que estaba cubierta, tomó la mano de la peregrina y le dijo muy quedo, muy quedo lo siguiente:

—Usté, señora Peregrina, viene aquejada de enorme tristeza. Pero eso que la tiene a usté triste no es suyo sino el pecar de otros. Yo le digo (si quiere oír de una pobre gitana su consejo), déjese de cosas, recoja el fruto del pesar, que bueno será tener para usted una niña así no la haya deseado (mayor alegría que la que da un niño en una casa, no existe), y disfrútela. Diga a todo el mundo que ha recogido a esa recién nacida. Éntrese a una posada, unte de monedas al huésped, dé a luz a su hija y cárguela usted consigo. No haga el error de dejarla ahí abandonada. Será su alegría, oiga; si no, podrá morir de tristeza. Mal que la engendró, a la fuerza y sin usted quererlo, pero nunca ha tenido un hijo, y tener un hijo es dicha, se lo digo yo, que los míos, y no digo mis hijos que ninguno tengo, sino los que son míos, los gi...

Lo que venía sobre la litera se convirtió en «la furiosa Peregrina».

—¡Impertinente! —le gritó a María la bailaora, sin dejarla terminar de hablar—, ¡muchacha mala y muy muy impertinente! ¡La cabeza tienes llena de basura!

Hizo el gesto para que recogieran la litera los suyos y se echaran a andar. Estaba hecha un basilisco.

Apenas se retiró unos pasos, María la bailaora la maldijo:

—¡Vieja hechicera! ¡Tu hija, muy de madre de mucha calidad, pero si no me escuchas no será pobre, sino una pobre fregona, por más ilustre que tú seas!

Retomaron el viaje de mal talante, ensombrecidos por los gritos de la furiosa basiligrina, pero con las monedas bien habidas en sus bolsillos y habiendo almorzado sintiendo que no habían pagado por hacerlo. Eran las primeras que ganaban y no sabían mal.

Una vereda se juntó a su camino, y por ella salieron dos jóvenes que se les unieron. Vestían a lo payo, con capotillo de dos haldas, zahones o zaragüelles y medias de paño pardo, pero hablaban como estudiantes. No se presentaron con estos nombres, sino con unos falsos; eran Diego de Carriazo y su amigo Avendaño, que habían dejado sus casas diciéndoles a sus padres que se iban de estudiantes a Salamanca, cuando lo que hacían era ir a probar su suerte en la vida de la jábega. Montados sobre sus alpargatas se soltaron a cantar «Tres ánades, madre», y adiós destino, que ni estudiar ni trabajar ni hacer vida honorable les atraía. Uno de ellos, don Diego, conocía bien la vida de las almadrabas, había pasado tres años a su mala sombra. Y cuando digo almadrabas, no quiero decir que anduviera a la pesca de atunes, sino dado al juego donde despilfarraba la plata de la familia, y si la volvía a ganar era a costa de trucos de la más baja especie, que a eso se refieren los jugadores con la palabra «suerte». De todos los vicios posibles solamente le faltaba uno: beber. Bebía poco vino, y lo poco que bebía no le ponía la cara roja, bermeja, bermellona, como suele suceder en los que lo gustan mucho.

A tiro de piedra encontraron un grupo de frailes dominicos que se acercaban como ellos hacia Almuñécar, pero éstos guardaron distancia, temiendo mezclarse con gente de la que no sabían si tenía o no pureza en su sangre y en su espíritu. A la entrada de un caserío encontraron a un grupo de aguadores o que eso parecían y que se comportaban también como gente de la vida de la jábega: una parte de ellos jugaba a la taba aprendida en Madrid, otra a las ventillas de la escuela de Toledo y otra a las barbacanas de Sevilla. Ahí se quedaron el Carriazo y su amigo Avendaño, apostando a saber qué, si poco atrás habían perdido las cuatro partes del único burro que les quedaba, incluida la cola y parte quinta, que cuando hubo perdido Carriazo el resto, reclamó que le devolvieran la cola con tal insistencia que se la jugaron, la ganó y con ésta comenzó una racha de buena suerte que le devolvió las otras cuatro partes del burro, pero las volvió a perder en un parpadeo, incluida la quinta de sus cuatro partes, la dicha cola.

Apresuremos el ritmo de nuestro trayecto hacia Almuñécar, que de no ser así no llegaremos nunca; la vida para nadie es eterna, a excepción de la del judío errante. Nos espera una escena que hemos dejado suspensa: María sentada a la mesa con el rico caballero español, a media plaza, rodeados de la fervorosa chusma napolitana. Por esto, saltemos sobre los detalles del trayecto a Almuñécar, no digamos ya nada más de con quiénes caminaron, ni cuáles cruzaron en su camino, ni contra qué gigantes y dragones y serpientes fabulosas hubieron de luchar. Ni María, ni Andrés, ni Carlos dudaron nunca de lo que vieron, que no hubo instante en que creyeran que esto o aquello era imaginaria fantasía. Nadie voló por los aires como un brujo. Los tres pisaron sólido en todo momento, sobre una tierra herida aquí o allá por la violencia de la guerra civil que comenzaba, y mientras pisaban imaginaron ciertas cosas. La que más habitó la mente de María fue la idea de bailar en la plaza pública y poder ganar monedas con las que encontrar a su padre y pagar a quien se deje corromper por su rescate. En la de Andrés, columpiaba ida y regreso la de hacerse del amor de María y gozarla, que moría por hacerlo. Y en la de Carlos, nada se repetía ni se consolidaba, que sus imaginaciones eran como huevos estrellados mal hechos. Esto es lo que más nos importa, no tiremos tiempo con olivos y cerrezuelos y moreras y torres con vigías aquí y allá, y el ganado de locos que anda suelto por el mundo, que hay más locos que cabras en la tierra.

Únicamente un detalle: a medio camino, hallaron en un arroyo caída, muerta y medio comida de perros y picada de grajos una mula, aún ensillada y enfrenada, como si el jinete la hubiera dejado apenas. Del jinete, por cierto, ni noticias.

Andrés envidió al jinete, quiso echarse a correr hacia donde no lo pudiera encontrar ningún mirar. Deseaba con todas sus ganas desaparecerse. Creía que de quedarse, de tanto desear a la preciosa María, sus tripas reventarían. Viendo a la mula, todo esto imaginó, con tanta intensidad que la vista del cuerpo ahí picado por los animales, el cuerpo que por un momento sintió como suyo, le revolvió el estómago, y estuvo ese día y el siguiente sin probar bocado.

Y volvamos a lo nuestro: habiendo llegado a los oídos de Manuel, el guía flamenco, que María, Carlos y Andrés iban a ser esperados cerca de Almuñécar por un barco pirata de moriscos renegados, y que eran llevados con cierta misión secreta —seguro contraria al Rey y al cristianismo, si de moros provenía—, se había adelantado a prevenir a los soldados, anunciándoles la llegada de tres jóvenes gitanos disfrazados de cristianos, quienes los guiarían al barco de algún pirata berberisco, y a descubrir una conjura contra el Rey. Enterados del secreto hecho voces, esperaban a los muchachos en Almuñécar para de ahí seguirles los talones hacia la embarcación, y tomarlos presos con las manos en la masa ganando también para la ley a los piratas.

Manuel mismo esperaba noche y día a la entrada de Almuñécar, casi sin parpadear, que «su» misión lo hacía sentirse un valeroso héroe. ¡Vaya!, por fin le pasaba algo de cuento, y no pura aburridera y andar acarreando por los caminos a remilgosos lentos y tacaños, escuchándoles a todas horas las pedorreras y oliéndoles sus reclamos, que si no por esto por lo otro. Al que no le apretaban los botines, le aporreaba las nalgas más de la cuenta un caballo brincón. Al que no le molestaba el sol, le hartaba el viento. Al que no le fastidiaba el silencio, le causaba jaqueca la plática. Al que no le olía la boca tanto que hasta las narices de Manuel llegara, le escurrían por las cuencas de los ojos turbias lagrimonas ácidas por tener infectados los ojos. Eso es viajar de Granada a Almuñécar, ida y vuelta, vuelta e ida, padecer viajeros con supuraciones en los oídos o picaduras horrendas en la piel, soportar su mal talante, oírles paciente sus pláticas sosas. Manuel sentía su vida gastarse en balde, como si todo fuera pasar habas de una cazuela a la otra, y de nueva cuenta de la otra a la una. Estaba harto, aburrido, y ni cuando algo excepcional le ocurría —como que un caballo se viniera al piso, o uno de sus viajeros fuera a dar de súbito en los brazos de la muerte— salía de su fastidio. Todo iba a cambiar. Le había caído en las manos la posibilidad de mostrar un valor. Cazarían a estos tres gitanos huidos, más a un piquete de piratas renegados. ¡Y todo gracias a Manuel! Se llenaría de gloria y así inflado podría entrarse de soldado al ejército, se haría a la mar grande, y con tanto inflamiento correría millares de aventuras. Era la oportunidad de su vida, no iba a dejarla pasar.

Estaba por caer la noche negra sobre Almuñécar, cuando aparecieron los tres esperados gitanos. Manuel corrió a dar aviso a los soldados. En los planes que había revelado Andrés, no estaba incluido entrar a Almuñécar sino seguirse de frente; les bastaba con guarecerse al pie de sus murallas y temprano en la mañana retomar el camino. Lo más probable era que abastecieran los sacos del matalotaje necesario para el mar por la mañana. Pero era mejor dar aviso. Cuando volvió acompañado, Manuel los vio desmontados a un lado de la muralla de la ciudad, junto a un pozo. Los gitanos acababan de escuchar decir que no quedaba una cama libre en todo Almuñécar, que los mesones y las posadas estaban llenos.

Se tendieron al lado de su acostumbrada hoguera, queriendo conciliar el sueño de inmediato, rodeados de un número abundante de partidas de viajeros y comerciantes.

Lo que más deseaban Andrés, María y Carlos era dormir —estaban y de sobra fatigados—, pero estalló un pleito en un grupo vecino. El pleito era entre una mujer y el marido. Ella estaba fuera de sí y gritábale al hombre a voz en cuello:

—¡Maldiga Dios tan mala lengua y bestia tan desenfrenada, y a mí porque con tal hombre me junté que no sabrá tener para sí una cosa sin pregonarla a todo el mundo!

Dicho lo cual comenzaron a sonar los golpes que él le propinaba y ella a quejarse de una manera que rompía el corazón. María le dijo a Andrés:

—Anda, Andrés, vamos a ayudarla.

—Ayudarla, de ninguna manera. Es cosa de ellos.

—¿Cómo crees que es de ellos que el hombre le esté batiendo los huesos haciéndoselos polvo? No es de ellos.

—De ellos solamente, ya calla, ¡sht!, déjame dormir.

María no podía cerrar los ojos. La llenaban de horror esos golpes y esos gritos, a los que muy poco después se sumaron los de una niña, que decía llorando:

—¡Déjela, papá!, ¡déjela!, ¡suéltela ya, que la mata!, ¡deje a mamá!

María tuvo con esto suficiente. Se levantó, se enrolló las faldas, tomó su espada que había llegado muy bien guardada y caminó hacia la fogata vecina. Ahí blandió su arma y le espetó al hombre:

—Atrévete con una que esté armada, si es que eres valiente.

—¡Tú no te metas! —oyó atrás de sí la voz de Andrés.

—¡Tú no te metas! —le contestó ella a Andrés sin girar la cabeza.

—¡Hazte a un lado! —dijo María a la mujer batida, y con el filo de su arma alcanzó la garganta del hombre—. ¡Te dije que la dejes!

—¡Marimacha, mediahembra, asquerosa…! —gruñía el hombrón a media voz, los ojos brillando de ira y alcohol.

—¡Y te callas o te degüello! —dijo María, aún apoyándole el filo en el cuello.

Bastó que María le asestara un raspón para que el tipejo se arrellanara en un rincón y comenzara a roncar como si aquí no hubiera pasado nada. La mujer y los dos hijos aún lloraban temblando de miedo cuando el barbaján ya hablaba en sueños, diciendo: «¡Que les digo que no, que yo no me comí el gato!»

185

Al comenzar el nuevo día, en cuanto se levantaron —no muy temprano sería, pues ya no quedaban viajeros a su lado, los jóvenes tienen el sueño pesado—, sin caer en la cuenta que sobre ellos rondaban como aves de rapiña varios pares de ojos, entraron a Almuñécar y se dirigieron al mercado. La visión que los recibió los tomó enteramente por sorpresa. En el centro de la plaza central se llevaba a cabo una subasta de esclavos moriscos. Un pregonero público voceaba las descripciones de cada una de las personas ahí puestas a la venta. Mientras se llevaba a cabo la puja, los moriscos, despojados completa o casi completamente de sus ropas, exponiendo sus carnes a compradores y transeúntes, eran forzados a doblar los brazos, inclinarse, correr y saltar para que enseñaran su estado de salud, sin consideración de su edad, sin que nadie mirara la humillación extrema que esto les causaba. Los compradores pujaban, se acordaba el precio, el escribano extendía títulos de propiedad ante la vista de tenientes y soldados —que era de ellos el negocio—, y pasaban al siguiente. A cada esclavo se le hacía también hablar. María escuchó:

—Mi nombre es Cardenio, mi patria una ciudad de las mejores desta Andalucía.

Y al poco tiempo, la voz del escribano, que debía leer por si los que firmaban no entendían lo escrito, explicaba de la mercancía:

—Para que podáis hacer de ella o de él como de cosa propia.

No eran dos o tres los que estaban a la venta, y ni María ni Andrés ni Carlos comprendieron el alcance de lo que sus ojos veían: poblaciones enteras eran vendidas en masa, pueblos enteros eran hechos de un golpe cautivos. Por órdenes de su majestad Felipe II, la costa mediterránea se limpiaba de moriscos, temiendo su traición y alianza con el Gran Turco. Los moriscos eran vendidos y la mercancía de esclavos salía por mar y tierra. En breve tiempo, siete de cada diez habitantes de la región terminarían por ser arrojados de la región. Alhabia de Filabres, Inox, Tarbal, Benimiña, Hormical y Berzuete: salían las villas completas. Ni Andrés ni Carlos ni María entendían del todo las escenas: las madres lloraban sus hijos; los padres, de humillación de saberse incapaces de defender a los suyos; las doncellas, de vergüenza, que una tras otra —peor que en sus villas, donde debían soportar el maltrato de los guardias castellanos— eran tratadas como mercadería, mancilladas y hurtadas de su más querido bien, usadas contra su voluntad. La escena coreaba su miseria: tener que dejar la tierra que les era propia, la de sus padres y sus abuelos y sus bisabuelos, y hasta donde alcanza la memoria ser sometidos, vueltos cosas, despojados hasta de sí mismos. Durante ocho siglos los suyos habían habitado aquí, y de pronto se veían no sólo despojados de todas sus pertenencias, sino arrebatados de sus propias personas, vendidos como esclavos, sin respetar rango, dignidad, talentos. María devoraba con los ojos. Al horror de la turba esclava se sumaba un número considerable de arrieros, guardias, pregoneros, tenientes y soldados, y los compradores, venidos de Antequera, Jerez de la Frontera, Córdoba, Sevilla, Málaga, Cabra, Puente don Gonzalo, Úbeda y Morón. María quería ver, comprendía que no podía comprender, siquiera quería ver. Andrés y Carlos la forzaron a dar la espalda a esto que ocurría en sus narices, no queriendo o no pudiendo soportarlo, o juzgando que para qué, y unos pasos adelante, habiendo atado sus monturas y encargándolas a cuidar a un grupillo de niños que estaban precisamente para eso ahí apostados, pidiendo a cambio pan o alguna otra cosa de comer, entraron al mercado a avituallarse lo más presurosos que pudieron. El pueblo rebosaba de soldados, hasta el momento ninguno los había abordado, y ninguno de los tres había podido darse cuenta de que les seguían los pasos. Andrés tenía prisa por dejar el pueblo, temiendo algún peligro sin saber bien cuál, preocupado por sus propios pellejos, pero María sentía que necesitaba tiempo: quería saber qué estaba pasando ahí, hablar con alguno de los pobres miserables que estaban siendo mercados. Pretextó que quería ir sola a abastecerlos de agua, «para salvar tiempo», pero Andrés se lo prohibió:

—Aquí nos quedamos los tres juntos, no está bien que nos separemos, y menos tú, María. Anda.

Atrás de las columnas que sostenían el alto techo del mercado, los esperaban los guardias que les habían venido siguiendo los talones. En una de éstas, estaba guarecido Manuel. Los esperaba desde hacía ya tiempo; los oídos que les habían acercado el día anterior le habían confirmado que irían al mercado a abastecerse, y no resistió la tentación de ir a observarlos antes de salir de Almuñécar a capturarlos con las manos en la masa, si masa podemos llamar a los piratas.

María rejegó con Andrés:

—Espera, tú, ¿qué prisa?

—Te digo ¡anda! —y la volvió a empujar ahora también sosteniéndola del brazo. Estaba nervioso, más que irritable. Hizo avanzar un paso más a María antes de alzar la vista. ¡En mala hora! Un energúmeno enfurecido, vestido con cierta calidad, los atajó, espetándoles:

—Así se ve la marimacha de día, ¡bonita cosa! ¿Ahora sí querrás batirte conmigo? ¿Tienes permiso de cargar con armas? ¡Anda!, metiche, narices largas, ¿cómo te atreviste a meterte entre mi mujer y yo? ¿Te crees Dios?… ¡Las pagarás, pocacosa! —y sacó un puñal del cinto que blandió frente a María.

Andrés de un brinco se interpuso entre María y el mamarracho. Manuel estuvo a punto de abandonar su escondite, pero tres soldados más rápidos que él prendieron en un santiamén al valiente. María, sin comprender de la escena sino que prendían al atacante, les dijo:

—Ayer este energúmeno golpeaba a su mujer; yo lo separé de hacerla polvo. Estaba ebrio.

Los soldados ni la oyeron hablar, no le pusieron encima los ojos. Ya la tenían más que vista de tanto venir siguiéndola. Sacaron al hombre del mercado, y una vez ahí le dijeron:

—Échate a correr, y a esta gitana no la toques, ¡es nuestra!

—En cuanto a tu mujer —le dijo otro—, pégale; si no sabes hoy por qué, algún día sabrás que tenías razón para batirla.

Mientras afuera del mercado el barbaján era dejado libre y aplaudido por los soldados, Andrés y Carlos compraron presurosos lo imprescindible. María seguía repelando: «Déjenme ir, qué más les da, ya vieron que aquí es seguro, hay soldados para dar y regalar». Andrés se sentía a punto de explotar. Por una parte, los precios no eran lo que esperaban, con tanta agitación Almuñécar vendía los bienes más caro que si fuese el abasto de la Corte, las monedas se les hacían agua en las manos, peor todavía porque no discutían o rebatían el precio que les dieran, fuera el que fuera, ni defendían la calidad de las mercaderías. A esto había que agregar que María —que de por sí lo traía como alma en pena, ya ni de día podía soportar el deseo que sentía por ella—, para hacer las cosas más difíciles, se les había puesto necia y enchinchaba. Andrés quería salir de Almuñécar ya, y si les daban gato por liebre, que gato fuera y por él que hiciera miau. Regresaron los tres a sus cabalgaduras y llenaron sus odres con agua fresca en el pozo cercano a la puerta de la ciudad. Apenas se vieron fuera de Almuñécar, Andrés, que marcaba el ritmo de la marcha, acicateó su caballo. Quería dejar Almuñécar atrás cuanto antes, le daba pésima espina. Trotaron, luego galoparon. Iban a galope cuando se dieron cuenta de que eran seguidos por un grupo de soldados, en frente del cual sobresalía Manuel, espoleando su cabalgadura con una cara de gusto que era un vergel de ver. Ya se saboreaba quién sabe cuántos nombramientos en el ejército, uno más fabuloso que el otro. Daba por segura la pesca de sus tres víctimas, y como un hecho un premio más gordo que una trucha.

Los soldados y Manuel habían tomado caballos prestados —y con esto quiero decir que al vuelo tomaron los que mejor les parecieron, sin preguntar o pedir permiso a sus dueños—. Verdad es que los animales estaban frescos, y que los de los tres gitanos eran en cambio cabalgaduras quemadas de tanto andar sin tregua. Pero eran de ellos, los obedecían como si fueran sus sombras, sabían entenderles, mientras que los de los soldados más tiraban para los lados que para el frente, porque nunca los habían montado estos hombres, y porque varios de ellos no tenían ni idea de cómo y cuál es el arte del caballo, los soldados cristianos eran un puñado de miserables, leva de los arrabales. La mayor parte de los persecutores se quedaron en el camino, pero tres todavía venían un poco atrás de los gitanos, cuando Andrés, habiendo visto la señal convenida, tiró las riendas para ir hacia la derecha por una estrecha veredita de arena, apenas distinguible entre las cañas de azúcar. Esto desconcertó a los soldados, y más todavía a Manuel, quien imaginando la escena de la llegada al buque pirata sobre un muelle bien habido, la había situado por Benaudalla, y así lo había hecho saber a los soldados.

El error venía de que el flamenco Manuel había oído poco, pero de lo poco había fanteaseado mucho. Entre otras, que la carga que llevaba María era de puro oro, y que buena parte del oro iría a dar a sus bolsillos, interpretando «hojas de metal» por bloques o lingotes. Los persecutores se repusieron del desconcierto, consiguieron hacer entrar en razón a sus rocines y tomaron la veredita hacia el muelle, pero cuando ésta, justo antes de desembocar en la playa, se hizo aún más estrecha, tropezaron con las tres cabalgaduras de los gitanos, que muy agitadas venían en sentido contrario, impidiéndoles el paso. Controlaron a los rocines propios y a los ajenos como mejor pudieron, y llegaron a la playa sólo para ver a los nuestros ya subidos a la pequeña nave de los piratas. Andrés, echando mano de sus artes de pastor, había tenido la idea de soltar y hacer volver los caballos, azuzándolos hacia sus enemigos para entorpecerles el muy estrecho camino.

Al verlos escapárseles hacia mar abierta, los soldados vaciaron sus armas, no consiguiendo más que gastar su pólvora sin siquiera rozar la barca, porque subidos en monturas que desconocían, les era difícil ya no digo atinar (que hubiera sido un verdadero milagro), sino siquiera apuntar.

«¡Maldito Manuel!», pensaba Andrés. Debió detestarlo nomás verlo, sólo por la manera en que miraba a María, y debió cuidarse de él, no hablar, no dejarlo oír, pero lo había menospreciado y el menosprecio lo había cegado.

El fétido golpe al olfato de la mierda y los orines de los galeotes, obli-

189

gados a defecar donde mismo habitan y trabajan, amarrados al banco, esclavos de su remo, estuvo a punto de detener a los gitanos. De no haber traído a los soldados pisándoles los talones, se habrían parado a rectificar si esa pestilencia era su barca, pero con las prisas no se detuvieron un instante, corrieron como van las moscas a la miel, brincaron de sus monturas y, ayudados por los piratas que habían corrido a ayudarlos en tierra, las descargaron con celeridad, las azuzaron para que volvieran por sus pasos, con enorme rapidez cargaron con sus bultos y tesoro, y mojándose los pies se echaron casi de cabeza a la galera, tropezando y batallando como lerdos patos gordos, saltando adentro de ella (a pesar de la fetidez) lo más rápido que pudieron.

Lo otro que consiguió la pestilencia fue borrarles su primer contacto con el mar. Ninguno de los tres gitanos conocía el mar. Ninguno sintió sombra de asombro por lo dicho.

Ni María la bailaora, ni Carlos ni Andrés tuvieron el momento en que pudieran decirse: «¡El mar!» Por culpa del flamenco, se les había puesto a sus pies como otro trecho de tierra para continuar la fuga.

En cuanto a Manuel, tragaba en la playa su amarga desilusión. El sabor no le duraría demasiado porque los soldados lo hicieron de los suyos invitándolo a la leva, haciéndose de la vista gorda en cuanto a su edad, que está escrito debe tenerse veinte años para ser incorporado en el servicio de su Majestad, pero lo cierto es que muy pocos hacen caso a esto de la edad, los que reclutan por tener prisas de llenar sus filas, los muchachos por desear la paga o la aventura.

Los remos golpeaban las olas con sincronía y eficiencia, y en breve se vieron fuera del alcance de los tiros. El capitán Ozmín (un granadino morisco que abandonó su ciudad hacía cinco años al ver las impunidades de los cristianos, encontrando asiento, y espléndido, en Marruecos) ordenó hacer alto y caminó hacia un lado y al otro de la bamboleante embarcación (una nave de sólo cuatro remos, no más de veinticinco de tripulación, y esto contando a los atados con cadenas al remo), revisando los tablones con sumo detenimiento.

—Busco —le explicó a María, contestando a su mirada preguntona— que no la hayan dañado sus errados balazos, pero también que ninguno de éstos —señaló a los galeotes— nos haya jugado alguna treta, que luego cavan hoyos hasta con las uñas, y las naves hacen agua antes de que nos demos cuenta. No hace una semana una se fue a pique apenas zarpar: a espaldas del capitán la dejaron como un sedazo y zarparon sólo para hundirse.

Las olas golpeaban con suavidad los costados de su embarcación. El blanco atuendo de Ozmín refulgía con el sol. Su camisa era de fino lino, todas sus otras prendas eran de seda bien tejida, gruesa para protegerlo de la sal y otras inclemencias de la vida marina, pero tan fastuosa que más bien parecía iba hacia alguna fiesta. María lo revisaba de arriba abajo. Ozmín era delgado hasta la exageración. Como buscándole también raspones o agujeros, se quitó el blanco y enorme turbante y le pasó encima los ojos con cuidado. Tenía una tupida cabellera negra erizada, sus cabellos parecían hechos de una materia vertical u horizontal, erecta, nunca en reposo. Se cascó el turbante malamente, el enorme bigote bien atezado, lo único de su pelambre que respondía a algún orden o arreglo, contrastaba con su piel curtida por el sol. Sus tupidas cejas recordaban tímidamente el desorden rebelde del cabello. Tenía la boca bien delineada, hermosa y de un bello color de fresa, los dedos de las manos largos; había algo en su persona bondadoso. Bajo sus cejas tupidas, dos ojos vivarachos e inteligentes le respondieron la observación:

—Conque te llamas María.

—¿Y tú?

—Yo soy Ozmín.

—¿Y cuál tu nombre entre cristianos?

—Estoy muerto entre cristianos. No tengo nombre. Nací en un lugar de las montañas de León, no quiero recordar ni el nombre ni de quiénes fui hijo. Aunque miento en lo de León, porque siempre fui granadino. Cuando le dije adiós a todo, adiós le dije. A veces me digo por gusto «Baltazar», porque creo que siempre quise tener ese nombre. Es el de un rey del Oriente que yo ni siquiera había oído nombrar en Castilla, si acaso alguna vez estuve yo en Castilla —Baltazar rió entre dientes—. ¿Cuál es tu nombre entre moriscos?

—Yo siempre me llamo igual: María, María la bailaora, María la bailaora de Granada.

—A mí me dijeron que eras la espadachina, no la bailaora.

—Las dos cosas soy, pero la espada no me ha cambiado el nombre.

Los galeotes miraban la escena con total desvergüenza y comentaban entre ellos esto o aquello apuntando con sus dedos a María, señalándola, diciéndose entre ellos cosas sin pudor alguno, como si María no estuviera presente. Se habían acostumbrado a ser invisibles.

María vio a esa penosa decena de hambrientos y, muy a su pesar, recordó a su padre. Sus procacidades la irritaban sobremanera, pero ¿qué podía hacer? ¿Debía tolerarlos, regresarles los insultos o sacarles los ojos? Esos semirrestos humanos le provocaban inmensa molestia mezclada con piedad, asco y desprecio. Los remos de Ozmín eran galeotes de quinta estofa, ninguno buena boga, miserables y en la desesperanza desde años antes de ser forzados a tomar el remo. Era lo último que María había esperado encontrar en su viaje. Cierto que gran parte de sus imaginaciones se consumía en recrear Granada, pero durante las horas de marcha hacia la costa se había soltado también a galopar hacia el futuro, saboreando su Famagusta, su Nápoles y el viaje en barco. Llegó a desear el trayecto en mar a Nápoles. Y ahora aquí estaba, bajo ese cielo que parecía no terminar nunca, sobre la placa del mar que semejaba una hoja metálica medio arrugada meneándose sin descanso, en nada como lo imaginado. ¡Tampoco las heces atascadas en los orines en el fondo del buque, por supuesto que no había pensado en esto! Atados con cadenas a las bancas, los galeotes defecaban en el mismo lugar donde golpeaban el remo. Viéndolos, oliéndolos, se sintió perdida, fuera del mundo; esas miradas la cercaban y la rompían. Porque la hacían pensar en su padre, porque le regresaban su pensamiento con miradas procaces o desesperadas, miradas de pordiosero, miradas de hombres que están en el abismo de la tristeza, las más vivas miradas obscenas.

Ninguno de estos galeotes podía soñar siquiera con un rescate. Eran pobres siervos trabajadores del campo que solían levantarse con el alba para cultivar la tierra ajena, hombres que vivían sin armas y que habían sido enganchados a fuerzas, tomados por sorpresa, robados por los bandidos y llevados adentro de costales, como nabos o cebollas, mercadería de baja estofa. Donde estaban encadenados ya no les quedaba ni tierra, ni semillas, ni trabajo, ¿quien podría llamar «labor» al batir del remo? Ser galeote es un insensato suplicio. Ésta fue la primera vez que María la bailaora vio a los de remo, y lo que no supo entonces fue que, a pesar de su condición miserable, esta docena era un piquete de galeotes hasta un cierto punto privilegiados, pues no habían descendido aún a lo más hondo de los abismos de esa intolerable esclavitud. El mal trago de sus miradas devoradoras pasó pronto, porque Ozmín-Baltazar, brincando los deberes del resto de la tripulación, golpeando a los galeotes con el látigo, apenas terminada la revisión del casco, dio la orden de regresar al remo y siguieron con bien su camino. Por un rato, los galeotes de ojos tentones dejaron en paz a María, aplicándose al remo con todas sus pingües fuerzas.

Apenas verla, Ozmín resolvió ignorar lo más posible a María. Había percibido su radiante belleza, sabía que su voz erizaba la piel del hombre. «¡Qué hembra! —se dijo adentro de sí—, ¡si no puede ser para mí, mejor ni mirarla!» Había dado su palabra a los correos de Farag de que la entregaría con bien en Nápoles, e iba a hacerlo. La vida que llevaba lo había acostumbrado a obtener y gozar de cuanto deseaba. Como esta prenda no podía ser suya, no debía desearla.

Ozmín-Baltazar concentró toda su atención en Andrés, habiendo percibido que el muchacho estaba loco por María. Charlar con él, atenderlo, hacerlo partícipe de las tareas del barco aliviarían en alguna medida el suplicio amatorio del que era víctima el pobre gitano. Ozmín-Baltazar supo que disfrutaría viéndolo desenredarse del embrujo y que gozaría al verlo volver a caer, porque así es la naturaleza de tan ingrato padecimiento. Se podría pasar el chico la vida sufriendo, que esa mujer no iba a voltear a verlo; para Ozmín-Baltazar el asunto pecaba de obvio: Andrés y María parecían hermanos, él es un niño, ella sabe que lo tiene ya en la bolsa y le pertenece. En cuanto a Carlos, el pirata simplemente lo dio por nada. «Éste es un bulto», se dijo —y un parco bulto parecía Carlos en efecto al lado de los dos hermosos—, pero al caer la tarde, suspendida la navegación, cuando los tres nuevos pasajeros se dieron a su música y Ozmín-Baltazar oyó a Carlos rasgar las cuerdas de su guitarra, cambió su opinión. Algo tenía el muchacho, aunque… Andrés le pareció ridículo con su pandero y esa voz tan suave. Cuando cantaba y tocaba, Andrés hacía pública su idolatría por la danzante, y esa visión no fue del gusto de Ozmín-Baltazar, no le deleitó verlo humillarse de tal manera, perdida la gracia a la par que el orgullo, revelado a lo corriente su secreto. Libre del ancla de la que se había asido esas breves horas al elegir a Andrés como el imán de su atención, muy a su pesar, sin poner resistencia quedó atrapado en el baile de María. Se desoyó y se dejó sin freno; sin continencia deseó tener a Preciosa entre sus piernas. El único remedio que encontró fue beber como un tonel esa primera noche hasta caer de ebrio. Repitió el remedio la segunda noche. Borracho, casi no sentía. Lo mismo había hecho cuando perdió a su amantísima Daraja, pero ésa es otra historia, y aquí no la traeré a cuento.

29. En que se cuenta el primer viaje por el mar Mediterráneo de María la bailaora, a bordo de la barca de Ozmín-Baltazar

Por culpa del alcohol, la navegación se contagió de insensible pereza. Según María no avanzaban «nadita». Se movían con una lentitud que le parecía pasmosa y la exasperaba. Llegó a querer ponerse ella misma al remo para apresurar un poco la intolerablemente lenta marcha. Los galeotes rejegos, libres del látigo del cómitre —incluso en tan pequeña tripulación había uno que estaba siempre al mando del látigo y el ritmo de los remos, que éste es quien lleva el nombre de «cómitre»— se dejaban caer en algo que casi parecía la inmovilidad. Libres del látigo, protegidos por las jaquecas de Ozmín-Baltazar y sus hombres, que pasaban la noche bebiendo y el día reponiéndose de tanto hacerlo, apenas se meneaban los remos, ateridos, perezosos. La brisa no soplaba, el barco no avanzaba... María quería remar, hacer mover esa piedra flotante. Buscó un cómplice en Andrés, le dijo también a Carlos, quería alguien al lado del cual sentarse, un escudo entre el piquete de miserables y ella, pero los dos la tiraron a loca. ¿Remar? ¿Para qué? ¿Qué prisas, qué apuros? ¿Qué te pasa, María?, ¿te has vuelto loca? Aquí se está bien, mira...», y los chicos le cantaban esta y la otra melodía, componían coplas, recordaban otras, a ratos también la hacían cantar y bailar, pero no que María tuviera aquí mucha flama, y bailar la ponía muy nerviosa, sabiendo los ojos tentones y perezosos de los famélicos galeotes escurriéndole por el cuerpo.

La tercera noche, al comenzar a beber, Ozmín-Baltazar se sintió por un instante reconfortado del ansia que lo quemaba después de haber visto bailar a María. Porque verla la primera vez lo había envenenado, la segunda se le había hecho una cosa insoportable, pero esta tercera de alguna manera lo aliviaba. Con esa pequeña bocanada de aire que entró a sus apretados pulmones, antes de que los chicos soltaran sus instrumentos y la belleza de María lo regresara a atormentar, habló. Contó a los muchachos esta historia:

30. De la historia de La Señora, José Micas y Tiberias, ciudad refugio

—Cualquiera sabe que los cristianos detestan a los judíos. Cada día la aversión ha ido creciendo, y recientemente han impuesto sobre ellos en toda Europa castigos, prohibiciones, humillaciones (que el Pío V les obligue a portar la cabeza cubierta en las calles para identificarlos a simple vista, ¿no es algo irrisorio, ridículo?); en Venecia llevan tiempo confinándolos a su llamado ghetto y obligándolos a llevar pañuelos amarillos. Otras ciudades los echan. Ahora que Palestina fue arrebatada a los mamelucos y depende del gobierno otomano, José Micas, amigo y banquero del sultanato, sobrino de La Señora (Beatrice de Luna de nombre cristiano, Ha-Gevereth en árabe y Gracia Nasi en hebreo), la banquera flamenca…

—¿Flamenca? —interrumpió Carlos—. Como el traidor que nos delató a los soldados, el Manuel, el guía de los hombres del obispo —Carlos no sabía bien a bien qué quería decir «flamenco», pero no estaba en su estilo preguntar, sino sacar el tema sólo para que se aclarase.

—Flamenca sólo un poco, nació en España, en 1492, muy niña, dejó con su familia España, por obvios motivos…

—¿Cuáles? —preguntó Carlos, creyendo que así saldría la explicación de lo que quiere decir «flamenco».

—¿Que no lo sabes, granadino? En ese año echó España fuera a los judíos, y a Gracia Nasi entre ellos, muy niña, como decía. Su familia corrió hacia el Portugal, donde al poco tiempo comenzó también la persecución, la forzaron al bautismo muy contra su voluntad. Se casó con un converso como ella, Francisco Mendes, tratante de especias y banquero. Cuando enviudó, cargó con su dinerísimo a Amberes, estableció su banco y lo hizo crecer de muy grande manera. Tan buena era para cosechar dinero, como para ayudar a los judíos a huir a Constantinopla, donde la situación les era más favorable.

—¿Que en Constantinopla quieren a los judíos? —preguntó Andrés.

Carlos rumiaba algo mientras se tragaba la pregunta de cómo es que se es o no se es flamenco.

—Los turcos no echan a nadie, reciben a todos de cualquier creencia y dejan hacer lo que cada quien a su gusto tenga en gana. Si tú quieres tener tres esposas, allá tú, no te van a andar juzgando por adúltero.

—¿Y tres maridos? —preguntó María.

Ozmín-Baltazar ignoró su impertinencia, pensó rápido para sí: «Marisabidilla detestable, pendeja», y continuó:

—En Constantinopla permiten que se amancebe el que quiera con quien pueda, les tiene sin cuidado, que no hay principal que no tenga como muestra de su honra y poder un número importante de muy bellos mancebos. Y en esto de amancebar, prefieren a los varones, a las mujeres las ven de menor precio.

»Pero de lo que me preguntabas, Andrés, ahí sí hay judíos, y hay moriscos, y hay hasta negros de Guinea. Hay de todo y a todos saben sacarles provecho… A los judíos, y a los gitanos, y a quien quiera estar ahí lo quieren. Lo único que no aceptan son campanas. No las hay, no hay ni una en todo el imperio del Gran Turco, no las consienten, unos

195

dicen que porque las creen pecado, otros que porque temen que los cristianos al oírlas se les levanten... Yo qué sé. Ni siquiera me consta que estén prohibidas y si no las hay es a lo mejor porque no hay quien las quiera ahí. Que los badajos los necesitan los curas por guardar tanto tiempo sin usar el propio. Si uno se da gustos, ¿para qué andar pegándole al otro?

Baltazar-Ozmín tomó un segundo, largo trago, que como el primero le cayó al dedillo, ganas tenía de empinar el tercero. Se guardó de hacerlo, que esto de hablar es también mucho placer, y siguió contando:

—Gracia Nasi, La Señora, al ver crecer sus negocios con los turcos y querer estar más cerca de ellos, se mudó a Venecia, pero ahí sólo duró un par de años. Su propia hermana la acusó de judaizante, yo no me lo explico, y para huir de la Inquisición se fue a vivir a Constantinopla con todo su dinero a cuestas, que supo cómo ponerlo a buen resguardo a tiempo. Soleimán le cobró aprecio de inmediato, ¿quién no quiere al bendito dinero? Un detalle que olvidaba: su hermano Samuel, que cambió su apellido a Miguez, fue el médico del emperador Carlos V; el mundo es pequeño como una cucharilla de plata.

—¡De plata! —uno de los galeotes farfulló en perfecto castellano, asido ridículamente al remo inmóvil—. ¡De plata! Me trago todos tus cuentos, pero no que el mundo sea de plata, eso no.

A eso sí respondió el cómitre con un latigazo que sumió al galeote en total silencio.

—Su sobrino —continuó diciendo Ozmín-Baltazar—, este José Micas, que es lo que desde hace rato quería decirles, es quien ha tomado a su cargo Tiberias, ciudad que estos dos judíos, la tía y el sobrino, han construido sobre las ruinas de la del mismo nombre en Palestina, para hacer un refugio que reciba a los judíos europeos, para darles casa, trabajo, una vida sin persecuciones... Y los judíos han corrido por cientos a Tiberias a buscar refugio. Desde un principio, Micas (muy cercano al sultanato, como dije, tiene un poder inmenso) temió a los palestinos de los pueblos vecinos, para protegerse de ellos hizo levantar una muralla que dicen tiene quinientas yardas de largo. La Señora —la tía de Micas, la banquera, Gracia Nasi— embarcó hacia Tiberias telares y lana española de primera calidad, para dar trabajo a los primeros colonos, y pensando en el futuro hizo sembrar moreras para la seda.

»Roma y Venecia se encargan de abastecer a Tiberias de judíos, aunque también llegan de otros sitios, pero insisto en que los más que les llegan son los regalados por Pío V, porque en la cristiandad completa el

Papa les hace la vida imposible, tiene verdadera tirria a los judíos. En Roma circulan secretamente cartas aconsejándolos mudarse a Tiberias, sobre todo entre los gremios de los sastres, las costureras, los vendedores de telas, todos los que tengan que ver con el vestido. En una semana, trescientos judíos salieron de Roma hacia Tiberias y muchos más han llegado ya. Yo quién soy para decirles cuántos, no llevo la cuenta. Digamos que Tiberias es la hija de La Señora, Gracia Nasi —quien la protege y financia—, habida en un lecho rijoso con el Pío V.

Baltazar-Ozmín rió con su chistarrajo que sólo le hizo gracia a él y dio un tercer trago. Éste cayó distinto en su gañote, más quemante, enardeciéndole el ánimo.

Fin de la historia de la amurallada Tiberias, que terminó siendo no de José Micas y La Señora, sino engendro de ésta con Pío V.

—Tanto palabrerío sólo para decirles que yo me hice dueño de este barco transportando judíos a Tiberias. Lo hago todavía, soy un ir y venir de judíos; por eso vamos tan pocos aquí a bordo, para dar espacio a nuestros pasajeros. Ésta es mi temporada baja; suben las tempestades y bajan mis viajeros, es el momento más difícil para cruzar. Conozco el mar de Galilea como la palma de mi mano. Yo he navegado donde dicen que Cristo caminó sobre las aguas, yo he visto con mis propios ojos el paraje donde dicen que Jesús multiplicó los peces. Que ahí lo bautizaron, no lo pongo en duda. En cuanto a los peces y andar caminando donde los demás se hunden… ¡Bah!

Aquí Baltazar-Ozmín le dirigió la palabra a María. Lo hizo sin mirarla, la vista fija en sus propios pies, y lo hizo aventándole como piedras sus palabras, buscando provocarla. Le dijo:

—Tú, la que bailas cargando tu cruz, está bien que los cristianos detesten a los judíos, porque les mataron a ese que ellos llaman Dios, tienen un buen motivo; digo que está bien porque pues allá ellos. Tampoco pongo en duda que Cristo fue crucificado en el monte Calvario y que fue muerto y luego sepultado y que le abrieron el costado con una lanza, pero yo me digo que para lo que no hay cómo encontrar explicaciones, es en el por qué adoran esa figura sangrante. ¿Cómo es que encuentran objeto de adoración en un cuerpo casi pudriente, con la herida escurriéndole sangre en el pecho, sin ropas ni dignidad, desvanecido como una mujercita? ¿A quién sino a un enfermo se le ocurre venerar la imagen de Cristo bajado de la Cruz, hecho jirones? ¡La gente está muy mal de su cabeza! Me dan ascos, adorar un cuerpo desmayado y sin vida, sin qué hueso roerle que no sea para echarse a llorar... ¡Adorar lo que está para retirarle la vista de encima, si da pena, si es puro sufrimiento! ¡Y luego andan diciendo que se lo comen, porque eso dicen, dicen que en la misa se comen al cuerpo de Cristo! ¡Los cristianos la tienen podrida!

María guardó silencio. Primero, porque no había cómo discutirle a un borracho de estos que se ponen necios, a dichas filas acababa de entrar a ojos vista Baltazar-Ozmín. Era de los que no esperan oír ni un pío, qué va, de los que nomás quieren ser oídos (y aunque no sean oídos, olidos son que hieden). María pensó que el golpe había venido contra ella porque traía colgando de su cadena la cruz que sus amigos moriscos le habían regalado; pero se equivocaba: Baltazar-Ozmín la quería agredir porque deseaba tocarla de alguna manera, buscaba aproximársele, estar cerca de ella, y un camino posible era éste. Es un recurso vulgar y recurrido por hombres débiles y viles. Adentro de sí, María pensó en decirle una cosa: «Tu religión te prohíbe beber vino, y mírate cómo estás de borracho. ¿Sigues a Alá y bebes?, ¿o a qué Dios te amparas?», pero María dejó posibles preguntas y comentarios a un lado, porque en esto de Alá y de Cristo no sabe honestamente qué contestarse, ni entiende qué piensan bien a bien sus amigos moriscos, ni sabe qué opinar de san Cecilio, y no tiene ninguna gana de poner en orden su confusión. Durante unos segundos siente mucho enfado contra Baltazar porque lo que es muy claro es que él ha querido agredirla, pero el enojo no le dura nada.

La luna brilla suavemente, las estrellas echan centellas diminutas, el cielo luce profundo y azul, las crestas de las ondas del mar tintinean rimando con los astros. Allá se oye el tablón del barco contra el agua; acullá, algo como una aleta suena rozando la superficie. Noche cálida, noche tibia, noche bella. María sintió que la llamaban las estrellas, no para irse hacia ellas (¡qué ocurrencia!), sino para cantar, para cantarlas. Cree que las oye, sutiles, con voces claras, voces que son como la calma brisa de esta noche, y a su son María sentada sobre el tablón que muy cerca de la popa tiene la cubierta de esta nave, apoyado un brazo contra la banda del barco, canta. Y no canta gitano, moro, cristiano, ni un son que recuerde a Dios alguno. Canta con la música sabia, conmovedora, celestial, de una estrella.

31. En donde se verifica una vez más la sabiduría del dicho que reza: «Al que madruga, Dios lo ayuda»

Habían pasado tres días de navegación. Sólo las primeras horas habían remado mar adentro, las demás costearon sin demasiada premura buscando capturar alguna presa fácil para su provecho o siquiera su abasto. Frente a las costas catalanas, no lejos de Cadaqués o de Palamós, cuando aún dormían profundo, así fuera bien entrado el día, la pequeña y no muy bien armada embarcación pirata fue tomada por dos galeras de corsarios berberiscos. La barca de Baltazar-Ozmín estaba muy desprovista, no contaba ni con suficientes armas, ni con marinos o guerreros expertos, y los berberiscos los sobrepasaban en número, pero no hubo intentona de atacar o resistir, porque fueron abordados cuando todos dormían a pierna suelta. Incluso el vigía roncaba. Despertaron con espadas al cuello, pero Baltazar-Ozmín, a pesar de la situación y la jaqueca que regala el vino, amaneció de buen humor. Su buen espíritu disminuyó el sobresalto entre los suyos. Ozmín saludó ceremoniosamente a los hombres que habían abordado su nave como si fueran amigos de tiempo atrás, les preguntó al mando de quién venían, creyendo que sería cosa fácil negociar con ellos, pues como buen renegado daba por hecho ser parte de cuantos infieles se opongan a la cristiandad, como si todos fueran un todo homogéneo. Los que habían caído sobre ellos eran hombres del Dali Mami.

Por toda respuesta, en lugar de negociaciones, Baltazar-Ozmín recibió un: «Tú eres un bandido, es lo que eres, un raterillo andaluz, un tagarino o un mudéjar, uno de ésos, ¿para quién trabajas, dime; de quién traes permiso para cruzar los mares?» Los corsarios no tenían motivo alguno para considerar a estos piratuelos sus pares. Ni uno de toda la embarcación de Ozmín-Baltazar hablaba una palabra de otra lengua que no fuera la castellana (el árabe de Baltazar-Ozmín era un balbuceo), y ninguna importancia dieron al hecho de que los más vistieran a la usanza turquesca. A sus ojos, eran mudéjares —que es como los berberiscos llaman a los moriscos de Granada—, un barco de ladrones. A pesar de esto, se comportaron como unos caballeros, y digo esto porque le dieron a Ozmín hartos bofetones y coces y puñadas *(«y porque les dijese si tenía dinero, bien me pelaron la barba»)*, sin respetarle una sola de sus costillas. No gastaron más sus fuerzas, expeditos pasaron cuanto consideraron de valor o importancia a una de sus galeras, incluyendo al abatido Baltazar, que no sabía si llorar o reír, y llegó hasta a olvidarse de dónde estaba; no lo dejaba reaccionar el asombro de ver cómo Fortuna le mudaba en un instante la vida de tal manera. ¡Adiós buen humor que había tenido al despertar! Andrés, Carlos y María cargaron su propios sacos mientras se mudaban dóciles de un barco al otro. María fue la última en hacerlo, descontados los galeotes: al ver el pésimo estado en que estaban los de remo, ponderándolos más como lastre que como de alguna utilidad, los berberiscos decidieron tirarlos al mar. Al oír su destino, los galeotes gritaron como si aún estuvieran llenos de vital energía, despidiéndose ruidosamente del mundo que, como bien había dicho el que hablaba castellano, no es precisamente de plata. Los miserables se asían a sus verdugos suplicándoles piedad, se hincaban, derramaban ríos de lágrimas, ofrecían servicios, hacían promesas, fingían fuerzas, juraban que podían bogar como muchachos. Nadie pensó en hacer menos larga su tortura moribunda. Ni les pusieron lastres, ni los envolvieron en tela de las velas, ni les clavaron una estocada para hacerles más corto el suplicio. Pataleaban los que algo sabían nadar y los que no se sujetaban a éstos, y desde el agua seguían gritando o intentando gritar. Nadie espetó «¡Hombre al agua!» instando a rescatarlos.

Cuando María pasó a la galera de Arnaut Mami, no podía despegar los ojos de la desesperada decena de muertos de hambre que iban siendo asesinados con displicencia. Pero algo la hizo voltear la vista al frente: la fetidez del barco. ¡Qué hedentina! ¡Y habían creído que la barquilla de Baltazar olía mal! Aquel olor ni los preparó para el que encontrarían. En la galera venían al remo ciento cincuenta hombres, más diez que traían por si alguno caía enfermo —lo que es muy frecuente—, más cincuenta hombres armados, más doce de los llamados «hombres de popa», que suelen ser los amigos del capitán, y que aquí eran viajeros que por uno u otro motivo se habían obligado a dejar Argel unos días, o que iban hacia ella atraídos por los privilegios que ahí gozan algunos. También venían los marineros: un patrón, el cómitre —que es, como ya dije, quien lleva la navegación, encargándose con dureza de los galeotes—, otro sota cómitre, más veinte que conocen cómo navegar la mar nuestra. A la altura del penúltimo remo, se encontraba el fogón y junto a él los tres de la cocina. Las dimensiones de la galera eran muy mayores que las de la de Baltazar, pero para tanta gente era muy pequeña, un ebullidero de personas atestadas, y si el infierno puede entrar por las narices, ésta lo era por la hedentina que ya se dijo.

Al olor de esta primera galera, había que sumar el de la segunda igualmente grande, que venía casi pisándoles los talones. Las dividía solamente el largo de dos remos.

Arnaut Mami (que no había prestado ninguna atención a esta captura desde que le informaron que la presa era pobre y poca) se asomó a ver qué habían pescado cuando oyó decir: «Traen una mujer a bordo, Arnaut Mami, muy joven y muy bella». Salió por curiosidad y codicia, y encontró sobre la crujía los enormes ojos brillantes de María, clavándosele. Porque en cuanto María vio que Arnaut Mami venía a su encuentro, comprendió que ese hombre era el dueño de su destino, el de ella, el de su espada, el de la carga que llevaba a Famagusta y el de sus dos amigos. Percibió que él la miraba de cierta manera y le clavó los ojos para sujetarlo y agarrarse a él.

Ese momento fue cuando María supo, *conoció* que era bella. No cuando la querían los moriscos y la llenaban de elogios. No cuando Andrés la procurara, le sorbiera el suspiro, cualquier *¡ay!*, la risa, lo que hiciera, no. No cuando los miserables que acaban de ser arrojados al mar, al abordar el barquillo de Baltazar, le clavaron los ojos imprudentes. Ahora, es ahora, al ver que el pez se traga el anzuelo de sus ojos, ahora es cuando María sabe, conoce, aprende, comprende que es bella, y se da cuenta de que su belleza puede salvarle el pellejo.

Apenas subir, habían hecho llegar a los gitanos a la crujía, que es una tabla como una mesa que tienen las galeras entre banco y banco de los de remo y que cruza el barco de popa a proa.

—Canta, Andrés —dijo María en voz baja, sin dejar de mirar a Arnaut Mami.

—¡Que «canta» ni qué ocho cuartos!, ¡qué voy a estar para andar cantando!, ¡me llevan esclavo! —contestó Andrés, irritado de la inoportunidad de su solicitud, pero más por ver a María mirar así a su captor.

—¡Que cantes, te digo!, y tú también, Carlos, ¡vamos, que no voy a echarme a bailar sin acompañamiento!

Silencio.

—¡Que les digo que canten, cobardes, por mi madre y por la que los parió! —añadió María en voz baja pero dura, golpeando con un pie la tabla de la crujía.

Andrés y Carlos la obedecieron. Cantaron con la mejor voz que les permitía el talante en que estaban, y encima recién despiertos. Lo único a su favor es que no hubieran bebido —no habían tocado una gota del vino que corrió en el barco de Ozmín, aunque se lo hubieran ofrecido

201

diez veces—. «¡Ale, ale, María!», más que cantar, la verdad es que desgañitaban. El sol pegaba sin gracia sobre ellos, a plomo, inmisericorde, un sol gritón de mediodía. ¡Buena resaca, la del barco vencido, que les había comido ya la mitad de una jornada!

—¡Las palmas, vamos! —díjoles María, viendo lo patéticos que parecían sus compañeros. Era la única mujer a bordo, y caían sobre su cuerpo las miradas groseras, manoseándola. ¡Qué trío patético!

Carlos se agachó y golpeó con las palmas la tabla, y ésta resonó. Una gorda nube blanca, teniéndoles compasión, se interpuso entre el sol y el mar: la luz adquirió una calidad refrescante, casi jugosa. Carlos se levantó y golpeó la tabla de la crujía con el talón, sacándole un sonido grato. Golpeó a ritmo y sobre su tan-tan Andrés dio un paso adelante y también dio al tablón con sus pies y de inmediato se sumaron los de la dulce María. Unos calzados, otros descalzados, los pies sonaban diversos, haciendo con sus pisoteos nobles tambores de esas malditas tablas. María estaba entre los dos muchachos, luciendo toda su belleza, como era la única calzada sus pies eran los que mejor sonaban. Con sus seis calcañares golpeaban, llevando un ritmo que quebraba la luz, el calor, la sal de la mar. Bajo ese tamborilear, protegidos por la nube que seguía conteniendo al sol, el mediodía quedó sumido en algo grato y noble. Oírlos era como un llegar a puerto. Los seis golpeaban, casi frenéticos. Se les restó un pie, uno de Carlos. Con el otro, llevó solo el compás y echó a cantar con la mejor de sus voces:

Moricos, los mis moricos
los que ganáis mi soldada,
derribédesme a Baeza,
esa ciudad torreada,
y los viejos y las viejas
los meted todos a espada,
y los mozos y las mozas
los traed en cabalgada,
y la hija de Pedro Díaz
para ser mi enamorada,
y a su hermana Leonor,
de quien viene acompañada.
Id vos, capitán Vanegas,
porque venga más honrada,
porque enviándoos a vos,

no recelo en la tornada
que recibiréis afrenta
ni cosa desaguisada.

María la bailaora nunca había oído a Carlos cantar este romance. ¿De dónde lo había aprendido? Andrés por un momento también pareció sorprendido pero, concentrándose y habiendo advertido qué era lo que cruzaba por la cabeza de María, desprovisto de su pandero, comenzó a tronar los dedos y, siguiéndolo María a golpear sus palmas, entre los dos cambiaron el canto de Carlos en algo más alegre, algo para que bailara mejor María y la hiciera enseñar de mejor forma sus talentos. Por el momento, el efecto del tambor humano que formaran no podía serles más favorable. No sólo Arnaut, toda la tripulación y los muchos galeotes miraban embobados, fascinados, embelesados.

La nube generosa se retiró, pero no la gracia del trío.

Bajo ese sol que era un relumbrón, un sol que era un fardo pesado en los párpados y hacía entrecerrar los ojos, María tendió un doble y generoso y fresco velo: bailó mejor que nunca. Bailó, un poquillo cantó, no soltó sus ojos de los del capitán-pez, Arnaut Mami, más afecto a los hombres que a las mujeres. Por la naturaleza espontánea de su deseo, el ojo de Arnaut Mami, a pesar de estar clavado como un pez del anzuelo de la mirada de María, percibió a Andrés, suspendido de deseo por la bailaora, al bello Andrés deseando anhelante, y esto lo enganchó aún más, lo hizo ser más un pez cogido. Mirando, Arnaut parecía fijo, clavado, pero su largo cuerpo de pescado vivo coleteaba retorciéndose para zafarse y cada coletazo le encajaba más el alma a la punta del anzuelo.

El baile de María ensartaba en su punta una sucesión de blancos bajo el sol, que reverberaban como escamas de pez: Andrés herido por María, Arnaut Mami herido por María y por Andrés preso de María, Baltazar por haber sido sometido y sin lucha, perdida su galera que con tanto esfuerzo había ido avituallando, y los de a bordo por ese baile y ese tamborilear nunca antes oído.

Excepto uno de los hombres de Arnaut Mami, Morato Arráez. Él reacciona diferente que los otros ante la música y el baile. Él no sabe verles *a ésos*, a los gitanos, siquiera un ápice de belleza: Morato Arráez es en tierra firme el guardián mayor de los esclavos. Pasándose de oficioso, Morato Arráez tomó de la ballestera (donde los prisioneros apresadores habían sido conducidos al subir a la galera, antes de pisar la crujía) el bulto que contiene las pertenencias de María. Ésta lo ve con el rabillo del ojo y se echa sobre él como un animal, interrumpiendo su baile y su canto. Al tomar al muy oficioso Morato Arráez desprevenido, el bulto cae, y el pomo de la espada de María salta afuera. María brinca otra vez sobre ésta para asir del puño la espada. Morato Arráez saca del cinto la suya. ¡Y qué cruzar magnífico de espadas! ¡Esto es arte, esto maestría! ¿De quién aprendió el moreno a cruzar el metal, que lo hace con tanta ágil belleza?, porque esto es belleza, sus movimientos son prolongación del baile de su contrincante. María no ha dejado de bailar ahora que guerrea. El hombre es más un pájaro que un varón. La espada le da ligereza, le quita peso a su cuerpo, le otorga una falda volante, un encaje, una elegante ligereza, es su ala. Los rodean las dos tripulaciones, la recientemente capturada y la de Mami, vueltos una masa uniforme por el gusto de ver a estos dos chocar filos. Si en los miserables galeotes restara aún un ápice de conciencia, si pudieran sentir algo todavía en su mortaja de agua, si aún no han sido tragados terminantemente —pues qué cabe, atendiendo a los gritos y súplicas de sus últimos minutos, que más de uno estuviera braceando deseoso de tocar alguna tierra, sacando céntimos de fuerza de sus flaquezas—, lamentarían infinito haberse perdido esto. ¡Qué escena! ¿Quién podría describirla? En todos los pechos de los presentes brincaban ¡vivas!, ¡bravos!, ¡vence, golpea, dale, da!, alguno diciéndoselos a María, otros espetándoselos al Morato Arráez. ¡Qué gusto, qué placer verlos batirse! Esto es mejor que el baile. Desgraciadamente, la escena no dura mucho tiempo, porque Arnaut Mami, así esté también fascinado con ésta, aplaude para dar el encuentro espadil por terminado, como si éste hubiera sido una representación. No quiere heridos aquí. María entiende su orden y pone la espada a sus pies, obedeciéndolo. El imbécil del Morato Arráez tarda más en comprenderlo, por lo que, cuando se dispone a picar sin ley a la indefensa María, caen sobre sus espaldas dos hombres sujetándolo con fuerza. Morato Arráez se los sacude de encima, pone la espada al piso y cruza los brazos. Sonríe. Está contento. María está ansiosa en cambio. Ha recordado su preciosa carga, y teme verla perdida. Le dice al aplaudidor Mami, señalando lo que guarda el saco:

—Eso que ves ahí, gran señor...

—Arnaut Mami, para servirle a usted.

—Y yo —se inclinó, hizo una reverencia, gracioso como todo lo de ella— María la bailaora, María la de Granada, para servirle a Arnaut Mami —María retoma la frase comenzada—: Eso que ves ahí, gran señor berberisco...

Arnaut la interrumpió:

—Albanés, para servirle a usted, granadina.

—Eso, gran señor albanés y berberisco, eso que está guardado en ese saco mío, es un encargo que traigo, es una misión de mis hermanos moriscos, es un... En todo caso, no me pertenece, y como mío no es, no puedo cederlo. A mí, tómeme usted esclava si lo quiere, si es su gusto, lo mismo que el saco donde guardo lo que no es mío, ¿cómo voy a poder impedirlo? Pero lo que va dentro no puede ser suyo. ¡Sobre mi cadáver! —María repetía la expresión predilecta de su protectora morisca, su segunda mamá granadina.

—¿Y qué vas a hacer con eso, si se puede saber, «sobre tu cadáver»? ¿Venderlo?

—No, no voy a venderlo. Es un secreto, pero venderlo no. Eso no vale ningún dinero, ni todo el oro de las Indias, ni toda la seda de la China, ni toda la mejor pimienta de los barcos portugueses. Debo —mintió María, viendo que el hombre la acorralaría con preguntas—, debo restituirlo, entregarlo al sitio de donde fue sustraído.

María preparaba el golpe que necesitaba la mención de su libro para surtir efecto.

—¿Y de dónde fue sustraído, si se puede saber? —Arnaut Mami estaba divertido con la escena.

—¿Puedo decírselo a usted al oído?

—Puedes.

María se acercó a Arnaut Mami. Los dos olían limpios como dos flores, pero esa flor que es María la bailaora, le huele a Mami a mujer.

—¡Mujer! —pensó adentro de sí.

Baltazar-Ozmín rabiaba de coraje. Andrés estaba como atontado, insensible. Sabía que así María les salvaba a los tres el pellejo, pero comportándose de esta manera lo mataba, lo asesinaba. Lo anulaba, pues no tenía fuerzas o el valor para decirse: «¡Mejor morir, gitano!»

—¿Sabes guardar secretos? —le preguntó María la bailaora al Mami, de manera que todavía los demás pudieran oírla.

—Puedo, puedo.

—¿Y cómo voy a saber yo que puedes guardarlos?

—Porque puedo. Y para demostrártelo...

Arnaut Mami se agachó y le dijo algo a María al oído, algo que la hizo sonreír primero, y luego reír, amplio, sabroso, una risa completa. María echó atrás su hermosa cabellera mientras lo oía contarle tal secreto.

—Sea —dijo, cuando paró de reír—. Mira...

María se paró sobre las puntas de sus pies y le dijo muy quedo, muy cerca del oído:

—A Famagusta... Esto que cargo es un libro antiguo, tan viejo que sus hojas no fueron hechas en papel ni papiro. Es de la edad de hierro. Es un libro con hojas de metal. Alguien lo sustrajo de Famagusta. Debo reintegrarlo a su sitio. Por el bien de quien lo hurtó, que si no jamás descansará en paz.

Arnaut Mami se separó para mirarla a los ojos. Esto era menos divertido de lo que él esperaba... libros antiguos... «¡A otro perro con ese hueso! ¡Bla, bla, bla!» Pero seguido se preguntó en silencio: «¿Y si hay algo que roer?», por lo que preguntó a María:

—¿Quién?

María volvió a levantarse sobre las puntas de los pies.

—No te lo puedo decir. Un morisco, de Granada, un hombre de bien, un seguidor de Alá. Él me enseñó a decir: «Alá manda. El corazón manda».

María separó su boca del oído de Arnaut Mami, y puso frente a sus ojos la cruz de oro que colgaba sobre su pecho. La giró para mostrarle su envés: en el centro, el corazón colorado refulgía, las cuatro espadas le apuntaban.

Arnaut Mami dio un paso atrás, no dijo ni sí ni no, ni esta boca es mía o ajena. Tomó la espada de María, diciéndole con los ojos «te la guardo». Volvió la mirada a Andrés y comprendió, como todo el mundo, cuánto rabiaba y deseaba este bello muchacho. Dio la media vuelta, dio instrucciones a sus hombres de dejar «esos bártulos en manos de la chica, y a los muchachos no les quiten sus músicas». Hubiera maldecido el poco provecho que la nave que remolcaban les había traído, lo mejor el pertulano viejo y medio corroído, el cuello del pergamino (pues para hacer estos mapas o cartas, se utiliza la piel entera del animal) comido por los ratones, y un nocturlabio, reloj nocturno, bellamente tallado en madera. La nave en sí era un vejestorio, pero mejor cargar con ella que perderla. Si algo la iba a hundir, que no fueran ellos. Podría serles útil. Dividieron la tripulación para navegar. Todos se habrían sentido defraudados del miserable botín si no fuera por María y esos dos chicos, el par de tambores humanos, esas voces, esos bailes. Les dieron de comer lo que tenían, bizcocho remojado, un plato de miel, otro de aceitunas y otro pequeño de queso cortado bien menudo y sutil.

Arnaut pasó el día, a una cierta distancia, mordiéndole a María los tobillos como un perro furioso.

Fin del primer viaje marítimo de María la bailaora.

206

32. En que se cuenta, obligándonos a detener el ritmo de la marcha, la llegada de María a Argel y la naturaleza de su cautiverio, así como los romances de María en dicha ciudad, por lo que viene a cuento la frase de Cervantes «¡No, no Zoraida: María, María!»

A los tres días de haber caído en manos de Arnaut Mami, como había buen tiempo y el viento les era favorable, alcanzaron el puerto de Argel.

La visión de la ciudad impresionó vivamente a los gitanos, que nunca habían visto nada parecido. Ellos, por no conocer gran cosa el mundo, pero arrobaría al más viajado. El enorme golfo donde se asienta la bella Argel tiene la forma de una media luna. Al este, el cabo Matifú. Al oeste, la punta de Pescade sobre un monte, que las naves que arriban ven de dimensiones importantes, aunque no lo sea. El puerto, construido por Barbarroja en 1525, llamado por él Jeid-ed-Din, incorpora el dique del siglo x, uniendo el islote de la marina con la tierra firme, al término del cual se alza la primera puerta de la hermosa ciudad de imponente trazado, porque casi toda es ciudad nueva. Fue la Icosium de los romanos, antes la Mesrana de los árabes, pero hasta recientes fechas ha adquirido su esplendor.

Apenas tuvieron la ciudad a la vista, los corsarios se afanaron en preparar el desembarco del botín de sus correrías. La segunda nave traía un valioso botín, obtenido antes de topar con el pingüe de los mudéjares; no contenía cautivos, era un cargamento de especias, vinos finos de campiñas francesas, untos para perfumar, telas, bordados, deshilados y plumas traídas de las Indias, obtenido del ataque a un comerciante que *ipso facto* compró su rescate y el de sus hombres (que no sus galeotes, todos atados al remo al llegar a Argel), pagándolo en oro que hizo mandar traer enviando un correo con carta de su puño y letra al siguiente puerto. Los llamados mudéjares, Andrés, María, Carlos y Ozmín-Baltazar, fueron atados por sus tobillos a la misma cadena, una larga que había sido hecha para cargar con doce cautivos, por no tenerla más corta a bordo, así que en lugar de prenderlos sólo de uno de sus dos tobillos, los asieron de ambos, y así y todo les sobraban seis taloneras, por lo que Morato Arráez (aquel que se batió con María cuando acababan de subir a esta galera) dispuso se les atasen también las muñecas. No se hizo, no por ser demasiada afrenta, sino porque no hubo tiempo. Carlos y Andrés estaban devastados, se quejaban gimoteando «En qué hemos caído», «Mira nuestra desgracia», «Que no lo sepa mi madre» (esto de Andrés), «Maldita la hora» (también Andrés), «Nuestra podrida suerte» (los dos a coro), «Un hoyo, es un hoyo» (esto Carlos, pensando quién sabe en qué), y tanto subían y bajaban sus voces que casi parecían cantar. Carlos no contuvo las lágrimas, comenzó a llorar como un niño. Se limpiaba sus lagrimones con las regordetas manos bien cerradas, pasándoselas una y otra vez por la cara y frente a los ojos. Su pecho subía y bajaba con «¡Ays!» lastimerísimos. Andrés seguía gimoteando sin parar (que ya sin los de Carlos no sonaban a cantos sino a meras quejas) y María aparentaba estar azorada, silenciosa clavaba los ojos en la ciudad, como si la adivinara completa con su forma de triángulo equilátero que tiene por vértice la Kasba, el castillo del Bey, como si estuvieran ya sus ojos viendo las grandiosas mezquitas. Ponía esa cara, entrenándose a fingir, porque adentro de sí pensaba solamente «¡Debo salir de aquí!», y sentía los tobillos pesarle. Para ella Argel era otro eslabón, otra cadena más corta y esto la hacía insensible a sus bellezas. Ozmín-Baltazar tomó a los muchachos del brazo y les dijo: «¿Pues que ustedes no tienen oídos, ni ojos? Hasta el cansancio se ha escrito y se ha dicho que en Argel "Todo es comer, beber y triunfar"». La cadena a los tobillos no lo arredraba. Verla caer a sus pies lo hacía sentirse un iniciado, pertenecer a la muy rica Argel; es una ciudad anhelada por él, sabe que no hay en ella nada despreciable. Desde sus dimensiones, pues tiene entonces ciento cincuenta mil habitantes, el doble que Sevilla y un número muy superior al que tiene Roma, hasta las oportunidades que brinda a todos los que llegan a ella, pues es en efecto el enclave mediterráneo de la piratería. Lo que Ozmín-Baltazar ignoraba, o pretendía ignorar, es que en ella habitan veinte mil cautivos cristianos, desesperándose mientras esperan la llegada de su rescate, escribiendo cartas solicitando ayuda, tramando planes de huida, marchitándose, esperando la muerte o haciéndose los renegados para salvar el pellejo.

Su nave chocó con el muelle. Los hicieron bajar inmediatamente después de Arnaut Mami, quien había ordenado a Morato Arráez no despegara los bultos de los gitanos, de modo que al frente iba el amo, llevando en la mano la espada de María, seguido por los cuatro cautivos, y tras ellos dos mozos de mar cargando los bultos granadinos.

La cadena hacía un ruidero a su paso, primero contra los tablones del muelle, desde el momento que traspusieron la puerta de la ciudad contra el empedrado de las calles. Por no sonarla al dar cada paso, Baltazar-Ozmín había alzado parte de ella, y lo imitaron Andrés y Carlos. María se había cubierto la cara con un velo para que fuera menor su humillación y no veía nada sino ese deseo que le había nacido al tener a la vista Argel y que le emponzoñaría su estancia en la ciudad: su «¡Quiero salir de aquí!» que la envolvía como una nube de pequeñas alimañas, no dejándole un momento de reposo, picándola y cegándola.

Caminando entre el vocerío de la multitud, Morato Arráez les hizo saber en árabe cuál sería su inmediato destino. Habló en voz muy queda, y sólo Baltazar-Ozmín lo alcanzó a oír y lo comprendió: los tres varones serían llevados a vivir a lo que los argelinos llaman baños, donde medio tratan bien a los cautivos, medio los matan de hambre mientras los hacen esperar por sus rescates, regalándoles ocio y horas libres que los cautivos pasan desesperándose o haciendo pruebas de saltar con las cadenas, por entretener el tiempo. María sería conducida a uno de los palacios de Arnaut Mami, donde guardaba a sus mejores cautivas, al sur de la ciudad, en el barrio de Agha, que está formado por fastuosas villas. Lo inmediato era pasar por los formulismos necesarios para dejar a los cuatro cautivos anotados de manera legal como propiedad de Arnaut Mami —por esto venían pisándole los talones, pues él debía estar presente—, de modo que si le viniera en gana venderlos pudiera hacerlo sin enfrentar algún impedimento. Esto no lo tradujo a sus compañeros de cadena, pero sí les repitió en voz más alta y en castellano cuando Morato Arráez les dijo los nombres con que serían anotados: «Tú, María, desde ahora te llamas Zoraida, nos es detestable el nombre cristiano. Ustedes dos, Andrés y Carlos, se quedan con los suyos, para que a nadie le quepa duda de que son cristianos. Y a mí, Baltazar...»

Aquí Ozmín-Baltazar saltó, dejando su labor de intérprete, apenas comprendió lo que sus oídos habían escuchado y lo que sus labios acababan de decir, e interpeló a Morato Arráez, quien hablaba perfecto varias lenguas:

—Un momento. Debes llamarme Ozmín, porque soy un renegado, y renegado quedo así sea esclavo.

—¿No que mucho árabe, y que sabes ponerlo en cristiano? —le contestó el Morato Arráez.

—Lo comprendo al dedillo, pero lo hablo con los pies.

—Pues ahora te pones a practicarlo, porque ya discutirás tu asunto con el cadí, que por mí cristiano te quedas, qué más me da.

Al llegar frente al cadí dicho, hubieron de esperar. Arnaut Mami firmó no sé cuál documento y salió por piernas, dejándolos entre una nube humana. Carlos y Andrés no asimilaban lo que desfilaba frente a sus ojos, no había penetrado en ellos la riqueza y primura de esas calles y edificios, ni tampoco la variada abundancia del puerto, ni menos aún lo que Baltazar-Ozmín les había dicho en la galera. En cuanto a María, observaba, pero no atinaba a mirar lo que podía hacerla arribar a Argel. Pasó casi todo el tiempo de su espera rabiando su «Quiero irme de aquí», hasta cuando ya les tocaba su turno; entonces, en lugar de atender a lo propio, se puso a observar la siguiente escena:

33. Dice María la historia del cadí a su llegada a Argel

—Una mujer se había llegado al cadí, que es la palabra que ellos tienen para nombrar a sus jueces. La mujer, sin hablar ni decir ni una palabra, tomó su zapato y lo puso frente a él con la suela para arriba.

»El cadí entendió de qué le hablaba, y lo más que alcancé a comprender fue una aprobación general. Todos los que esperaban y los testigos ahí asentados y los curiosos hicieron saber con gestos y palabras que estaban de acuerdo. Tardé no mucho en saber que lo que ahí se decidía era deshacer su matrimonio y que el argumento que ella echaba al tirar así el zapato es que su marido la usaba por el revés, como si no fuera hembra sino varón, y valió como argumento para hacerla soltera.

Fin del decir de María.

Baltazar-Ozmín peleaba su nombre con el cadí, quería decirle: «Debe dejar anotado que mi nombre es Ozmín, que aunque nací cristiano, soy un renegado sincero; que hace ya cuatro años dejé tierras vaticanas y abandoné esas ropas y costumbres, y el mismo tiempo llevo a bordo de la nave mía, que ahora ya no es mía sino de Arnaut Mami, porque la perdí a buena ley...»

El árabe de Ozmín no decía precisamente lo que él le ponía en los labios, de modo que el cadí oía decir:

—Ozmín me llaman cristiano sincero renegado cuatro años vaticanas tierras ropas árabes. Tendré una galera Arnaut Mami.

Y el cadí respondía escribiendo el nombre «Baltazar» en el documento, pensando que ese cautivo estaba mal de la cabeza, y a la hora de leerlo en voz alta, volvía a ladrar Ozmín-Baltazar creyendo decir: «Escriba que mi nombre es Ozmín, que no soy Baltazar, que soy un renegado sincero hace tres», y hacía señas con los dedos, «tres años», todo lo decía agitándose, enfático, dando vivas muestras de desesperación.

Pero de nueva cuenta sus labios le jugaban un truco, y lo que el cadí oía en su mal árabe era:

—Ozmín soy Baltazar, un renegado tres veces, tres años tres veces…

Y el cadí, al oír lo de tres veces y recordar la historia de Pedro y su profeta, consultó con Morato Arráez en voz baja si no era mejor llamarlo «Pedro», y «Pedro» anotó en el documento, y a la hora de leérselo a Ozmín-Baltazar, éste volvió a ladrar, ahora con verdadera furia, arguyéndole en su árabe traicionero que él no podía llamarse «Pedro», que el nombre le era repugnante, que él quería llamarse en árabe, y que entre todos los nombres árabes el que elegía era Ozmín, y el cadí quedó sin entenderle ni un pío, y le pedía de nueva cuenta explicación que Ozmín-Baltazar se esmeraba en darle, porque él entendía que era imprescindible se supiera desde el primer momento que no era un cristiano deleznable, sino otro hombre entre los suyos.

Sonó la hora de entonar las plegarias y, antes que nadie, Ozmín pegó la frente al piso e imploró con fervor a Alá. Esto quedó muy visto por el cadí, que en cambio notó cómo María, Andrés y Carlos quedaban de pie. Cuando terminó la oración, Ozmín saltó del piso el primero otra vez y bramó ante el cadí:

—Yo soy Ozmín, profeso culto a Alá.

Y aquí los labios le fueron fieles, y el cadí comprendió, y Baltazar-Ozmín ganó la batalla de su nombre. Quedó anotado:

«Propiedad: Arnaut Mami.

Religión: la de Alá.

Nombre: Ozmín.»

Y así abiertas para éste las puertas de la buena suerte en Argel. El cadí discutió con Morato Arráez la ubicación de Ozmín. No era conveniente lo albergaran con los cristianos en el baño previsto, mejor llevarlo a otro donde la ciudad consigue la mano de obra para engrandecerse y levantar sus construcciones.

Cumpliéndose lo anunciado a su llegada, María no tuvo cadenas, ni tampoco quedó encerrada en palacio. Y decir que no tuvo cadenas es quedarse corto, porque Arnaut Mami la dejó, y más, la alentó a vagar por Argel a sus completas anchas, cantando y bailando a cambio de monedas, para que la ciudad se hiciera lenguas de la belleza y gracias de su nueva cautiva. Lo que no es muy apropiado es lo de llamar al sitio un palacio, porque aunque fuera verdad pura que el edificio era hermoso, las cautivas vivían hacinadas en uno de los patios, y la que no tenía con qué pagarlo no recibía trato digno, de modo que a simple vista ese grupo compacto de mujeres cristianas caídas ahí en desgracia parecía más un ganado, y el patio un corral cualquiera. La conformación del dicho no duraba mucho, variando continuamente: Morato Arráez sabía vender esclavas, apenas encontraba un buen momento en el mercado seleccionaba aquellas de las que hubiera mayor demanda, y por su parte Arnaut Mami, aunque de vez en vez, hacía traer algunas para entregar esclavas de regalo, buscando quedar bien con este o aquel importante. Aquí también el ojo de Morato Arráez hacía la diferencia, porque oyendo a quién iban a ir a dar las esclavas demandadas, hacía rápidas averiguaciones de sus gustos y maneras, y las elegía al completo agrado del nuevo dueño, se las acicalaba y vestía magníficamente, de modo que las cautivas de Arnaut Mami tenían fama de ser espléndidas, y nadie decía en la ciudad lo que aquí se ha dicho del corral.

Cuando María llegó, el patio estaba repleto y las cautivas en estado poco grato. Mal comidas, mal vestidas, mal cubiertas del sol que en esos días pegaba sin clemencia. De inmediato supo que si quería dejar la vida de perro, sólo podía hacerlo pagando con monedas su estancia. No estaba dispuesta a perder sus dos buenas monedas tan fácilmente, así que allí quedó, como una recua al aire libre, y ahí permaneció, aunque con el tiempo sus monedas aumentaran.

Como había llegado el mal tiempo mediterráneo, Arnaut Mami esperaba en Argel a que llegara el bueno para reiniciar sus expediciones corsarias. Su vanidad se hinchaba con María, gozaba mostrando esta propiedad entre sus amigos, presumiendo ufano de un bien que era muy suyo.

34. Agí Morato, el amigo de Arnaut

Arnaut tenía un amigo muy cercano que se llamaba Agí Morato y era un moro muy rico, quien se hizo más amigo todavía de los bailes de María. Agí Morato tenía una hija, llamada legítimamente y como único nombre Zoraida, como habían renombrado a María. Zoraida era muy especial. Su mamá había muerto dándola a luz. El padre la adoraba, pero fuera de él no había quien la quisiera de veras, así fuera más hermosa que un sol, porque algo había en Zoraida extraño, se diría que hasta desagradable.

Zoraida tenía una pasión secreta. Se la confesó a María la bailaora una tarde que los hombres se enfrascaron en su diálogo, en uno de sus muy hermosos jardines. María había terminado uno de sus bailes. Agí y Arnaut discutían acerca de unos turcos que entraron a otro de los cármenes a robar fruta que todavía no estaba madura. Los moros de Argel detestan a los turcos, los más de éstos soldados sin rango que, sin llegar a los actos detestables de sus pares cristianos en la Andalucía, cometen groseros atropellos, confiados del poder que su nación otomana les confiere en todos los territorios del norte de África.

Mientras los dos hombres, Arnaut y Agí Morato, parlaban sobre el asunto turco, las dos Zoraidas —la del nombre impuesto y la así llamada desde el nacimiento— comían unos deliciosos dulces que hacen los moros con almendras, huevos y azúcar. A su vera, Andrés y Carlos comían también: Carlos tomando de a tres en tres y metiéndoselos a velocidad prodigiosa por la boca; Andrés, en cambio, había perdido casi por completo el apetito, chupeteaba el mismo desde que se habían sentado, y no veía la hora de dejar el lugar, detestaba estas pausas entre canciones. Lo hacían sentir peor que nunca. Atrapado en la espera, no podía caminar, distraerse ni despegar los ojos de su detestable amada María.

Zoraida, la hija de Agí Morato, ignorando a Andrés y a Carlos como si no existieran, y sabiendo que su padre no le ponía ninguna atención, le dijo en voz queda a María:

—Tengo un secreto que confiarte. ¿Puedes guardarlo?

—Dicen que para eso somos buenos los gitanos. Puedes confiarles el secreto que quieras, que los suyos serán lápidas antes que labios.

—Es un secreto que si lo cuentas me cortan el cuello.

—Dímelo —dijo María, sólo por decir, sin demasiada insistencia, algo aburrida, también ella impaciente como Andrés por salir a buscar monedas, que sus días argelinos le habían abierto la codicia.

—¿Te lo digo?

«¡Qué fastidio de chica!», pensó para sí María, pero se guardó su comentario y la vio con esa cara que había aprendido a poner en Argel, que se leía como «soy la más linda de todas, la más buena y aquí estoy para servirle a usted».

Andrés detestaba esa cara, así que cuando María la puso, Andrés casi escupe el pequeño bocado que andaba vagando de un lado al otro de su boca.

—¡María! —le dijo.

—¿Quéeeee? —le contestó María, con expresión zalamera, como la de su cara.

—¡Que ahí la pusiste otra vez! ¡Quítatela! ¡Te ves espantosa!

—María nunca je ve espantoja —dijo Carlos, hablando muy malamente por no tener lugar más que para dulces en la lengua.

Zoraida la mora se levantó y jaló a la otra Zoraida, nuestra María, hacia un rincón. La interrupción de los jovencitos la había puesto nerviosa, ¿qué tal que la oían, ahora que iba a confiar su gran secreto?

Ya en el rincón, dijo a María rápidamente y de sopetón:

—De niña tuve una nana cristiana, que se ocupó de mí cuando murió mi mamá. Ella me enseñó a adorar a la Virgen María, la nana Moraita. Ésa es mi pasión.

«¡Joder! —pensó para sí María—, ¡pero sí que es fastidiosa esta niña! ¡Salir con ésta!» Todas las del convento, criadas, esclavas, monjas, hermanas, todas decían profesarle esta pasión a la Virgen. Le contestó:

—No tienes de qué preocuparte, que en Granada eso es lo más normal. Yo viví en un lugar que se llama convento, donde todas las que hay ahí adoran a la Virgen y no lo toman por secreto.

María la bailaora dejó a Zoraida cavilando en su rincón y fue por sus dos amigos para reiniciar el baile que nadie les había solicitado. Con él quería dar por concluida su visita y correr hacia donde alguien le rellenara de monedas el bolsillo.

Fin del pasaje en casa de Agí Morato.

35. Malas lenguas

Recién llegados, María prestaba oídos a todo y a todos. Su buena disposición le trajo dos amigos invaluables que aparecerán adelante, pero cuando oyó la historia que sigue aquí inmediato, la hirió de tal manera que cerró sus oídos, guardó los que ya tenía, y no quiso oír «nada, nadita, nadísima, que no estoy yo en Argel para oír sino para bailar y cantar, que para eso me hicieron a mí y no soy un burro de orejas»:

36. Donde se describe la isla de los galeotes

Un día que María caminaba por las calles de Argel, un hombre con un enorme turbante color naranja la atajó, diciéndole en perfecto castellano: «Conque tú eres la que buscas a tu padre, que dicen está en las galeras. Yo sé dónde llevarte a buscarlo y doy casi por hecho que deberá estar ahí, si es gitano y fuerte y listo, como se dice. Hay una isla no muy lejos, donde han encontrado refugio miles de galeotes escapados, huidos, los que han sobrevivido a un naufragio, los que pudieron limar las cadenas y dejar de bailar al son del látigo del cómitre, los que escaparon del incendio, el que rompió en silencio y con perseverante paciencia el banco que lo sostenía, el que sobornó al socómitre, los que en la desesperación asesinaron al cómitre y al capitán. Viven juntos y, temiendo la justicia, no se atreven a salir a ciudad conocida. Viven en esa isla más que por el miedo a ser encontrados y vueltos a levantar para el remo, porque han hecho costumbre su infierno. Un infierno que no tiene su parte más abominable —el horror del remo, la vida atada a una cadena—, pero en el que continúan hacinados hombres con hombres, sin formas, ropas, costumbres, y sin mujeres. Ninguno quiere ser rescatado y no hay a quién pagarle rescate por ellos. Veneran como dios a unos animales repugnantes que pescan sin mayor esfuerzo. Celebran para estos bichos extrañas ceremonias que quieren hacer semejar misas y luego se los comen, sin guisarlos ni hacerlos pasar por el fuego.

Dicen que se han hecho de oro en cantidades grandes, pero no quieren ni gastarlo ni contarlo. No visten ropas y no parece importarles enseñar sus vergüenzas. Como en la galera, se quedan sentados donde mismo hacen sus necesidades, su isla hiede peor que las de los pájaros.

¿Quieres que te lleve a ellos? Yo te llevo, bailaora, y ahí buscas tú a tu padre. Me dices si quieres».

Fin de la breve descripción de la isla de los galeotes.

37. De la historia de Nicolás de Nicolaï, el aventurero de sangre

Nicolás de Nicolaï, señor de Arfevile, era uno de los dos amigos de María. Este francés, aventurero de sangre, quien acababa de publicar cuatro volúmenes sobre sus navegaciones, que por motivos no comprendidos ni por él mismo habían enfurecido a un poderoso. Para salvar el pellejo y su honra, había corrido a refugiarse en Argel. ¿Qué mejor lugar? Argel ocupaba un número importante de las páginas de sus libros de navegaciones. Nicolás de Nicolaï, que cargaba siempre consigo papel y tinta, copiando figuras de los argelinos.

No soportaba la idea de ser un fugitivo y, queriendo verse a sí mismo como el impertérrito aventurero que sí había sido y quería seguir siendo, volvía a trazar los mismos dibujos que ya había publicado, y —más de notar— escribía de nueva cuenta las frases que circulaban impresas en su tierra. Como si no las supiera de memoria, las volvía a anotar, pensando cada una como si viniera fresca de allá de donde vienen las frases, donde habitan en el Cielo de la Lengua. De la misma manera, al dibujar repetía los trazos de la mujer mora argelina caminando por las calles, o vestida para andar dentro de su casa, la esclava morisca, etcétera.

En las noches, soñaba con volver a su país, recoger los honores que creía merecer, habitar su hermoso castillo, verse rodeado de gente que respetara, o mejor, adorara sus escritos. Parodiando los sueños de mala manera, pasaba la vigilia repitiéndose a sí mismo y haciendo como de cuenta que no lo estaba haciendo.

A la misma María la bailaora, el tal Nicolás de Nicolaï la miraba como cosa ya vista.

Por esto tal vez a María le gustaba estar con él, porque no la obligaba. Se sentaba a su lado largas horas, los dos se procuraban, y el estar como que no estaban juntos les traía a los dos mucho gusto. A su manera, así los dos volvían a casa.

Nicolás de Nicolaï, que, como se dijo, siempre traía la pluma y la tinta, dibujaba muy bellamente. María, desde muy niña, ha gustado de pintar y hacer dibujos. Al lado de Nicolás de Nicolaï aprende muchas cosas de este oficio, con tan agudo entendimiento que en poco tiempo Nicolás de Nicolaï le permite intervenir en sus propias hechuras. Si una carilla sonriente requería de un ligero retoque para parecer en verdad alegre, tal como andaba en aquellos libros impresos, Nicolás de Nicolaï lo dejaba hacer a María. Como María bailaba todos los atardeceres, pero nunca antes del mediodía ni al comenzar la tarde, buscando la envoliera esa luz arropadora que amortaja al sol todos los días, proveyéndolo de una cuna de sueños, el silencio que los envolvía a los dos en las horas muertas de la mañana, en unos meses dio sus frutos en María.

Siguió ayudando a su involuntario maestro, pero comenzó a inventar sus propias imágenes.

A María no le gustaba copiar lo que la rodeaba. Le gustaba encontrar, como ella dice, los «espíritus». Pintaba graciosas figurillas con apariencia semihumana que provocaban en quien las viera una mezcla de risa y de inquietud. Eran grotescas, eran graciosas, eran a veces crueles. Eran un parecer, eran una burla y eran como suspiros. María figuraba en ellas lo que no la rodeaba.

A su lado, Nicolás de Nicolaï repetía lo que recordaba haber visto en su primer viaje a Argel. Jamás cambiaba siquiera la posición de sus modelos. Ya no requería que viniera esta persona o aquella a posarle; la africana con largas togas, los cabellos muy arreglados, joyas elegantísimas, viéndose muy honorable; la virgen árabe, el cabello suelto, las arracadas gigantescas, la falda plisada bajo el manto; dos muchachos subidos en un camello, ambos con plumas en sus sombreros, los dos cargando su arco, el camello con sendos baúles a sus dos lados, escrito al pie: *Bini mauri camelo, quem dromada nimonat quitantes... Ques Maurus in Algeriano regno* (no le fallaba nunca la memoria); un jinete de Argel, piernas y torso desnudo, falda corta, flechas tan largas que casi parecen lanzas y no requieren arco, el turbante de buen tamaño, hermosas plumas al frente; un mauritano con un turbante algo más grande, y un noble de Barbaria, con otro que más grande no fuera posible, llevando un manto de tela finísima sobre la túnica lisa.

Mientras eso hacía Nicolás de Nicolaï, María la bailaora pintaba sus *espíritus* con cuidado y gracia, llenando el papel de extrañas, jamás oídas músicas.

Fin de la historia del tal Nicolás de Nicolaï, el prófugo francés.

38. El poeta andalusí

La vida del cautivo marca a la persona, pero no con un molde siempre igual, porque ni es metal el cautiverio, ni los hombres y las mujeres son hechos del mismo duro pino catalán. Ésa fue la marca que dejó en María: aprendió a mirar con mayor confianza sus fantasías, y con frialdad y desconfianza a su inmediato entorno.

María tiene un admirador, un poeta, que la regala con recados que le entrega doblados, conteniendo de vez en vez, además de versos, alguna moneda. Es un viejo delgado, de abundante melena, la barbilla especialmente larga, los ojos un poco saltones y algo ciegos, los brazos y las piernas excepcionalmente largos para su persona. Su nombre es Ibn al-Qaysi al-Basti, goza de un gran respeto como poeta; le ha dado por escribir versos para María. Que si María estornuda, Ibn al-Qaysi al-Basti lo escribe. Que si María duerme hasta bien entrada la mañana, Ibn al-Qaysi al-Basti lo pone en verso. Que si el cabello de María al bailar forma un gracioso cuernillo cercano a la frente, ¡Ibn al-Qaysi al-Basti lo elogia! Si el calzado de María pierde un lazo, ¡va un poema de Ibn al-Qaysi al-Basti, que no se cansa de cantarla! Es un pobretón, como buen poeta, pero cuanto pasó por sus manos esos meses fue a dar a los bolsillos de María, las monedas a su arcón, los versos a sus cantos. Porque insensible María los alteró, magullándolos aquí y allá para que cupieran en sus canciones. Atropelló las bellas palabras de Ibn al-Qaysi al-Basti, sin comprender el valor de quien le escribía, el último gran poeta andalusí, para que sentaran mejor a sus bailes y canciones.

María, digo, desfiguró los versos de Ibn al-Qaysi. Los hizo extenderse para que los tacones sonoros que había hecho poner a sus zapatos pudieran golpear el suelo con mayor júbilo, como dos pequeños tambores.

Andrés, de tanto estar mal de amor y sufrir las humillaciones de su prenda, también se volvió poeta, si puede dársele la misma palabra al aprendiz que al maestro. Y cantaba:

Marinero soy de amor,
y en su piélago profundo
navego sin esperanza
de llegar a puerto alguno.
Siguiendo voy a una estrella
que desde lejos descubro,
más bella y resplandeciente
que cuantas vio Palinuro.
Yo no sé adónde me guía,
y así, navego confuso,
el alma a mirarla atenta,
cuidadosa y con descuido.

Pero María, igual que era insensible a los versos del consumado, lo era a los del joven que hacía pinitos. En este caso porque Andrés ya la traía hasta la coronilla. El muchacho no había sabido contenerse, le había declarado su amor, y por este error María lo encontraba bobo, aburrido, a ratos detestable.

El trío que salió de Granada no era el mismo que cantaba a cambio de monedas en Argel. No había ahí ni la frescura, ni la alegría, ni su continua, candorosa sorpresa, ni el clima que se había creado entre ellos, de joven amor y un poquitín de riesgo. Como trío, Argel no les sentaba bien. La ciudad los des-*trió*. A los ojos de sus espectadores eran un grupo perfectamente bien acoplado, la música, la voz, el baile, pero entre ellos se había abierto la distancia, el recelo, el desagrado, y los celos y la humillación diaria de Andrés los incitaban a separarse más cada día.

Los cautivos de Argel, o salen a trabajar todos los días —para bien y provecho de la ciudad, que como he dicho es de gran hermosura, en parte debido a tanto que le han hecho ahí construir a costa de las manos del esclavo robado en el mar nuestro o en nuestras costas— picando piedra, levantando muros, aderezando sus hermosas construcciones, o se guardan en esos lugares que los moros llaman *baños*, mientras los hacen esperar por sus rescates, regalándoles ocio y horas libres, que los cautivos pasan desesperándose o «haciendo pruebas de saltar con las cadenas, por entretener el tiempo». Como ya se dijo, María no tuvo cadenas, ni tampoco quedó encerrada. Arnaut la dejó salir, y bailando y cantando María llenó arcones de miles de cianíes, que así llaman en Argel a unas monedas de oro bajo, cada una vale diez reales de los de España. En sólo un día, hubo una vez que un turco le dio más de cincuenta escudos en monedas de plata y oro, de mucho mayor valor que los dichos cianíes.

Como no podía guardar su arcón con monedas en el patio de recuas que habitaba, Andrés se encargaba de ponerla a buen resguardo y no encontró mejor que encomendárselo a Baltazar, quien para este entonces comandaba una cuadrilla de albañiles, iba y venía encargándose de reparaciones y mejoras en los palacios de los principales. No perdía un segundo, haciéndose de relaciones iba comprando su pronta libertad. Soñaba con hacerse a la mar y enrolarse donde le garantizaran el nombre Ozmín para siempre.

La ciudad disfrutaba de María. Los cristianos que había en ella porque reconocían fragmentos de sus cantos, y al oírla cantar se imaginaban vueltos a sus casas. Los moros, porque María acostumbraba, desde su estancia en casa de Yusuf, hacer zalemas a uso de moros en señal de agradecimiento, inclinando la cabeza, doblando el cuerpo y poniendo los brazos sobre el pecho, y esto sin considerar que también reconocían estas y aquellas otras partes de sus canciones, porque además la mitad las decía en esa lengua que se habla en toda la Berbería e incluso en Constantinopla entre cautivos y moros, que mucho tiene de castellana, mucho de alárabe y mucho también de todas las naciones, que es una mezcla de todas con las que la gente ahí se entiende. Aunque había aprendido un poco el alárabe, no lo cantaba puro nunca, sentía que se le atoraba en la boca, que no iba con su música si no era mezclado en esa lengua bastarda que he descrito. María era ducha más que un poco en lo del árabe, sobre todo en lo que toca a entenderlo, que lo decía muy malamente, pero al oírlo no se le escapaba una palabra. Y a escribir, cuando aprendió a escribir, aprendió varias palabras. La primera fue Alá, por cierto, para saciar una curiosidad que no se le quitaba desde aquel día del recado que recibió en el convento, queriendo aprender a escribir y comprender esa palabra en toda lengua.

Moros y cristianos amaban los romances de María. Después que Carlos, inspirado por el miedo, tuvo en el barco corsario la ocurrencia de cantar uno, y viendo que al contar la historia había tenido suerte —así le temblara la voz, del miedo de que ahí mismo les cortaran a los tres el cuello, que los corsarios berberiscos tienen mucha fama de crueles—, a María le dio por hacer sus romances. Los improvisaba, haciendo referencias a lo que se le presentara enfrente. Los medio cantaba, medio palmeaba, medio bailaba y mucho los platicaba, narrando las desventuras de todos los miserables que padecían pesares diversos en Argel.

Uno de los más aplaudidos romances de María era el de «Las pulgas». En él narraba en primera persona, como en todos sus romances, la historia de un pobre cautivo que se enferma de modorra —algunos la dicen tifus, y otros la identifican como más espiritual que del cuerpo—. Contaba la historia llenándola de otros sonidos que no eran palabras, repitiendo sílabas, palmeando, golpeando el piso, añadiendo sonidos a los verbos. Era algo de ver, que arrancaba gusto y lágrimas a un tiempo. Además de estos ruidos, había otra cosa, la ya dicha lengua mezclada. Ahorrados taconeos, palmadas y ruidos, que no se pueden poner en letras; traducido al castellano esa manera de lenguaje, eso que María cantaba con el nombre de «Las pulgas», decía algo así:

A cada día una docena,
doce muertos que sacar de mi galera.
Llegó noviembre,
y una noche los dos que dormían encadenados a mi lado
murieron por la misma visita de la muerte,

dos se llevó de mi banca,
mis dos compañeros, mis amigos,
y si no cargó conmigo
fue porque de tanta modorrera
contagiada estaba también la Muerte.
¡Todo tenía modorra en mi galera!
No me llevó porque ella misma estaba enferma.

A la mañana siguiente,
cuando llegaron los guardias a sacar los muertos,
yo golpeaba con mis mayores fuerzas mis cadenas
para que se dieran cuenta de que
yo no estaba muerto, no.
Y ya curado de modorra casi muero
porque no podría dormir,
no que me faltara el sueño,
sino que después de cuatro meses de portar la misma camisa
las pulgas me estaban comiendo.
¡Ay! que me picaban aquí y allí,
¡ay!, fuera la camisa, ¡ay!...

Llegó el momento en que el arcón de María que guardaba Ozmín tuvo lo suficiente para pagar su rescate, el viaje, el matalotaje y dejarles algo guardado para establecerse en Nápoles. Ozmín para entonces ya había guardado su precio y lo único que pidió a María a cambio de haber sido su tesorero fue que lo incluyera en las negociaciones con Arnaut Mami. No fueron fáciles, y hubieran sido imposibles, sólo Ozmín hubiera conseguido su libertad si no fuera porque el corsario estaba estos días infatuado con un joven hermoso que le sorbía toda atención, a quien sus ojos veían ahora como el único bien habible. Aceptó vender a los tres esclavos, regresó a María su espada y bultos y, apenas vieron un momento propicio para la navegación, los tres gitanos zarparon, por más que Ozmín hizo cuanto pudo para convencerlos de que para su bien debían permanecer en Argel, hacer de la ciudad su guarida y fuerza.

Fin de la estancia de María en Argel.

39. Donde se da noticia de lo que le aconteció a Zaida después de abandonar herida Galera

Zaida está marcada. Batalla que emprende es derrota para los moriscos. Es una espléndida guerrera, ¿por qué no hay para ella una victoria? Si dirige, si es comandada, si llega en el último momento a brindar refuerzos, su bando pierde. Pierde, y mira la derrota, la humillación, el dolor de ver morir a los que son suyos, padece la afrenta, la exasperación, la impotencia, porque ella siempre sobrevive de manera casi milagrosa. Ni muere, ni es hecha esclava. «¿Por qué? —se pregunta Zaida a sí misma—, ¿por qué, oh Alá, me castigas de esta manera? He visto morir uno tras otro a los míos, he visto caer a mis amigos, he visto nuestras ciudades demolidas, y yo siempre salgo airosa, completa, con raspones o pequeñas heridas. Vivo, pero soy un fantasma, puesto que a mí nadie puede herirme. No soporto mi olor: yo hiedo a muerto». ¿Cuántos de los moriscos hechos esclavos se preguntan lo mismo? «¿Por qué yo?, ¿por qué no sobrevivió mi padre, mi madre, mi hijo, mi hermana? ¿Por qué yo?» Los sobrevivientes se sienten culpables, su fortuna es su desventura. «¿Por qué yo y no los otros?» Sobreviven para saberse esclavos, vencidos, cautivos, hurtados de su tierra, su patria, la vida de los suyos.

Zaida no tiene padre, ni amigas, ni hermanos vivos. Su casa en Granada ha sido ocupada por un duque, quién sabe quién. Los bienes completos de su padre incautados. Nadie de sus más cercanos ha sobrevivido. Zelda, su abuela, y Yasmina, su madre, están muertas, y Halima su tía ha desaparecido, tal vez también falleció, quién sabrá de qué manera. Queda Farag, cierto, pero ha reñido con él de tal manera que no quiere volver a verlo. Sabe de Marisol y Leyhla y tampoco quiere verlas, desprecia su cobarde abandono.

Zaida no tiene nada, sino a sí misma. Es joven, sigue siendo hermosa, su corazón palpita, su cabeza piensa, pero ha perdido todo espacio en la tierra, toda su gente, su comunidad completa. Zaida no se ha desvanecido, no se ha hecho menos. Se ha hecho de otra voluntad, pero no ha perdido energía, fuerza, deseo. Zaida necesita una venganza y no le importa un bledo nada sino saciarla a costa de lo que sea.

No puede vengarse de sus destructores y enemigos. El imperio del rey cristiano es imbatible. Cada día llegan más tropas pagadas por Felipe II. Ni la salida de don Juan de Austria los ha disminuido. Pero tiene blancos que bien puede rematar.

Zaida tiene memoria y su memoria funciona de manera impecable.

222

Pero en ella no se conserva la historia de la guerra de las Alpujarras como la conserva un libro. No se dice: que el levantamiento comenzó en el barrio donde ella vivía en la ciudad de Granada, en el Albaicín, al mismo tiempo que estallaba en la sierra de las Alpujarras. Que en el pueblo de Béznar se coronó rey de Granada y Andalucía a Fernando de Córdoba y Valor, llamado por los suyos desde ese día Aben Humeya. Que Farag reclutó al máximo número posible de granadinos, aunque menor que el prometido, que se convirtió en alguacil mayor del recién nuevo gobierno andaluz, pero que no lo fue por mucho tiempo. Que el tío de Aben Humeya, llamado El Zaguer, lo reemplazó, por lo que Farag hizo cuanto pudo para restaurar su vida en la paz, haciendo tratos con los odiosos cristianos.

Que esperaron en vano auxilio de Constantinopla y Argel, sólo obteniendo de esta última el envío de un paquete de forajidos, sacados de la cárcel para exportar sus pésimas costumbres a Granada.

Que la guerra civil corrió por toda Granada, Málaga, Almería y Murcia. Los cristianos comenzaron su gran ofensiva el 3 de febrero de 1569 en Orjiva, al mando del marqués de Mondéjar. Venció y se dirigió, enseñando su muy vil naturaleza, hacia Poqueira, que era el refugio que los moriscos habían elegido para guardar a las mujeres y los niños, ganando un inmenso botín de oro y un número importante de esclavas andaluzas. Su siguiente blanco fue Juviles, se dio el gusto de hacer degollar dos mil mujeres. Siguió a Paterna, venció, saqueó, tomó presas a la madre y las tres hermanas del rey Aben Humeya, y tomó un número importante de esclavas.

Que el marqués de Vélez atacó sucesivamente Almería, Baza y Guadix, donde resistió hasta morir la gente de Lorca, Caravaca, Mula y otras ciudades. Donde más resistencia encontró el marqués de Vélez fue a los pies de la sierra de Andarax. Los moriscos se replegaron a la sierra de Gador, y ahí, un siniestro 31 de enero, hubo la mayor sangría. Todos los moriscos combatían, e igual murieron niños, ancianos y mujeres.

Que aquí pudieron declararse vencedores los cristianos y restaurar la paz, pero engolosinados en su crueldad continuaron los robos, los asesinatos, las violaciones y una cantidad innumerable de incendios. El rey Aben Humeya reformaba su ejército, e informado de esto el inquisidor Deza optó por una medida que fuera lujo de violencia: hizo armar a los presos cristianos en Granada para que degollaran a medianoche, auxiliados por los custodios, a todos los moriscos que hubiera en la prisión de la Chancillería, ciento diez principales moriscos, que habían sido tomados como rehenes, quienes inútilmente se defendieron con palos y ladrillos que arrancaron en la desesperación a los techos y paredes.

La memoria de Zaida no dice: que el ejército de Aben Humeya atacó para responder la afrenta. En junio de 1569, Felipe II emitió una Real Cédula donde ordenaba: «Que todos los moriscos de Granada y sus barrios del Albaicín y la Alcazaba, desde la edad de diez años a la de sesenta, fuesen sacados del reino y llevados allende las fronteras de Andalucía».

Que cuando lo único que debían hacer ante esto los moriscos era cerrar filas y atacar sin tregua, Aben Humeya fue acusado por los suyos de traidor. Habían interceptado unas cartas donde negociaba con los cristianos la libertad de su familia, cautiva en Paterna. Lo acusaron de sólo pensar en su provecho personal, de hacer pactos bajo la mesa con los cristianos. Los moriscos perdían fuerzas acusándose los unos a los otros, mientras que los cristianos no cedían un ápice en su inclemente ataque. En octubre, Felipe II declaró la guerra para exterminar «con el hierro y el fuego a todos los enemigos de Dios y el rey».

Que Aben Humeya es asesinado y suplido por su primo Abdallah Ben Aboo, quien de inmediato se hizo presente en las fortalezas de Serón, Purchena, Jergal, Tíjola, Tahalí, entre otras.

Que los cristianos ganaron Güejar, y su siguiente objetivo fue Galera, a la que asediaron con doce mil hombres. En Galera fue donde vimos por primera vez a Zaida. Ahí los cristianos pasaron a cuchillo a tres mil moriscos, los más mujeres guerreras, sembraron de sal los campos y no dejaron piedra sobre piedra. Zaida no estuvo presente en el triunfo morisco en Serón, donde el ejército de Ben Aboo pudo vencer a los cristianos. Éstos hicieron entonces circular por las Alpujarras un documento falso, quesque de un morisco principal, donde pedía a su pueblo «la obediencia al rey de los cristianos en evitación de una total ruina», pero muy pocos mordieron el anzuelo. Quienes lo hicieron terminaron también vendidos como esclavos. Porque Felipe II encomendó al inquisidor Deza que todos los «moros de paz», esto es decir todos aquellos que no se habían sumado a las fuerzas bélicas de esta guerra civil, fueran expulsados de Granada y obligados a partir al interior de Castilla, pero como aún había enorme resistencia morisca en Adra, Verja, Ujíjar, Terque, parte de la sierra de Andarax y el río de Almería, llegaron a una negociación y no se hizo salir en ese momento sino a los entregados. Los esclavos iban siendo despachados fuera de Granada conforme eran vendidos o enviados a mercados, apenas vencidas sus villas. Para sacar a los

«moros de paz» durante seis meses se les hizo vivir horrores sin fi
vandalismos impronunciables. Fue por esto que el rey Ben Aboo
quiso firmar las capitulaciones.

Que como respuesta a su negativa, en septiembre de 1570, comenzó la
gran ofensiva contra las Alpujarras, al mando del comendador mayor
Recasens, una campaña inclemente. A su paso, el ejército cristiano iba
talando los bosques, incendiando los campos, destruyendo las casas, degollando a cuanto morisco encontrase en su camino. Los moriscos se
escondían como animales en las cuevas de la sierra, los cristianos les daban
a su vez trato de bestias, llenando las entradas de las cuevas de ramas verdes en fuego para que el que no muriera asfixiado se abrasara. Los que se
salvaban de dicha trampa o del cuchillo eran llevados a los mercados, vendidos como esclavos a precios cada vez más ridículos, que dejaban insatis-
fechos a los soldados, porque de ellos era el producto de las ventas.

Que el 1º de noviembre, Felipe II hizo valer la orden de sacar de Granada a todos los moriscos, ya fueran «de paz» o sublevados. Muchos
huyeron, bien fuera internándose en la sierra de las Alpujarras o cruzando el estrecho de Gibraltar. Los que no tuvieron la suerte de huir, si eran
de Granada o la Vega, del valle de Lecrín, de la sierra de Bentómiz, de la
Axarquía, hoya de Málaga, la serranía de Ronda o Marbella, fueron llevados a Extremadura y Galicia. A La Mancha, Toledo y el norte de Castilla si eran de Guadix, Baza y Río de Almanzora. A los de Almería y el
resto de la costa los hicieron mudar a Sevilla.

Pero no es eso lo que dice la memoria de Zaida. Ella guarda caras,
nombres, gestos, risas también, modos de hablar, vestidos, la forma de
una manga, el caer de un mechón de cabello. Tiene fija, como tallada en
piedra, esta o aquella anécdota. Recuerda: la muerte del valiente capitán
Zamar, muerto defendiendo a su hija de trece años, quien se había desvanecido de agotamiento en la vertiginosa huida. Lo hirieron en un muslo
de un arcabuzazo, lo hicieron cautivo y el conde Tendilla de Granada lo
condenó a morir atenaceado.

Recuerda: que el 17 de marzo de 1570, cuando entre los cristianos
corrió el aviso de que llegaría a comandar las tropas y con ricos refuerzos don Juan de Austria, los soldados se amotinaron, no obedecieron
una palabra más de los capitanes, y se abalanzaron contra los moriscos
como lobos, como leones, como fieras; asesinaron, violaron, obligando a
los más pacientes moriscos a tomar las armas para protegerse.

Recuerda: que antes de la guerra civil, cuando era una niña, en 1563,
vio sacar del patio de su casa a Luis Aboacel de Almuñécar, amigo de su

padre, que a las pocas semanas fue quemado en una hoguera por el brazo secular de los inquisidores, acusado de haber apostatado cuando residió unos años en el África.

Recuerda: si florecieron cientos de mercaderes de esclavos para traficar moriscos, españoles en su mayoría (no así en Sevilla, donde los hubo portugueses, flamencos, genoveses, florentinos e ingleses), andaluces, granadinos, sevillanos, malagueños, todos ellos cristianos viejos, la mayoría vivía en la ciudad baja, en torno a la plaza Bibarrambla, en el centro cristiano, Zaida recuerda de ellos a Pedro Ramírez (los mercaderes estaban llenos de Pedros y ninguno con lágrimas: Zaida no recuerda a Pedro de Herrera, el que compró una esclava «más ate que membrillo» venida del norte de África, de veinte años, hermosa como no se ha visto ninguna, en 130 ducados, y la vendió al arrendador de una mancebía una semana después en 20 ducados más, luego de haberla usado a todo placer y prestado a sus criados y no sé si hasta a sus perros; no recuerda a Pedro Hernández de Palma, el que compró una esclava morisca en 32 ducados, la usó también a su gusto y la vendió al arrendador de mujeres en 50). Zaida recuerda a Pedro Ramírez no sólo porque fue el que más moros vendió (41 personas, su última transacción en 1571 fueron 25 moriscas y 13 moriscos entre seis y sesenta años), sino porque cuando los precios se habían desplomado por haber demasiada mercadería, y acostumbraba aceptar el pago en especies, vendió a una prima suya, Zoraida —una niña de trece años que por su propia voluntad, del miedo que ella llamaba fe, recién se había bautizado—; aceptó a cambio 60 arrobas de vino blanco, un paño traído de Figueras, 21 ducados y un real, y esto no puede perdonársele, que con Zoraida hicieron lo que con las pocas monedas, el vino y el paño, a saber: usarla sin poner cuidado, paladearla empinándola y desgarrarla de tanto darle uso.

Recuerda y procede a la ejecución. Si alguien lleva la lista de los que ella va ejecutando, anotaría: al huésped que cobraba cuando los moriscos principales quedaron presos junto al castillo de Bibataubín; al que alquilaba una mesa y unos bancos para la subasta de esclavos en Sevilla, que escondía tener madre morisca; a un capitán cristiano de la compañía que ofreció una limosna a la Virgen, ocho ducados a nuestra señora de la Victoria, en agradecimiento por los esclavos capturados; al cura que aceptó la limosna; a los arrieros involucrados en la venta de esclavos moriscos en las inmediaciones de Granada; a los que proveyeron para los esclavos comida y aposento y prisión. No queda ni uno vivo, ni los guardas, ni los escribanos o pregoneros, y cuanto teniente cristiano encontró fue

226

degollado. En cuanto a los compradores de Antequera, Jerez de la Frontera, Córdoba y Sevilla, Málaga, Cabra, Puente don Gonzalo, Úbeda y Morón, no queda tampoco vivo ninguno. Si alguno se escapó fue porque no ingresó a la memoria de Zaida.

Ella ha aprendido a guardar la parte porque el todo le es indigerible; con la parte ha hecho un escudo y del dicho escudo su fortaleza. Zaida brama, ruge, es la reina de su doliente selva interior. Gobierna. Tiene odio. Quiere vengarse. Perdió a Yasmina, perdió a Yusuf, perdió a Zelda, perdió a sus amigas, perdió su casa. Perdió a Farag, aunque éste no haya muerto. Ha llegado a Barcelona, llenándose de informes. Recupera algunos bienes de Yusuf, su padre, se arma de una comitiva como mujer principal, deja sus ropas moriscas y porta las detestables cristianas para poder viajar sin ser desvalijada en la primera. En Barcelona, bien avituallada, vestida ricamente como una princesa, se embarca, y arriba sin mayores contratiempos a Nápoles. La mar le fue propicia a pesar de la temporada otoñal. Y nunca ha sido más seguro el Mediterráneo. Todas las naves infieles están enfrascadas en la gran batalla, todos sus hombres reclutados, hasta el más pequeño entre los piratas. Es octubre del año 1571.

Zaida trae muy bien puestos en su cabeza quiénes serán los siguientes blancos en los que pueda descargar su odio y saciar su deseo de venganza. Busca aliados también, va tras los moriscos que han quedado dispersos por Europa. Su destino final será Constantinopla. Se hará recibir por el traidor Selim II, ahí sí vestida como una morisca, y lo asesinará dando a cambio su vida. Ella será la bomba que lo demuela. Así lo piensa: «Estallaré y me lo pelo». No sabe de Amalda de Rocas, la esclava que a la caída de Nicosia voló la galera turca que la llevaba a vender, pero si Zaida lo supiera pensaría en su flaco ejemplo.

Zaida no es la única transformación entre los moriscos. De ser una joven hermosa esperando los dones de la vida, se ha convertido en una saeta, en una venganza a medias viva. Aquí se cuenta otra metamorfosis morisca de muy diferente índole:

40. La historia de los cien moriscas entre las mil cien cautivas de Jubiles, y de la venganza cristiana por haber cambiado ropas

Por la guerra de las Alpujarras, los moriscos se vieron muy a su pesar y muy a menudo convertidos o transformados en seres ajenos a su naturaleza afable y trabajadora. En Jubiles, cuando habían sido ya vencidos los rebeldes moriscos, rendidos trescientos hombres y mil cien mujeres, ocurrió que un soldado cristiano quiso a medianoche apartar a una hermosa del resto de sus compañeras vencidas, y no para rezar a su vera. La doncella resistió lo más que pudo. El raptor la amenazó con venganzas brutales si no se iba con él, jurándole la haría vender de esclava a una mancebía, que de eso se encargaría él. Pero ella bien sabía que sería lo contrario, que si ella aceptaba su deshonra, en mancebía acabaría y muy perdida. La mora peleó, llegó incluso a las manos, que poco podían contra la fuerza de este enardecido hombre, cuando uno de los suyos, un joven morisco que, disfrazado de mujer, estaba entre las rendidas, se aventó sobre el cristiano soldado, arrancándole la espada de las manos, hiriéndolo de muerte, y viendo que ya venía contra él la demás soldadesca cristiana, los acometió con furia. Cundió la voz de que muchas de las mujeres no eran sino varones disfrazados, lo cual algo era verdad, que unos habían tramado de esa manera recuperar la victoria que habían perdido, tomando a los cristianos por sorpresa. Echando mano del hierro y el fuego, los soldados cristianos embistieron al grupo de moriscas, asesinándolas junto con todos los varones que había entre ellas disfrazados de mujeres y que no eran más de cien. Fueron inmoladas las mil infelices. La sangrienta y cruel matanza duró hasta el amanecer; con lujo de violencia las fueron masacrando sin piedad, casi se diría que con verdadero placer. Iban distinguiendo quién era mujer y cuál hombre. Iban apartando a los hombres a un lado, tras insultarlos y golpearlos. De las mujeres hacían uso ellos y sus criados antes de destazarlas o echarlas al fuego.

Hasta aquí la historia de Jubiles y nuestro regreso a Zaida.

41. La historia del pintor de Juan Latino, Esteban Luz, que aquí viene a cuento cuando don Juan de Austria visita Granada durante la guerra de las Alpujarras, a la que otros llaman guerra civil

Fue el 12 de abril de 1569 cuando María habló por primera vez con Arnaut, su amo y legítimo señor, sobre cuál podría ser el pago por su libertad y la de sus dos amigos y músicos acompañantes, y cuál el de Ozmín. De esa fecha hasta la de su salida de Argel, los días de María la bailaora se fueron en negociaciones y arreglos que la obligaban a intervenir en rescates e intentos de fuga de otros cautivos ahí caídos. Desgastaba sus días tramando cómo salir de Argel porque sentía que le era urgente y necesario escapar, a pesar de la vida muelle, de la notable remuneración que recibía por sus bailes y de la adoración que le tenía la ciudad. Deseaba irse y no se daba cuenta de que su deseo era comunión con los muchos miles de cautivos que ahí vivían. También al desear fugarse lo que hacía era *estar* en Argel, simpatizar compartiendo su sentimiento. Su vida se convirtió en un torbellino, en un correr, ir a escuchar, venir a hablar sobre pagos y convenios. De no haber sido así, de no haberse visto tan embebida en Argel, María hubiera puesto mayor atención en lo que entonces ocurría en su querida Granada, hubiera inquirido por Zaida y Luna de Día, hubiera hecho averiguaciones para saber dónde estaba Zelda, qué era de Yasmina. Pero no lo hizo. Guardaba a sus amigos moriscos fijos en su memoria, inmóviles, y, aunque sabía que eran días muy difíciles en Granada, no quería someter a los que ella había adoptado como suyos a ninguna confirmación o prueba. Debían esperarla tal y como ella los había dejado porque, antes de volver a ellos, María les quiere cumplir.

Es inolvidable la fecha del comienzo de las negociaciones entre María la bailaora y Arnaut Mami, porque ese mismo día, en medio de alborozada fiesta, don Juan de Austria entró a Granada. No hay tiempo para observar los detalles de cuán fastuosa fue la fiesta ni describir cómo fue la pieza que compuso el organista de catedral, Gregorio Silvestre, porque, si bien María está dejando ya Argel, la misma quedó esperándonos en Nápoles, en esa noche ebria en que corre por la ciudad la muy infausta nueva de que Nicosia ha caído en poder del Gran Turco, y es urgente volver con ella para continuar su historia. Sólo quedará dicho de la manera más expedita posible lo que interesa de la estancia granadina de don Juan de Austria, que es la historia del retratista de Juan Latino.

Una de las primeras visitas que recibió el de Austria apenas llegar a Granada fue la del duque de Sessa, quien traía del brazo al negro Juan Latino, que con su natural genio y buen talante fue admirado y querido desde ese primer día por el bastardo. Don Juan de Austria disfrutaba las conversaciones del sabio latinista, tan llenas de genio como de gracia. Don Juan de Austria gustaba de traer dos de los cuatro grandes negros granadinos a su mesa: fray Cristóbal de Meneses y Juan Latino, y hacía sentar entre ellos a su hermosa amante, Margarita de Mendoza, tan bella como prudente y letrada. Especialmente le admiraba Latino, el fénix de los negros, e incluso encomendó un retrato del escritor para que se guardara recuerdo de él por los siglos de los siglos. ¿A quién encomendó el dicho retrato? A Esteban Luz.

Cerca de la ciudad de Granada, en un poblado del que ahora ya nadie recuerda el nombre —por ser morisco fue uno de los barridos durante la guerra civil—, nació un muchacho dotado de una gran virtud. Llegó al mundo pintor, y de los buenos; hacía los retratos más sobrios y justo imaginables. Donde ponía el pincel, el mundo reaparecía. La gente lo llamó Esteban Luz. El pueblo era pequeño, el muchacho morisco, para hacer más extraordinario su caso, que a los de ese pueblo pintar lo que parece real les parece pecado. Por su misma virtud no lo querían ni sus amigos ni sus enemigos, ni los cercanos ni los que tenía lejos, los de su pueblo porque consideraban su oficio despreciable y los que venían de otros a encargarle retratos porque no entendían cómo no se mudaba, no se iba a vivir con gente de bien, no se retiraba de la compañía de esos moriscos revueltos, no hacía una carrera en la Corte. Mientras Esteban Luz pintaba mejor, era más detestado por éstos y por aquéllos, literalmente «por moros y cristianos». Pero sus lienzos eran irresistibles, y aquellos que más lo atacaban apenas veían la ocasión, se hacían hacer su retrato por esa mano genial. Todas las casas principales de las ciudades vecinas ya se habían acercado a Esteban Luz para hacerse retratar, y también las menos principales, porque no hacía falta dinero para obtener de él un lienzo. No pedía sino una limosna por su trabajo, aceptaba por pago cualquier cosa. No conocía la ambición del dinero y no se daba cuenta de que hay que protegerse de los hombres, y que el dinero podía darle esta salvaguarda. Si hubiera tenido la astucia o la malicia para pedir que, junto con la limosna miserable con que le pagaban la elaboración de esos prodigios, donaran la misma cantidad a la Iglesia, otro gallo cantara, que por cuidar su hacienda el cura habría sacado las uñas y hoy seguiría Esteban Luz pintando, y joven seguiría siendo, si cuando pasa esta historia no alcanza más allá de dieciséis años.

Esteban Luz trabajaba frente a sus lienzos desde que salía el sol hasta que comenzaba a oscurecer y si entonces se detenía era por necesitar buena luz para hacer su trabajo. Lo único que le gustaba hacer era pintar, era su único interés. Conque le pagaran lo suficiente para hacerse de pinceles, lienzos, pinturas y comida para él y sus padres, se daba por más que muy satisfecho. Y si le traían el material, tanto mejor. Otros de un pueblo vecino se enriquecían preparando lo necesario, proveyéndolo para visitantes y vecinos.

Podría haber hecho una carrera brillante y bien retribuida en cualquier ciudad mayor, si aprendía las mañas de lo que he llamado astucia, y hasta llegar a la Corte, que no pintaba menos que un Madrazo, era en verdad un pintor espléndido. Pero el pintor no tenía ninguna intención de abandonar su poblado, tal vez por una simple razón: sus dos padres eran ciegos. Esteban Luz tenía tras de sí dos sombras, dos en completas tinieblas. Aunque muy adentro de su pecho él sabía que no lo dejaba porque no le daba la gana. Que no lo quisieran sus vecinos, qué más le daba. Él amaba su tierra, alzaba su mirada cada día y veía extenderse los cerros verdes a la distancia, allá a lo lejos la sierra, protegiéndolos. No cambiaría esa vista por ningún palacio, ni por otros llanos o montañas. Y menos que por ninguna otra cosa por el mar. En las noches lo aterrorizaba su imaginaria visión del mar, un sitio negro como la ceguera de sus padres, oscuro, sin luz, y atestado de cuerpos que daban tumbos sin encontrar su rumbo.

A Esteban Luz no le gustaba repetir modelos pero esto no lo instaba tampoco a dejar su pueblo en pos de objetos y personas distintos para sus lienzos, porque siempre había nacimientos y porque los rostros cambian con los años hasta convertirse en esa cosa extraña que es la cara de un viejo. Y esto sin contar a los animales, que también le gustaba pintarlos, encontrando en cada uno su carácter, que no hay gato o perro que no lo tenga.

Así no fuera rico, así no fuera amigo de poderosos, su talento despertó la envidia y ésta creció porque no tenía cómo defenderse del enfado que provocaba la belleza que era capaz de crear su persona. Comenzó a correr un rumor hijo de la envidia: que todo aquello que Esteban Luz ponía en el lienzo se volvía milagrosamente visible para sus dos progenitores. Que por esto él pintaba noche y día, sin cansarse, lo mismo cazuelas y frutas que palacios y personas. Como el cielo de sus lienzos no tenía par, decían que para esos ciegos sí había cielo. Los espiaban cuando, al caer la tarde, los dos viejos se sentaban a la entrada de su casa, las caras mirando al cielo, sus expresiones de embeleso. «Miran el cielo que pinta Esteban Luz en lugar de nuestro plomizo cielo.» Y rabiaban de doble envidia.

El rumor siguió creciendo, acumulaban supuestas razones para sustentarlo, como que cuando Esteban Luz recibía en su muy humilde casa visita de alguno que él ya había representado en un lienzo, los padres lo reconocían de inmediato. Se hacían lenguas recontando mil detalles de encuentros que daban prueba del *maleficio* de Esteban Luz. ¿Nadie pensó que como eran ciegos tenían buen oído y que reconocían la voz de las personas? Porque cualquiera sabe que así son los ciegos, identifican a quienes los rodean por el oído, ya que la naturaleza los privó de ojos útiles.

La envidia cercaba al pintor, y engordó tanto que un día llegó a su casa una visita de la justicia eclesiástica y lo tomaron preso dándolo por brujo. En honor a la verdad, de algún modo era mago, que sabía hacer de la nada maravillas. Pero brujo no era, no de aquellos que es deber quemar en la horca para que duerman en paz los niños.

Lo llevaron a la cárcel. Sus dos viejos padres ciegos se vieron obligados a salir solos de casa para abastecerse de alimentos. La gente los vio y en lugar de sentir piedad por los viejos desamparados hicieron más gordos los chismes: que si los ciegos salían a la calle y caminaban como cualquier mortal era porque ya sabían verlo todo, y que si era así era porque a punta de pincel su hijo les había restituido la vista. «¡Brujo, brujo!», decía el pueblo a coro. La Inquisición apresuró su juicio. Mudaron al pintor a ciudad grande. Al llegar a la prisión de Sevilla, el carcelero lo proveyó de pinceles y tintas, quería también verse pintado por el legendario Esteban Luz. Pero el lienzo que el carcelero había traído era de pésima calidad y encima de esto no estaba preparado. «No se puede pintar sobre esto —le explicó el pintor—, la tela no está sellada, es imposible». ¿En dónde más podía pintarlo? «Tráigame un lienzo bien preparado, y con gusto le hago su retrato.» Pero el carcelero sabía que al pintor le quedaban no demasiadas horas antes de que comenzara su proceso. Conocía de sobra cómo eran los interrogatorios de la Inquisición, el pintor quedaría inutilizado para pintar. Si le restaran algunas fuerzas, las usaría para quejarse de sus desgracias. «Pínteme usted en la pared, que tiene yeso», le dijo. Esteban Luz miró el estado del muro. La celda acababa de ser renovada después de horrendo incendio; por ser preso célebre le habían regalado pared con yeso, que era, en efecto, perfecta para pintar. Esteban Luz inspeccionó al carcelero de arriba abajo, como tomando notas verbales de su persona. Cuando terminó de hacerlo, le dijo: «Comienzo ya a pintar», y lo despachó con un gesto de las manos.

Esteban Luz acomodó los pinceles como acostumbraba hacerlo siempre antes de pintar, preparó lo mejor que pudo los colores y empezó su labor.

Primero trazó el contorno de un árbol, para darle algún marco a su dibujo y en algo embellecerlo, porque el carcelero era un hombre muy sin gracia. Copió el árbol recordando uno que había a la entrada de su casa, un olmo bello que su madre adoraba y que él había pintado repetidas veces, siempre encontrándole un nuevo rostro, una nueva expresión, distintos gestos. Luego, pasó a pintar un caballo. Ya que lo vio en el muro, el pincel de Esteban Luz se rehusó a pintarle en horcajadas al muy horrendo carcelero. Mejor le aconsejó mejorarle este detalle o aquel otro.

Parecía que el caballo era capaz de relinchar. La pelambre le brillaba, los ojos mostraban su carácter; daban ganas de acercarle la mano y sentirle el respiro.

El carcelero se impacientaba. Se asomaba con el pretexto de proveerlo de fuego y agua —que ya se acercaba la noche— y no veía nada sino el caballo. «¿Y yo? —le decía—. Usted estará muy pronto allá arriba, sus pies sin tocar el piso.» Y el carcelero salía, esperaba un poco afuera y regresaba a ver.

En una de estas que entró, encontró la celda vacía. No había en ella trazas ni de Esteban Luz ni del caballo. El olmo estaba ahí, completo, parecía reverdecido. Eso era todo.

Esteban Luz no le había mentido. Horas después, el carcelero fue colgado de la horca, acusado de ayudar a Esteban Luz a fugarse. Antes de que esto ocurriera, apenas vista la desaparición del pintor, hubo algún muchacho comedido que a galope corriera al pueblo de Esteban Luz a informar la nueva a los padres. Al llegar a la muy humilde vivienda de éstos, encontró las puertas abiertas de par en par. Era ya muy entrada la noche, pero asido de una antorcha entró a buscarlos, creyendo que los ciegos habían olvidado cerrar las puertas. Las paredes, que como todo el pueblo sabía estaban de cabo a rabo cubiertas de lienzos de Esteban Luz, súbitamente desnudas no enseñaban ni la huella de dónde los habían colgado. Los camastros mal vestidos estaban vacíos. Se habían desvanecido.

Algunos dicen que Esteban Luz se subió al caballo pintado en el muro de la cárcel de Sevilla, que como el caballo era muy bueno, se dio rápido a la fuga.

Otros no creen en la fábula y opinan: «Hubo alguien que ofreció a Esteban Luz escapatoria de la cárcel y refugio para sus padres para apoderarse de sus pinturas». ¿Cuál será la historia cierta? ¿Ninguna de las dos? ¿El tiempo borró a Esteban Luz, quien no comprendió nunca que para ejercer su oficio necesitaba protección, para ésta dinero y amigos poderosos?

¿Y de qué protegerse?

¿Y por qué la envidia?

¿Y por qué no sólo pintar y luego ser admirado y encontrar la gloria?

Fin de la historia de Esteban Luz, pintor de Juan Latino, quien si no hubiera nacido sabio habría llevado por nombre el de su amo: «Juan de Sessa, esclavo del duque de este apellido».

42. En que se cuenta la historia de Leyhla y Marisol, de cómo estas dos preferían la vida en tiempos de paz a la del estallar repetido de la pólvora y el filo repetido de la guerra. Aquí se narra cómo huyeron acompañadas de un falso Rafael y un supuesto Marco Antonio, y cómo fue que encontraron a la espléndida Halima

Cuando Yusuf dejó Galera para entrenar moriscas en otros puntos del reino de Granada, lo acompañaban Leyhla y Marisol, dos amigas de su hija Zaida. Las dos habían aprendido a usar la espada lo suficiente para dejar bien claro que eso de guerrear no era lo de ellas (ambas parecían incapaces de enfrentar la violencia), pero que lo que sí tenían, y mucho, era paciencia, constancia, generosidad y optimismo, cualidades excelentes para entrenar. Las dos jóvenes acompañaron a Yusuf en su peregrinaje magisterial hasta que la inseguridad de los caminos fue tal que él determinó establecerlas en Cabra. Esta villa tenía la virtud de ser accesible desde un número importante de alquerías de la región, todavía muy necesitada del entrenamiento y de estar bien protegida.

Cuando la guerra civil se expandió en todo el reino de Granada y no transcurría un día sin que ocurrieran asesinatos, traiciones, incendios o enfrentamientos, Leyhla y Marisol convinieron en darse a la fuga. Preferían morir antes que vivir rutinariamente envueltas en la pesadilla que les era de todo punto insoportable. Nadie parecía estar a salvo de las espantosas y varias violencias, nadie parecía capaz de mantener los puños fuera del baño de sangre. Dondequiera que uno pusiera los ojos había huellas y demostraciones de horrores incontables, en cualquier sitio tronaban las picas al ensartarse en los pechos, estallaba la pólvora, crepitaba el fuego.

Leyhla tenía un hermano dos años menor que ella y éste un amigo de su misma edad. Eran los dos muy hermosos y afectos a la bella caligrafía de su lengua, y sentían la misma repulsión que las dos jóvenes por todo acto violento. Sentían orgullo de ser granadinos y moros, pero no soportaban ya más vivir inmersos en el reino del horror a que las necias medidas de la corona los habían condenado.

Los cuatro jóvenes tenían más cosas en común: habían perdido a sus seis progenitores, no les restaban más familiares con vida, sus propiedades habían caído en manos de los cristianos. Lo que habían podido rescatar estaba guardado en sus gordos bolsillos. Tenían dos opciones: o pelear hasta la muerte —y sólo para condenarse a la humillación, la esclavitud, la persecución, el odio—, o intentar escapar del infierno.

Como ninguno de ellos era un cobarde, tardaron un poco en confesárselo, la idea de fugarse y abandonar su tierra los llenaba de vergüenza, pero terminaron por hablar porque no había otra salida que no fuera escapar; o huían, o se sumaban a las filas de los perpetradores de infamias. Puestos muy de acuerdo, planearon una manera de huir. Cuatro jóvenes moriscos no podrían poner un pie en el camino sin que o les cercenasen el cuello, si los encontraban los cristianos, o los forzasen a combatir si topaban con los hombres de Humeya, que incansables peinaban Granada en busca de brazos sanos, fuertes y libres de sus familias, o se los dejasen pelados de sus pocas pertenencias si topaban con los monfíes, por lo que tramaron vestirse de cristianos. Hablaban el castellano con total soltura, conocían los preceptos cristianos, nadie tendría motivo para descubrirlos moriscos. Pero como dos mujeres cristianas jóvenes y hermosas también correrían peligros sin fin en los inseguros caminos del reino, acordaron vestirse los cuatro con ropas de varón.

Luego consideraron que si se lanzaban juntos al camino tampoco llegarían demasiado lejos, que aquí o allá llamarían la atención y correrían más riesgo de que se descubriese su engaño, por lo que decidieron salir acompañados de diferentes partidas, mezclándose lo más posible con grupos de viajeros cristianos. Fijaron que los cuatro seguirían la misma ruta —de encontrar el primero peligros infranqueables, atrás vendría el segundo para ayudarle a atajarlos, y si el segundo, el tercero pisándole los talones, y si el tercero, pegado a sus espaldas vendría el cuarto, y era poco probable que el cuarto tropezara con los dichos peligros si tres antes que él habían quedado libres de éstos—. También acordaron un punto de reunión, que, convinieron, sería el puerto de Barcelona. Los cuatro tenían dos semanas a partir de la partida del primero para encontrarse en la plaza central de esa ciudad, a un costado de la catedral. De ahí se dirigirían al puerto, se harían a la mar en la primera embarcación que los condujera a Argel y comenzarían una nueva vida.

Antes de partir de Cabra, imaginaron qué historia contarían, para que si el segundo llegaba a salvar al primero, o el tercero al segundo, o el cuarto al tercero, tuvieran algo previamente tramado que no sonara a mentira y los traicionase, mostrándolos moriscos a los testigos. Decidieron que dirían que habían nacido los cuatro en el mismo pueblo —Castilblanco, que está a cinco leguas de Sevilla, el que desde hoy se llamaría Rafael lo eligió por ser éste un pueblo muy cristiano, famoso por no tener moros, gitanos ni judíos— y que eran de tres familias amigas. Si nadie averiguaba que las mujeres eran mujeres, la novela que habrían de contar es que eran cuatro amigos varones, los nombres tales y tales que aquí diré —Rafael, Marco Antonio, Leocadio y Teodosio—, que se habían puesto de acuerdo en salir para ir juntos a buscar aventuras porque su vida muelle les había abierto el apetito de ésta, y que se habían dispersado porque siendo como eran las tres familias tan cercanas (que Rafael y Teodosio dirían que eran hermanos, porque amándose de tan fiel manera les repugnaba mentir en este punto), así les convenía para poder llegar algo lejos sin que los descubrieran. Si se revelaba que las dos mujeres no eran varones, ambas dirían lo mismo: que habían sido engañadas por un dicho Marco Antonio, que para vengarlo habían ido por él a Barcelona. El amigo del hermano de Leyhla sería el rompecorazones dicho Marco Antonio, el hermano de Leyhla sería Rafael, Leyhla se llamaría Teodosia y Marisol diría ser Leocadia. Rafael continuaría siendo hermano de Teodosia, si le preguntaban qué hacía ahí debía decir que la buscaba porque se había dado a la fuga, que deseaba encontrarla antes que le diera el disgusto a sus viejos padres. Si les pedían aún más informaciones, dirían que don Enrique era el padre de Leocadia, don Miguel de Teodosia y Rafael, y el de Marco Antonio también de nombre don Enrique, para no complicar más las cosas. Si primero decían la primera novela y luego alguna de las mujeres era descubierta, no era nada difícil explicar que habían mentido para no correr innecesariamente la voz sobre el honor en juego de las damas. No necesito repetir que todos se harían pasar por cristianos de sangre limpia, y no porque a ninguno de ellos les pareciese en ninguna medida poco bueno tener sangre de moros, sino para poder alcanzar una tierra donde no hubiera guerra y donde la vida pudiera ser disfrutada como Dios la mandó hacer. Llegados a Argel se quitarían de inmediato lo de cristianos, que les disgustaba tener que fingirlo.

Se aprendieron al dedillo la lección de su engaño. Con esta trama, que las mujeres iban por su honor y etcétera, quedaban las mujeres tan atrevidas como honestas, el falso Rafael muy valiente, y en cuanto a Marco Antonio, contaban con que lo perdonarían por lo bello que era y por la belleza exquisita de las dos mujeres. Y si la primera novela quedaba como la cierta, tampoco quedarían mal parados, que la sed de aventuras gozaba de respeto y mucho prestigio, sin aventureros nadie habría descubierto la otra mitad del mundo, ni mucho menos la hubiera conquistado.

Los cuatro varones llevarían sus espadas, que bien sabían usar, pero poco gozaban desenfundar, como se ha explicado. Las portarían para protegerse en el camino, pero soñaban con deshacerse para siempre de ellas apenas llegar a Argel.

Lo de las ropas no fue difícil de arreglar. Los moriscos varones acostumbran vestir de cristianos, y entre el hermano de Leyhla y su amigo consiguieron cuatro bizarros atuendos que a todos les sentaban de lo más bien. El tramo a Granada lo hicieron juntos a todo galope. Llegando a la ciudad, se hospedaron en posada de cristianos, en el barrio de Bibarrambla, que es donde éstos viven.

El primero que salió, y muy de madrugada, fue el supuesto Marco Antonio. Éste tuvo suerte: a la puerta de Granada encontró un grupo numeroso de viajeros —todos hombres belicosos, iban hacia Italia en busca de mejor paga por sus servicios guerreros—, que muy amistosos lo abrazaron en su partida y, habiendo sabido cómo serles grato y despertar en ellos sus mejores sentimientos, cuidaron de él como si hubiera sido su propio hijo hasta depositarlo en las puertas de Barcelona.

Bien entrada la mañana del día de la partida del falso Marco Antonio, Leyhla —que, vestida de varón cristiano, se hacía llamar Teodosio e iba muy gallarda— salió de la ciudad, preparada para su viaje, uniéndose a unos peregrinos. Como querían ir a muy buena marcha para evitar los muchos peligros del camino, nuestra viajera no habló por no ser descubierta. Apenas dejar el reino de Granada, en un punto donde los caminos se bifurcan, sus acompañantes viraron tierra adentro. Teodosio se separó de ellos y se enganchó a otro grupo de viajeros cristianos que justo acertaba a pasar. Antes de llegar a Barcelona, este nutrido grupo decidió detenerse unos días en otro poblado y retrasar su camino, e invitaron a quien creían que era Teodosio, que en realidad era Leyhla, a hospedarse con ellos. Teodosio les agradeció de la manera más amable la invitación pero permaneció en el camino principal, donde esperó impaciente con quién emprender el trecho que le faltaba para llegar a su destino. Unas tres horas después, fatigada de que no pasara nadie, se dio sola a la carrera, temiendo la llegada de la noche. A todo galope, topó con una pequeña posada y se detuvo, pensando que era mucho más prudente esperar la luz del día, que posiblemente traería otros viajeros. Desmontó, el mesonero corrió a recibirlo, y pidió una habitación «para mí solo». Estaba exhausta, quería descansar y estar segura que nadie interferiría en su privacía.

—Pues no puedo darle a usted una habitación *para usted solo*, porque en toda esta posada existe una sola, y damos por ley nuestra obligación de recibir en ella a cuantos la necesitan.

Leyhla los convenció pagándoles muy generosamente. Sin cenar ni hablar más, se encerró en la dicha habitación y apoyó contra la puerta la silla que ahí había para estar más segura.

El mesonero y su mujer se hacían lenguas del mozo generoso que les había pagado si bienmente la habitación. Les extrañaba que una persona tan bien vestida y de tan suprema prestancia viajase solo, sin criado ninguno, y así comentaban cuando apareció el alcalde a hacerse invitar una copa. Se acercaba ya la noche, hora en que era costumbre tomarse un trago en el mesón para comentar los asuntos del pueblo, que, así no fueran nunca muchos ni muy interesantes, valían lo suficiente como para regalarse una copilla de vino, sobre todo si, como era el caso del alcalde, ésta era a costa de otros. Los vecinos empezaron a llegar, congregándose para la charla diaria. Oían a los mesoneros describir al hermoso visitante, cómo había éste exigido una habitación para él solo, cuánto había pagado, que viajaba sin ninguna compañía ni sirvientes, cuando oyeron aproximarse un caballo a todo galope. Salieron en el momento en que se detenía en seco frente a la posada y vieron descender a otro muy hermoso caballero, éste menos joven que el anterior, pero no por eso en ninguna medida de inferior belleza.

—*¡Pues parece que hoy nos visitan los ángeles!* —dijo el mesonero.

El recién llegado saludó a todos los ahí presentes de la manera más afable y de inmediato pidió una habitación «para mí solo, que estoy en suma manera fatigado, y como gusto infinito de la charla y los amigos, sé que si hay con quién departir no pondré la cabeza en la almohada». El mesonero lo hizo entrar, le ofreció comida y vino y le explicó que era imposible, porque en la única que había tal y tal había ocurrido. La idea pareció consternar en grado sumo al viajero, despertando en todos el deseo de satisfacerlo. El alcalde, que era en extremo curioso, tuvo una idea atizada por la inquietud que le causaba no haber visto al otro viajero hermoso, y por temer fuera a partir muy de mañana, antes de que le hubiera él puesto encima el ojo:

—Yo tocaré la puerta, diciendo que soy la justicia. Apenas abra, le explico que en este pueblo es costumbre acoger a todos los que arriban a él, que no hay otra habitación disponible, y que tiene que ceder a lo dicho para dar cabida al que tenemos enfrente.

Y así hizo. Leyhla, que era Teodosio, escuchó la llamada, hizo a un lado la silla para dejarlos abrir la puerta, medio asomó el cuerpo, escuchó al alcalde tartamudear lo que había pensado decirle, y apenas comprendió, abriendo la puerta de par en par, dijo en tono resignado:

—Yo quería habitación para mí solo, pero si me dice usted que esta persona desea lo mismo y que por otra parte no tiene dónde hospedarse, aunque no lo pida la ley le doy cabida.

Dicho lo cual, sin cuidar que nadie se retirase, ni quitándose el gorro que llevaba o siquiera los zapatos, se regresó a su cama. Quien acababa de entrar lo hizo con pasos no demasiado firmes, que de tanto beber y comer se sentía más dormido que despierto. Cerró la puerta, atorando en ella también la dicha silla, como si los dos ahí presentes se hubieran puesto de acuerdo antes. No bien había acomodado la cabeza en la almohada, se quedó completamente dormido y apenas lo hubo hecho habló en voz lo suficientemente alta para que el falso Teodosio lo escuchase y se llenase de preocupación y zozobra:

—¡Yusuf! —decía—, ¡regrésame a Luna de Día, te lo pido!, ¡regrésame a mi Luna de Día, dámela, te lo suplico! ¡Malditos cristianos! ¡Dénmela, les doy lo que sea a cambio, denme, dénmela! ¡Infelices! ¡Malditos, que los persiga el demonio por su infamia!, ¡infelices!, ¡punta de...!

Los gritos de mujer del dormido subían de volumen, todos imprecaciones contra los cristianos, de manera que Leyhla, la Teodosio, se preocupó alcanzasen al mesonero y su mujer. Le habló, diciéndole quedo al oído: «¡Calla!, ¡te oyen!»; como no hizo caso, y ya no tenía duda de que era mujer, la sacudió del hombro, la zarandeó más intenso... Pero la dormida no despertaba, su pesadilla le tenía sorbido el seso. Los gritos subían de volumen, y con horror Leyhla alcanzó a oír del otro lado de la puerta un «¿Qué dicen?» y otros murmullos y frases, sus cuerpos posiblemente pegados a la puerta para mejor oír los gritos de esta insensata... La iban a oír, que se desgañitaba gritando: «¡Que los maten!, ¡asesinos!, ¡pa'l infierno!» Leyhla —o Teodosio, si prefieren llamarla por su aspecto— tomó apresurada la almohada de su lecho y, brincando de nueva cuenta sobre el gritón, se la puso sobre la boca para ahogar los gritos que profería durmiente.

Al sentir la almohada sobre su cabeza, la segunda viajera despertó, y creyendo que alguien deseaba sofocarla, desenfundó el puñal. Sólo hacerlo bastó para que Leyhla, la alumna de Yusuf, la despojase de inmediato de su arma.

Si la recién llegada había estado agitada mientras dormía, ahora estaba agitadísima despierta. Asustada, se removía como una bestia.

Leyhla se había echado de cuerpo completo sobre ella, porque oía junto a la puerta varias voces: «Parece que no, que oíste mal, que no dicen nada», «¡Que te digo que oí que gritaban!», «Pero oye, que no se oye»…

—¡Calma!, ¡calma! —le dijo Leyhla quedo a la agitada mujer, intentando con todas sus fuerzas y el peso de su cuerpo contenerla y callarla—. ¡Cálmate, por lo más querido! —pero aquesta retorciéndose quería dar gritos para pedir auxilio—. ¡Cállate, cálmate! —insistía Leyhla, hablándole al oído, sin dejar de apoyarle la almohada sobre la boca—. ¡Yo soy mujer como tú, y como tú soy mora! ¡Te oí hablar dormida, comenzaste a dar de gritos, te he puesto la almohada en la boca para que no te oigan los del mesón, ¡tranquila! ¡Soy Leyhla, te conozco! ¡Soy Leyhla, la de Granada!

A las fuerzas, la bestia escuchó lo que le decía Leyhla, y oírla la calmó. Conocía esa voz. En cuanto sintió que se había tranquilizado, Leyhla retiró la almohada de su boca, con un dedo pegado a los labios le hizo seña de que no hablara en voz alta, le devolvió el puñal, la miró y se arrojó sobre sus brazos, las dos en lágrimas.

—¡Halima! —exclamó Leyhla.

—¡Leyhla, Leyhla!

Era la madre de Luna de Día, que también huía del horror en Granada, también vestida de varón. El infierno que dejaba atrás la tenía aún atenazada en sus sueños. Abrazadas, se decían palabras tiernísimas, las dos llorando a mares sus desgracias.

En esto estaban, cuando sonó la puerta. Y unos gritos:

—Soy el alcalde. ¡Abran aquí! Hay un viajero que pide posada, y es ley de nuestro pueblo dársela. ¡Abran la puerta!

Leyhla se recompuso lo más prontamente que pudo. Hizo a Halima acostarse como si durmiera y se acercó a la puerta, diciendo con voz fuerte, mientras se reacomodaba el bonete que servía para ocultarle los cabellos femeniles:

—Aquí hay dos camas, y hay dos viajeros. ¿Dónde pretende usted, señor alcalde, que se acueste el tercero?

El alcalde dijo del otro lado de la puerta:

—Ya lo hemos jugado a suertes. El viajero compartirá el lecho con el primero que llegó.

—Mejor los que ya estamos aquí nos acostamos juntos, que ya sabemos quiénes somos y no sospechamos…

—¡Pamplinas! ¡Aquí yo soy el alcalde! —las copas que había bebido ya no eran pocas.

Leyhla abrió apenas la puerta y por la pequeña abertura se escurrió un tercer joven, como huyendo de los que tenía en las espaldas, pero por su imprudencia dejó al pasar la puerta muy abierta, porque al verlo venir Leyhla se había hecho a un lado. Como era también extremadamente hermoso, lo seguían con la mirada el mesonero y su mujer, el alcalde y algunos otros villanos, quienes no dejaban de señalarlo y dar de voces. Leyhla tuvo que contenerse enfrente de ellos. Quien entraba era Marisol, la que vestida de varón pretendía ser Leocadio.

—Ahora, señores, muy buenas noches —dijo Leyhla en cuanto se repuso de la sorpresa, cerrando la puerta en las narices de todos los mirones—. Aquí se queda este viajero. ¡A descansar se ha dicho! Buenas noches.

Apenas vieron la puerta cerrada, Marisol, Leyhla y Halima, en voz muy baja para no ser oídas, se echaron las unas en los brazos de las otras a darse muestras de cariño. Ya no dejarían a Halima partir sola. Al día siguiente, las tres cabalgarían rumbo a Barcelona para allí encontrarse con sus dos amigos y tomar una embarcación que las depositara en Argel.

Del otro lado de la puerta, el mesonero, su mujer, el alcalde y otros principales del villorio llenaban a sus tres hermosos viajeros de elogios. Decían que nunca habían tenido tan bellos visitantes, y les asombraba que hubieran llegado los tres casi juntos. Estaban en esto, cuando llegó agitado un forastero dando gritos demandando auxilio. A poca distancia del pueblo, un grupo de bandidos había asaltado su caravana y había corrido a pedir ayuda al ver luz en la distancia. Salieron llevando hachones para iluminar el camino. Se les unieron las tres mujeres vestidas de varones, cada una con la espada ya desenvainada, que aunque Leyhla y Marisol odiaran la violencia, la furia de Halima, la madre de Luna de Día, se les había contagiado.

Encontraron a los asaltados en medio del bosque, atados a troncos de árboles, al amparo únicamente de la noche. Los salteadores habían huido al ver venir los hachones. Entre todos sobresalía uno por ser el más hermoso. El mesonero lo iluminó, gritando a voz en cuello:

—¡Les dije que hoy nos visitan los ángeles!

Y de inmediato las tres que vestían de varones lo reconocieron: era el falso Rafael. Los ladrones le habían robado casi todas sus ropas, y lo habían golpeado con saña, pero al ver a las tres mujeres amigas aproximársele, sonrió de alegría. En breve estuvieron de vuelta en el mesón, consiguieron ropas para Rafael y por fin cerraron los ojos para descansar lo que restaba de la noche.

Muy temprano dejaron el lugar y, casi reventando a sus caballos, llegaron a Barcelona al caer la noche. Ahí esperaron dos días a que se cumpliera la fecha acordada con el falso Marco Antonio, lo encontraron en el lugar convenido y de inmediato tomaron la embarcación donde él había arreglado su pasaje a Argel, y se cuenta que hasta la fecha viven los cinco muy mondos y lirondos en aquella bella ciudad, donde nadie les castiga, reprende, desvalija u obliga a violencias por haber nacido hijos de moros.

43. Regresa la narración a Nápoles. Se cuenta lo que resta de la historia de María la bailaora en dicha ciudad, su encuentro con don Jerónimo Aguilar y lo que hizo con los músicos de la Corte

Volvamos ya a donde hemos dejado varias veces a María, en Nápoles, donde su baile y su persona brillan en todo su esplendor, sentada a la mesa con un hermoso moreno de abundante bigote bien cuidado, el capitán español. Estábamos en que él ha tenido un acceso de tos que, por un momento, transportó a María a la presencia de Farag, su benefactor morisco. El hombre ha quedado prendado de María al verla bailar y ha comenzado a actuar como lo que él entiende que es un enamorado. Extraña pareja: él comienza su representación, la del-hombre-que-quiere-seducir, cuando ella abandona la suya, la de ser la mujer que baila, la bailaora.

Los dos, pues, están a la mesa. El capitán viene de ayuntarse con una falsa María —y falsa rubia, para juntar falsedades—, bebe vino y charla con gusto. María, luego de viajar a bordo de la tos en el lago de agua dulce de sus memorias, cansada de tanto bailar, come y bebe con gran apetito lo mejor que le ha pasado por la boca desde que salió de Granada, hace ya más de dos años.

María levanta su ánimo. Un poco más: ahora lo suficiente para revisar al que le regala buena mesa, buen vino y estos presentes, el velo, la peineta. Lo ve, y confirma lo que sospechó desde que bailando le clavó los ojos: es el jinete del caballo sudado, aquel con el que topó en la calle de la Tiña cabalgando entre los aterrados granadinos a unos pasos de la puerta del convento de Santa Isabel la Real, la noche en que ella escapó del convento. El caballo sudado era la montura que el día anterior había descubierto en los patios del dicho convento, y el jinete debía ser quien el día anterior argüía con la superiora quién sabe qué en su celda, rompiendo con la ley primera del claustro monástico. María está segura de que este hermoso moreno es el que visitó a la madre superiora.

Andrés y Carlos se esfumaron ya en la multitud apenas terminó la representación. Desaparecen de María porque Andrés ya no puede tolerarla. Cada día que pasa, la desea más y la detesta más. Ya no la soporta de tanto desearla, de tanto pelearla y de tanto perderla. El mundo le ha vuelto la espalda por culpa de María. Antes de ella, Andrés encontraba motivo de gozo en cualquier detalle, todo lo azoraba, lo encantaba, lo satisfacía. María le ha matado esto. Vive exasperado, ansioso, insatisfecho, enfadado, no encuentra gusto en nada. Rabia adentro de sí noche y día. Por esto Andrés canta mejor, por esto gusta en Nápoles, por esto María crece su baile sobre su canto. Carlos se ha ido con Andrés, dócil como es, porque no quiere problemas, ni tampoco andar solo: Nápoles lo sobrecoge. Es demasiado grande, demasiado ruidoso. Al lado de Argel, Nápoles parece un revuelto infierno (aunque, en honor a la verdad, Argel es de mayores dimensiones). Argel era cordial —ciudad de piratas, ciudad de campos sembrados de cautivos, prisioneros mercados como vacas, pero para nuestros tres gitanos amistosa, cálida—. Nápoles es ebria, está rebosada al borde, se derrama, delira. Carlos no quiere andar solo, y María no lo acoge, cada día que pasa la bailaora tiene peor talante. Así que Carlos vive pegado a Andrés y, cuando María para de bailar de puro agotamiento —y porque la turba se hunde en el alcohol, es incapaz de responder al baile cuando son muy entradas las horas de la madrugada—, sigue a Andrés en sus exploraciones nocturnas.

María está sentada a la mesa del capitán, los manteles tendidos frente a ellos, la comida abundante y muy buena, la luz de una vela.

La escena pasa desapercibida en medio de la enfebrecida multitud napolitana. Es comprensible: se preparan todos para la guerra, afilan sus ánimos, aguzan sus instintos, pierden toda mesura. Pero hay una persona que mira a María y al español con atención devota, alguien que les bebe como sorbiéndoselos cada gesto, cada palabra, cada movimiento, cada trago, cada pensamiento. Los observa desde donde ellos no pueden verlo; a excepción de la luz que surte de la hoguera —disminuye aceleradamente, ya nadie la alimenta, de su inmensa flama sólo quedan rescoldos— y de los dos cabos tambaleantes sobre su mesa, nada alumbra a don Jerónimo Aguilar y a María la bailaora. Los grupos de hachones que caminan por las callejuelas no alcanzan el rincón de la plaza donde estos dos se han sentado a comer. Por otra parte, antorchas y hachones son cada vez más escasos. No falta demasiado para que salga el sol.

El capitán comienza a hablar con un tono desenfadado, escanciándole la copa a María: «Algo de beber, niña». Nuestro testigo, el hombre que los mira sorbiéndolos, la ha seguido, la vio bailar, la vio interrumpir el baile cuando el ánimo de la turba estuvo por naufragar ciego en el alcohol, la observó cómo al dejar de bailar y apartarse a un lado se ha prácticamente desmoronado en su cansancio; vio que María desea estar sola, apartarse, que le causan fastidio sus amigos; vio que Andrés y Carlos se fueron; vio cómo María echó la cabeza hacia sus rodillas y columpió su cabello, cómo buscó en esto un alivio inmediato a su enfado y cansancio. Sabe —lo intuye— que María está por dejar la plaza y refugiarse en su habitación. Teme por ella. La ciudad emborrachada, desmesurada, explota aquí y allá en escenas de violencia, golpes, hurtos. ¿Cómo la abandonaron los muchachos? Por esto también está aquí; él va a seguirla y, en caso de necesidad, protegerla. Sus fuerzas son escasas, pero tiene buena voz, gritará pidiendo auxilio si hace falta. Está para cuidarla, y porque no puede separarle la mirada. Oyó venir al capitán, oyó que preparaba la mesa y tuvo que hacerse de fuerzas para venir a sentarse con él. Ve, porque para él es obvio, que María no tiene ninguna gana de departir con el hombre que le ha hecho preparar esta mesa, pero le tienta el banquete. El hombre que la observa la conoce. Está cambiada, sí. Esto lo percibió desde que bailaba y no porque ella haya crecido como mujer y bailarina. Está ahí la belleza, la chispa, la gracia, pero hay en ella algo sombrío, algo la ha hecho perder lustre. No gracia, no belleza, simplemente frescura. Pero no es otra persona sino la misma, y él la conoce y de sobra, la ha observado de muy cerca durante doce años. Ve también que María no deja de sonreírle al capitán español con una sonrisa fija, cortés, algo hipócrita, fría, calculadora, de labios para fuera, conveniente. Pero también ve, pues tiene ojos, que al poco tiempo de haberse sentado, María descansa, deja de esforzarse, borra esa sonrisa artificiosa y que la cambia por una espontánea que la hace de nueva cuenta estar radiante. ¡Ahí está por un momento María completa! María está feliz al lado de ese hombre. Lo ve con certeza y claridad quien los espía. Conoce a María como a la palma de su mano, así tenga años sin verla, así esté algo cambiada, porque la ha dejado de ver cuando era casi una niña y ahora María es una mujer radiante. Y esto sin considerar cuánto ha cambiado también él, el duque del pequeño Egipto, Gerardo, el padre de la bailaora.

Gerardo ha podido pagar su propio rescate. La nave cristiana en que era galeote fue atacada por los piratas berberiscos poco tiempo después de zarpar. Él era el mejor remo de la galera y lo continuó siendo en la turca. Los tratos que recibió fueron menos crueles, pero el régimen no menos inclemente, que la vida del remo corroe, acaba con el más fuerte, destruye, literalmente desmorona a los hombres. Gerardo estuvo encadenado a su banco durante cuatro años. Por él parecen haber pasado quince. Desorejado, y también desnarigado —que perdió la nariz cuando en un descuido (propio y ajeno) intentó escaparse de la nave cristiana; a los prófugos capturados les cortan la nariz como marca y castigo—, nadie diría de él que es un hombre hermoso. Los animalejos marinos le han carcomido los párpados, que no cierran del todo, y la infección que se propagó entre el hoyo de la nariz y sus párpados carcomidos le ha dejado una serie de rosarios de cicatrices. El rostro de Gerardo es un rostro monstruoso. No queda ni un solo rastro de su gallardía, ni en sus dientes, ni en las uñas de sus manos, ni en su cabello, perdido también de tanto navegar, devorado por la sal y el sol quemantes. No tiene nariz, no tiene párpados, no tiene orejas, no tiene belleza. Para hacer peor su aspecto, las cadenas se encarnaron en sus tobillos y su puño. Cojea y tose como un descosido. Está enfermo. Está un poco enloquecido. Antes de ser un galeote, vivía sabiéndose orgulloso de sí mismo. Era la cabeza de sus hombres, era hermoso, era el líder, el respetado, el que concertaba alianzas con otros, el que protegía a los gitanos, el que ganaba por ellos espacios y mercaderías. Pero en las actuales circunstancias se sabe como un perro sarnoso y está fuera de sí, no acostumbrándose a habitar el cuerpo podrido del dicho animal.

Asqueado de sí mismo en su condición de galeote, autorrepugnado, mientras vivía atado al banco se entrenó sin proponérselo a desamarrar los otros eslabones, los que unen nuestra conciencia a la tierra, al cielo o al mar. La cadena lo adhería al banco como un animal, pero, en su conciencia, una serie de eslabones abiertos lo despegaban de su entorno, liberándolo de todo. Nada sujetaba a Gerardo. Tenía rotas las cadenas del imaginario, abiertos sus eslabones; el gitano se había despegado, en todo se comportaba incongruente; no percibía, no respondía, no reaccionaba. No era un aturdimiento, sino romper una y otra vez la cadena de la comprensión. No necesitaba beber para trastabillar como un beodo. El galeote había estado por años preso, humillantemente agarrado del talón, detenido por una cadena; el hombre abrió el eslabón primordial, se desató de cuanto lo rodeaba, dejó de ver y oír lo que los demás veían, oían, sentían; él ya no respondía a los estímulos, se había soltado de la gran prisión que le ofrecía el mundo. Gerardo se había vuelto algo así como un ser de otro mundo, pero ese otro mundo era cambiante, no permanecía, no era fiel a sí mismo. Gerardo rutinariamente divaga, casi delira.

El azar lo vino a traer al puerto donde danza su hija. La encuentra el mismo día de su llegada y verla lo golpea como si le cayera encima un rayo. Hace dos años que no percibe lo que lo rodea. Supo no *sentir* cansancio, ni hambre, ni dolor atado al remo. Si el cómitre lo azotaba, ¡bien por él!, pero Gerardo no percibía el golpe, no oía el chasquido. Tampoco sintió *alegría* cuando se vio libre; algo anterior a él mismo, a lo que ahora era él, lo había llevado a comprar su rescate con las monedas ganadas con las pequeñas figurillas cómicas talladas en astillas de madera por sus manos, como suelen hacer los galeotes en sus infrecuentes e inesperadas horas libres. En los puertos visitados por las galeras, la gente se acercaba en su busca y las pagaba bien. Sobre todo las de Gerardo, figurillas ridículas, verdaderamente desaforadas, a veces en posturas escandalosamente obscenas. Gerardo vagaba desde que había quedado libre, hacía un par de meses, deambulaba sin destino concreto, rodeándose de ensoñaciones confusas. Ahora ha recibido un golpe de suerte que sí lo sacude, traspasando su condición: ha visto bailar a María. No se dice: «Es mi hija». A nadie puede gustarle más que a él el baile de María, y es tal vez el único en la tierra que puede enorgullecerse con motivo. De Gerardo salió ese bailar, que ella ha aderezado de otras influencias. Podría ver, si los eslabones de su conciencia estuvieran en su sitio, cómo ella ha tomado esto y lo otro de los cantos de las moriscas. Pero aún sin pensar «Es mi hija» —no que no lo sepa, bien que lo sabe, pero no lo formula—, aún sin decir «Esto es mío, es mi raíz, soy yo en ella», aún sin decirse «Aquí están los cantos y bailes de mis mayores, mezclados con los de mis aliados y amigos», lo asombra, lo embelesa y le hace soltar un «¡Ay!» cuando los tres jóvenes suenan sus pies contra los tablones, cuando se vuelven humanos tambores, y aunque no se pregunta «¿De dónde sacan esto?» —porque nunca antes se ha visto el taconeo, ni aquí ni allá que Gerardo sepa, para el que se han hecho hacer calzados especiales, muy duros en la suela, especialmente en su punta y en el calcañar—, Gerardo se conmueve. Se le cierran los eslabones a Gerardo, su cadena se vuelve a atar. Su vida de galeote lo viajó adonde su conciencia aprendió a vivir desapegada de todo impulso; ver a María bailar lo hace de nuevo someterse a la esclavitud de la percepción. La conmoción de encontrarla bailando comienza el viaje en dirección contraria, el que lo lleva de regreso al mundo, empieza a atarle los eslabones de su cabeza, casi lo amarra a la cruel cordura. Pero esto es como el golpe de un rayo y como un rayo lo golpea, sin continuidad, con dolorosos y violentos destellos.

Gerardo no ha llegado con las manos vacías. Trae monedas en la bolsa, las suficientes para cargar con su hija a mejor ciudad y establecerse. Reuniendo lo que ella ha juntado tal vez podrían hasta darle una dote y casarla, si a ella le apetece. Gerardo aprendió, mientras su conciencia desatada vagabundeaba por Babia, que amarrarse a las monedas le reemplazaba una seguridad, como si se dijera «Aquí traigo monedas en la bolsa, no tengo ninguna necesidad de piso».

Una cosa es tallar figuritas en astillas de madera y venderlas regateando y guardar codiciosamente las monedas, celándolas, cuidándolas, y otra muy diferente pensar en hacerse de nueva cuenta de una vida entre humanos. Dejar la del perro, la del que vive atado de una pata a una banca, ladrando el remo. No bastó pagar por su rescate para hacerse de una vida de humano. Ahora tiene que hacerse dueño de ésta, y entre otras cosas debe aceptar ser visto como lo que es, el que ya no es bello, el horrendo desparpado y desnarigado.

Gerardo se esconde atrás de un árbol cercano, imantado por la belleza y frescura de María. Debería presentarse y decir: «Yo soy Gerardo, yo fui el duque del pequeño Egipto, yo soy el gitano de Granada, yo soy tu padre, hermosa María», pero le parece fuera de toda posible consideración. La pura idea de hacerlo le repugna, y no por el camino de la conciencia, que, como he explicado, la suya está a medias deshilvanada, incuerda, sus eslabones abiertos, vomitando noche y día incorduras. Rechaza la idea con las vísceras.

María se ha sentado a la mesa. Ha aceptado la invitación porque éste es un hombre rico y porque, curiosa, quiere ratificar si éste es el jinete de la montura sudada, el hombre que visitó a la madre superiora del convento de Santa Isabel la Real. Le pregunta:

—¿Usted conoce Granada?

—Conozco su Granada de usted.

—¿Como qué barrio? Diga…

—Como varios barrios.

—Como cuál más.

—Usted es del cerro de Valparaíso, lo sé. Pero también ha vivido en otros sitios. ¿El Albaicín?

María se sorprende. ¿También sabe él quién es ella?

—Usted dígame cuál barrio más, ande. Yo soy quien hace las preguntas.

—Mi hermana es priora de un convento, Santa Isabel la Real. Mis padres tienen su casa en Granada, en otra parte de la ciudad, cerca de la puerta del Carbón, yendo hacia el Darro.

Al oír que él era, como lo sospechaba, el jinete del caballo sudado, y que no era, como lo creyó, amante de la priora, María se relajó. La manera en que hablaba el hombre comenzó a caerle bien, aligerándola después de tanto tragar tierra, que los días habían sido todos difíciles de un modo o del otro desde que dejaron Argel.

—«El corazón manda» —le dice al caballero, con un tono que es entre humorístico y muy solemne. Si es cierto que sus padres tienen casa a dos pasos de la puerta del Carbón hacia el Darro, debe quedarle cerca el escrito.

—Esa frase se lee muy cerca de casa de mi familia, está escrita al lado de la espada que apunta al corazón. Sabia frase: la espada parecería comandarlo todo con su filo, pero el corazón vence, el corazón manda. ¿Qué le digo, María la bailaora?, que ésa es una de mis frases predilectas: «El corazón manda».

María pensó en enseñarle el envés de su cruz, pero se dijo: «Si es hermano de la priora, ¿por qué tuvo ella tanto pánico de que yo la delatara? ¿Castiga igual la regla del convento una visita familiar? ¡A saber!… Pero no discutían como hermanos, esas dos voces se cruzaban como la de un marido con su mujer».

—Usted no tiene cara de hermano, sino de galán, de enamorado…

El capitán español soltó una risotada, seguida de una risa casi infantil, inocente, una risa larga, feliz.

—¡Sea! ¿Gitana y adivina? Tienes razón. ¡Ninguna hermana mía!, ¡qué va!, tengo mi historia con la madre superiora. Lo oye la Inquisición y nos fríen a los dos, porque esos señores siempre quieren encontrar lo malo en lo más bueno. Fue algo que nació cuando éramos casi niños… —el capitán cambió el tono de su voz, dejó de ser festivo y dijo con un

248

tono muy serio, hablando lentamente—: Ella es y será mía siempre. No en un sentido pecaminoso, es amor puro, cierto. Ella *es* mía…

—Y de Dios —le dice María en tono también solemne, soltando de inmediato una sonrisa similar a la del capitán, fresca, infantil. El hombre le gusta. Le agrada su franqueza, ¿cómo se atreve a confiarle algo tan delicado, así, a bocajarro, casi sin conocerla?

—¿Quién no es de Dios, dime? Piedras y mortales por igual, los hombres y las bestias, y hasta los más bestias entre los hombres. Nadie se escapa, es la naturaleza de todo lo que existe. Encima de ser de Dios, como todos los mortales, la que hoy los ojos del mundo llama «madre superiora de Santa Isabel la Real» es mía, desde mi infancia, es mi sincera, mi muy querida amiga. Y tú lo serás también siempre —el capitán hizo una pausa, luego de la cual dijo de manera muy rápida—: No me llamo Lotario, María. Te dije ese nombre mintiendo. Soy Jerónimo Aguilar, el capitán Jerónimo Aguilar, de Granada, para servirle a usted.

El capitán español, conocido en Nápoles con el nombre de don Jerónimo Aguilar, se levanta de la mesa y se va. Silbando despreocupado y contento camina unos pasos. Se detiene de golpe. Gira. Ve a María sentada sola, comiendo a lo lindo, ignorando a la multitud que ebria y enfebrecida zumba en la noche napolitana. Busca con la mirada a los muchachos que la acompañaran en sus cantos, revisa, escruta, no los encuentra, rebusca más con los ojos. «Si anduvieran cerca, ya habrían brincado a la mesa a comer, ¿qué tanto busco?» ¿Cómo dejar sola, en plena noche, en medio de la turba a una joven tan bella? El capitán regresa.

No se da cuenta que al correr hacia ella empuja hacia un lado a un hombre que parece un leproso, el rostro carcomido, y que casi lo ha hecho caer de tan débil que está. Se para frente a María, interponiendo su vista entre ella y el irreconocible Gerardo.

—María, ¿dónde vives?

—Tenemos rentado un cuarto aquí muy cerca, nomás girar la plaza, hacia el puerto.

—¿Quiénes?

—Yo y mis músicos, mis amigos; son como mis hermanos, salimos juntos de Granada. Luego, usted no está para saberlo ni yo para contárselo, fuimos cautivos en Argel. De ahí llegamos hace no mucho. Así que déjeme sola; váyase, no se preocupe usted, no me pasa nada. Gracias por esta comida y por la amistad, que se la acepto.

La había puesto más contenta que el vino y el carnero y la peineta y el velo el hecho que el hombre la hubiera regalado sin pedirle nada a cambio, ofreciéndole su amistad y luego echándose casi a correr entre la multitud. Esto era lo mejor de lo mejor. Verlo regresar con esa cara de preocupón ya no le gustaba tanto. María dio un trago largo al vino, y sonrió a su «caballero» con un gesto inocente, tímido y feliz, mirándolo y no a los ojos, esquiva.

—¿Qué hay? —le dice María, un poco a la defensiva.

—¿Qué te pasa?

—Nada me pasa.

—¿No te pasa nada? ¿Pues qué no tienes ojos, o es que sabes cómo hacerte invisible? Aquí en Nápoles pasan muchas cosas y le ocurren a todo el mundo. Yo soy tu esclavo, don Jerónimo Aguilar, capitán del ejército español, para servirte a ti, o si prefieres que te diga a «usted» que sea a «usted»; lo soy y lo seré siempre, y como buen esclavo no me separo de aquí hasta que ya no haya nadie en la mesa. No tengo prisas.

—¡Esclavo! ¡Me gustabas de amigo! ¿Yo para qué quiero un esclavo? ¡Y ahora traes además un «don» mordiéndote tu nombre!

—Siempre traigo un «don» bien agarrado a mí, que no me suelta ni de noche ni de día, ¿qué puedo hacerle? —y al terminar su frase se mordió la lengua por no agregar: «Nos pasa a los que tenemos sangre limpia».

El vendedor de vinos y salchichones apareció agitado entre la multitud. Alguien le había avisado que don Jerónimo Aguilar se había ido ya, e imaginaba sus bancos y su mesita metidos vaya a saber Dios en casa de quién. Pero viéndolo, descansó y volvió a perderse en la multitud, como si se lo tragara la tierra.

—A mí todos me tutean, don hombre, nadie me habla de otra manera, soy María la bailaora.

El caballero, don Jerónimo Aguilar, se sienta en el mismo banco donde había estado, pero ya no la ve mientras María acaba de comer. El don Aguilar está como que está en otro sitio. María, en contraste, está muy contenta. El hombre no le cae mal. Ya le cayó bien este amigo. Y este aire de distraído, le va de perlas. «Es mi amigo —piensa, y agrega—, ¿me estaré engañando?»

Terminando de comer, sin esperar a que levantasen los manteles, don Jerónimo Aguilar ayuda a María a dejar el banco, tomándola del brazo, con una familiaridad que no roza en lo impertinente porque es, a fin de cuentas, la madrugada, y los rodea una multitud ebria. La ha tomado del brazo para evidentemente protegerla, y del brazo la lleva por la calle, mirando hacia otro lado, como si no viniera con ella.

Pero sabe bien que la lleva del brazo, y que eso que está haciendo es precisamente tomarla del brazo.

Está loco por ella.

Ella siente por él algo que no ha sentido nunca antes. Él la va guiando, y no la lleva hacia la habitación que comparte con los dos gitanos. Ella se deja llevar, sintiendo algo golpearle adentro, primero en la garganta, luego bajándole por el pecho hacia el vientre, luego los muslos, y eso que siente viaja adentro de ella, como si de pronto la sangre que cargan sus venas tuviera cuerpo, piel. Siente, siente, ¡siente! ¡Siente su propio cuerpo, como si su piel mirase sus entrañas! Eso que siente María viaja adentro de ella como una nube densa de mosquitos, como un tropel y una estampida, porque es delicado y es sutil, y es abrumador y es ligero, porque arrasa y se estanca y sofoca y llena el pecho de aire. Esto, esto, que al tiempo que se desplaza se queda atorado en cada minúscula porción del cuerpo haciéndose presente, abriéndose adentro de ella, de María, como un millar de botones en flor mirando enceguecidos, colorados, a un sol ciego de verano. Esto, esto que no tiene nombre corre adentro de ella y no se mueve, no se mueve, estancado y suelto, sin contención, sin freno.

Su respiración se agita. La mano de él en su brazo literalmente le sabe en la boca y nunca nada le ha sabido mejor. La mano con que él la toca le irradia en el cuerpo entero la deliciosa sensación de sentir el cuerpo completo. El hombre le toca el brazo pero responde hasta el último rincón de su persona.

Llegan a la muy hermosa puerta de la entrada del muy rico palacio de don Jerónimo Aguilar y el capitán suena contra ésta los nudillos. El sonido despierta a María, la saca de su sensación estupefaciente y dice: «Señor don, mis amigos se van a preocupar, debo volverme a mi cuarto».

—Ahora explicas a mis criados dónde llevar un mensaje a tus músicos, explicándoles dónde duermes. María, ésta es tu casa. Yo desde hoy no duermo aquí, no mientras esté aquí su dueña. Ésta es desde ahora tu casa —le repitió don Jerónimo Aguilar—. Yo estaré a unas puertas de distancia de aquí. Tú no puedes dormir en un cuarto que compartes con dos muchachos. Eres una princesa, una princesa preciosa. Mi princesa. Te lo repito, María: ésta es tu casa.

Don Jerónimo Aguilar pone una rodilla en el piso, le besa la mano; la puerta se abre; don Jerónimo se levanta, toma de nueva cuenta a María del brazo para trasponer el vano. Los reciben un enjambre de criados. Don Jerónimo da órdenes:

—La señorita duerme aquí, yo voy al otro palacio; llévenla a la recámara con el balcón.

—No está lista, señor.

—Alístemela usted ahora mismo —contestó en tono más que un poco altanero, pero esto no lo escuchó María, porque está en las nubes.

Don Jerónimo siguió distribuyendo instrucciones, que en dónde debían darle el desayuno, dónde la comida, la cena, repitiendo que le dieran a la señorita de desayunar y de comer. Salió sin mayor ceremonia, dejando a María en «su» casa, la hermosa mansión que es desde hoy la habitación de la bailaora.

Don Jerónimo Aguilar camina los pasos que lo separan de «su» casa, el otro palacio, el que hemos conocido antes, un edificio también hermoso que acaba de adquirir para hacerse de una segunda propiedad en Nápoles con la intención de renovarlo y hacerlo a su gusto. Aún está desnudo, pero la construcción no es nada despreciable. Don Jerónimo va completamente aligerado, feliz. Se siente volar. Ha hecho suya una espléndida presa.

La vida de María ha dado un vuelco de noventa grados. Desde hoy, 21 de junio del 1571, solsticio de verano, sería vista engañosamente por los ojos del mundo como la amante de don Jerónimo Aguilar. ¿Pero está María para andar pensando en «el mundo»? Alejada de su ciudad, perdido (creía ella) su padre, fastidiada de Andrés y Carlos, los dos únicos compañeros que tiene en la tierra, sus aliados moriscos enfrascados en horrenda guerra, ¿de qué mundo puede alguien hablarle?

El padre de María los vio entrar al gran palacio y antes que tuviera tiempo de reaccionar vio salir a don Jerónimo Aguilar. Se le pegó a los talones, persiguiéndolo hasta verlo entrar a su otro palacio, cuya puerta abrió él con su juego de llaves. No lo espera nadie adentro. Apenas se cerró la puerta tras don Jerónimo, el un día bello Gerardo revisó la fachada de esta propiedad, regresó sobre sus pasos, inspeccionó el palacio donde había quedado María y comenzó a elaborar o digerir lo que acababa de ver. Recordemos que en las galeras se había acostumbrado a vivir con los eslabones desatados. Se comporta como una bestia. Da más vueltas, de una a la otra casa, como perro olfateando alrededor de cada una de éstas. Por un instante —de nuevo ese rayo— pondera para sus adentros: «Rico, parece ser muy rico». Se avienta sobre la frase como un perro sobre el hueso. Pero el efecto del rayo sigue ahí, está despierto, y el dulce sonsonete «Rico, rico» no le gusta nada. La hija del duque del pequeño Egipto no puede vivir recogida en la casa de nadie —zas, golpea el rayo otra vez—. Su hija no tiene por qué irse a vivir así, ayuntada, así fuera con el hombre más «rico y dos veces rico» del mundo. Una manceba. No. María no tenía por qué entrar a pedir lecho prestado ni al castillo del rey de Trapisonda. Gerardo juntó sus pobres fuerzas, más menguadas todavía por las altas horas de la noche, las reunió y con todas sus fuerzas rabió. Se diría que le sale humo por las orejas, si las tuviera. Iracundo, abandona la puerta, pero apenas da dos pasos es de nuevo un perro y parece haberlo olvidado todo, hundido en siniestras cavilaciones que más tienen que ver con el banco al que se siente todavía atado, con su mujer que ha muerto hace ya más de una década, con sus padres, con Granada. Y las memorias se agolpan en él, desordenadas, imprecisas, carnales, ensalivándole el corazón de deseo de dulzura, cariño, pertenencia, afecto, y dejándolo babeando, ansioso, sin comprender, sin siquiera el deseo de entender, sin palabras.

Gerardo lo ha perdido todo: ciudad, oficio, pueblo, libertad, orejas, nariz, párpados, la piel de su cara, gallardía de cuerpo, lógica, conciencia, y ahora está por perder a su hija, a la que no ha venido a buscar, a la que le ha traído el destino para golpearlo otra vez con un maldito rayo.

Antes de que despertara María, ya estaban los vendedores esperándola en el patio central del palacio, y allá abajo, como un perro, su padre, apostado mirando quién entra y quién sale. Don Jerónimo Aguilar ha contactado a los mejores abastecedores de ropa fina para mujer, les ha dado cartera abierta y les ha pedido que orienten los gustos de la gitana, pues no sabe si puede o no confiarse de ellos. Pronto fue informado que María tiene paladar de reina. Sastres, hacedores de sombreros, zapateros, paragüeros incluso. Listones, medias, cualquier capricho fue bien satisfecho. En todo exceso hubo la mesura necesaria para evitar el ridículo; cierto que era fasto, pero no aparecía impropio.

Llegaron precedidos por un largo recado escrito por el puño de don Jerónimo Aguilar: «Éstos son regalos, son mi agradecimiento por tu baile de ayer. ¡Bravo, la bailaora!»

Ni don Jerónimo se presentó, ni María puso un pie afuera.

¿De qué tanta riqueza? En España, y lo mismo en Nápoles, todos excepto el Rey lo saben: «Los capitanes son como los sastres, que no es en su mano dexar de hurtar, en poniéndoles la pieza de seda en las manos, todo es hurtar, excepto el día en que se confiesan». ¿Y que cómo hurtan? Cada capitán tiene a su cargo un cierto número de soldados, si es un capitán importante puede tener hasta más de trescientos. Al capitán se le hace entrega de la paga de sus hombres y él «dales el quinto, como al Rey, y tómales lo demás; al alférez da que pueda hacer esto en tantas plazas y al sargento en tantas otras; lo demás para nobis», de modo que el capitán gana cuatro de las cinco partes de los sueldos de sus hombres y de ahí sólo descuenta lo del sargento y el alferez. También sabe el pueblo esto: «Todos los capitanes ruines son los que quedan ricos, que los hay también valientes y honorables». Que conste que esto no es una opinión. Copiamos las palabras de unas hojas impresas que parecen espejo de lo que dice el vulgo, citan palabra tras palabra lo que sabe cualquier hijo de vecino, así sea el más malandrín. No hace falta ser sabio, sino tener oídos. Y no ser Rey.

Pero esto no es asunto nuestro. El hecho aquí contante y sonante es que don Jerónimo es rico y que usa sus dineros para acariciar a la bailaora.

Entre tanto mimo, María pierde la cabeza. No piensa en ser prudente y dejar la casa de don Jerónimo Aguilar. Acepta los excesivos regalos y cierra la boca. María se deja llevar por su buen instinto y no piensa en esto. No se siente en riesgo. El hombre la abruma con regalos y con una vida muelle. Pero no la toca. Excepto el brazo aquella primera noche, ni un pelo.

Ese su buen instinto la insta a ser generosa consigo misma y aceptar lo que le trae la siempre tan tacaña suerte: «Si un día da, que dé todo lo que guste, ¡ni loca me le niego!»

María no puso un pie en la calle tampoco los cuatro días siguientes. No tuvo tiempo sino de recibir mercancías, adornar la casa con las flores que llegan regalándola varias veces al día, gozar de las golosinas que arriban en preciosas cajas —burdas parecían las delicias de las monjas granadinas al lado de las elaboradas por las venecianas, napolitanas, romanas—, mientras los criados se esmeran infatigables en darle la mayor cantidad posible de gustos. Por otra parte, afuera se había despertado un calor de mierda, ¡ni para qué salir! Envió a Carlos y a Andrés otros mensajes que los criados cuidaron muy bien de no entregar. Los muchachos la buscaron arriba y abajo, sin dar con ella. Estaban desolados. Andrés lloraba como si el día se le fuera en cortar cebollas. Lloraba también las noches, le perdonaba a María sus caprichos e incorduras, la quería de vuelta así fuera para que lo ignorara o maltratara o le llamara idiota.

Aquello que en otros días fue su tormento, le parecería en la fantasía un paraíso comparado con el vacío de no verla.

El padre de María no sabía prestar oídos a las murmuraciones que regaban los criados. Se decía que a María le daban trato de «señorita», que don Jerónimo Aguilar nunca había hecho esto antes —llevar a una mujer a vivir a su casa—, que el tal don amaba las artes, que le tenían en alto aprecio, que era hombre cabal, que él dormía en su otro palacio para el que había contratado ya servidumbre, que a toda popa lo vestía e iba adornando, haciéndolo también magnífico.

Oía, pero no reaccionaba. No lo volvía a golpear otro rayo. Era una bestia, una bestia que algo husmeaba frente al hermoso palacio, algo que él no sabía qué era. Una mañana, María se asomó al balcón, y Gerardo la vio, pero corrió la mala suerte —otra vez caprichosa— de que la mirada de su hija se posara precisamente en él, el más horrendo de toda la turba. Por la callejuela cruzaba un gentío. Era un poco antes de mediodía, el sol no golpeaba el empedrado, la multitud caminaba presurosa. Gerardo se apoyaba en el muro de la casa de enfrente. María lo vio fijamente, sin reconocerlo, intercambió con él miradas y no pudo evitar hacer un gesto de asco, girar y entrar a la casa de nuevo.

—¡Yo no quiero estar viendo esas cosas horrendas, que hay cada cara allá afuera que a uno le rompe el corazón! ¿Para qué he de amargarme el día? —se dijo.

¿Cómo no ver horrendo *lo que resta* de Gerardo, si María pasa los días comparando telas finas, sedas y terciopelos, ponderando mangas, tasando cuellos o calzados, y encima de tanta bonitura están las flores que he dicho, que la casa casi parecía un panteón en día domingo?

La ciudad rebosaba soldados, muchos de éstos durmiendo en tiendas o simplemente al aire libre, y a su lado pululaban olas de forasteros, comerciantes los más, que habían llegado a la ciudad arrastrados por el paso de la Santa Liga, porque la vida de soldado hace a los hombres muy gastadores, generosos los llaman algunos, otros liberales, hay que llamarles manirrotos y sin mesura, y esto acarrea una multitud de gente que se les llega al punto para aprovechar el río de riquezas que van dejando. En uno de los lugares donde los no soldados se reunían los mediodías, un tal Ricote, morisco expulsado, quien lamentaba noche y día la pérdida de una hija, Ana Félix, habló de Alemania («Yo salí de mi patria a buscar en reinos extraños quien nos albergase y recogiese, y habiéndole hallado en Alemania, volví en este hábito de peregrino, en compañía de otros alemanes, a buscar a mi hija y a destenterrar muchas riquezas que dejé escondidas en mi pueblo en Andalucía»). El tal Ricote, que tenía un corazón de oro, se apiadó del mutilado, lo abordó, y, ayudándole a cerrar los eslabones dichos, los abiertos de su insensatez, le ayudó a decir «Yo también tengo una hija, también viví en Granada». Después de esto, Ricote y Gerardo cruzaron frases, soltaron nombres, y el de Farag los ligó indeleblemente. Esto le dio a Gerardo algo para su persona que era como la argamasa con que se levantan los edificios. Pudo afianzarse durante días a una fantasía, una que sí supo asir, reparado ya algún eslabón de su conciencia: que necesitaba encontrar un lugar donde llevarse a su hija y que éste bien podría ser la Alemania de que hablaba Ricote.

La charla entre Ricote y Gerardo se repitió algunas noches, atando paso a pasito otros de aquellos eslabones boquiabiertos.

Gerardo volvía a la vida.

¡Ah, cómo dolía volver! Gerardo ya tenía un amigo, su Ricote, y esto lo hacía saberse más horrendo, más miserable, más enfermo. Una conciencia tomó: que están sus fuerzas mermadas, que su vida es una piltrafa.

Para aumentar la carga, Gerardo sintió el peso de sus años como si fuera un Matusalén, porque cuando podría haber llegado para él el tiempo de la cosecha, lo asediaba el despojo y el peso de su exilio. Si la vida no hubiera estado marcada por su expulsión de Granada, Gerardo habría cosechado mayores riquezas, mayor aceptación e influencia entre los suyos. Pero no le quedaba nada, no había qué recoger, su mundo se había evaporado. Lo mismo vivía Ricote, un dolor que desconocen los jóvenes, una tristeza de todo punto irreparable que hubiera podido ocultar la que sentía Gerardo por su mutilación si éste hubiera sido menos vanidoso.

Otra noche, su nuevo amigo Ricote le habló de su esposa, también perdida en estos años atroces para los moriscos. Gerardo le dijo: «Yo también tuve una esposa», y esta maldita frase lo agusanó. Gerardo peleaba por no irse pudriendo.

Mientras Gerardo se alazaraba —y no que aquí se diga que sano regresaba al mundo, que con tantos achaques y mal estado del hígado parecería que se alazaraba, porque para pudrirse hace falta tener carne—,

256

cuando habían pasado quince días desde que María viviera deslumbrada mirando mercaderías, ciega de tantas bonituras, don Jerónimo Aguilar hizo llamar y traer a Andrés y Carlos. Los amigos aparecieron frente a María.

—¿Cuándo salimos a hacer música? —preguntó el inocente Carlos apenas verla.

Andrés había pensado rápido al tiempo que revisaba el palacio y las ropas flamantes de María y estaba hecho un verdadero basilisco. Tanta lágrima derramada no invitaba en este momento a un solo pensamiento tierno. Estaba enfurecido con María. Tenía ganas de pegarle.

—Esto es más grave, María, de lo que piensas. ¿Sabes quién es este hombre? —entonó la palabra «hombre» con un desprecio que le sangraba de ira. Andrés había averiguado ya de quién era este palacio—. ¡Es un sol-da-do-cris-tia-no, de los mismos que hacen barbaridades en Andalucía, es uno de los suyos! ¿No lo entiendes? Te lo repito: ¡un-ca-pi-tán-cris-tia-no! —cada sílaba se la arrojó a María, furioso, tamborileando su enojo con la palabra—. ¿Te lo repito, o entiendes? ¿No se supone que es nuestro enemigo? ¿Qué tienes, María? ¿Y el libro a Famagusta? ¿Y tu padre?

—¿Y nosotros? —insistió el inocente Carlos, intentando parecer también enfadado, por seguirle el estilo a Andrés—, ¿qué, ya no te importamos? ¿Crees que podemos trabajar sin ti? ¿De qué vamos a vivir, a ver?

La ira le había subido a Andrés, no podía contenerse. Estallaba.

En ese momento entró el secretario del capitán don Jerónimo Aguilar, acompañado de un grupo de músicos de esos que acostumbran a tocar en los palacios, varios en la Corte de Madrid, uno de ellos conocido intérprete en San Marcos de Venecia. Llegaron en el mejor de los ánimos cargando sus instrumentos y arrollaron con su cálida festividad a Andrés.

Hablaban como pájaros parlantes de las Indias, uno repetía la frase que el otro acababa de decir y un tercero les hacía eco. Las palabras iban y venían rápidas, y no era precisamente que conversaran. Lo que hacían era acomodarse y, músicos al fin, se acomodaban haciéndose espacio con sonidos. Los criados se afanaban supliéndolos con sillas y ayudándoles a encontrar emplazamientos afortunados a los instrumentos. Como el pichón que se sacude al llegar a la rama del árbol, estos músicos acomodándose se sacudían echando palabras por la boca. Apenas se encontraron todos a gusto, sus intrumentos en los brazos o en las piernas o en las bocas, atendieron a lo que les dijo el que venía de Venecia. Él se hacía

257

cargo de coordinar las más de sus representaciones y ensayos, lo escuchaban y obedecían por su inmenso prestigio.

—Buenas tardes a todos, y a ustedes muy especialmente, queridos amigos nuevos. Bienvenidos a la banda de la Liga.

Todos los músicos aplaudieron o hicieron sonar los arcos golpeándolos contra las cuerdas. Los falsos periquillos indianos se sacudían otra vez, pero ésta ya no para acomodarse ni para reacomodarse, sino sólo para hacer saber que ya estaban en su sitio.

—Y estamos aquí, como estamos siempre, para hacer música. Don Jerónimo Aguilar nos ha hecho traer para que, escuchándolos, amigos, hagamos música juntos. Ustedes y nosotros.

Pronunció de manera muy diferente el «ustedes» del «nosotros», marcando una distancia. Lo cierto es que la petición de don Jerónimo lo desconcertaba —«Quiero que toquen con unos gitanos geniales que he oído en las plazas, valen la pena»— y, dispuesto siempre a sacar el mejor momento de cada uno, no quería irritar a su mecenas, pero tampoco quería humillar a sus compañeros músicos, ni mucho menos pisotear su oficio. La situación era risible, «estos gitanos y nosotros»; el *nosotros* correspondía a los mejores músicos de Europa, y *estos gitanos* a dos pillos y una bella, tres gitanillos cualquiera como los hay en todo rincón de Italia.

El veneciano pidió ver qué música hacían Andrés, Carlos y María, y su música llevaba baile, y su baile debía llevar ropas de Granada. María vestía ropas muy especiales, pero no eran granadinas, ni las gitanas, ni las moriscas. Con tantas ropas nuevas se había aficionado a cambiarse cuatro, cinco veces al día, se mudaba de atuendo como buscándose en ellas. La suerte la había favorecido, porque hoy vestía una especie de toga ligera que los mercaderes estaban intentando poner de boga en Italia y a la que llamaban «nueva griega», que lucía a los ojos de todos como algo inusitado y poco familiar y que nunca conseguiría volverse costumbre. Pasaban por extranjeras, y eso era suficiente para ayudar al baile de María.

Los gitanos acomodaron su pequeño tablado frente a los músicos con tanto orgullo y tanta gracia que comenzaron a despertarles cierta curiosidad. Cambiaron sus alpargatas por los calzados de cuero. Andrés comenzó a tocar el pequeño tamborcito, mientras María golpeaba los calcañares y Carlos acariciaba su dulce guitarra. Los músicos se reacomodaron en sus asientos. No sonaba mal esto de los gitanos, aunque era cándido y un poco bobo. Estaba muy lejos de ser genial, pero si recordaban las monedas del mecenas se convencían de que era algo digno. La letra que cantaban sí tenía algo conmovedor. Pero en el momento en que

Andrés comenzó a golpear con los talones el tablón y en que María soltó su cuerpo al baile, su entusiasmo se incendió. El clarinetista sopló su instrumento, el arpista rasgó, el clavicordio añadió su ronca melodía, y el veneciano fue invitando a los más rejegos a unírseles. Andrés sonó su tambor humano divinamente, María bailó como nunca, a ratos haciendo sonar sus tacones, revestida sobre las ropas extrañas por la espesa, abundante, gruesa música de la orquesta, y Carlos cantó con dulcísima voz, arrastrando a los músicos en un sentir común.

Don Jerónimo entró, y oyéndolos y viéndolos quiso reír de gusto. Ésta era la música del cielo, del cielo y de la tierra, una música rica, sabia, deliciosa.

No había nadie en la tierra más hermosa que María, la preciosa gitana. *De Granada, para servirle a usté.*

Terminando la primera canción, que fue larga, pues les sirvió para conocerse unos a otros y para entablar el diálogo, los músicos de la orquesta comenzaron la segunda vuelta de la misma. La recreaban, añadiéndole esto y aquello, de manera que cuando Andrés se les incorporó golpeando con sus tacones, el taconeo sonó mil veces mejor, cuando María bailó, casi voló, cuando Carlos cantó, se oyeron palpitar las alas de los ángeles.

Los músicos educados estaban la mar de divertidos. Sí, se podía hacer música con los tres gitanos callejeros. Las monedas del mecenas habían inclinado favorablemente sus ánimos, pero lo cierto es que la música sonaba mejor que el pago. Era verdadera música, música auténtica, vestida de seda y con varios velos provenientes de diferentes latitudes.

Se borraba la calle para los tres gitanos, con este encuentro se volvían parte de los músicos de los palacios.

Andrés comió ese día como nunca antes en su vida, en mesa de nobles, rodeado de caballeros que ponderaban su pandero como si del cuerno mágico se tratara, y que hablaban de su taconeo como de algo excelso. Comió y fue feliz, y aturdió su desesperación mariana con placeres que no había conocido nunca antes: el reconocimiento de *su arte.* Los músicos de la orquesta estaban felices también. Habían venido obligados por el deber con su patrón, pero ahora deseaban repetir por propia cuenta.

No hizo ninguna falta, muchos bolsillos se soltaron. En unas semanas, después de ensayar noche y día, dieron un concierto del que Nápoles guardará memoria. La música de los gitanos había llegado cargada de morerías y otras influencias ibéricas. A esa combinación, los músicos sumaron sus maneras y fueron armonizándolas hasta conseguir ese sonido único, distinto. Los mejores compositores de la ciudad concurrieron a dar lustre a esa música nueva, glamorosa, inusitada, y veían todos bailar en medio de ella a María, fascinados y gozando su oficio como si tocaran para su propio deleite y no para su mecenas don Jerónimo ni para las personas principales que se congregaban en los patios de los palacios a oírlos.

Gravitaban en torno de ellos mismos. Son veintisiete personas, sin contar el coro que algunos días los acompaña, entre cuerdas, alientos, una arpilla, tambores, trompetas, tres clavicordios y un sacabuche. Los napolitanos se aglutinan afuera de la casa de don Jerónimo Aguilar para oírlos tocar. Su música se tararea en las calles, se hace leyenda.

Los patrones se multiplican. Los bolsillos engordan. Y la magia inicial se llena de nubes siniestras. Al correr de los días, los músicos se observan, cultivando diferencias con sus compañeros. Se acrecientan simpatías y antipatías. Muchos disfrutan los golpes de los zapatos de Andrés. Algunos, el cantar de Carlos. Casi todos adoran a María, creyéndola una excepción. Todos idolatran el dinero que les trae María, pero por lo mismo comienzan a celarla, ¿por qué recibe tantos entusiasmos? A fin de cuentas, no es sino una gitana, no tiene mayor educación, no sabe leer música; no ha abrevado de Venecia y de Roma, como los más de ellos. Habían tomado de los tres chicos algunos elementos —se decían—, pero nadie creería oír en ellos un Orlando de Laso o al gran Palestrina, aunque como si fueran grandes les llovieran los dineros. «¡Alcanza para todos!», decían los más sensatos. «¡Que no es cosa de dineros, que gustan porque pegan en el piso como simios!» El verdadero pecado de esos tres zarrapastrosos era que opacaban el lucimiento de los otros talentos.

Mientras varios de los músicos organizaban un bloque contra María, ésta ocupaba el tiempo en que no hacían música de otra manera. Gracias a su nueva posición, hacía amigos e incluso departía con los célebres en los salones. Asistió a la gran fiesta en honor de don Juan de Austria, que tocaba Nápoles camino a Mesina, punto de encuentro para los aliados de la Santa Liga.

Don Juan de Austria, con el título de capitán general de las fuerzas de la Liga, llegó a Nápoles el 9 de agosto. Toda la ciudad salió a verlo entrar en la mejor de las monturas. Vestía del modo más rico y vistoso, su traje hecho de tela de oro encarnada, cayéndole al cuello una cortadura de terciopelo blanco muy relevada perfilada con pasamanos de oro, la banda carmesí cruzándole el pecho para denotar su orden de caballería, caballero del toisón de oro, las plumas blancas sobre el sombrero también de terciopelo. Como era de por sí muy hermoso —de estatura algo más que mediana, *ojos algo grandes, despiertos y garzos, con mirar grave y amoroso, un rostro muy hermoso, poca barba, lindo talle, el cabello rubio muy abundante y rizado peinado hacia atrás, temperamento sanguíneo, señoril presencia, alegre, inclinado a lo justo, de agudo ingenio, de buena memoria, adelantado y fuerte, armado andaba como si no tuviera nada sobre sí, porque era muy fuerte, y además cortés y agradable, y excelente hombre a caballo...* Los elogios abundan.

Las jóvenes lo vieron pasar asomadas a sus balcones y más de una sintió amarlo. Al llegar frente a la puerta de la catedral, don Juan de Austria se quitó el sombrero y saludó con gesto respetuoso. Apenas sentir la cabeza desnuda, pasó sus dos manos por el cabello para echárselo hacia atrás, comenzando por las sienes, y la agitó levemente. El gesto causó furor como dondequiera que don Juan de Austria se presentara —el más hermoso de toda la familia real— y todos los muchachos de Nápoles le imitaron el gesto, de inmediato se convirtió en seña de buena cuna. Pero incluso en las calles el gesto se contagió, hasta Carlos lo adoptó. Sobre su lacia cabellera negra se pasaba las manos y agitaba un poco la cabeza, exactamente como un don Juan de Austria, llevando al exasperado Andrés a cúspides nefastas de exasperación.

Mientras María hacía amigos e iba a fiestas, se apropiaba del manejo de la casa que habitaba, se volvía la capitana de ese puerto ganándose el respeto de criados y gobernantas. Éstos no entendían bien a bien qué ocurría entre ella y su patrón. La veían adorarlo, cuidar de él cuanto don Jerónimo Aguilar lo permitía. Lo veían a él idolatrarla. No sabían cómo interpretar que no cohabitaran, ni las andanzas de don Jerónimo, de las que se hacían mil lenguas. María, por su parte, estaba muy segura de que él le profesaba amor del bueno y que terminarían unidos en santo matrimonio. Aunque gitana, ella era la hija del duque del pequeño Egipto y tenía a su persona en muy alto aprecio. Antes de casarse, sin embargo, debía entregar su carga en Famagusta. Para hacerlo, necesitaba esperar mejores tiempos. No se impacientaba, sabía en cambio dejarse ir en ensoñaciones peripatéticas, se imaginaba a qué sabrían los besos del hombre que ella amaba, el que le habla con tan dulces palabras, alimentando una temblorosa hoguera. Imaginaba sus caricias, sus abrazos; quería tocarlo.

Don Jerónimo Aguilar desgastaba las palmas de sus manos prodigando a granel caricias a las cualquieras, ninguna de las cuales le parecían siquiera remotamente bellas. Se tiraba entre sus piernas abiertas y sin mirarlas, cerrando los ojos con un gesto que cualquiera podría haber interpretado como disgusto, las poseía no más de unos minutos, meneando en ellas su miembro siempre ansioso. Más deseaba a María, más se ayuntaba con otras, para quedar siempre insatisfecho, íntimamente humillado. María desconocía las prácticas nocturnas de don Jerónimo y con simpleza directa lo deseaba. Esperaba el sonido de sus pasos. Apenas los percibía, saltaba de sus cavilaciones para rodear a su adorado de mimos y sonrisas. El día y la noche se le iba en pensarlo, en repasarlo en la cabeza, en suspirar por él, en soñarlo.

Jerónimo se creía un hombre dichoso. María por su parte creía que llegaría a ser dichosa apenas entregara su libro de hojas metálicas en Famagusta, que apenas cumpliera sería libre para entregarse y gozar del amado. Y si diera con su padre, ¡dicha completa! Dejarían Nápoles, regresarían juntos los tres a Granada, o los cinco, si había que volver también con Andrés y Carlos. ¡Buena cosa le parecería a la madre superiora saber con quién se había casado la despreciable María! ¡Y qué diría la Milenaria, y qué opinaría Dulce, y el gusto que les daría a Clara y las más de sus demás compañeras de la cocina, para las que María no servía pa náa! ¡Imaginar la cara de Estela! A Salustia debía traerla a la fiesta de su boda. Le prestaría uno de sus vestidos y sería su dama de honor; ella representaría su negro y limpio honor de gitana.

Gerardo observaba las idas y venidas de don Jerónimo Aguilar con intenso disgusto. El trato con Ricote le había regresado ya la suficiente cordura como para darse cuenta que frente a sus ojos se disolvía la buena reputación y honra de María, el honor de su hija se arrastraba por el sucio piso de la sucia Nápoles. ¿Qué más daba que los criados dijeran que María vivía en completo recato, si el hecho es que dormía y vivía en la casa de un hombre que no era su marido? El contacto con Ricote lo regresaba cada día más a sí mismo. Hablaban breve casi todas las noches, Gerardo le ayudaba con sus negocios, que para ganar monedas no había necesitado vivo ningún instinto. Se había atrevido a más con Ricote, le había dicho que ya sabía dónde estaba su hija María, que saldría en breve a buscarla, que la llevaría consigo a Alemania, a la ciudad que Ricote le indicase. No le confesaba que la tenía bajo sus narices, en casa de tal capitán español, ni que su hija era María la bailaora, que para todo Nápoles era ya objeto de amor y leyenda.

Tampoco se decía a sí mismo que lo que tenía que hacer era darse a conocer sin rodeos a su hija.

Como se dijo ya, María se esmeraba en hacer vínculos con los que parecieran importantes. No serían muchos, pero fue tendiendo una red de «amigos». La necesitaba para sus planes, los inmediatos y los que miraba en el más difuso futuro. Quería encontrar a su padre, entregar su libro en Famagusta, volver a Granada, y para conseguir sus querencias creía que debía hacerse de «amigos». Los llamados así se le acercaban en esta ciudad revuelta porque ella tenía dos imanes: su cercanía con un hombre poderoso en el ejército, y el imán del dinero. A todos en algo los llamaba su gracia, pero no hubiera sido ésta suficiente. Amigos y zopilotes se escriben casi, en este caso, con las mismas letras: la zeta va por zurrón, que del zurrón estos amigos querían roerle. La «o» por la que trae la palabra amigos, que aunque zopilotes fueran querían parecer amigables. El colchón de oro de que había proveído don Jerónimo a María la hacía lo suficientemente venerable como para que gente que antes no la hubiera volteado a ver ni por encima del hombro, ahora la cubriera con halagüeñas palabras y la encontrara propia de consideración y respeto, talentosa y hermosa, fina y educada. ¡Ah, qué dechado de virtudes, la gitana! Un día alguien comentó: «Parece hija de cristianos viejos», y otro dijo: «Mejor destino mereciera que ser hija de gitanos». Suponiendo que esos mismos hubieran volteado por encima del hombro para atisbarla cuando era pobre como una chinche, la habrían descalificado de inmediato como a una chula despreciable. Ahora les parecía *muy* apreciable y la certificaban cristiana vieja.

Los «amigos» le fueron enseñando con quiénes tratar para concertar sus averiguaciones, y del ala de los que le olían el zurrón fue a dar a otro grupejo de zopilillos. De éstos supo que la nave que cargaba a Gerardo había sido hecha cautiva de los corsarios turcos y esto la llevó a acercarse a los mercedarios en busca de ayuda para averiguar si sabían dónde y cómo dar por él un rescate, pues los frailes de esta denominación son quienes rescatan a los cautivos, la orden se encarga de hacer las muy fastidiosas negociaciones y las entregas de dinero para salvar a los cristianos de la esclavitud entre infieles.

Uno de estos frailes hizo saber a Gerardo que María lo buscaba. Con esto, otro rayo cayó sobre la conciencia del gitano. Pidió al mercedario que por favor le anunciara a María su próxima llegada, que no le dijera que había perdido la nariz, ni menos lo de los párpados, ya habría tiempo para prepararla. Debía informarle que estaba bien, decirle que la vería en breve, que había conseguido ya su libertad. Pero el muy solícito y eficaz correo, pensando en su propio provecho, le anunció a María que era urgente este pago y el otro, que más monedas hacían falta urgente para ir procurando medios que le acercaran a su padre el fin del doliente cautiverio. María fue informada de mil distintos detalles, todos y cada uno falsos como el mercedario, a quien le llenaba los bolsillos a cambio de palabras y promesas.

Gerardo aseguraba al fraile que vería a su hija en dos meses, el tiempo que él necesitaba para terminar de juntar el dinero con que se instalarían en Alemania, y el fraile decía a María que dos de plata para mantas, que diez de cobre para galleta y una de oro para intentar zafarle la cadena. El fraile le explicaba a Gerardo que María necesitaba monedas para esto y para lo otro, y el un día bello desembolsaba. El mercedario se enriquecía por ambos frentes; llevaba a los dos certezas, insinuaciones y en cierta medida alegrías, que así se llaman las esperanzas, sobre todo cuando son falsas. Por último, además de puro hablar algo hacía, que era buscar quién le organizara a María un viaje que deseaba. No lo hacía por buen corazón, sino porque sabía que de esta manera alejaba el encuentro entre Gerardo y su hija, poca gana tenía de asesinar a su gallina de huevos de oro. Eficaz, auxiliaba a María en otros planes que ella tenía en mente, así el que ahí se llenara el bolsillo fuera el criado calabrés de un famoso jesuita que aquí pronto se verá.

A punta de mentiras mercedarias, María ignoraba la situación de Gerardo. El mercedario se sentía bondadoso porque no le espetaba la mutilación del padre, le ahorraba el mal trago de su enfermedad y el feo aspecto de sus mutilaciones. Tampoco le hacía saber que desgastaba sus pocas fuerzas en ganar dinero para llevársela a Alemania. María alegraba su corazón creyendo que con sus monedas iba soltando las cadenas del padre. Gerardo alegraba el suyo matándose en diligencias, buscando el provecho de María, organizando con Ricote su llegada a Alemania.

María gozaba el caluroso resplandor con que la embellecían las monedas de oro, la hacían tan atractiva, le traían amigos. (Otro resplandor tuvo no hace mucho en la piel, pero ya parece tan lejano. Nunca se acuerda ya de él. El momento pasa por un momento sin que ose atraparlo: están a medio camino, se han sentado a la vera a pasar la noche, que los ha pillado fuera de muros, ciudades, pueblos o villorrios. Han encendido una hoguera. Han abierto las páginas del libro plúmbeo que cargan rumbo a Famagusta. Es la primera vez que se atreven a inspeccionarlo. María lo extiende sobre el burdo saco, en el piso; es un libro muy grande; es bellísimo; tiene escritas palabras; las llamas chisporrotean porque es lo suyo; María da su voz a lo que trae escrito el libro, lo lee en voz alta; Carlos y Andrés la escuchan, barnizada por el brillo de las llamas reflejado en las hojas metálicas del libro, está bañada en luz dos veces; las llamas brincan en las páginas metálicas, impacientes; los chicos beben lo que María les dice, lo que les dicen esos labios es para ellos la revelación primera; María bebe doble: de su voz, de las caras y excitaciones de sus dos compañeros, del fervor danzante de las flamas reflejadas y del crepitar del fuego, bebe de muchos sitios. María arde en las páginas metálicas del libro plúmbeo. ¿Quién, viendo la escena, no creería que ahí se da un perfecto amanecer de la conciencia? El Mundo está ahí presente, vivo, renovado. Se es, como si ser fuera por primera vez ser, y ser único. Luego, los tres gitanos cantan y bailan, febriles, embriagados.) Ahora, el resplandor del oro que regala María a sangre limpia, le hace un gélido recorrido por las entrañas, peinándole por dentro el corazón, barriéndoselo. Y mientras ocurre esto, María aprende a amar la vida de palacio y ansía no perderla. Comenzó a calcular cómo podría hacer para no ser echada, cómo tener la llave, el acceso, sin que en cualquier momento otra, alguna otra, viniera a reemplazarla.

Lo único que puede garantizarle su estancia en esta vida era el matrimonio. Y pensó que tenía que casarse. Supo que debía casarse.

No todo era cálculo frío en sus deseos de matrimonio.

44. Las confusas noches napolitanas

Nápoles, la mejor ciudad del mundo, rica, hermosa, dispar y armónica —que las buenas ciudades consiguen las dos contradictorias cualidades—, que tiene todas las virtudes de una ciudad de Italia y también las de una de España, ciudad lujuria, corrupta, traición, desorden, efervescencia, artistas... Nápoles es magnífica, y es el basurero de Europa, el contenedor de todos los vicios y excesos del continente. Está rica y cargada también del África. Y en las noches, confusas...

En las noches confusas, Andrés juguetea con algunos mancebos, haciéndose a la cuenta que son reencarnaciones de María; don Jerónimo penetra feúchas, haciéndose de cuenta que son María; María se aderesa y engalana, haciéndose de cuenta que aparecerá don Jerónimo Aguilar y le propondrá matrimonio, confesándole rendido su amor; Carlos tiene miedo de quedarse solo, haciéndose de cuenta que le divierten sobremanera las aventuras de Andrés; los soldados de la Santa Liga, esperando la seña para salir a guerrear contra el Turco, están haciéndose de cuenta que su vida es un privilegio, que ellos escriben las nuevas páginas de la historia mientras derraman sus pagas en placeres (en ser liberales demuestran que han aprendido la primera de las lecciones de la vida militar).

En las noches confusas, Andrés rabia de deseo por María, busca suplentes y en ellos consuelo sin encontrar sino rabia difusa; don Jerónimo desea a rabiar, se descarga a cambio de monedas; Carlos tiembla mientras a su pesar revive una y otra vez el incendio rabioso de su casa, la muerte rabiante de sus hermanas y su madre; los soldados de la Santa Liga se embriagan sin rabia alguna.

En las noches confusas, por la cabeza de un viejo caballero de Malta insomne desfilan vertiginosamente una y otra vez los 700 de su orden sitiados en 1565 en el castillo de San Ángelo bajo las órdenes del heroico de La Valeta sosteniendo el sitio por el honor de su orden y el amor a la Santa Iglesia; observa detenidamente cómo caen uno a uno hasta llegar a 250; cuando ve a los turcos retirarse vencidos, no siente el sabor de la victoria. Pocas puertas delante, un príncipe húngaro tampoco duerme, no hace tanto que los turcos arrasaron sus palacios, quiere bestial venganza.

En las noches confusas, aquel muchacho castellano, cebado por la violencia en la guerra de las Alpujarras, desea y ansía el ruido de la pólvora, anhela ver cuerpos abiertos por el cuchillo, anhela ser cuchillo, anhela ser cuerpo. Está impaciente por la llegada de la guerra, su espíritu se alimenta de cuerpos caídos, es una hiena y es cuerpos caídos y carne enredada en la dentadura de la hiena.

En las noches confusas los embozados corren por los callejones de Nápoles buscando gozar, negociar, hurtar o algunos esconderse de otros.

En las noches confusas, la cercanía de la guerra se cierne sobre la cristiandad. Algunos rezan. Los rezos no tienen un ápice de mansedumbre. Los rezos corren paralelos al próximo tronar de los arcabuces. *Santa María purísima*: estalla una granada. *Por los pecados cometidos:* cae un cuerpo. La guerra extiende su sombra hacia los días que la preceden, como si no pudiera caber en el tiempo que ocupará en breve con violencia nunca antes vista.

Pero las noches confusas terminan, sin que lleguen a ellas amaneceres luminosos. El final que se adelanta es el que tuvieron las de don Jerónimo Aguilar, quien pronto dejará de comportarse con María como lo ha estado haciendo, pues, por decirlo citando a Cervantes, irá «tratando mis amores como soldado que está en víspera de mudar».

266

Fin de las confusas noches (¡y que fuera fin, que las noches confusas continúan hasta el fin de los tiempos, buscando nuevos protagonistas!).

María se había acostumbrado a la compañía de don Jerónimo Aguilar, siempre alegre, inteligente, generoso, impecable, siempre admirándola, diciéndole florituras, llenándola de elogios, mirándola como si ella fuera Venus revivida, la más hermosa, la primera entre todas las mujeres. El hombre no le ha tocado ni un pelo, ni ha pedido permiso para hacerlo. Con los ojos le dice que la ama. María no sabe que con los pies, después de sus apasionantes entrevistas, don Jerónimo Aguilar corre a pagar mujerzuelas a las que posee con una mezcla de furia y desprecio. Así es él. Algunas personas no tienen el corazón dispuesto para el amor recíproco, y él ha advertido ya que María lo adora. Sin dejar de sentirse atraído, enamorado de ella, le guarda una distancia prudente que conserva hasta que don Juan de Austria da la orden de partir a los soldados viejos que han hecho salir de las plazas del reino de Nápoles y la misma a los bajeles cargados de vituallas y municiones, para ir desahogando el puerto, y ordena al resto de los soldados alemanes se le reúnan directamente en Mesina. Las órdenes implican que la Liga está por dejar Nápoles, la salida es ya inminente.

Apenas sabido esto, don Jerónimo Aguilar acorta la distancia que guarda con la bailaora. Suelta las riendas de su deseo. Le besa las manos, al día siguiente los brazos y al tercer día —luego de haber escuchado que zarparán a la mañana siguiente— la boca.

La besó y de inmediato los dos se precipitaron en un beso hondo y carnal, un beso denso, lleno de deseo, un beso que era incontenible, un beso cargado de suspiros, un beso que no sabía detenerse, un beso cargado de besos, de carne, de suspiros, de sueños, de caricias; un beso con manos y con pies; un beso repleto de palabras; un beso comida; un beso sueño.

Hasta que algo arrancó del beso a María. Estaba aún hundida en lo más hondo de este beso que le cegaba los ojos y la hacía ser toda carne, como nunca lo había sido, cuando sonó dentro de ella una alarma. Su repicar le dice: «¡Famagusta!, ¡Gerardo!, ¡Farag!, ¡Zelda!», y otros nombres que apuntan metálicos a la prioridad de sus lealtades, su misión, su encargo, su ciudad, su espada, sus amigos moriscos, Zaida y Luna de Día, su padre. Porque sonó esta alarma y al sonar le restituyó serenidad, la hija del duque del pequeño Egipto pudo pensar unas gélidas frases que

267

la arrancaron completa del beso: «Yo quiero conservar el palacio en que vivo, quiero el matrimonio, y este hombre que adoro y me ama me está besando sin haberme hecho promesa de amor ni…»

—¡Jerónimo! —dijo con una voz cargada aún del beso, separándosele y sonriendo, extendiendo entre sus dos cuerpos su gracioso brazo—. ¡Jerónimo! ¿Qué vas a pensar de mí? Yo soy….

Si el beso había dado a María la hondura del amor seguida de la frialdad de su memoria y la metálica dureza de sus expectativas, había tenido en don Jerónimo Aguilar una reacción muy diferente. Lo había herido en carne viva como el arma de guerra. Lo violentaba, lo obligaba. Le había arrebatado eso que tenemos adentro de la cabeza, arrojándole los sesos al piso. Lo que quedaba de don Jerónimo Aguilar contestó a María:

—Voy a pensar de ti lo que tú quieres que yo piense de ti. Dime qué quieres que piense de ti.

—Quiero que pienses que me quieres.

—Pues te quiero, ¿no te he dado muestras infinitas de esto?

—Que me quieres bien, con amor del bueno. Que sabes que no le he entregado a nadie la joya más querida; que ésta será tuya si la pides como se la pide un caballero a una mujer con honra.

—Tú eres mi joya más querida.

—¡Valga!, ¡tú me entiendes!

—Te quiero, María.

—¿Y? Mejor todavía. Si se le quiere a una mujer, se la respeta.

—Te respeto, María.

—¿Y? ¿Por respeto me besas?

—Te beso porque te quiero.

—Quiéreme bien, como quiere un hombre de tu calidad a una mujer que aunque pobre tiene su espiritillo. *Ningunas palabras creo, y de muchas obras dudo.*

—Yo me he ahorrado palabras y creo que he sido contigo pródigo en obras, María.

—Me parece muy bien que me quieras, pero me arrepiento del beso. Yo soy pobre, lo sabes, pero tengo una joya y la creo más que la vida, que mira que mis trabajos me ha costado cargarla a cuestas y defenderla en tantas ciudades y caminos como he recorrido. Mi joya es mi entereza y mi virginidad, que vienen juntas; no hay cómo decir una sin nombrar la otra. No la he soltado aunque me la han querido comprar, porque si la pierdo sé que no podré yo comprarla. No me la va a quitar ni un palacio ni las hermosas prendas de que me has vestido, que de todas y cada una ahora mismo me arrepiento. Nada me hace falta a mí. Por años he vivido de lo mío, pero tengo mi joya, y quiero seguir teniéndola. Mejor me iré con ella a mi sepultura que perderla. Ya sabes que se dice: *«Flor es la virginidad que no debe tocarse ni con la imaginación, porque ella basta para hacerle caer los pétalos». «Cortada la rosa del rosal, con qué brevedad y facilidad se marchita. Éste la toca, aquél la huele, el otro la deshoja, y, finalmente, entre las manos rústicas se deshace.»* Pido disculpas de mi estar aquí en tu palacio, que creí era por la manía que tienes a la música, como tú mismo me has dicho, y mal he hecho en creer a tus palabras. Si todo esto era por tener a cambio esa sola joya mía, no te la vas a llevar, que sería para mí el peor de todos los despojos. Mejor toma tu espada y córtame el cuello, anda, de una vez. Si la quieres de veras, si te vas a llevar esa joya mía que tanto aprecio, será atada con los lazos del matrimonio o en el cuerpo de una difunta, que no de otra manera. Si tú quieres ser mi esposo, *en un futuro* yo aceptaría. Pero ahora no puedo hacerlo, tengo que ir a Famagusta…

Don Jerónimo Aguilar la medio oía, desprovisto del beso lo único que deseaba era su renovación, ansioso quería continuar besando. Lo demás, ¡que rodara el mundo! «¡Beso, beso!», se decía, ensordeciéndose. ¡Cuánto deseaba a María! Oyó «Famagusta», y no escuchó. Las palabras le rebotaban en la cabeza vacía, una vez, dos, tres veces. De pronto entendió «matrimonio», y esta palabra consiguió regresarle los sesos a su sitio, deshiriéndolo, y sintió ganas de reír. Afortunadamente, en un ápice de cordura que se coló en su sinfónico deseo de beso, se dio cuenta de lo inoportuno de la carcajada que deseaba brotar y la contuvo. Jamás le ha pasado por la cabeza, pero ni de muy lejos, casarse con una gitana desprovista de dinero, honor, prestigio, familia. La gana de reír pasó tan de improviso como había aparecido, y volvió lo del beso, el coro clamando: «¡Beso, beso!»; sintió necesitar ese beso magnífico con tanta ansia que hubiera jurado lo que le fuera, si era preciso prometería que se tiraría de una torre, diría lo que le pidieran con tal de poder volver al beso. Ni un momento le había pasado por la cabeza casarse con ella, no estaba loco, el matrimonio es para afianzar posiciones y hacer mayores las riquezas, pero volvió la vista al rostro de María y verla fue volver a sentir el beso aquel y el sentirlo le tumbó la cabeza —ya no sólo los sesos— y la deseó más y de tan intensa manera que le dijo:

—Me has arrebatado de los labios, Preciosa, lo que yo quería decirte. Si no lo hice en días pasados fue por simple temor a tu rechazo. Te he dado pruebas repetidas de mi respeto. Hoy me rompí porque saldré pronto a la guerra, y no sé si los infieles me permitirán volver a verte. Discúlpame, te pido mil perdones, no debí haberlo hecho —por un momento don Jerónimo Aguilar miente por puro gusto, hacerlo le quita el ansia del beso, le satisface la boca de rara manera. Sabe que María ha sido tan impetuosa como él, si no es que incluso más (y por esto tan delicioso el beso), pero ¿qué le costaba *hablar*? Más: el juego este de hablar hasta por los codos le estaba gustando. Sacó de su bolso un anillo que traía de regalo para María—. Tenlo, como prueba de mi amor sincero. Disculpa de nueva cuenta mi beso, que si no puede ser retirado, ni será jamás borrado de mi alma y de mi cuerpo, no debió ser. No volverá a nosotros sino atado con tantos lazos y cintas como tú me pides, y por mí que más.

María lo miraba con esos ojos dulces que parecían pedirle «¡Miénteme más, don Jerónimo Aguilar, más!», a lo que él, generoso, le respondió:

—No me atrevía yo a pedírtelo por cobarde, por eso y sólo por eso no abrí la boca para preguntarte si querías ser mi esposa, María mía, porque más valor requería para este lance que cuando en el mar inmenso se embisten dos galeras por las proas y *éstas quedan enclavijadas y trabadas, y al soldado no le quedan sino dos pies de tabla del espolón para defenderse, y tiene enfrente de sí tantos ministros de la muerte que le amenazan a menos de un cuerpo de lanza con infinidad de cañones de artillería, y así y todo se arroja al barco del enemigo, y cuando éste cae muerto, otro ocupa su lugar sin temblar de miedo, antes arrojándose con valor y atrevimiento, bien a sabiendas que en este siglo terrible no se enfrentará con otro valiente sino con cobardes balas que disparan los que pueden ya andar bien huidos cuando cae el adversario.* Tal me pone menos miedo, María, querida mía, Preciosa, que haberte dicho lo que has tenido tú que sacar a cuento. Estoy a tus pies.

La lengua de don Jerónimo Aguilar se había soltado, estaba libre como una bestia en la selva; hablaba como abrevando de otros o recitando algo que un escritor hubiera puesto en un libro. No podía ya controlar la lengua y ésta mentía por propia cuenta, cargada de su propio peso. Tomó la mano de María porque ella se la puso encima, pero él estaba ya en otro lado, saltarín en la aventura de la lengua libre. Enredado en sus mentiras caballerescas, había perdido la gana de besarla. El beso podía esperar. Por el momento quería seguir mintiendo. Tomó aire para seguir, la bocanada al entrar le renovó el gusto de la lengua suelta, libre de la verdad y de todo compromiso.

Un trueno furioso sacó a María y a Jerónimo de sus respectivos embelesos. Se desató de súbito una inesperada tormenta. El viento sopló iracundo, los truenos estallaron a poca distancia. Don Jerónimo se levantó y casi corriendo, musitando no sé qué sobre la inminente lluvia —probablemente algo incoherente—, salió.

En el horizonte, la línea que divide el mar del cielo había desaparecido. Todo era, en la distancia, la misma amenaza. El agua inmesurable parecía prepararse para engullir la ciudad.

Los siguientes cuatro días no cesó de llover. La flota cristiana hubo de retrasar su partida. Los soldados se impacientaban. En las calles flotaba un humor de perros. Al quinto día salió el sol, en la tarde arreció con renovado ánimo la tormenta.

Don Jerónimo no puso un pie en la casa de María, ni María un dedo fuera del palacio sino para un asunto, que fue visitar a Andrés y Carlos para encomendarles sobremanera «su» bulto, el libro de hojas de metal. Les pidió lo enterraran en las afueras de la ciudad: «Yo no sé qué va a pasar, creo que es mejor guarecerlo». Andrés lo objetó. Carlos hizo coro a Andrés. Acordaron por fin los tres que el libro quedaría enterrado cincuenta pasos al nordeste de la puerta de la ciudad que conduce a Roma, bajo una cruz. María desembolsó el dinero para dicha cruz y regresó a casa a encerrarse a cal y canto. Adentro del saco del libro, cogido por una horquilla del cabello, estaba el anillo que don Jerónimo le había entregado, según creía María, en seña de compromiso. Su matrimonio debía esperar a que entregara el libro en Famagusta. Y no iba a entregarlo envuelto en tan indigno saco. Volvería cargándolo, cuidando de su amoroso anillo.

María no volvió a ver a don Jerónimo Aguilar sino cuando éste llegó a despedirse. Era el 21 de agosto de 1571. Había escampado relativamente. El capitán debía zarpar con su tercio, al mando de su cuerpo. Era el amanecer cuando llegó a dejar un mensaje a María la bailaora. María estaba despierta desde hacía horas, agitada, no podía dormir; se ha sentado a esperar el amanecer en el jardín central del palacio. A solas ha llevado a cabo una ceremonia, en la que ha enterrado bajo una magnolia su cruz morisca, la que en una de sus caras guarda la leyenda «El corazón manda». La ha enterrado, y se ha dicho cositas que nadie escuchó, prometiéndose a sí misma esto y aquello, segura de que volverá a rescatar su cruz y de que ésta la esperará con frutos: su matrimonio, su buena fortuna. Está viéndose las yemas de los dedos pintadas por la negra tierra, cuando oye abrir el portón, reconoce los pasos amados y corre a la entrada. Ahí está don Jerónimo preciosamente ataviado. Ella viste como lo hacen las argelinas en sus casas, una larga bata ligera que hace hermosas incluso a las feas. Don Jerónimo la ve y siente en sus venas el deseo del beso acompañado de una onda incontenible de caliente cariño. Quiere acariciarla, tenerla en sus brazos. Se arroja a ella. La abraza. Le roba un beso al que ella responde con la misma forma cálida, dulce, que se torna para los dos súbitamente roja, incontenible, carnal. Don Jerónimo separa los labios lo suficiente para decirle frases llenas de promesas y amores, buscando resguardo en las palabras, pero no pueden sujetarlo; la lengua ha sido tomada por asalto. La besa una vez más. La suelta y le pone en las manos una bolsa cargada de monedas. Repite lo que le ha dicho entre beso y beso: que debe esperarlo en palacio, que sus criados tienen indicaciones de abastecerla y protegerla, que volverá cuando termine la campaña. Rápidamente agrega que los más de los músicos dejarán Nápoles, regresarán a Venecia, que esa música se acabó. En cuanto a él, su tercio incorporado a la Santa Liga saldrá con rumbo a Mesina en unas horas. Le dio la noticia en estas pocas palabras —y muy como de títere, como si no las dijera *motu proprio*— ¡y ándate por piernas! Salió como impulsado por el mismo beso, disparado como una flecha perdida.

La salida de don Jerónimo no es ninguna sorpresa para María. Ella sabe, y de sobra, lo que él acaba de decirle en relación a su partida y la Santa Liga, pero lo cierto es que no contaba con su palacio, eso es una sorpresa. Pero María no necesita de esta sorpresa. Está preparada. La invitación a permanecer en palacio sólo la hace sentirse más segura de sus planes.

No han pasado muchos minutos de la salida de don Jerónimo Aguilar cuando aparece en el portón el secretario del jesuita Cristóbal Rodríguez, que ha sido recientemente nombrado capellán mayor de la galera real de don Juan de Austria. No hacía falta este nombramiento para que el jesuita y su secretario tengan las puertas abiertas de todos los palacios respetables de Nápoles. Incluso ésta, aunque don Jerónimo Aguilar ha dado indicaciones precisas a los criados de no dejar entrar visitas en su ausencia. María vivirá en su palacio pero ni recibirá ni saldrá, para asegurarse que la joya —o sus dos joyas, si contamos a María como una y a eso que ella dice celar como la segunda— quede a buen resguardo. Pero el prestigio y respetabilidad de Cristóbal Rodríguez es enorme, ganados cuando cuidó personalmente de cientos de víctimas de la plaga en un hospital en Sicilia y cuando capitaneó una misión contra bandidos calabreses. Tiene fama de santo y de héroe, y no hay quien pueda negarle la entrada a él, y por contagio a su secretario. Aunque lo de buena fama, la verdad es que su secretario no la tiene tanta. Fue bandido en Calabria, Cristóbal Rodríguez lo convirtió y cargó consigo. Muy convertido quedó, tal vez porque es de natural convertidor, tanto que ya se hizo a las maneras de los españoles. Amañado y corrupto, ha hecho fuerte amistad con el falso mercedario. Él es quien lo ha sobornado para ir hoy en busca de María.

—Señorita María, el padre Rodríguez necesita verla. Debe venir de inmediato antes que zarpe *la Real.* Es de suma urgencia. No tiene él tiempo de acercarse —le dice. Y a los criados, que miran la escena—: Yo mismo la llevo y la traigo en breve. Dice el padre Rodríguez que es urgente. Yo la llevo a la galera real, y yo la acompaño de vuelta.

Los criados de don Jerónimo Aguilar no saben qué hacer. Margarita, la matrona que coordina las labores del ejército doméstico, dice:

—Señorita, don Jerónimo dijo que usted no saliera porque temía que alguien pudiera dañarla, que la cuidáramos como lo que es, la joya de esta casa. ¿Cómo dejarla ir al puerto? Y peor hoy que todos los soldados están ahí juntos y a punto de echarse a la mar… No me quiero ni imaginar la de barbaridades que ahí ocurren…

La vieja persignada se había vuelto ya incondicional de María, decía a diestra y siniestra que porque no dormía con don Jerónimo, la verdad es que a punta de monedas, porque María se ha cuidado muy bien de calentarle generosamente las palmas para ponerla de su lado.

—Yo no sé qué duda, *doña* Margarita —dijo María, ahora untándole la vanidad con este *doña* traído de la nada—. No podemos negarnos, el mismo don Jerónimo no tendría el menor resquemor al respecto. Nos habría pedido que corriéramos a obedecerlo. Lo mismo opino yo, que si el padre Rodríguez nos pide estemos con él, ¡hay que apresurarse y si es posible ir de rodillas! Es un santo. Y así voy a hacer. Ni cambiarme, ¡me voy así!

—¡Eso no! ¡Sin cambiarse no! —Margarita omitió objetar lo de ir de rodillas, pero ir mal vestida y tan poco cristianamente, ésa era otra cosa.

—Pues prepáreme rápido de qué debo vestirme, usted sabrá mejor que yo…

Margarita corrió a elegirle un atuendo que más bien parecía de beata, pensando con una excitación muchachil: «¡El padre Rodríguez!, ¡el padre Rodríguez!»

(La verdad es que los más entendidos dicen que el padre Rodríguez es —por algo jesuita— judío converso, sus padres no comen puerco ni mueven un dedo los sábados. Además, el padre Rodríguez ama a los varones carnalmente y no se priva de ellos —de donde podemos decir que conoce y profesa los gustos orientales— y ha leído y con admiración a Lutero.)

Lo que más tiempo le llevó a María fue pedirle a Margarita un favor:

—Que si me llegara a pasar algo en el puerto…

—¡Ni Dios lo quiera! —exclamó Margarita.

—Pero qué me va a pasar, no se preocupe, esto es solamente por si de pronto ocurre algo terrible, digamos que estalla el Vesubio… ¡yo qué sé! Ahí le encargo mis ropas granadinas porque les tengo aprecio. Y esto… —María sacó de una pequeña bolsa de seda el broche que le había regalado Zelda—. Guárdemelo, por favor. Es lo único que me queda de mi pueblo. Pase lo que pase, Margarita, voy a regresar a recoger mis cosas. Yo no sé qué me pida el padre Rodríguez. Si el santo me pide algo que no me permita retornar a la casa de inmediato, le encargo. Cuídeme bien este mi tesoro. Es como mis hijos y padres, lo que me resta de mi familia, mis ropillas tan poco finas y…

—Pero, señorita María, si son de seda, no les diga poco finas. No se preocupe usted, que le juro por lo más sagrado de mi vida que yo las cuidaré y aquí se las tendré, pase lo que pase. Si yo faltara —ahora Margarita es la que se ponía solemme— lo dejo encargado en mi pueblo, con mis hermanas. Mire…

Margarita le dio a María todas las indicaciones de dónde recuperar sus cosas en caso de que le ocurriera una fatalidad.

Apenas terminó María de cambiarse sus ropas de casa por las de calle, salió y, acompañada del bribón calabrés, favorito un momento del padre Rodríguez —hoy sólo cómplice en las buenas maneras, que incluso un bribón sabe obtenerlas—, echó a andar por la magnífica Nápoles sin mayor compañía que ellos mismos.

Unas cuadras calle abajo, previo asegurarse que nadie los ha seguido, entraron a la casa de un comerciante, donde María viste ciertas ropas concertadas. A las prisas, le atusan el cabello, dejándoselo en forma de casquillo. Bajo el nombre de «Carlos Andrés Gerardo, pintor de oficio», sus embaucadores amigos sobornados la han inscrito en la leva como un soldado más de la recientemente formada Santa Liga, y habiendo dado prueba de su pericia con el pincel, han conseguido alistarla en *la Real* responsable de mantener en buen estado las muchas pinturas que la adornan. Sobornando a éste y al otro, el falso hombre queda en la compañía de su don Jerónimo Aguilar, que pertenece al tercio de don Lope de Figueroa. En menos de una hora, bien avituallada y elegantemente vestida, María la bailaora, ahora soldado cristiano y como tal con la roja cruz cosida en el faldón de la camisa, la espada morisca en las manos («Quien toque el filo de mi espada, tocará la puerta de la muerte») aborda *la Real*. Al acercarse al puerto, la sorprende el número de las galeras y sus vistosos adornos, banderas, estandartes, flámulas, gallardetes. Hubiera venido el día anterior y habría visto cómo pequeñas barquillas cargadas de hombres se internaban en el bosque de galeras, repartiendo manojos humanos en ésta o en aquélla. Ahora todas están cargadas, bullen de personas. Y apenas tienen tiempo sus ojos de ver este insólito cuadro cuando llega a la hermosa, magnífica, espléndida, incomparable galera real, la popa labrada de bellísima manera, dorada y roja y de tal manera vistosa que es una joya. En breve llegará don Juan de Austria precedido por sus capitanes y secretario. La ciudad los despide con salvas y rezos. En la comitiva del generalísimo vienen don Lope de Figueroa, don Pedro Zapata, don Luis Carrillo y su padre, el conde de Priego y don Bernardino de Cárdenas y con ellos don Jerónimo Aguilar, que será responsable de la popa del barco, el penúltimo en subir entre los principales. Cuando la tripulación grita el «¡Hu, hu, hu!» que corresponde a Jerónimo, como hacen siempre que sube alguien de importancia, María baja la cara, enrojecida de emoción, con una mezcla también de vergüenza de que él la descubra vestida así y desprovista del mejor de todos sus atributos, su cabello. Aun atusado brilla y es hermoso y tupido, pero lo trae escondido bajo esa boinica ridícula que le ha calzado a las prisas el calabrés.

Cuando don Juan de Austria está por pisar la nave, *la Real* disparó el cañón de crujía dándole la bienvenida con toda ceremonia. Lo primero fue rezar guiados por los dos capellanes —o por el uno que pastoreaba a los dos— y de inmediato comenzar a maniobrar y dar órdenes para dejar el puerto.

Al mando de treinta y tres galeras, don Juan de Austria deja Nápoles dirigiéndose a toda vela a Mesina donde lo espera el resto de la Liga.

Nápoles queda vaciada. Atrás de la Santa Liga zarpan embarcaciones menos santas, las de mujeres ligeras y las de comerciantes ambiciosos siguiéndoles los talones. La ciudad queda como desangrada. La puerta de la ciudad más que nunca tiene dos caras. Con la que da a las afueras bosteza de fastidio. La otra se fatiga viendo salir riquezas y portentos.

Los músicos geniales la abandonan y tras éstos múltiples visitantes, embajadas de diferentes países, los abastecedores de los respectivos ejércitos, vendedores de armas, bastimentos, telas, pólvora, más la muy rica y abundante comparsa que acompaña a las riquezas, que es singularmente variopinta: salen frailes, vendedores de amuletos, mujeres honorables, otras no tan honorables, carros cargados de toneles vacíos de vino, pastores sin su redil, agricultores sin sus productos, fabricantes de miel, aceite, vendedores de aceitunas.

De pronto algo corta el bostezo que ciñe la cara de la entrada, pero no le arranca ni una sonrisa. Capitaneada por una flamígera cabellera, llega una tenebrosa caravana. Es una banda granadina, de los que allá se hacen llamar monfíes, muy jóvenes muchachos cuyas casas y familias fueron arrasadas por la violencia de su guerra civil. Todos vienen armados, sus corazones llenos de odio.

La cara que hace un momento bostezaba, la que no puede sonreír al ver entrar a esta gente, sombría frunce el ceño. ¡Hasta una puerta siente frío al verlos pasar! Es la caravana de la hermosa pelirroja Zaida, viaja acompañada con una docena de muchachos de su tierra que la protegen para viajar sin riesgos mayores que ellos, que pocos no son, pero Zaida sabe controlarlos. Los caminos europeos no están en guerra, pero si una mujer viaja sola, se expone al error de sus violencias. Zaida no teme ninguna violencia, se cuida sólo para acometer lo que se ha propuesto.

Entra a una Nápoles apenas vaciada, apenas dejada por la Santa Liga, donde lo único que deambula por la calle son perros callejeros bien comidos, meneando la cola algo impacientes. No se parece a la Nápoles de María. En la de Zaida, medio desierta, se ven, junto a los perros dichos, soldados enfermos dejados ahí por no servir de nada en las galeras, algunos esclavos de los de remo que ya no valen ni un comino, abandonados por sus dueños a mendigar sin rumbo, con tan pocas fuerzas que no las tienen ni para dejar la ciudad.

Zaida deja a un lado a su banda de monfíes enfriados, conminándolos a comportarse. En cuanto se ven sin ella, los chicos atrapan a un perro y proceden de inmediato a atormentarlo. Comienzan por amarrarle un cordel al cuello, le atan con la otra punta una pata doblándosela feamente, y lo fuerzan a dar de vueltas cojeando. Lo siguiente es lo mismo con dos patas. Luego echan la mano a la navaja, comienzan a desollarlo. Lo ahorcan lentamente; cuando el perro ya parece muerto, lo despiertan sacudiéndolo con el dolor que le causa el filo. Ríen, tan alto, que ni los aullidos del perro se escuchan.

Zaida se ha inmiscuido con un grupo de mujeres en los lavaderos públicos. Le cuentan que acaba de partir la Santa Liga y le dan noticias de sus gitanos, por lo que sin dificultad da con Andrés y Carlos, y en unas horas con el antes bello Gerardo. Zaida los reúne para oír de todos juntos los informes que busca. Lo único que saben es que María ha desaparecido como por un embrujo, los tres dormían cuando María, vuelta el Pincel, subió a *la Real.*

Zaida visita a Margarita, la ama de la casa de don Jerónimo Aguilar. Le pregunta a bocajarro por María. Margarita la revisa de cabo a rabo, dos veces, antes de creer que su «señorita» pueda ser amiga de un personaje así. No le confiesa nada hasta que Zaida le pregunta si acaso nunca vio el broche y la cruz morisca, los regalos de Zelda a María, describiéndoselos detenidamente. Margarita bien conoce la cruz que María siempre traía al cuello, y el broche lo tiene guardado. Por esto Margarita confía a Zaida lo del padre Rodríguez, diciéndole: «Seguramente la señorita María está cumpliéndole algo para mejor gloria de Dios, que...» Un par de días después, las monedas de Zaida dan con el calabrés, el cobarde se ha quedado en tierra, desacompañando al capellán de *la Real,* su amo, el jesuita festivo, «¡el santo padre Rodríguez!» que hace suspirar en Nápoles a todas las Margaritas, y más monedas lo persuaden a confesarlo todo. En cuanto conoce los hechos (que María se ha vestido de soldado cristiano —¡acto odioso, abominable!—, que se ha embarcado a combatir a los turcos), Zaida se embarca en furia a Mesina, acompañada de sus muchachos. Apenas a bordo se desata el mal tiempo que los fuerza a cambiar erradamente el rumbo, donde sólo empeora su situación. Varias veces cree que naufragarán. Su embarcación es veleta al viento, capricho de las olas, juguete del mar. Ni por un momento Zaida se deja morder por la desesperación, infunde ánimo a bordo, consuela a los jovenzuelos y marinos, es ella quien rige el barco. No es su valor quien la sostiene, no es su buen espíritu quien le da aliento. Sabe que debe encontrar a María la bailaora. Tiene que hacer cumplir un pacto pendiente.

Cuando aparece tierra a la vista, quien los mira es la sin par Venecia. La belleza de la ciudad deja incólume a Zaida. El mal tiempo no ceja, durante un día completo no pueden acercarse al puerto. Desde la embarcación, la fuerza del mar y el cielo parece mofarse de la bella Venecia. La tormenta arrecia. Los truenos parten la bóveda celeste en mil pedazos, la lluvia la vuelve a unir, los rayos y centellas la quiebran nuevamente. Y a la vista está Venecia, como tendiéndoles los brazos, como pidiéndoles se apresuren a llegar a ella. Se libra un combate: es la ciudad contra la madre naturaleza. Al poco rato la densa lluvia borra a Venecia de la vista, borra el horizonte y el cielo; quedan envueltos en la gris furia del océano. La ciudad es un juguete del que naturaleza parece haberse fastidiado. Pasan las horas que parecen eternas y de pronto la ira de las olas se desvanece, el cielo se aclara. Venecia aparece más cercana ante sus ojos, su belleza, bajo el rayo de sol que la pinta, estremece a toda la tripulación, excepto a Zaida. La ciudad gana sólo por ser más constante y paciente. Por fin desembarcan.

Excepto a Zaida: la furiosa parecía más en casa en medio de la temible tempestad. En Venecia parecerá el león enjaulado, el león compartiendo la jaula con el león vernáculo. Porque muy a su pesar, Zaida queda varada en Venecia, las venas más llenas de rabia que nunca. Había soñado con unir sus fuerzas a María, para eso la quería, para incorporarla a su banda. Nápoles la recibió con la nueva de que, en lugar de contar con una aliada más, tiene en la lista un número mayor de enemigos. La nueva ha privado a Zaida de lo único amable que ella creía le restaba en el mundo.

Aquí se contó cómo María la bailaora se enganchó y zarpó con la Santa Liga a detener el avance de la armada del Gran Turco hacia Famagusta, junto con otras cosas que ya se leyeron.

45. En que se cuenta cómo fue que María se llamó «el Pincel», el trayecto de la Santa Liga hacia Mesina, el mal clima, el enfado de Jerónimo, y las desesperanzas de María, para lo cual conviene evocar estas palabras de Cervantes:

Porque ya se sabe que la hermosura de algunas mujeres tiene días y sazones, y requiere accidentes para disminuirse o acrecentarse; y es natural cosa que las pasiones del ánimo la levanten o abajen, puesto que las más veces la destruyen.

María ha viajado en cinco barcos distintos. El primero fue para salir de Andalucía, el desafortunado que a los muy pocos días fue tomado por los corsarios berberiscos. El segundo fue el de estos corsarios, que la llevó a Argel. Al tercero lo abordó en cuanto pudo pagar su propio rescate, el de sus amigos y el de su «carga», para enfilarse de vuelta a Europa. Como las naves corsarias no pueden arribar a Nápoles, mudó de barco en un puerto pequeño en Sargel, donde exportan higos pasa. El cuarto, cargado de esa fruta, la depositó en Nápoles.

La galera real de Juan de Austria es el quinto, y este quinto sí es real. La galera es soberbia. La popa está tallada de delicadísima manera, los barandales recubiertos de hoja de oro y sobre su cuerpo entero hay innumerables pinturas y leyendas que guían, orientan, sirven de ejemplo moral como un libro abierto, hablan a don Juan de Austria con alegorías para auxiliarlo al desempeño de la gran empresa que todos esperan lleve a cabo. Así, la decoración de la galera real no es un simple adorno: las imágenes han sido ahí puestas para servir de ejemplo al capitán general, el generalísimo, el hijo bastardo de Carlos V. Cada una de ellas ejemplifica una virtud o exhibe una enseñanza que debe servirle de orientación y aliento para alcanzar la muy necesaria y deseada victoria. El autor de estos epigramas era Juan de Mal-Lara, hijo de Diego de Mal-Lara, pintor de no mucha fama, y de Beatriz Ortiz. Había nacido en 1527 en esta familia de gente honrada y de sangre limpia, naturales de Alcázar de Consuegra, de clase humilde. Estudió en Salamanca, vivió en Barcelona, ganó con su educación y mucha inteligencia tratos con la nobleza y los jerarcas de la Iglesia. En 1561 fue preso por la Inquisición, acusado por sus ligas intelectuales con algunos nada fieles a la correcta fe. Con este motivo escribió los siguientes versos a María de Hojeda, su mujer (una analfabeta con quien tuvo dos hijas, Gila y Silvestra), en un texto llamado «Psiche»:

> ¡Qué sufrimiento grande y qué cordura
> mostró la fiel alma quando solo
> estuve en aquel término de verme
> sin hazienda, sin vida, sin honrra y alma,
> de no ser ya en el mundo más entre los hombres!

La galera real es una nave que no tiene par en el mundo. Luego de haber sido armada en las atarazanas barcelonesas fue llevada a Sevilla para ser decorada propiamente. Los artistas que se hicieron cargo de ella, bajo la coordinación y el cerebro de Juan de Mal-Lara, fueron Benvenuto Tortelo, maestro mayor de Sevilla; Juan Bautista Vázquez, que se ocupó de las esculturas; y Cristóbal de las Casas, que se encargó de la decoración de la parte interior de la nave, el «revés» de los cuadros y figuras en relieve del exterior de la popa.

Don Juan de Mal-Lara, el escritor de la mayor parte de los epigramas y poemas que adornan la galera, también hizo poner ahí algunas traducciones suyas más o menos fieles de Ovidio, Horacio, Píndaro, Ateneo y Alciato, el fundador de la emblemática, a quien debe haber consultado seguido para agrandar o precisar el significado de las figuras. De Virgilio hay unos fragmentos del libro XVII de la *Eneida,* «Las fuertes Amazonas y su guía», donde utiliza con cierta frecuencia frases que es imposible encontrar en el original, o en las que cambia de tal manera el orden que resulta no haber manera de identificarlos, como: «Por otra parte, Nilo está afligido, / extendiendo sus senos, y llamando / a escoger en sí al pueblo vencido, / por sus secretos ríos…», etcétera.

Como ya dije, hubo desde el principio la voluntad de que la decoración de esta nave estuviera reservada a imágenes que sirvieran de ejemplo al capitán general; cada una personifica una cualidad, una virtud o una enseñanza. El primer epigrama es a Tetis, en el lugar más honroso de la nave, porque representa la victoria. La prudencia en Argos con sus cien ojos. Hércules y Diana con el can para significar el entendimiento y la razón. Prometeo, el águila está royéndole el corazón para significar que al capitán le han de combatir siempre altos pensamientos. Ulises, para ayudarlo a recordar que no debe escuchar jamás las sirenas de los aduladores porque las mentiras y las adulaciones destruyen a los mejores príncipes. En los platos tallados en las bancazas está representado un cisne para señalar la navegación próspera, una liebre para dar a entender la necesidad de la vigilia, la palma por la victoria, almendras verdes y aceitunas por la parsimonia y frugalidad antiguas, la continencia y la templanza, la limpieza y la castidad. En la cuarta bancaza, que Mal-Lara llama lechera (porque don Juan duerme ahí —hace el lecho— muchas veces), están espléndidamente pintados seis servicios de pescado: el primero es una anguila, el segundo un erizo, el siguiente un pulpo, el próximo un lenguado en escabeche, que significa otra vez el silencio, lengua-silencio; sigue la jibia, que deja tinta atrás de sí para saber huir, y tras ella las ostras, significando que es imprescindible mantenerse en el punto medio. En el tendal están escritos los epigramas que proponen ejemplos de gloria militar: Minos —la cordura—, Jasón —el atrevimiento—, Temístocles —los consejos—, Duilio —el valor—, Pompeyo —la grandeza—, Augusto —la majestad—, Rogerio de Sicilia —la determinación—, Roger de Lauria —la astucia—, Jaime I de Aragón —la buena intención—, Alfonso X —la prudencia—, Andrea Doria —la disciplina—, y por último el padre de don Juan de Austria, Carlos V, representando a todas las virtudes reunidas. El tendal que hay a la entrada de la cámara real simula la bóveda celeste y en ella representadas siete artes: gramática, lógica, retórica, aritmética, música, geometría y astrología. Están los signos del zodiaco, porque en cada uno de ellos hay algo que aprender, las constelaciones, los lemas, sentencias, algunas de Cicerón, otras de la Biblia y otras del propio Mal-Lara, que sería muy sabio pero no era demasiado gracioso. No abrumaremos aquí con la descripción de los emblemas, extraordinarios dibujos y talladuras y representaciones de la dicha nave. El unicornio, los ocho vientos, Mercurio, Neptuno y el Tiempo en sus respectivos carros («El tiempo es el que trae consigo la ocasión de obrar»), Argos, Palas, un rinoceronte ante un elefante («El rinoceronte es un animal que jamás huye de su enemigo, lucha hasta vencer o morir»), Diana, los signos celestiales, relojes e instrumentos que miden el tiempo, ramos de palma y ciprés, una lechuza, una cigüeña, un gavilán, una cabeza de león, un galgo, Eneas, Pegaso, una esfinge, un mancebo sobre un delfín, Némesis, el águila dicha («Gobierna sobre los otros»), la cigüeña («Defensa de las acechanzas»), la lechuza («La victoria»), el gavilán («Símbolo del hombre, a quien Dios dejó en libertad para que procurase su salvación y la de los demás»), y una bandada de grullas («Representan el orden y la vigilancia de noche y de día»). El guerrero y el gobernante encontrarán en *la Real* aviso en relación a todas las virtudes necesarias para acometer sus tareas.

María se hará cargo de conservar en las pinturas y los lemas los detalles de todas sus primuras. Vestida de varón, lleva en la mano pinceles finos. Colgados al cuello trae una cajeta pequeña de madera con la pintura ya preparada, más dos frascos con los líquidos necesarios para disolver y conformar sus colores.

El barco lleva dos capellanes, el padre Rodríguez, jesuita para el que trabaja el cómplice de María, y un capuchino que pasa el día rezando y tomando siestas alternativamente, un hombre algo insignificante. Don Juan de Austria le tiene aprecio porque confunde su imbecilidad y estulticia con santidad. El capuchino no conoce pasiones ningunas, ni siquiera la tan común del dinero, de la que nadie parece escapar excepto este hombre y el papa Pío V.

Es el quinto viaje en mar de María, pero en el momento en que soltaron amarras y el imponente bosque comenzó a menearse, agitando los remos para alcanzar al viento, el corazón de María sintió el sabio temor del mar. Recordó uno de los cuentos de su padre y lo comprendió con simpatía:

46. Omar, el gran califa, conversa con el gobernador de Egipto

Hace mucho tiempo, cuando los turcos no gobernaban sino sobre sí mismos, y esto muy malamente, estaba un día el gran califa Omar con el general conquistador de Egipto, y le preguntó cómo era ese gran mar que nosotros hemos bautizado Mediterráneo o Mar Nuestra. El general conquistador supo con pleno conocimiento de causa qué contestar:

—El mar es cual una bestia gigantesca, que gentes insensatas cabalgan al igual que los gusanos en maderos.

Al oír la respuesta, el gran califa Omar dispuso:

—Ningún musulmán puede aventurarse a surcar tan peligroso elemento, sin expresa autorización escrita de mi persona.

Ya transcurridos muchos años, cuando los otomanos eran ya dueños de una parte importante del mundo, Selim I, su gran sultán, dijo al visir Piri-Bajá:

—Si esta raza de escorpiones cubre los mares con sus bajeles, si las banderas de Venecia, del Papa, de los reyes de España y Francia dominan las aguas de Europa, la culpa es de mi indulgencia y de tu descuido. Quiero una numerosa y formidable escuadra…

Selim I y el visir Piri-Bajá tomaron muy a pecho conformar la armada que fuera capaz de controlar el Mediterráneo, mar que había descendido a sus ojos de ser bestia gigantesca, a mero nido de escorpiones, y por esto es que Selim I deja en herencia una gran escuadra a su hijo Soleimán el Magnífico, que es el marido, María, hija mía, de las Rosas de las que ya te he hablado.

Fin de la historia que Gerardo contó a María, y que trataba del gran califa Omar.

47. En que se cuenta el viaje de María la bailaora a bordo de *la Real*

Es ahí, a bordo de la soberbia *la Real,* en el mismo momento en que se sueltan las amarras, se levan anclas y los cómitres marcan la boga a los remeros, cuando la muy cristiana armada parte de Nápoles a reunirse con su resto en Mesina, que María siente miedo del mar. Miedo del mar, ahora que el vigor de docenas de galeotes bien nutridos y la compañía de los mejores hombres de guerra del Imperio y de otros reinos europeos, en galeras espléndidamente aderezadas, construidas de los duros pinos de los montes catalanes, la acompañan, en lugar de la barquilla frágil de Ozmín Baltazar, donde un puño de muertos de hambre manejaba malamente los remos y otro se embriagaba noche y noche. Fue ahora cuando se sintió indefensa, ahora que músicas diversas timbran en sus oídos y una intensa exaltación comienza a cobrar forma en los soldados de la Santa Liga.

Miedo del mar, la María vestida de varón, pincel en mano, batallando por no ser vista por el que ella quiere ver, su don Jerónimo, que María encuentra más gallardo que nunca.

Los primeros dos días del viaje, los capitanes y don Juan de Austria pasan horas sentados en los bandines. Deliberan. Don Juan de Austria hace llamar a este o aquel capitán, invitándolo a compartir ideas, diciéndole de manera muy estrictamente confidencial cuál es el plan a seguir, haciendo sentir a cada uno que es el único confidente, y repitiendo la escena y los parlamentos con cada uno de los mandos principales. De esta manera el comandante se garantiza fidelidad, confianza, certitud y buen gobierno en la escena marina. Son los consejos que le ha dado un viejo amigo y maestro, don García de Toledo, con quien ha sostenido correspondencia durante meses al prepararse celosamente para el encuentro con la armada del Gran Turco.

La muy poblada *la Real* —llena a lo bueno de experimentados marinos, hombres de guerra ricos en honores, amabilísimos sirvientes, robustos galeotes— por el tráfico de capitanes es como plaza pública en día de mercado, y por esto puede María ver sin ser vista, como si la protegiera la chusma. Sólo un detalle la hace sobresalir ahora que viste de soldado: es el menos corpulento. Viaja con los mejores del ejército, hombrotes magníficos. María varón da forma a un soldado menudito y ágil, al que los camaradas miran con displicencia. La llaman «el Pincel» no sólo en referencia al que porta en la mano, también por su aspecto delgadillo y frágil, con la cabeza colorada por el bobalicón gorrete que le calzó el calabrés.

Quienes se le acercan son los también menuditos y muy frágiles ayudas del cocinero. Lo ven con curiosidad y, como a los demás soldados, con admiración, lo quieren cerca porque es el único entre los admirables con quien creen poder medirse.

El cocinero le pide a «el Pincel» que por favor le decore el fogón. «Es mala cosa venir aquí guisando al aire libre y con las cazuelas que se menean y están a punto de resbalar todo el tiempo... Pero si encima feo

(«¡Hiiideputa!», pensó, pero bien que la guardó dentro; don Juan de Austria había prohibido maldecir y soltar sucias imprecaciones, y hubo a uno al que hizo colgar por salir con un «¡Cuerpo de Cristo!» en su presencia), si encima feo, ¡peor la tenemos! María, el Pincel, se instaló los cuatro días que les llevó arribar a Mesina al lado del cocinero, fiel compañero de don Juan de Austria en todas las campañas, ahora acompañado por sólo dos don Juanillos, pues el bastardo traía muy corto servicio. Venía también don Luis de Córdoba, su caballerizo mayor; don Juan de Guzmán, gentilhombre de su cámara con dos criados; Jorge de Lima, el ayuda de cámara; un comprador, varios mozos de pasatiempo, dos correos, un guía y su secretario Juan de Soto con un criado únicamente, más los que ya dije, el cocinero con sus dos don Juanillos. No había venido ni el peinador, ni el sombrerero, ni el sastre que, como el cocinero, no se le despegaba nunca. La comitiva era reducida porque el espacio en las galeras debía ser administrado con excesiva prudencia, y al traer tan pocos el de Austria daba ejemplo a todos los capitanes de la Liga.

Llegaron a Mesina el día 25. Más de dos cientos de galeras provenientes de toda Europa recibieron a las de Nápoles celebrándolas con la exhibición de todas sus banderas, estandartes, flámulas, gallardetes, tirando salvas, disparando cañones y arcabuces sobre la música sonora de las cajas y tambores, pífanos y trompetas. La playa está cubierta de adornos de mil colores y plumas, arcos triunfales que la aderezan festiva, y como ésta la ciudad de bellísima forma. *La Real* llega hasta el muelle, ancla frente a un arco especialmente construido para don Juan de Austria. Él desembarca, lo cruza envuelto en música, vítores, aclamaciones. Lo siguen los mejores de sus hombres. María acaba de terminar de tapar el fogón con el auxilio de los ayudas del cocinero, quien antes de que se tiraran anclas había dicho «No me lo arruine el aire de la costa, la sal que no se echa en el guiso pica el metal», desembarca también, y ágilmente se pega a las espaldas de su don Jerónimo Aguilar, de quien no ha despegado un ojo.

La muchedumbre atestaba las calles. En las plazas, habían construido arcos de fastuosos pórticos de los que el del muelle no era sino pálida sombra; tenían gran cantidad de columnas, estaban recubiertos de inscripciones y había uno que en el centro exhibía una escultura representando a don Juan de Austria, que dejaron a vivir en las calles de Mesina hasta la fecha.

Don Jerónimo Aguilar iba casi corriendo por las calles, adelantándose

284

a los más de los soldados. Atrás había quedado don Juan de Austria, en conversaciones con el nuncio papal ahí presente, y saludando a los demás capitanes de la Liga, probablemente repitiendo con cada uno de ellos la escena que venía de representar tantas veces en *la Real*. De los balcones asomaban hermosas mujeres muy engalanadas, las más bellas sicilianas, y pendían coloridas colgaduras.

La llegada de don Juan de Austria acallaba algunos incidentes que se habían dado entre las tropas de distintas naciones, pero don Jerónimo se apresuró corriendo en las callejuelas de Mesina, entremetiéndose, como lanza, donde las heridas estaban aún abiertas. La natural animadversión contra los españoles —porque son detestados en el resto de Europa, se les cree burdos e ignorantes, altaneros y arrogantes y de costumbres salvajes— estaba exacerbada. Don Jerónimo se alejaba de las calles decoradas hermosamente para recibirlos y se internaba en los ancestrales callejones sicilianos. Iba solo, únicamente María lo seguía dos pasos atrás. Se había desecho de sus criados y colegas. «¿Adónde va?», se preguntaba María, buscando un lugar apropiado para adelantarse y presentársele. Lo seguía para decirle que el Pincel era ella, María la bailaora. Se había sacado la ridícula boinica y agitaba la cabeza para que el espeso cabello se esponjara y encontrara acomodo. Se pasaba los dedos por la cabellera, de manera contraria al gesto característico de don Juan de Austria, revolviendo el cabello para darle cuerpo.

De pronto, en un callejón tal vez un poco más estrecho que los otros —pero igualmente blanco, sucio, tan sin gracia que hasta parecía trampa o cola de laberinto, todo de piedra clara, en los muros altos cantera cortada, en el piso piedra bola—, don Jerónimo se metió en una portezuela entreabierta, escurriéndose adentro y cerrándola tras de sí. María se dio la media vuelta y, mientras buscaba su camino y esquivaba el «¡Agua va!» —parecía que todos se habían puesto de acuerdo para vaciar en este momento preciso las bacinillas de orines y excrementos—, topó con un soldado español tirado como un animal en el sucio empedrado, herido fatalmente. Dio de voces. Nadie acudió a sus gritos. Corrió por auxilio al muelle, regresó con ayuda. Escuchó decir las historias de los problemas que se habían suscitado entre los de la Liga, se apresuró a informar al capellán de *la Real*, mismo que lo hizo saber a don Juan de Austria, quien tomó de inmediato las medidas pertinentes. María se vio envuelta en un ir y venir sin descanso, desatado por el incidente y lo que éste había revelado, hasta que llegó el momento de dejar Mesina.

48. De cuáles fueron las averiguaciones del Pincel en Mesina, en burdo redondeo

…que como no llegaban ni don Juan ni los proveedores, ya los de Mesina murmuraban, corrían lúgubres comentarios, y el descontento era generalizado. En este clima, hubo grandes escándalos y verdaderos tumultos por la rivalidad natural entre italianos y españoles. La chispa que encendió el tonel fue que un día, bañándose cierto soldado español, de nombre Alvarado, varios italianos lo insultaron groseramente. Alvarado, como de tal nación, sacó la espada y se aventó sobre los ofensores. Como llegó ahí la justicia de la isla para poner un alto al zafarrancho, Alvarado siguió a sus enemigos a su nave. Esperó a que subieran a bordo. Silencioso, subió a la galera, y una vez ahí, se arroja sobre ellos, ciego de ira, y acuchilla a cuanta gente del barco se opone a su paso. La policía de Mesina no tenía jurisdicción sobre la galera, y así les llamaran los soldados pidiendo ayuda, nada podían hacer que no fuera apresurarse a entregar el informe a la autoridad correspondiente, el general veneciano Marco Antonio Colonna. Alvarado, aún rabioso, es detenido, llevado directo a Colonna, quien lo condena a las galeras. La medida causó gran enfado entre los soldados españoles, juzgaban que Alvarado se había vengado en justo derecho («¿O qué, van a poder burlarse de nosotros sin haber remedio?»), pero no podían hacer más que vociferar, porque su número, en comparación con los de otras naciones, era todavía muy menor. La orden de Colonna también alborotó a los italianos, quienes sabiéndose más numerosos, dieron rienda suelta a su odio y se soltaron a perseguir españoles. El general Colonna, por proteger a los menos de los más, ordenó que encerraran a los españoles en sus alojamientos, lo que les causó todavía mayor enfado, por lo que, desobedeciendo las órdenes, se armaron esa misma noche y salieron de nueva cuenta a cazar italianos, tomando a algunos desprevenidos y cortándoles el cuello. En respuesta, y para detener de una vez por todas el mal en que había caído la tropa, Colonna hizo ahorcar a un español, Mucio Tortona.

Colonna no había sabido calmar, sino alebrestar la discordia, y también había hecho de las suyas con los mesinenses, aunque aquí con mayor disculpa, porque en medio de lo que se ha dicho recibió la nueva de que su hija había muerto en Roma y en señal de duelo hizo pintar de negro toda la flota pontificia y cubrir con fúnebres crespones las vistosas enseñas, los coloridos escudos e incluso los faroles. Los mesinenses —sicilianos y por lo tanto muy supersticiosos— vieron en esto un fatal agüero, y como un reguero de pólvora corrió el rumor de la inminente llegada de los turcos, de lo que Colonna no tuvo noticia, porque trastornado de dolor por la pérdida se había encerrado en su cámara.

Ésos eran los ánimos cuando por fin arribó el esperado don Juan de Austria. Colonna salió a recibirlo, y los miserables mesinenses se volcaron a las calles, gritando «¡Que no vuelvan los pontificios, que nos traen la mala suerte!», «¡Fuera los barcos negros!» Algunos de los españoles que habían dejado en tierra, que poco y mal entendían el siciliano, ensordecidos además por las campanas de la ciudad que repicaban desde el momento en que se supo que quien venía era don Juan de Austria y no los turcos, creyendo entender que era a España a quien los mesinenses ofendían con sus consignas, armaron una trifulca, de donde resultó el soldado herido de muerte que María el Pincel encontró abandonado en la callejuela. Pero ya entonces el pueblo se había agolpado a ver el fastuoso arribo de don Juan de Austria, aplacados los desórdenes en el momento en que —cuando la flota se encontraba ya muy cercana a tierra— un oficial trepó a lo más alto del palo mayor de *la Real*, deteniéndose únicamente con sus piernas, zarandeó la bandera de santa Bárbara, arrancando aplausos entre los de Mesina, que corrieron la buena nueva por todo el puerto. Al son del zarandeo, los artilleros de la flota prepararon los botafuegos, y en cuanto el oficial que iba en lo más alto del palo mayor de *la Real* bajó la bandera, tronaron los cañones y demás piezas de artillería. La armada pareció desaparecer como por encanto bajo una densa nube de humo blanco. Los cañones del fuerte de Mesina respondieron al saludo, el ruido fue ensordecedor. ¿Quién iba a acordarse de haber dejado tirado en un callejón a un soldado agonizando?

Fin a las averiguaciones del Pincel.

49. En que volvemos a Mesina, donde mucho no se alcanza a ver cuán necesario es guardar nuestros bolsillos de los bribones, nuestros cuerpos de las putas, nuestros ánimos de las tormentas y nuestros corazones de nuestros amantes

En sus ires y venires por este puerto, el Pincel topó con varios de sus compañeros de viaje en *la Real*, pero ni una sola vez con don Jerónimo. Era como que se lo hubiera tragado la tierra.

Una tarde que la vio vacía de sus nuevos deberes —hacía un calor insoportable, y el pueblo y el ejército completos parecían dormir la siesta—, María el Pincel salió a buscar la portezuela por donde don Jerónimo se había evaporado. Después de dar un poco de vueltas, creyó haberla encontrado. De alguna de las casas que escondían los altos muros salía ruido y música que María no alcanzaba a identificar con claridad —ahora un acorde, ahora un pandero—, risas, algo que podía ser el caer de una botella, voces. María no tardó en darse cuenta de que estaba en la parte posterior de las construcciones y, bordeando fatigosamente la enorme manzana bajo el sol insidioso —que los jardines de estas mansiones son de imponentes dimensiones—, alcanzó el frente. Se encontró frente a un escenario muy distinto, una hermosa y amplia avenida arbolada, a cuya vera había fastuosas fachadas de enormes palacios rodeados de bardas y rejas. Ahora resultaba imposible identificar de cuál de estos habían salido ruidos porque desde aquí todos parecían estar vacíos. María caminó frente a los enormes portones. De pronto, al pasar frente a uno de éstos, verdaderamente cayó sobre María un rugido fortísimo.

—¡Qué es eso! —se dijo en voz muy alta, hablando para sí, entre preguntándoselo y expresando su sobresalto.

—¡Ey, tú, Pincel! ¿No reconoces cómo ruge un león? —gritó alguien a sus espaldas. Al mismo tiempo que oyó estas palabras, vio un león tallado en piedra arriba del arco que enmarcaba la entrada a la mansión y bajo éste escrito en castellano: «El león cuida la casa de León».

No, no conocía un león. Pero sabía bien qué era un león. Tras las rejas de la casa, vio al animal, enorme, bellísimo. Volvió a rugir, balanceándose, pero esta vez no volcó el corazón de María.

—¡Oye, Pincel!, ¿dónde andas que no respondes? —la misma voz le volvió a hablar. Giró: uno de los dos ayudas del cocinero de *la Real*, Jacinto, venía de la mano del otro ayudante, un muchachito poco mayor que él, pero con tal expresión de amedrentado que parecía más indefenso que el pequeño.

—¿Sabes el camino de vuelta a *la Real*? —preguntó con su dulcísima voz Jacinto—. Estamos perdidos.

—Vengan conmigo, yo los acompaño. ¡Me han curado del espanto del león! ¡Casi se me sale el corazón por la boca!

Los tres se detuvieron a ver al león dar de vueltas, meneando sus zarpas, amenazándolos.

—Y no sabes lo que te falta por ver —le dijo Jacinto—. ¡En otra casa tienen un cocobrilo para protegerla!

288

—¡Es un dragón! —dijo el otro ayudante.

—¡Qué dragón ni qué ocho cuartos! Ya nos dijeron, no seas burro, que ese animal que está ahí es un cocodrilo, y que viene de Gicto. Los dragones sí tienen patas, y éste sólo unos muñoncitos…

—«Egipto» —lo corrigió el Pincel—. No es Gicto sino Egipto, y no cocobrilo sino cocodrilo.

—Que Gicto es, y es cocobrilo —insistió Jacinto.

—¡Es dragón, y es de Gicto! —lo atajó el otro ayudante, el mayor, el asustado.

—Es de Egipto —insistió pacientemente el Pincel—; Egipto es un país que está al sur, y el animal se llama cocodrilo, no cocobrilo.

—¡En otra casa de aquí que vas a ver pronto hay un mundo de ransos! —dijo excitado Jacinto, ignorando sus correcciones, señalando con la mano que le quedaba libre.

—¡Los ransos son los que hacen mayor ruido! ¡Es ahí! ¡Y no los vas a ver sino a oír! —exaltado, el menos niño de los ayudas señaló también hacia el siguiente palacio. Para hacer énfasis, levantó la mano con que se asía a Jacinto.

—¿Ransos? ¿Qué es ransos? —preguntó María, sin entenderlos.

Mientras cruzaban estas frases, una jauría anunciaba su paso ladrando con furia. La próxima mansión fue la de los dichos «ransos», que eran unos simples, aunque muy furiosos, gansos. El ruido que hicieron estos animales fue tal que los portones de un par de bellos palacios cercanos se abrieron, de donde se asomaron un número importante de guardias, hombres gigantones de caras lisas y redondas como platones, sus ojos rasgados, los lisos cabellos muy oscuros, venidos de quién sabe qué punto de las estepas de Asia, importados por los ricos de Mesina. Cada casa financiaba su propio pequeño ejército; los dueños, comerciantes o comisionados venecianos o españoles, conocían los ataques piratas en tierra; entre ellos había algunos inocentes que así creían también estar protegidos de la espeluznante llegada de los turcos, ¡como si, llegado el caso, fuera a servirles de algo!

Los guardias inspeccionaron la avenida blandiendo a diestra y siniestra sus armas y lo único que vieron fue a tres enclenques que no podían representar ningún peligro, los tres con su cruz roja cosida a los faldones de sus camisas, señalándolos como parte del ejército cristiano. Por más de una cabeza oriental pasó la idea: «¿Y *con esto* quieren vencer al Gran Turco?» Estos tres daban en efecto la impresión de que la Liga era un punto más que risible. Frente a la legendaria astucia marítima de los otomanos, ¿enfrentar a unos chicos más hueso —y de este muy poco— que otra materia? No hacía falta ni un dedo de frente para saber quién de las dos armadas ganaría.

El ayuda de la cocina, el dicho Jacinto, el que primero le había dirigido la palabra al Pincel, no pasaba de los ocho años. El Pincel le había sonreído muchas veces cuando el chico se afanaba cocinando, pero ajetreado con sus labores no había tenido la oportunidad de hablarle, no es posible usar con tino el pincel y andar abriendo la boca.

—¿Cómo te llamas? —le preguntó el Pincel María.

—Me llamo Abid, pero no sé por qué me dicen aquí Jacinto.

—Pues porque pareces un jacinto, por esto.

«Jacinto, jacinto…» Por la cabeza de Abid Jacinto esta palabra rebotaba sin significar nada sino el nombre impuesto.

María: ¿Los has visto?

Jacinto Abid: ¿Qué?

María: Los jacintos.

Jacinto Abid: No.

María: ¿Sabes qué son?

Jacinto Abid: Es el nombre con que me llaman, lo demás no sé de jacintos.

María: El jacinto es una flor; te la voy a pintar cuando regresemos a navegar en *la Real;* te la voy a dejar bien hecha en tu escudilla, para ti. ¿Tienes escudilla?

—De madera, es mía, me la regaló… —Abid dejó la frase interrumpida y se ruborizó, ¿qué recordaría el niño que le encendió las mejillas?

El otro ayudante, sin ningún rubor, riendo feamente, dijo:

—El mismo que acabamos d'ir a visitar. Su «amigo» de Jacinto. Pero no nos preguntes, Pincel, qué fue mostra visita.

María ignoró su desagradable comentario y su decir mostra por nuestra. Este muchacho no le gustaba. Era un maldoso, echado a perder sin haber madurado, como la mala fruta.

—Jacinto, yo te voy a pintar tu escudilla de madera para que sea para ti un espejo. ¿Cómo ves? —¿qué tenía este niño que enternecía al Pincel?—. Va a ser tu espejo porque, Abid —María removió en sus ropas en busca de algo, y, mientras lo hacía, siguió hablándole—, así como te ves tú, la escudilla se verá, porque tú pareces esa flor que te digo —María-Pincel encontró en las ropas lo que buscaba, y dejó de aparentar estar rascándose de alguna infame tiña—. Mira, Jacinto.

María le extendió su espejo abierto.

Abid miró su cara en él con grandísima sorpresa.

—¿Qué es, Pincel, qué es?

«¿Qué es *qué*?», pensó María, porque no podía caberle en la cabeza que estos niños no conocieran un espejo. El hecho era que no conocían los espejos; de sus respectivos villorrios miserables, habían pasado a habitar cocinas trashumantes. A unos pasos de ellos, el lujo en todas sus formas exhibía tesoros y comodidades que ellos ignoraban del todo. Se creían enriquecidos porque vestían buenas prendas, calzaban zapatos y llenaban sus barrigas a satisfacción.

—Eso que ves ahí eres tú, eso es un espejo, lo que te devuelve lo que lo toca.

—¿Ese niño yo? ¡Mira, tú! —casi gritó al otro ayuda, aunque lo tenía pegado al lado, las dos cabezas miraban ya al espejo—. ¡Mira, mira! ¡Mira! ¡Asómate aquí!, ¡hay un niño!

—Es un espejo, te digo. Espejo quiere decir que ahí te miras, que te refleja la cosa que te enseño. No hay nadie asomado ahí, eres tú.

María la bailaora, el Pincel, apresuró a los niños a seguir su marcha, así les dejó el espejo entre las manos. Caminaban sin ver, observando una y otra vez lo que veían en sus manos. Usaban el espejo del Pincel no sólo para verse, también para revisar las casas, las calles, y vistas en él les daban risa. Encontraron en el espejo un pájaro que volaba sobre sus cabezas y eso los hizo detenerse de nuevo. María el Pincel tuvo que arrebatárselo para poder llegar a algún sitio, porque más se detenían que caminaban. Les prometió que se lo prestaría en otra ocasión.

Llegaban ya a la plaza principal de Mesina, donde el nuncio, monseñor Odescalco, obispo de Pena, hacía público un jubileo. Al Pincel lo atajó alguien enviado por Soto, el secretario de don Juan de Austria, para preguntarle si había pasado tal y tal otro mensaje. Desde que María había encontrado al soldado moribundo dejado a morir como un perro, se le iban sus días en Mesina en estos menesteres, deberes de pronto adquiridos. De cuanto había a su alrededor, eran lo que más le gustaba.

Recibido el anuncio del jubileo, los generales, capitanes y soldados se prepararon para éste con ayunos y más prácticas piadosas, varios de ellos abusando del flagelo. Los más vistieron ropas fúnebres, se dejaron ver en sus ropas negras, eso les daba más dignidad. En los días siguientes vino la confesión general, los elegidos recibieron el santísimo sacramento. Siguió a la eucaristía una fastuosa procesión, al término de la cual el nuncio vestido de pontifical dio a los presentes, y a los que desde la plaza seguían la misa, la bendición apostólica y las indulgencias que antes de este día sólo se habían otorgado a los hombres más principales de la cristiandad, seleccionándolos por sus riquezas, su generosidad con la Iglesia y su impecable comportamiento, o en masa únicamente a los conquistadores del sepulcro de Cristo. Todo aquel que participara en las batallas contra el Gran Turco gozaría de las mismas indulgencias que los cruzados.

Estaba por empezar una nueva guerra santa.

La escena conmovía a la mayoría, pero no al Pincel. La situación lo había convertido en el correveidile conciliador. En su corazón no cabían las emociones, y de espíritu ni hablar, que era como si no lo tuviera. Muy adentro de sí deseaba algo: María hubiera querido bailar, por el gusto de hacerlo, porque es el modo en que ella sabe sentir, disfrutar, vivir, y por llenarse a rebosar las bolsas, porque aquí sí que había plaza llena. Pero ¿bailar danzas profanas en Mesina, en medio de la exaltación religiosa que hace de cada rincón del puerto una capilla o un futuro confesionario? ¿No la habrían quemado por hereticar en tan solemne ocasión? Abundaban los músicos, las prostitutas, los vendedores de vino y de comidas, pero los ejecutantes interpretaban canciones religiosas, el vino y las comidas se tomaban después de los ayunos, y en cuanto a las de placer, nadie las tomaba a voz en cuello y en público, eran *secretas*, y se decía que eran «para bien, que un soldado sin ansia es mejor guerrero»; lo único que se hacía a gritos en Mesina era el rezo, pedir a Dios, dar las gracias, los rosarios hilvanados; la armada era presa de un fervor santísimo. No estaba en María compartir este sentimiento.

Como no podía bailar en las plazas, lo hizo en la imaginación. Ahí, nutriendo la imagen con la memoria, giró: Andrés la miraba, con esos ojos dóciles de perro. Esto no le gustó. Dio la vuelta, girando más para dejarlo a sus espaldas. Frente a ella quedó Carlos, quien como de costumbre divagaba mientras tañía las cuerdas. Sus ojillos iban de un lado al otro, en fuga. María dejó de girar y bailar en la imaginación y se paró a pensar en Carlos, «su» Carlos. Pero como ahora imaginaba algo que no actuaba, que no representaba, volvió a caer en la cuenta de las calles efervescentes de Mesina, de las mismas que había querido abandonar con el baile soñado. Si Carlos, pensó María, sentía temor del alboroto napolitano, ¿qué efecto le habría hecho este mundo, el de la Santa Liga borboteando en Mesina? Sentía por Carlos, al recordarlo, algo parecido a la ternura. Por la rendija de este sentimiento se coló Andrés con su mirar perruno y María volvió a esquivarlo. Enfadada con su presencia, quiso borrarlo, hacer que nunca hubiera existido. Así ejercitando sus pensamientos, se apareció en medio de estos el bello Gerardo, llegaba como un recuerdo lejano y frío. Este frío le enfrió la memoria. No recordó nada más. Dejó de pensar y se confundió por un momento entre la muchedumbre, sumergiéndose en ella como si fuera parte de la fervorosa soldada.

Eran tantos los que pasaban por Mesina que si hubieran intentado dormir en plaza abierta, habrían tenido que hacerlo de pie. ¿Cuántos miles de hombres (sin contar los de remo) de los alistados en las filas de la Santa Liga celebraban en Mesina la próxima partida de la armada? Con timidez aquí y allá se aventuraba la cifra de treinta y cuatro mil, pero la timidez era tacaña porque se habían enrolado muchos más. Si se tendieran a dormir en la plaza principal, no tendrían espacio para estirar las piernas ni aunque echaran mano de todas las calles y otras plazuelas de Mesina. En la compañía de los mercaderes, los viciosos y las mujeres de placer que los habían seguido, la soldadesca era de una magnitud nunca antes vista, ni en los tiempos en que el rey persa fue vencido por los griegos.

Entre las obligatorias celebraciones religiosas y el ir y venir que le impuso el azar al Pincel, no le restó a María ni un momento para ir a buscar otra vez a don Jerónimo. Puede ser que haya estado presente en la misa y la ceremonia grandísima, pero María el Pincel no tuvo manera de saberlo.

Se oía decir que el nuncio también había traído a don Juan de Austria ciertas revelaciones y profecías de san Isidoro que Pío V interpretaba como si hubieran sido escritas hablando del generalísimo y su santa próxima victoria. Al Pincel le llamó la atención el tema, e intentó averiguar en qué consistían exactas estas profecías y revelaciones por ver si en algo se parecían a las que ella conocía escritas en el libro plúmbeo que había dejado encargado en Nápoles y debía cargar a Famagusta, el de su misión, pero no hubo quien pudiera decírselo. Nadie parecía tener tiempo para explicaciones.

Del no bailar, sólo la consoló recibir dos monedas nuevas que le fueron entregadas por sus servicios especiales —en gratificación por su eficaz auxilio, informar, hacer llegar mensajes sin irritar a ninguna de las partes—, regalo de don Juan de Austria. Las dos eran de oro, de nuevo cuño, como ya se dijo. María ni preguntó cuánto valían. Las meneaba en una de las bolsas interiores que había cosido a su traje de soldado para esconder sus pequeños tesoros, sintiendo un placer festivo al tocarlas tras el no muy fino lino.

Desde el amanecer del 15 de septiembre, el nuncio de su Santidad, monseñor Odescalco, comenzó a dar la bendición a cada una de las embarcaciones de la vanguardia conforme salían del puerto. Todas las naves iban de lo más bien vestidas, bailoteando sus verdes, azules, amarillos y blancos, exhibiendo las velas y las flámulas hinchadas al viento, sus estandartes y banderillas, los gallardetes arrastrándose en el agua. *La Real* tenía su flámula de tafetán verde en lo más alto de la punta de la pena, las otras naves de don Juan de Austria gallardetes azules; las cincuenta y tres galeras de Barbarigo banderolas amarillas en las ostas, su capitana una flámula del mismo color en la pena; las de Doria banderillas de tafetán verde en la punta del palo mayor. En la retaguardia, las treinta galeras del marqués de Santa Cruz agitaban sus gallardetes de tafetán blanco en la pica sobre el fanal.

En palabras de don Juan de Austria, la armada de la Santa Liga partió de Mesina «en orden tan formal y en punto como si hubiesen de encontrar en la boca del Faro a los enemigos». Fue el 16 de septiembre cuando la armada en pleno dejó Mesina. La despedían con el repicar de todas las campanas de las iglesias del puerto, arrojando salvas innumerables desde sus castillos. Así comenzó la navegación con dirección a Tarento. Al mediodía llegaron a la fosa de San Juan, recibieron ahí informes de su adelantado Gil de Andrada de que los turcos han intentado tomar Corfú. Apenas recibida la noticia que los instaba a apresurarse, el clima se puso borrascoso. Donde otros se hubieran achicado cerrando el pico y guardándose de toda acción superflua hasta encontrar condiciones más favorables, o de ser más débiles hubiesen sucumbido ante el mareo, el de Austria se elevó. Primero dio la orden imprescindible de replegar las velas y recoger los adornos que aún portaban las galeras. Pero apenas hecho esto, alentó a sus hombres a navegar como si el sol brillara y las insignias les siguieran sonriendo. Él no iba a intentar vencer una tormenta: ignorándola, iba a borrarla. Desnudas las naves, estrellándose contra un hostil mar gris y un cielo cubierto de densos nubarrones, mientras el viento sin tregua golpeaba furioso, el remo se marcó a gran boga. María oía sobrepuestos los golpes de los rebeques de los cómitres fustigando a los galeotes, los azotes sobre la carne y los del duro mar y del cruel viento sobre los cascos de las naves, los remos clavándose contra el mar y los rugidos del indomable, porque el animal burlándose no respondía; se escapaba espumando furioso; nadie podría cabalgarlo; se negaba a ser gobernado, navegado, utilizado.

Don Juan de Austria siguió su representación: no había clima al cual darle la menor importancia.

Al viento se sumó la lluvia, maltratando sin piedad a la tripulación. Más noticias llegaban en relación a la armada turca y eran recibidas con exasperación por los hombres que bregaban contra el desfavorable viento y la empecinada cortina de cerrada lluvia. Sólo don Juan de Austria actuaba como si el cielo no se estuviera derramando sobre ellos, como si el mar no insistiera en sacárselos de su lomo. Y fue por su ánimo que, infundiendo en todos un vigor sobrehumano, consiguieron avanzar a marcha forzada y alcanzaron en breve el puerto la Paz.

A pesar del mal clima, del zangoloteo, del agua insidiosa, María el Pincel había terminado de decorar el fogón antes de tocar puerto, porque sólo faltaba este o aquel breve detalle al dejar Mesina. Si en el convento había sabido pintar adornos festivos en muy blancos bocadillos trabajando entre el hollín, e ignorando sus ropas miserables había trazado elegancias lujosas en los dulces excelentes, en medio de la tormenta aplicaba sus pinturas como si no estuvieran cada tres minutos a punto del naufragio. Jacinto la había auxiliado, extendiendo a todo lo ancho de sus cortos brazos una tela preparada para no dejar al agua golpear sobre el trecho que estuviera pintando; así protegida, había usado del pincel a sus anchas. Quedó más al gusto de un cocinero que al de un generalísimo de la santa flota, aunque siguiendo el tono de *la Real* María lo había adornado para que le sirviera de ejemplo muy diferente del que requiere un general o un soldado. A las muy hermosas frutas que había imaginado y ahí dejado representadas, se sumaban hombrecillos y mujercillas en extrañas posturas: un muchacho puesto en cuclillas hacía pasar su cabeza entre sus dos curvadas piernas, acomodándola lado a lado de su trasero; una mujer de dos cabezas; algunas se abrazaban y lo hacían de la manera más grotesca, aquél tomaba al otro de la oreja y el talón, otro se hincaba y sujetaba las piernas de otro que a su vez abrazaba la espalda de un tercero, tapándole los ojos con las manos. María el Pincel se había cuidado bien de no hacer ninguna que pudiera parecer inconveniente pero todas eran algo cómicas. No estaban pintadas con preciosos detalles, sino con simpleza. Al cocinero y sus muchachos les hacían reír. El ejemplo de que María el Pincel quería proveerlos era el de la necesidad de la risa.

María el Pincel estaba orgullosa de ellas y deseaba mostrárselas a don Jerónimo Aguilar, y aprovechar la ocasión para por fin mostrársele. Estaba segura de que don Jerónimo sabría gozar de las figuras festivas. Aunque la tormenta no había amainado, no presentaba en puerto el mismo terrible aspecto. Cierto que los sacudía manoteando el mar, que ni *la Real* tenía dignidad, que los gallardos soldados parecían monigotitos de azúcar, si tenían suerte. Que el viento bramaba. Que todos estaban empapados y muchos encima de esto mareados. Pero nadie denotaba mal ánimo y a María la llenaban de efusiva alegría sus propios dibujos. Comenzó a cazar a don Jerónimo para abordarlo. Vio que dejó el tenderete extendido para protección de los capitanes y la gente principal agolpada al lado de la cámara principal, y en cuanto vio que daba el primer paso en el corredor —que así llaman en las galeras al estrecho paso o camino de ronda, donde circulan los soldados—, corrió hacia él.

Don Jerónimo caminaba con la mirada clavada en el piso, abstraído en sus pensamientos. Cuando María ya lo tenía muy próximo, le dijo:

—Quiero enseñarle algo, don Jerónimo Aguilar —cuidó muy bien de hablarle con absoluto respeto y sin denotar ninguna familiaridad sospechosa, por si alguien más escuchaba.

En ese instante, la borrasca arreció. A duras penas pudo Jerónimo oír su nombre pero no alcanzó a escuchar el resto de la frase. Bastaron sus cuatro sílabas para que por un momento creyera estar en un mal sueño o padecer una alucinación, creyó que el *don Jerónimo Aguilar* había sido pronunciado, entonado, cantado con la voz inconfundible de María la bailaora, y sabía que eso no podía ser. De la lengua a los pies, sintió correrle una intensa sensación de incomodidad como un escalofrío. Se creía ya *librado* de María. Haber imaginado su voz lo regresaba a ella, y bien poca gracia le hacía este regreso. Otro capitán, Bernardo de Cárdenas, le tocó el hombro urgiéndolo a reunirse cuanto antes con Lope de Figueroa, quien necesita consultarle algo muy de inmediato. ¿Qué no es de urgencia cuando la guerra es inminente? La derrota puede encaramarse si no se toman el número mayor de cuidados. Don Jerónimo Aguilar siguió al de Cárdenas sin detenerse a mirar al que le había hablado. Llevado por los vertiginosos preparatorios, olvidó en un tris que creía haber escuchado la voz de María. No volvió a recordar el desagradable escalofrío que le provocó el imaginado regreso de esa mujer. Buen uso había hecho de sus días en Mesina, aplicándose en borrar a la tal María la bailaora, refocilándose en los brazos de unas hermosas de placer que sabían complacerlo con sobrada satisfacción. Le hacían fiestas, le bailaban sin bailarlo; le permitían soltarse incontinente, gozarlas sin freno porque, dándoles a cambio del gusto alguna suma de dinero, le quedaba muy claro a su corazón que no corría ningún riesgo; no lo tocaban, sólo le procuraban gustos finos, excelentes, egoístas, y saciedad, satisfacción, placer que no se paga con ninguna zozobra.

Así, las mesinenses de placer reían despreocupadas, perezosas. Parecían desconocer memorias y pena, semejaban palomas. No tenían ni sombra de la gravedad de María, nada de su peligrosa radiancia; no eran tampoco intensamente bellas sino dos bonitillas que no sabían pensar, que lerdas y abotagadas por los excesos de comida y bebida, en el lujo y la ostentación vivían muelles como animales dóciles, desprovistas de toda sombra de ansiedad, enfado o tensión. ¡Nada más opuesto a María! Después de semanas y semanas de ansioso deseo incompleto, había tenido por fin días muy buenos. La labor de las de placer no fue demasiado ardua porque Jerónimo no tenía a María la bailaora a su alcance. La distancia se la había trocado por una cosa, un objeto del pasado.

De modo que ella le habló, y Jerónimo ni alzó la cara a verla. María se quedó bajo la lluvia, pensando «¿No me oyó?», y contestándose para calmarse —que el ánimo se le había puesto como el clima—, se dijo «¡No me oyó!, ¡no me oyó!», repetidas veces. Sin más, volvió a apostarse donde pudiera verlo separarse del grupo de los capitanes y caballeros que ahí se habían reunido, guareciéndose bajo la lluvia en el tenderete colorado.

No pasó demasiado tiempo antes de que don Jerónimo Aguilar dejara a los otros capitanes para, tal vez, ir a cumplir lo que el llamado de don Bernardo de Cárdenas le había impedido previamente. María se hizo paso apresurada entre la masa de soldados, y volvió a arremeter:

—¡Don Jerónimo! ¡Venga aquí, que quiero enseñarle algo!

Dicho lo cual, se dio la media vuelta. De reojo vio que don Jerónimo la seguía. Esta vez la frase de María había llegado *completa* a los oídos de don Jerónimo Aguilar, había sido formulada en un mejor momento, sin que la apagasen rayos tronando o el azote de la lluvia o un bofetón de aire; sin que llegara a interrumpirla don Bernardo de Cárdenas u otro de los principales.

Jerónimo la siguió, mojándose en la lluvia. No se dijo: «¡Es la voz de María!» Porque sin embrujos engañadores, sueños o letargos sonámbulos, no le cupo duda de que esa voz *era* la de María, ¿quién podría dudarlo?, no es necesario reportar la nueva a su conciencia, ni tampoco ponerla en palabras. No piensa don Jerónimo: «Pero María no puede venir en *la Real*, no es un hombre, no un soldado… ¿Dónde se han visto gitanas soldados?» Y seguía al Pincel, dócil, aturdido y apagado.

Llegando al lado del fogón, María giró a verlo y, clavándole sus dos ojos, le dijo: «Mire, don Jerónimo, mire lo que he pintado en el fogón». En voz más baja y dulce, sin engrosarla un ápice para hacerla aparentar algo más varonil, añadió: «Lo he pintado para usted, para hacerle un regalo», y mientras hablaba y balanceaba la cabeza, María la bailaora y Pincel se despojó del bonete rojo que le había enfundado el calabrés. Sacudió la cabeza para esponjarse el cabello y entrecerró los ojos, sonriendo, coqueta, poniendo la mejor de sus caras, convencida de que, incluso así vestida, don Jerónimo Aguilar la encontraría hermosa. Cuando terminó de sostener el gesto la duración que consideró pertinente, abrió los ojos esperando encontrar clavada en ella la mirada de arrobo a la que don Jerónimo la había acostumbrado, pero lo que vio fue su espalda pasos allá, avanzando a toda marcha hacia el grupo de caballeros y capitanes al que pertenecía, sin haber concluido lo que dos veces ya lo había sacado de su rebaño.

Don Jerónimo no había dicho una palabra.

Por la cabeza de María pasaron dos preguntas mudas: «¿Me reconoció?», y «¿Vio las figurillas del fogón?». Estaba desconcertada. Se quedó clavada al piso unos instantes que parecieron eternos, pero consiguió sacudirse el malestar y se consoló diciéndose diversos argumentos: «De seguro alguien lo llamó y yo no oí, tuvo que retornarse por necesidad, no me vio, no oyó lo que le dije, no sabe que vengo aquí; no quiere exponerme, alguien lo vio cuando venía hacia mí…» Siguió una retahíla, cada uno más desaforado que otro.

Llegó la noche sin que María volviera a ver a don Jerónimo. Transcurrió lloviendo sin pausa, el vendaval azotaba intermitente sin ritmo, sin motivo alternativamente enardecido o inmóvil, pesado como una lápida.

María no dormía. Se atormentaba, sin comprender bien a bien con qué se estaba flagelando. Buscó el pretexto siempre eficaz de los celos. Se dijo lo que no se había querido decir antes: «Oí fiesta en Mesina, en esa mansión que se lo tragó durante días. Oí voces, algunas de mujeres. Oí música. Jerónimo ya me olvidó, ya me cambió por una siciliana». Se lo repitió mil veces, sin cansarse y sin alivio. Reconstruyó la escena: aparecían cocodrilos, leones, jaurías, esclavos orientales y bellas venidas de quién sabe qué lejanos países; bailaoras probables sabían refocilarlo de mil maneras, como nunca don Jerónimo Aguilar se había dado gusto con ella. Porque era verdad, con ella nunca había… Lo que creyó virtud y acierto, ahora veía defecto atroz y olvidó que habría sido su ruina dejarlo entrar a esas reservas de su persona. En su cabeza, atormentándose, torturándose, lo vio hacer lo que ella no sabía de cierto que él, por voluntad expresa de sí mismo, sí hacía todas las noches en Nápoles. Lo *vio* repetidas veces, alterando uno u otro detalle de la escena, poniéndole palabras dulces en sus labios, dándole miradas a sus ojos, sonrisas a su boca, caricias a sus manos. Se atormentó sintiendo lo que él sentía. Mentalmente escenificó varias escenas donde don Jerónimo Aguilar le era repetidamente infiel.

¡Los celos! Esos necios no cejan, no se detienen, su fuente es inagotable porque ellos son su propio recurso. Crecían al amparo del sollozar silencioso de su corazón. Se sabía la más infeliz de la tierra.

Perdía toda mesura. Ni la proximidad de la guerra, ni los relatos repetidos sobre las atrocidades de los turcos, ni intentar recordar a sus amigos moriscos, a su padre arrastrado por los guardas: no había qué le proporcionara alguna medida de las cosas; nada la consolaba. Pasaban las horas de la noche, crueles, creciendo el infierno de celos de María. Ya en la madrugada cayó dormida.

El siguiente día amaneció con el cielo encapotado de grises nubes. Los mandos hicieron de cuenta que había despejado un poco. A boga dura de nuevo y sin confiarse a las velas, comenzó la navegación. No llevaban ni una hora de viaje cuando retornó el viento. Se desató una mareta fuerte que hacía difícil el equilibrio de las naves. Llegaron con extrema dificultad al cabo de las Columnas, el que antes era llamado promontorio Lacinio.

Arreciaron los nortes con tanta furia que la armada de la Santa Liga no pudo dejar tierra. Don Juan de Austria dio la orden a sus capitanes de diseminarse en la misma *la Real* y en otras naves, temiendo lo peor. Don Jerónimo Aguilar fue asignado al área del fogón, donde no tardó en aparecerse María la bailaora, el de pronto envalentonado Pincel. El rostro de don Jerónimo no se mostraba nada amigable. María el Pincel atribuyó su expresión al horrendo clima y los desfavorables augurios. A pesar de su tormento nocturno, hoy había decidido emprender lo conveniente de la mejor manera. «Son mis puras imaginaciones —se decía convencida—. No ha pasado nada, no me reconoció ayer, de seguro alguien que no escuché lo llamó y lo hizo volverse. Tranquila, sonríele, dile quién eres, que vea lo que has hecho, que le sea notorio cuánto lo adoras.»

El clima empeoraba, pero para María se despejó el infierno de los celos en cuanto vio al malencarado don Jerónimo a su alcance. A pesar del clima y del ambiente que la rodeaba, pintando las figurillas y conversando con los Juanillos, María había recuperado el buen talante. El desconcierto de los primeros días se había desvanecido. La parte de su persona que necesita privacía, que requiere no ser vista —porque María la bailaora la tiene—, se daba un espléndido banquete a bordo de *la Real*. Así la galera viniera sobrepoblada como todas las demás y se durmiera cuerpo a cuerpo y no hubiera cómo estar un minuto a solas, María *no era vista*, y esto la restauraba, le daba un sentimiento placentero, extrañamente gozoso. Sólo quería mostrarse a una persona, a don Jerónimo Aguilar, y esto hasta un cierto punto, ni un ápice más.

—¡Don Jerónimo!

Don Jerónimo bien que supo identificar la voz. No había olvidado que la había reconocido cuando ella lo llamara y llevara al fogón; le había visto la cabellera atusada, horrenda, o por lo menos decir fea; había alcanzado a mirar de reojo las figurillas pintadas por su pincel y las había hallado ridículas. No se había dicho nada, de nueva cuenta no le había puesto palabras a lo que percibía y sentía, simplemente había dado rienda suelta al enfado: deseaba todo menos oír y ver al inoportuno adefesio.

Don Jerónimo le habló:

—¡Usted! ¡El del pincel! —volvió cosa al nombre de María. Muy diferente es que le digan «el Pincel» a que le espeten «el del pincel». El segundo le quita toda dignidad, el primero le da rango, su trabajo le otorga nombre, no la llaman con una mera cosa—. Haga el favor de borrar o cubrir las figuras ridículas que alguien ha hecho en el borde del fogón y que desmerecen la dignidad solemne de esta nave —dirigiéndose a otra persona en muy otro tono, dijo en voz alta:— ¡Padre! —llamaba al capellán jesuita, el padre Cristóbal, que estaba a unos cuantos pasos de ellos—. ¡Venga un momento! ¡Lo requiero!

El jesuita se acercó, el rosario temblándole en las manos. Este mal clima lo había puesto muy nervioso, la mareta lo destrozaba. Si bien no fuera sacerdote de un culto antiguo, creía que no iba bien a la santa empresa de la Liga esto de ver llover y padecer los golpes del vendaval... ¿Pues qué le pasaba a Dios? El padre Cristóbal sabía que muchos se estarían preguntando: «¿Es que el Creador no quería ver acabados a los turcos?» El jesuita Cristóbal no pensaba en que la mala temporada otoñal les había caído encima; estaba, como los más, fuera de sí; el viaje lo mareaba y le borroneaba la inteligencia.

—¿Qué hay, don Jerónimo? —le contestó el jesuita—. ¿Por qué no lo veo rezar? Necesitamos los rezos de cada uno de los que...

—¡Luego rezo! Mire.

Don Jerónimo le señaló los dibujos que se trenzaban en el borde del fogón.

—¿Y qué hay mal con eso? Si levanta el ánimo de los cocineros, si trae algo de alegría...

Don Jerónimo comprendió que se había equivocado de cura. Debió enseñarle las figurillas profanas y poco edificantes al otro capellán, el capuchino solemne y aletargado, y no al un día vivaz jesuita —que aunque a ojos vistas pareciera un trapo, conservaba en el fondo su temperamento—.

—¿Que qué hay? Las encuentro por demás inconvenientes —dijo don Jerónimo—. No tengo duda de que enfadarían enormemente a don Juan de Austria si él las viese...

La frase surtió el efecto que don Jerónimo quería.

—¡Pincel! —dijo el padre Cristóbal a María en algo que quería ser tono mandatorio, sin ponerle encima los ojos, sin reconocer a la bailaora, presente en *la Real* gracias a las argucias de su criado calabrés, quien muy sabio se había quedado en tierra firme—, mira, Pincel, don Jerónimo Aguilar tiene razón. Borra o cubre con un color uniforme tus pinturas, anda...

El jesuita se retiró a tratar de esconder sus flaquezas, que el mareo lo tenía hecho una ruina vomitona. No estaba en su poder hacer lo pertinente: infundir confianza y pedir rezos en el resto de *la Real*.

María el Pincel traía colgados al cuello sus implementos de pintura y procedió a pintar de rojo el borde del fogón. Estaba furiosa, pero sabía que pintar la calmaría. Comenzó por una línea, que consiguió hacer perfectamente recta. ¿Qué le pasaba a «su» don Jerónimo? Si María hubiera podido cantar, ¡lo que le cantaría! ¿Y si cantaba?

Acuclillada mientras pintaba, cantó quedo pero muy claro:

> El hombre que me apuñala,
> con celos mil me regala.
> Traidor, me robas el alma,
> con tus besos me engañabas.

Don Jerónimo se había alejado unos pasos, pero al oírla cantar regresó hecho un energúmeno.

—¡Cállate! —espetó don Jerónimo, también en voz queda—. ¡Es una tontería que estés aquí! ¡No quiero volver a verte en el resto del viaje! ¿Te das una idea de lo que pasaría si alguien te reconoce? No voy a delatarte, toma eso como la única seña que te voy a dar de que nos conocemos. Pero no quiero saber absolutamente nada de ti. Ni en este barco, ni nunca más. ¡Nunca!

María se levantó, airada, el pincel en la mano, enardecido como una espada. Pasó corriendo frente a don Jerónimo y se dirigió al padre Cristóbal.

—¡Padre Cristóbal! He... —respiró hondo, volvió a tomar aire—. Padre Cristóbal, es que lo que he pintado ahí ha sido por petición del maestro Juan de Mal-Lara, aún me falta escribirle las leyendas que él me instruyó que pusiera. Es una representación del infierno. El infierno por el camino de la gula, ¿usted comprende?

Era una mentira gorda como una trucha, ¿pero qué le importaba a María? Mentir no le daba ni más ni menos. Pelear con don Jerónimo era otra cosa, sólo por ganarle la partida venía a mentirle al cura.

El jesuita no estaba para andar discutiendo nada. Venía de vomitar y a lo mismo ya iba:

—Haz lo que te dé la gana, Pincel. ¡Qué más da!

María regresó sobre sus pasos y al pasar al lado de don Jerónimo dijo, como hablándole al viento:

—Dice el padre Cristóbal que siga pintando, que no lo borre.

Y sin decir otra palabra se hincó a retomar su trabajo, añadiendo más figuritas al fogón y cantando de nueva cuenta otros versos amorosos en voz igualmente delgada, dulce, serena. Bajo su serenidad se alzaban cuchillos con pico, se tramaban escaramuzas, se cortaban cuellos: se le daba guerra al mundo.

A la mañana siguiente, muy de madrugada, la armada de la Santa Liga intentó dejar el cabo de las Columnas. Los vendavales se desataban causando en los de mar verdadero terror, y la fuerza de la marea hacía los remos ingobernables. Hubieron de volver a puerto. Lo intentaron de nueva cuenta varias veces, pero tuvieron que esperar tres días antes de poder dejar puerto. *Cuanto ocurría parecía poner rémora e involuntarias dilaciones a sus deseos.*

Estos malditos días, María estuvo a unos pasos de don Jerónimo Aguilar. Pero no podría haberse sentido más lejos de su amado. Varias veces intentó abordarlo, todas inútiles. Don Jerónimo le demostraba al Pincel que la persona de María se le había vuelto detestable.

El día que oyeron que se atisbaban bajeles, la soldadesca dio por hecho que serían los hombres del Gran Turco, no eran sino ellos mismos. Las galeras que venían remolcando las galeazas los habían alcanzado, sufriendo más que el resto de la armada el mal clima.

Por fin, el día 24 calmó un poco el temporal. El clima seguía siendo demasiado fresco, tiritaban con sus ropas empapadas, no había ya ni un solo lienzo seco. El mar continuaba algo picado pero el viento soplaba favorable y don Juan de Austria decidió probar suerte. Prosiguieron navegando bien entrada la noche en las mismas condiciones, hasta que tuvieron a la vista Fano. No bien habían anclado las naves cuando arreció el viento de manera muy temible. Las galeras se zarandearon como si fueran juguetes indefensos de algún niño. Como *la Real* estaba despojada de escollos, la tripulación quedó toda apelotonada a babor, empujada por la tormenta. Don Jerónimo Aguilar, muy contra su deseo, se vio brazo a brazo, cuerpo a cuerpo, torso a torso, cuello a cara con el maldito Pincel. Muy irritado, le dijo:

—Deje de estarme molestando. ¡Me fastidias!

Por lo que don Pedro Zapata, que había alcanzado a oírlo, protestó:

—Vamos, Jerónimo, calma. Debemos infundir buen espíritu en nuestros hombres, ¡sereno! Ninguno de nosotros estamos pasando el mejor de nuestros días con este clima, pero...

Otro bandazo del viento le arrebató la palabra. La nave estuvo en riesgo de volcarse. El viento golpeaba de manera tremenda. María aprovechó el revolcón que dio el mar a la nave para plantarle un beso a don Jerónimo en el cuello. En silencio, don Jerónimo le dio a María un soberano empujón y, de manera muy notoria para que el Pincel bien lo viera, don Jerónimo se limpió el sitio donde había caído el beso dándole muestras de verdadero asco.

María leyó lo que él le decía al limpiarse el beso: que don Jerónimo Aguilar la encuentra en efecto detestable, una invasora de su territorio, una no buscada. Quiso llorar, pero recordó que vestía de varón y que como el Pincel que ella era no le estaban permitidas las lágrimas.

Al alba, enderezaron hacia Corfú, pero el ímpetu de las olas los vuelve atrás. Lo vuelven a intentar a mediodía y consiguen salir. Llegan sin mayores inconvenientes a Santa María de Casopoli, en el cabo de Corfú, y pasan ahí la noche del día 26. Con el mal tiempo, el navegar se hace fastidiosamente lento. El clima les será cada día más desfavorable, porque ya está entrada la mala temporada de navegación del Mediterráneo.

En el cabo de Corfú, hicieron aguada y leña en los alrededores. Don Jerónimo Aguilar saltó a tierra apenas tuvo oportunidad y tras él su mala sombra, la María la bailaora, el Pincel. La pobrecilla parece un perro apaleado. No se atreve a hablarle, ya no tiene de dónde sacar fuerzas o valor. Él se le escapa, envolviéndose en un grupo de amigos.

Salieron de ahí a la siguiente madrugada y llegaron al puerto de Corfú, donde los recibieron muy alegres salvas de la artillería. *La Real* respondió con tres sonoros cañonazos. Apenas llegar, dieron con las huellas del paso de la armada turquesca, hacía dieciséis días que se había ido, incendiando bosques y cultivos a su paso, aunque no intentó abordar el fuerte («Un castillo que dudo yo haya alguno más fuerte en el mundo ni más bien artillado, porque tiene quatrocientas piezas de bronce encabalgadas y más de otras doscientas en tierra»). Los turcos barrieron y arruinaron todas las casas de los habitantes de la isla, destruyeron las iglesias y los famosos lienzos y esculturas que había en ellas. En tierra oyeron decir cuán crueles fueron los turcos con la población, como ellos acostumbran.

Don Juan de Austria convocó a consejo a sus generales. Hicieron los últimos arreglos sobre las galeras, que ya desde Mesina había ordenado se mezclaran en las venecianas soldados de otras naciones para dejarlas más provistas, porque eran de muy desigual fuerza. Reforzó, ordenó y terminó de ordenar arreglos necesarios para que la armada diera lo mejor de sí.

Un mínimo detalle, que no vendría a cuento si no fuera porque debió de ser de importancia decisiva para nuestra María la bailaora, fue que en Corfú quedó toda la gente de servicio de don Juan de Austria, excepto su cocinero y don Juan de Guzmán, el gentilhombre de cámara, con Jorge de Lima, el ayuda de cámara, aunque los tres quedaron sin ayudas. También salieron hasta el último de los criados que habían sido asignados al cuidado de *la Real,* los que mantenían esta galera con menor hedentina que las otras, más los que atendían a los capitanes en las visitas continuas, dando aún más lustre de palacio a *la Real,* y todos los de la cocina, excepto el cocinero, quien refunfuñó hasta el último minuto, alegando «Yo sólo no he de poder, déjenme al Jacinto, que no soy como esos monstruos marinos que tienen doscientos dedos, ¡van a creer!, si no soy ni Merlín ni bruja...» María estuvo a punto de ser despachada ahí mismo, y un mucho de dos lo deseaba ella —que ya no soportaba estar ahí, por lo que don Jerónimo Aguilar le había hecho, que resumiendo no era sino retirarle los favores a los que anteriormente la había acostumbrado—, pero un azar la amarró a la expedición. No fue algo que ella buscara. Ya no soportaba la situación y nada deseaba más que verse libre del traje de soldado, del pincel y sus pinturas, y en suma del viaje en barco. De lo que no estaba muy segura (y éste es el segundo mucho) era de si quería o no dejar de ver a don Jerónimo Aguilar. Quería, y no quería. La enfurecía su trato pero no podía dejar de mirarlo, no *deseaba* dejar de mirarlo; lo encontraba el más gallardo, el más hermoso, el de mejor voz, el más ágil.

El mejor entre los hombres. La atribulaba su mera existencia y, aunque estaba muy enfadada, sabía que dejarlo le ardería tanto como verlo.

Por otra parte, quería volver a bailar. Le hacía falta el baile y la música, no la consolaban gran cosa las cancioncillas que a ratos dejaba salir apenas de sus labios, y encima de esto extrañaba el sonido que hacen las monedas al caer en su bolsillo. Las últimas dos que habían entrado, las recibidas de parte de don Juan de Austria por los buenos servicios provistos por ella en Mesina, ya no le sabían ni un ápice a nuevas, así muy a menudo se acordara de ellas y las acariciara por dentro de sus ropas. Le eran preciosas, pero quería tener más y más recientes.

Rumiaba: «Si yo bailo, si estoy vestida de mujer, si me dejo de nueva cuenta crecer el cabello, don Jerónimo volverá a quererme. Porque él me quiere, tal vez él no lo sabe viéndome así vestida, despojada y pelona, pero él me ama».

Precisamente por el motivo por el que recibió estas monedas, porque había sido el Pincel quien había encontrado al soldado aquel moribundo en Mesina —del que nunca supo María el nombre— y había demostrado tan sensata cordura en arreglar las desavenencias habidas entre soldados españoles y los bajos de otras naciones, el secretario de don Juan de Austria, Soto, recibió instrucciones de pedirle de nueva cuenta interviniera en un asunto espinoso. Don Juan de Austria estaba enormemente enfadado con Colonna y Veniero, este último ya muy canoso, un hombre venerable que en un ataque de ira provocado por las imprudencias y altanerías de Colonna, hizo ahorcar a un capitán español llamado según algunos Murcio Tortona (para otros Curcio Anticocio). Lo mandó a la horca y horca volvió a la entena de su capitana. Don Juan se encolerizó por la desorbitada medida y estuvo por un pelo de hacer colgar al venerable Veniero. Cuando entendió que todo era por culpa de Colonna, el de Austria le retiró el trato, y quedó de voz el veneciano Barbarigo. El asunto de Murcio Tortona no era un caso aislado. Cuán detestables son los españoles a otros pueblos se podía comprobar a diario, se acumulaban un sinnúmero de incidentes que alguien tenía que aclarar, alguien debía limar aquí y allá asperezas y poner en concordia las rencillas, y era muy importante hacerlo antes de comenzar la batalla.

El Pincel fue asignado para hacerlo. En estas circunstancias, don Juan de Austria no le aceptaría su renuncia. Si dejaba de ser útil como lo que le daba nombre, pues no era hora ésta de pinceles sino de espadas, tenía otra labor que hacer.

María confiaba terminarla antes de zarpar y verse desembarazada del resto del viaje (y muy bien remunerada). No fantaseaba: por tan delgadito el dicho Pincel probablemente lo habrían soltado en Corfú. Pero esto cambió, porque estando María en el puerto…

50. En que se cuenta la historia del espadazo de María la bailaora, así como la historia de las hermanitas Pizpiretas de Corfú

Estaba el Pincel en Corfú, visitando a las hermanas que se hacían llamar Pizpiretas y que no eran precisamente dos religiosas o devotas sino más parecidas a las del oficio, caía sobre el puerto ya la noche cerrada, cuando alguien intentó cortarle el cuello a don Jerónimo Aguilar. El dicho Pincel (que la verdad no visitaba Pizpiretas, sino perseguía a su odiado querido) sacó su filo y dio buena cuenta del atacante. Luego se supo, y esto no fue a espaldas de María, que éste era un soldado también español con el que don Jerónimo Aguilar tenía un asunto de honor pendiente, la afrenta contra el honor de su hermana.

Porque el caso está expuesto, que muy limpio no tenía sus hojas de servicio el corrupto capitán don Jerónimo Aguilar.

Oír el recuento del desleal comportamiento de su amado no trajo alivio o serenidad al Pincel-María. No sirvió el incidente para esto. Lo que sí ocurrió en cambio fue que, al saberse la graciosa destreza con que manejaba su espada el Pincel, fue convocado a regresar a *la Real* para formar parte de la expedición contra el Gran Turco, ya no como un Pincel, sino como un soldado. El Pincel no encontró la manera de rehuir el nombramiento. ¿O lo aprovechó para asirse a la ilusión de que su don Jerónimo Aguilar retornaría a adorarla?

Fin del espadazo del Pincel y también del incidente en que aparecieron sin dejarse ver las hermanas Pizpiretas.

51. Continúa la historia del Pincel en *la Real* y lo que aconteció en los días previos a la célebre batalla llamada de Lepanto

El día 3 de octubre la armada de la Liga dejó el puerto de las Gumenetas y se dirigió hacia las islas Cefalonias. Iban con la determinación de sacar de la barrera a la armada turquesca, si es que aún la encontraban en puerto. En caso de que estuviera ya en alta mar, estaban dispuestos a darle ahí mismo batalla porque la temporada se les había venido encima y porque en alguna medida las informaciones que habían recibido sobre el estado de la flota turca eran todas imprecisas o erradas, y estaban convencidos de que era de fuerza y dimensiones inferiores.

El mal clima los hizo aferrarse de nuevo, ahora al cabo Galanco. Cuando estaban ahí, llegaron informes de Gil de Andrada que los forzaron a zarpar. La armada del Gran Turco estaba ya muy cerca, había abandonando el puerto de Lepanto, y temieron fuera para guarecerse durante el resto del año. Debían atacar o fracasaría su empresa completa. Pero una cosa era formular su voluntad y otra muy diferente hacerlo en el mal clima. El viento soplaba en su contra, deteniéndoles el paso como una muralla.

Mientras la armada batalla contra la mala voluntad del clima, María se exaspera. Nada le da alivio, ni siquiera observar las pinturas de *la Real*. Debieran darle algún gusto, que hay muchas, pero las repetidas displicencias del hombre «por-el-que-estoy-aquí» la han puesto de un humor siniestro. Estaba de malas en Nápoles cuando lo conoció, pero cuando María baila, el mal talante se le desmorona como por encanto apenas convertirse en eso magnífico que es María cuando baila. Bailar la llena de vida. Pero aquí no hay baile. Peor todavía: aquí no hay María sino un llamado Pincel de cabellos mochos, cortados, un ser sin faldas. Y su mal talante es algo peor que serlo: está lleno de celos, incertidumbres amorosas, enfado, humillación…

«Hasta aquí llegué —se dice en silencio María, mirando una de las pinturas, su predilecta entre las que adornan *la Real*, en la que se representa a Prometeo con el águila que le devora el corazón *para significar que al valeroso capitán le han de combatir siempre altos pensamientos—*. Hasta aquí mi paciencia. ¿Yo qué hago metida en esta historia, qué hago aquí, donde no es la mía? ¿Qué enfundada en estas ropas varoniles, tan sin gracia, tan pobres, tan horrendas? ¡Pagué por ellas como si fueran encajes de Flandes! ¿Qué demontres rodeada de gente con la que no tengo cómo cruzar dos frases? ¡No hay uno solo con quien pueda yo parlar sin tropezarme! ¿Qué siguiendo al hombre que en mis sueños es el mío, y en el día mi enemigo? ¿Qué entre tanto duque, conde, un Farnese más rico que un indiano, puros palos con cara de contritos y rezadores, solemnes, acartonados, fastidiosos por quedar bien con su don Juan de Austria y por no quedar mal con el hermano, Felipe II, cada uno sabiendo que el de al lado está observando para encontrar de qué delatarlo, cómo ponerlo mal, de qué acusarlo frente al soberano? Esta *Real* es un nido de arañas, así en las paredes tenga pintadas las figuras de tantos diosecillos y ejemplos. Si pudiera me metía en las pinturas, mejor la pasaría yo como rinoceronte u ostión que como este soldado que digo que soy. Y que no soy. ¿Qué demontres hago aquí, mal-di-ción? Y encima esta niebla densa, el viento furioso, nosotros varados, el mareo que corre de muy noble garganta a otra muy noble e igualmente vomitona. "¡Fuera ropa!", me dan ganas de gritarme, aunque no sea para tomar el remo sino para largarme de una vez por todas de este maldito buque, en el que he venido a parar por mala suerte. ¿Cuánto llevamos varados en este sitio hediondo que llaman Vizcando —debían apodarle *en el que no estoy divisando*—, con esta niebla espesa que no nos deja movernos un palmo?»

María está a punto de decirse con todas sus letras: «Don Jerónimo Aguilar no me quiere». Jerónimo, quien es sólo meses mayor que don Juan de Austria, y esto es decir joven, quien es muy hermoso, quien por su cargo en el ejército ha sabido acrecentar las riquezas no pocas que le dejó su padre, quien está acostumbrado a tomar lo que quiere y a tener lo que quiere, quien toma cuando quiere tener, sin que ninguna posesión le escalde las manos, quien no había topado antes con una María la bailaora. Hay que dejar de lado el pasaje sobre *la Real*, donde María se ha despojado de sus vestidos (¡y su cabello!) para seguirlo, demostrándole amor del bueno y no mera conveniencia, en el que ella irrita sin provocar deseo. María, María… María no es cosa fácil ni pequeña, ni es cosa, es mujer que ha viajado, baila y es admirada, es hermosa, piensa, sabe leer y escribir, que pocas de su género… El instinto le dice a Jerónimo que es mejor guardar distancia de María. No que no haya querido Jerónimo a María: estuvo loco por ella, la deseó, lo enloqueció; verla era sentir derretirse como cera con pabilo encendido; Jerónimo se ha sentido consumirse, y a duras penas ha podido contener las ganas de correrse cuando la ve bailar. Nada lo hubiera hecho más feliz que volver a tenerla pegada a sus labios como cuando la tuvo.

Pero… ¡en la vida no hay qué que no tenga peros! ¡Nadie mejor que Jerónimo para saberlo! ¡Él, que todo lo tiene, sabe de sobra que en el mundo no existen los paraísos! El pero no sólo es que sea gitana, que no tenga fortuna o dote, que no le proporcione una relación conveniente de la que él pueda sacar provecho, porque Jerónimo sabe, y de sobra, que puede sacarle provecho a los talentos de María. Nadie lo sabe mejor que Jerónimo, él ha visto cómo músicos exquisitos y de gran reputación la han admirado, cómo conquistó y a cuántos en la difícil Nápoles. La verdad es que esta mujer es *demasiado*. Jerónimo necesita guardarle distancia. Sabe que hubiera podido hacerla su amante e intuye, y está seguro, que con nadie hubiera tenido más ni mayor placer, ni más exquisito, ni más pleno, delicado, ardiente, dulce y tierno. No sólo el placer que le hubiera dado, María es una mujer de mundo, es avezada, conciliadora, inteligente, hábil, ambiciosa. *Pero* mejor no tenerla, porque en realidad, ¿quién quiere *tanto*? Jerónimo optó en Nápoles por no aproximársele demasiado.

Porque cree que se rompería, que se quebraría si se le acerca demasiado. No sabe cómo explicarse el sentimiento, esta certeza. Le alegró sobremanera que María saliera con su «Te casas conmigo» —tan desorbitado, tan estúpido (extraño en ella, una estupidez; candor no le falta a la niña, pero estupidez no tiene, éste ha sido su primer pelo de estúpida desde que la conoce)—, le alegró porque de esa manera él se pudo burlar, rompiendo por unos momentos la magia; el imán poderoso dejó de surtir su terrible influjo; los sesos le volvieron a la cabeza, y al mentirle a la bailaora don Jerónimo Aguilar recuperó la mesura.

No que no quiera perder la mesura con María. La desea, la quiere, ella lo deslumbra. Pero don Jerónimo Aguilar no es sino lo que es y lo sabe, y entiende que no puede sostenerle un deseo retribuido. Lo rompería. Lo haría de vidrio, como al famoso Vidriera lo quebró el durazno envenenado por otra gitana. Que por qué, que cómo, no se puede explicar.

El segundo rasgo de estupidez de esta mujer fue venir a perseguirlo a *la Real*. Y éste es imperdonable y no es gracioso, no le da risa, no da espacio a la burla.

No quiere verla.

Se ve detestable vestida de varón. Le repugna.

No, no se ve *tan* detestable. Su piel, las mejillas, ¿cómo nadie se da cuenta de que el Pincel es una mujer, y *qué mujer*? Imagina sus pechos comprimidos bajo la camisa soldada, y le viene una erección incontenible. Sí, que sí, que la detesta, pero ¿qué nadie se da cuenta y qué nadie sino él piensa en eso que ella trae bajo la camisa?

¡Maldita María, que ha venido a traerle una guerra adicional a la batalla!

Pero volvamos a María, que la dejamos hablando sola. ¿Qué pasa por ella? Se dice: «Puedo confesarme mujer frente a don Juan de Austria, arrodillándomele a los pies, le suplico que me disculpe, que no soy sino una mujer, que el fervor me hizo entremeterme donde no me correspon- de, que me he disfrazado para sacrificarme en esta guerra santa, que si le digo quién soy es porque los marinos me han enseñado en el viaje que traer mujer a bordo es muy mal agüero, que creo que es por mí el mal clima que hemos tenido que sortear, que me corte la cabeza… No lo hará. Si he mentido, puedo seguir mintiendo, que a mí la santidad de su guerra me tiene muy sin cuidado. Puedo decírselo y cuento con que me perdone y hasta me dé tres monedas con qué vestirme de mujer de nueva cuenta y me ayuden a volver a Nápoles en alguno de los barquillos que van y vienen con noticias». María repela en silencio, decide sin decidir, que aun odiando a su don Jerónimo, aun detestando verse aquí, no quie- re, no querría no verlo jamás. Y eso que ya ha dejado de soñar con el palacio, ya sabe, ya acepta que no es suyo, que esa belleza napolitana no le pertenece. De eso ya se resignó. No de lo demás.

El día 5 de octubre llegó una espesa niebla que no dejaba verse los unos a los otros. El día no se abrió propiamente sino ya pasadas las once. Vieron entonces que estaban ya cerca de las ansiadas islas Cefalonias, y entraron por el canal que las divide. Anclaron en el puerto Ficardo, que está en la mayor de las dos islas, la que se llama propiamente Cefalonia, porque a la otra, la más pequeña, la llaman Ítaca, es la patria de Ulises.

María pensaba: «¡Maldita Ítaca! ¿Qué imán el tuyo que aquí nos entretienes? Tres veces hemos intentado dejar las Cefalonias, tres veces hemos sido regresados, recogidos por vientos adversos… ¡Yo no estoy para penelopear sin ton ni son, de aquí me salgo! Lo voy a hacer, voy a defeccionar, voy a salirme de esto». Se lo repetía y repetía y tía-tata-tía obsesiva, cuando un buque proveniente de Candia, una nave de dos palos, sin remos, los alcanzó. Llega para dar a Sebastián Veniero y a Agostino Barbarigo la noticia de que el 17 de agosto —¡ha ya cuántas semanas!— ha caído Famagusta. El bergantín pasó la nueva de la ren- dición junto con muchos pormenores del muy desdichado fin de sus defensores.

¡Famagusta en manos de los infieles!

La noticia corre como un reguero de pólvora de galera en galera, incendiando los ánimos y ardiendo la indignación colectiva al saberse los pormenores de la crueldad turca.

52. Acerca de la caída de Famagusta, donde se cuenta lo que se supo sobre ésta por el bergantín venido de Candia

Ahora es Famagusta la que ha caído en manos de los turcos, y el Pincel vuelve a oír cómo se narran con brutal detalle los pormenores del pillaje, el saqueo, las vírgenes violadas, los altares profanados, primero alterando sólo un poco la historia que se supo de Nicosia, que si *han puesto a los caballos a comulgar en la hermosa catedral de San Nicolás* —idéntica a la de Reims, recuerdo de cuando los franceses controlaban Chipre—, *usan los cálices de pesebres... ¿La harán mezquita?... Los infieles embarcan muebles, tapices, telas, joyería, el oro y la plata para servir las mesas... El monasterio de San Barnabás arde en llamas... Los bárbaros no se detendrán hasta dejar los fastuosos palacios venecianos reducidos a polvo...*

Pronto los pormenores de Famagusta corren de boca en boca: que si los habitantes de Famagusta habían talado los jardines y hermosos bosques de cedros y naranjos que embellecían los contornos de la ciudad; que si no tuvieron tiempo de privar a sus enemigos de las aguas de los manantiales; que si un mes les había llevado a los sitiadores fortificar su campo y acercar su trinchera a la contraescarpa, y que, allanados los fosos, la muralla de Famagusta había estallado en explosión tremenda; que si el 2 de agosto entraron a caballo muy hermosamente vestidos dos kiayaes o mayordomos, uno de Mustafá, el otro del agá o coronel de los jenízaros, y al campo de los turcos pasaron el veneciano Hércules Martinengo y uno de Famagusta de nombre Mateo Colti y llegaron muy prontamente al acuerdo de las capitulaciones; que si entregaron a Mustafá las llaves de la ciudad que recibió diciendo maravillas del heroísmo de los defensores, no ahorrándose elogios para Bragadino, Baglione y los otros capitanes; que si éstos, vestidos con toda ceremonia sus túnicas púrpuras y los quitasoles encarnados, se dirigieron a la tienda del bajá Mustafá, donde conversaban en los mejores términos, hasta que de pronto Mustafá exigió le devolvieran las embarcaciones que estaban por salir de Famagusta, cargadas con algunos de los sobrevivientes, y que en breve saldrían a Venecia; que si Bragadino se negó, porque esto no había sido acordado en las capitulaciones; que si el bajá Mustafá montó en cólera, mandó sacar de su tienda a Baglione, a Quirini y los restantes capitanes, y degollarlos *ipso facto;* que si pocos días después el traidor Mustafá hizo desollar vivo al heroico Bragadino; que si su piel fue rellenada de paja, suspendida en la entena de una galera y paseada como señal de su triunfo y vileza por todas aquellas costas.

Los soldados de la Santa Liga coreaban el nombre de los caídos. ¡Murieron Astor Baglione; Luis Martinengo; Federico Baglione, el caballero del Asta, vicegobernador; David Noce, maestre de campo; Aníbal Adamo, de Fermo; Escipión da Citta, de Castello; el conde Franciso de Lobi, de Cremona; Francisco Troncavilla; Flaminio de Florencia y Juan Mormori, el ingeniero!

Repetían también los nombres de los capitanes que quedaron esclavos: el conde Hércules Martinengo; el conde Néstor Martinengo, que luego logró fugarse; Lorenzo Fornaretti; Bernardo de Brescia; Bernardino Coco; Marcos Crivelatore; Hércules Malatesta; Pedro Conde de Montalberto; Horacio de Veletri; Luis Pezano; el conde Jacobo de la Corbara; Juan de Istria; Juan de Ascoli; el marqués de Fermo; Juan Antonio de Piacenza; Carleto Naldo; Simón Bagnese; Tiberio Ceruto; José de Lanciano; Morgante, el lugarteniente; un alferez, Octavio de Rímini; Mario de Fabiano; el caballero Maggio...

María no fue insensible a la exaltación colectiva, ni fue quién para decirles: «¡Un momento! ¡Oigan! Este detalle y aquel otro son idénticos a los que describieron cuando cayó Nicosia!», porque también el Pincel se enardeció. Supo que no podía, no debía desertar, ya no hacía falta que nadie intentara defenderla, ni se lamentaba de haber sacado la espada cuando la historia de las Pizpiretas. Pelearía contra quienes se han apoderado de «su» Famagusta. Había que defender la ciudad, que es bien suya porque ahí debe ir a depositar tarde o temprano el encargo del generoso Farag. De pronto, lo que hace ya tiempo no le ocurría a María, es una más, es cualquiera entre la turba. En los corazones ha despertado un deseo común: *venganza*, y bajo este manto María se ampara olvidando la prisión de su amor por don Jerónimo, reconociéndose como parte de «su» ejército, al rescate de «su» ciudad.

Fin de la primera parte de este libro que consta del capítulo uno y del dos, más el pórtico llamado Galera.

Tres:
Lepanto

53. Carta de la relación de la muy famosa batalla de Lepanto, que escribe al vuelo el Carriazo a Avendaño. Da noticia de María la bailaora y otros sucesos tan inverosímiles como verdaderos. Incluye las conjeturas sobre cierta cabeza, la relación de Ruz en su propia voz (o ladrido), los gritos delirantes de Saavedra y la interrupción celestial de un sacerdote

Puerto de Petela, el 7 de octubre de 1571

Estimado amigo:

Debido a la naturaleza de lo que aquí estoy presto a escribirte, tomo la prevención de esconder tu nombre y el mío, que ni tú quieres meterte en líos, ni yo tener más que mis ya muchos. Aunque, confieso, si más trae más de lo que aquí contaré que fui a encontrar y que es muy mi hallazgo y muy mío, sí quiero. Quiero, y quiero. ¡Y recontraquiero!

Para que no te quepa duda de quién soy, te recuerdo que por un azar con faldas (lo hermosa que era, ¿haces memoria?) dimos a conocernos camino a Salamanca, adonde nuestros padres nos habían enviado a la universidad, deseosos de que ampliáramos nuestros conocimientos, y de que yo soy quien te disuadió de que nos desviáramos a un destino más interesante, más favorecedor, más atractivo e incluso más confiable, los saberes se esconden siempre detrás de neblinas y polvaredas. Las aventuras que corrimos juntos las conoces de sobra. Nadie más que tú y que yo tendrá conocimiento dellas, ni habrá quien sepa nuestros nombres, que un par de años después nos presentamos de nueva cuenta ante nuestras respectivas familias, diciéndonos muy latinos.

¿Latinos? ¿Gramáticos? ¿Qué tal las apuestas que cruzábamos en las famosas almadrabas, donde van los príncipes a refocilarse, los vagos a divertirse y las truchas a caer proveyendo a los príncipes de recursos, a los vagos de comida y modelo y al lugar de nombre? Que *almadraba* es la manera alárabe de pescar truchas, amigo, venlo a saber, si *in situ*, absorto en las muchas obligaciones que impone la vagancia, no tuviste manera de aprenderlo. ¿Verdad que te recomendé una buena vida? En lugar de acariciar perezosos el vademécum —pues los más de los que atienden la universidad no tienen con éste más relación que la que se estila con una mujerzuela, le llaman «estudiar» a pasarle encima las yemas de los dedos, y esto muy de vez en cuando, porque sus criados son quienes les llevan y les traen el cartapacio conteniendo sus libros y papeles, aligerando a los amos de tan penosa carga—, nos deslizábamos ágiles, saltando de taberna en taberna, jugantes jugadores, sin mayor preocupación que ganar la mano en una barbacana, arrebatar la partida de la taba o llevarle a quién la ventaja en las ventillas. ¡Los naipes, amigo mío, los naipes son mejor uso del tiempo que andarse quebrando la cabeza en declinar latinajos! Ya basta de hacerte recordar quién soy, quiero arrojarme a relatarte lo que quiero contar pero sin apresurarme, porque si me adelanto no podré explicar cómo fui a caer en esta atarazana, como les dicen los ladrones a sus escondrijos. En plena mar abierta, sin haber hoyancos, ni cavas, ni cuevas abiertas, atarazanado estoy. A cielo raso, rodeado por una mar que millas a la redonda está rojo de la sangre que corrió a raudales, y yo atarazanadísimo. Aún flotan miembros humanos o bultos que podemos llamar cadáveres mutilados —algunos hasta parecen tener dos cabezas, sus sesos de fuera— y una multitud de restos de naves, trozos de remos, armas rotas, velas desgarradas, aljabas, turbantes, carcajes, flechas, arcos, rodelas, cajas muy diversas, incluso valijas. Si puede uno decir de los cadáveres que algo son además de ser cadáveres, diré que hay croatas, dalmacios, eslavones, búlgaros, albaneses, transilvanos, tártaros, tracios, griegos, macedones, turcos, lidios, armenios, georgianos, sirios, árabes, licios, licaones, númidas, sarracenos, africanos, jenízaros, sanjacos, capitanes, chauces, rehelerbeyes y bajanes. ¿No gustas la enumeración para hacerle versos a un poema? ¡Te la cedo!

Aún sale humo de *la Florencia*, la galera que tuvimos que hacer arder por estar su casco perforado de balas como un cedazo. No tenía remedio. Se recuperó de *la Florencia* la artillería, las velas, las jarcias, los remos, lo demás se dio por muerto. (*La Florencia*, de los caballeros de san Esteban, parte de la escuadra del Vaticano, fue cercada simultánea-

316

mente por cuatro naves infieles que la atacaron con especial saña; perdió todos los soldados, catorce hombres solamente quedaron vivos y todos malamente heridos; murieron León, Quistelo, Bonagüisi, Salutato, Tornabuoni y Juan María Pucini, caballeros de san Esteban que pelearon con ardor infatigable; sobrevivió su capitán Tomás de Médicis.) (Y otra más de *la Florencia:* que oí decir de algún veneciano que así se cumplió un pronóstico que se había hecho de que en el año de 1571 el duque de Florencia perdería Florencia a manos de los turcos; se alega ahora que el pronóstico era correcto, que una Florencia se perdió, así fuera de palo; yo digo que es muy fácil leer el futuro cuando éste es cosa ya del pasado, decir que todo iba a ser como tal y tal decían que sería y para mí que este es el caso.)

Más galeras hemos hecho arder, una que recuerdo porque había encallado malamente en los pantanos que por todas las costas nos rodean y era muy hermosa y dicen que era de las de Uchalí. Fue una pena, porque es de las mejores que se han visto.

Comenzaré por el principio para que entiendas de qué te hablo y para que contarte lo que aquí quiero decirte me traiga algo de serenidad. Es noche cerrada, el temporal de truenos es lo único que nos cobija; los hombres, que hace un santiamén exaltados lloraban a gritos por los amigos muertos o abrazaban con risotadas a los vivos, duermen. Yo ni lloré a gritos, ni risotée a los vivitos y coleando, y no puedo ni he podido cerrar los párpados, supongo que es por lo recio que cae el agua y por el viento y los relámpagos que me hacen creer que el mundo entero se va a hundir. Debo hacer cierto orden en mis desordenados pensamientos, si así se les puede llamar a estos necios que me rebotan en la cabeza sin dejarme atar un cabo con otro o siquiera formular mis frases bien completas.

La victoria llegó hace cosa de doce horas. A las cuatro de la tarde se anunció el triunfo, y como te digo lejos está la hora en que raye el sol de mañana. La batalla acabó, y no sólo de palabra, fue tan contundente y de súbito como hubo comenzado. No queda un solo moro o turco o enemigo posible con el cual podamos batirnos. Los más de ellos están muertos, los otros muchos, esclavos, y unos pocos huidos con el maldito Uchalí llevándose, traidores, el estandarte de los caballeros de Malta. No pudo el Uchalí cargar con su *Capitana;* aunque lo intentó, huía llevándola atada a su popa cuando el marqués de Santa Cruz le dio caza. En lugar de responder al ataque, viéndose acosados por la galera *Guzmana* de Nápoles, que capitaneaba el capitán Ojeda, los cobardes del Uchalí cortaron los cabos de la maroma con que traían atada a la de Malta y echaron a correr, si así puede uno decirle al andar presto con remos y velas. Apenas pudo, el marqués de Santa Cruz —o don Álvaro de Bazán, como prefiero decirle en mi memoria, que más años usó ese nombre— en persona abordó *la Capitana* de Malta y lo que encontró fueron trescientos cadáveres alfombrando la cubierta, dicen que todos ellos de turcos, aunque esto me deja perplejo porque ¿por qué turcos? ¿Para qué? ¿Los llevaban a bailar a dónde?

Hablando de turcos, te escribo en papel turco, amartillado y brillante por la tintura o apresto que ellos le ponen. La punta de mi pluma corre con tal facilidad que me siento el más expedito de los escribanos. ¡Mi pluma es de las que caminan por las aguas!

Interrumpiéndome a mí mismo (si se puede llamar interrumpir esto que me he hecho antes de haber comenzado) me pregunto una cosa: si todo lo que era de los turcos aquí muertos o prisioneros es ahora nuestro, ¿también serán de nos sus pecados? Si es el caso, con lo que predicaron los capellanes que estos monstruos han hecho, estamos ya ardiendo en la cazuela, ni tiempo para prepararnos para las llamas del infierno. En lo tocante a la cazuela turquesca, lamento no haber asistido a más lecciones de teología en Salamanca, pues no sé cómo enfrentar el arduoso dilema que me veo obligado a repetirte: si sus pecados son nuestros, como todo lo que fue suyo, si el santísimo Papa nos bañó y recontrabañó con indulgencias plenarias regándolas indiscriminadamente en Mesina sobre todos los combatientes, ¿qué pasará con nuestras almas, las herederas de todo el mal de los infieles? ¿Infierno o no infierno habemos? ¿Hemos de considerar que todos sus horrípidos pecados son mortales? ¿Pero por qué hacerlo, si no entremedió entre sus actos y su conciencia el sacramento del bautismo? Descontemos a los renegados, que los hubo a mares. El renegado peca y de manera muy mortal. ¿Pero el infiel, quien no conoce la verdadera fe?

Ves que tengo razones varias para escribirte, que el dilema que te pongo bastaría —ya que a los ojos del mundo somos colegas en Salamanca, ¿con quién sino contigo he de discutirlo, sobre todo a sabiendas de que otros colegas salmantinos no tengo?—, pero hay más. No abundaré en tantos mases que hay, porque debo contarte cómo pasó lo que pasó, y que no es puro menos por cierto.

Prometí reseñarte con todo detalle cómo se desenvolvía la contienda y cuál era el aspecto de los dichos turcos. Tu mayor interés era que yo me manifestase sobre las diferentes estrategias, lo de los turcos venía como adenda. Pero tú sabes que no soy nada bueno para guardar promesas, y de sobra que no puedo proveerte de los detalles dichos porque es mucha mi ignorancia en los asuntos de la guerra. Me dijiste: «Mira, presta atención, observa y escribe». Vi, cuando se podía, los pedorreos de la pólvora lo oscurecen todo; observar no hubo cómo, que nunca se abrió un momento de reposo, y lo que sí fue es que puse mucha atención cuando brincaba de una cubierta a la otra para no resbalarme, buscando cómo poner el pie donde estuviera menos aceitoso. En cuanto a los turcos, vi más de ellos muertos que vivos, y muertos no hay gran cosa que decir dellos: ni hablan, ni se mueven, ni tienen más costumbres que irse hundiendo poco a poco en el mar y luego de hacerlo comienzan a salir poco a poco a flote, se juntan unos con los otros y se sospechará que comienzan a pudrirse mientras los mordisquean los peces. ¡Pero no tires esta carta, te prometo que no escribo para compartir pedorreos, agitaciones, sentones o cadáveres! Ni la batalla ni los turcos son la esencial razón por la que aquí apresurado te escribo sin haberme siquiera cambiado la camisa, incontinente. En esto de la contención, mis esfuerzos he hecho; respiro hondo antes de comenzar cada frase; «Calma —me digo—, ¡calma!»

Una cosa más agregaste. Me dijiste «Carriazo» —porque Avendaño te llamo a ti y tú a mí de esa manera, nos moteamos como nos vino en gracia cuando andábamos en la brega, haciendo caso omiso no sólo de las órdenes y aspiraciones de nuestros padres sino incluso de los nombres que nos pusieron en el bautismo—, «Carriazo —me dijiste—, conociendo como lo hago tu natural, no te burles antes de tiempo, ni desprecies sin saber qué es lo que desprecias». Te doy un aviso: que aquí no valían ni temperamentos ni distracciones. Fuimos de pronto como los ojos muchos de Argos, metidos quiéralo o no en el mismo quiéralo uno o no.

Y cierro el tema de los turcos con ésta: de ellos he aprendido una cosa, que llaman a nuestro señor Jesús «el espíritu o el aliento de Dios» y que dicen que descendió del cielo para asistir al Islam antes de la Consumación Final. ¿Qué es la Consumación Final y qué entienden ellos por Islam? Imposible decírtelo. Esto que aprendí fue porque lo repetía un galeote al tiempo que remaba. Lo decía en claro español y luego se lo volvía a decir a sí mismo en su lengua, que no sé cuál era. Miraba sus pies, nadando en mierda, como los de todos los galeotes, y lloraba diciéndose con un tono que daba pena de oír, tan hondo era su lamento: «¡Estoy sucio, estoy perdido!», y lo repetía en la nuestra y en su lengua, así como explicaba en su doble voz cómo deben de ser sus abluciones, que los turcos son muy escrupulosos en esto, según entendí. Cuando defecan, se limpian con tres piedras limpias, mientras dicen extraños rezos.

¿De nuestras tropas, qué te puedo decir? Que en su mayoría, sin que importe gran cosa qué lengua hablan o de qué país provengan, vienen muy mal vestidos, mal armados y son muy desobedientes de sus oficiales. La mayor parte, además, son muy muchachos. Ya sé que no me pediste te hablara de los nuestros, y esto no sé si fue porque lo olvidaste, pero es entre los cristianos donde me he visto todo el tiempo, y qué puedo escribirte sino de lo que vi, oí, presencié.

Una cosa me deja el corazón tranquilo en esto de romper contigo la promesa de contártelo todo: ten por seguro, amigo mío, que tu natural curiosidad se habría hecho añicos si hubieras visto lo que yo. Sólo querrías no saber nada más, ni de turcos, ni de batallas, ni de mares —por lo menos de la nuestra—, ni de cristianos. Hoy he deseado lo que nunca antes: tomar un bergantín inglés y mudarme a donde nadie hable ninguna lengua razonable, ni vista prenda alguna, y me tiene sin cuidado que sea tierra de caníbales, mucho me folgaré entre inocentes antes de que me llegue el turno. Si me ponen sobre la cabeza plumas coloradas, me sentiré tan elegante como un don Juan de Austria con sus blancas y azules.

Y una que tengo ganas de contarte, que me he acordado por lo de los penachos. Que antes de comenzar el combate, don Juan de Austria subió a una navecita ligera —diré que la única que restaba por aquí, porque las hizo desaparecer a todas para impedir que los cobardes encontraran una manera cómoda de huir por piernas si se ponían difíciles o muy ahumadas las cosas— y fue repartiendo rosarios, medallitas de la Virgen, escapularios, monedillas, y cuando ya nada tenía para regalar dio con dar su elegante sombrero y sus dos preciosos guantes, uno separado del otro para que más rindieran. Uno de estos cayó en las afortunadas manos de un galeote. El capitán del barco —no te digo el cómitre, sino el propio capitán— le ofreció cincuenta ducados a cambio del dicho guante, y el esclavo (como si fuera el caballero más pintado) rechazó las monedas y prendió el guante a su bonete. Así que, hablando de penachos, hubo uno que se lanzó a batalla empenachado de bastardos dedos reales.

En cuanto a mi camisa —que no la he olvidado, para que veas que no es puro descuido escribirte en el estado en que la traigo, ¡si la vieras..!—, no soy el único que la lleva encostrada y negra. Con los ojos que me conoces y que todavía son dos, lo que allá entre ustedes es tan normal que hasta decirlo es bobo, pero que es aquí motivo de intenso alegramiento; allá dos ojos son algo que uno da por sentado; acá, dos, contándolos uno al lado del otro, son casi un milagro, ¡pero no saquemos esa palabra a cuento, por Satanás, no!... Estábamos con los ojos, que dejé la frase a medio hacer, y con la camisa (que también dejé de lado a medio hacer), y a ellos vuelvo: te iba a escribir que vi a don Juan de Austria llegarse a cenar con la camisa negra, y que no era de su propia sangre sino de aquellos que él hirió. Sí tiene una herida, pero en la pierna y no de importancia, dicen que fue una flecha de Aalí Pashá la que le rozó el tobillo. Vete a saber si es cierto, aquí corren voces desatadas con tanta incontención que yo suplicaría a las once mil vírgenes que vinieran, con las bocas bien cerradas como acostumbran, a echar candado en las de los murmuradores. Lo pediría, pero no es lugar éste para vírgenes. (Ni buen lugar tampoco para las no vírgenes, ni para los viejos, ni para los jóvenes, ni para nadie que a mí se me pueda ocurrir, que éste es tan mal sitio que le vale el mote de «Sinlugar», de «Sinlugar» te escribo.) Y con el viento que sopla, y este tronar de truenos —¿crees que repito?, por mí que decirlo doble es apenas suficiente, que a uno sigue el otro y hasta se enciman—, no ha quedado un minuto de la noche en paz, toda ha sido ululeos de Eolo y amenazas de horrendos punzos. De los punzos, quiero decir los truenos, y de esos te digo que yo no dejo de pensar que bien que nos puede caer uno encima, que no veo por qué no si pegan reiteradas veces en la mar y luego pintan líneas como otros tremendos horizontes... ¡Una cosa siniestra, horrenda! Eso me gano por ver y por haberme quedado con todas las partes de mi cuerpo en su sitio... ¿Será por eso que tantos perdieron sus ojos?

Así que diciéndote lo que decía, debo corregirme y decirte que aquí hasta los tuertos somos Argos.

¡Ah, amigo, los ojos son lo de menos! Son innumerables nuestros soldados que han quedado mutilados o estropeados, unos sin brazos, otros sin piernas, muchos con horrendísimas lesiones. ¿Y eso con qué rayos lo explicas? ¿Lo llamarías «milagro»? ¿O a quién pedimos que venga a hacerles retoñar miembros y narices?

Tú sabes ahora mejor que yo quién demonios soy yo. Tú, mi mejor amigo, mi confidente, mi cómplice, lo sabes. En lo que a mi conciencia toca, pasadas las nueve horas de la batalla no sé bien decirte dónde fue a parar. Sobre todo las tres primeras me dejaron con la sensación de que soy otro. ¡Que otro soy y que otro es el mundo! ¿Adónde regresaré, adónde volveré si vuelvo? Soy otra persona, también —pero no únicamente, créemelo, contigo no tengo por qué andarme con fingimientos— también porque soy infinitamente rico. ¡Rico, muy rico! El dinero no nos faltará más nunca. Estoy que no puedo atemperarme, calmarme, y ya te lo solté antes de explicarte cómo. Súmale a la muy generosa suma

321

que la emoción de la batalla fue de tal naturaleza, intensa, extensa, abundosa, que no sé cómo he de poder retenerla, darle forma, hablar de ella para que sea algo más que esta confusa marejada buena sólo para contraer mareos de los que tumban.

¿Cómo fue que todos nos contagiamos de este extraño, incontenible exaltamiento? ¿Cómo lo explico? ¿Algo ilustra a recordar que, cuando apenas salió el sol, don Juan de Austria visitó nuestras naves en su veloz fragata? Venía acompañado solamente de su secretario, Juan de Soto, y su caballerizo mayor, don Luis de Córdoba, un crucifijo en mano —uno pequeño, de marfil—, daba la última revisión a las tropas, rectificaba posiciones y nos alentaba, diciéndonos: «A morir hemos venido y a vencer, si el cielo así lo dispone. No deis ocasión a que con arrogancia impía os pregunte el enemigo, "¿Dónde está vuestro Dios?" Pelead en su santo nombre; que muertos o victoriosos gozaréis la inmortalidad. Hoy es día de vengar afrentas, en las manos tenéis el remedio de vuestros males, moved con brío y cólera las espadas». Luego repetía, variando un poco las palabras: «Mis niños, estamos aquí para conquistar o para morir. Mueran o venzan: de cualquier modo serán inmortales».

54. Nota al margen, en la misma manuscrita

Según Cristóbal Virués, que anda por aquí y se autonombra «el poeta soldado», lo que dijo don Juan de Austria fue:

> A tiempo estáis cristiano bando fuerte
> que muera el otomano cocodrilo
> en sus nativas aguas, de la suerte
> que mueren los que nacen en el Nilo,
> ofreced los honrados a la muerte
> la vida que sostiene un débil hilo,
> que por empresa de una grande obra
> honor y gloria quien muriere cobra.
> Detengan vuestros brazos la corriente
> de la prosperidad del barbarismo,
> ábrase zanja hoy por do al Oriente

puedan regar las fuentes del bautismo,
esto vuestro valor antiguo aumente
de suerte que se ensanche el Cristianismo
tanto que quede cuanto alumbra Apolo
debajo del rastro de Cristo solo.

Que consta que esta exhortación jamás fue y la anoto sólo para que si acaso te llegan las palabras del poeta —que además de serlo malo es muy mentiroso— las desautorices: yo aquí estuve, aquí oí, y no fue así sino asá. Y tan asá fue que todos nos contagiamos de aqueso que te digo, aqueso que no es queso y que es eso que no sé qué es...

Fin de la nota al margen.

Con esta emoción te escribo, asiéndome a la letra para no dar con la cabeza al agua. No puedo encontrar ningún reposo. Te la debo explicar, desglosándotela. Lo primero fue la sacudida que corrió por toda la armada y que puedo llamar miedo, el miedo de vernos caídos en manos de los crueles despellejadores. Porque en Candia, poco antes de nuestra llegada a Ítaca (que si latino no he sido nunca, y no permitiría me llamaras con ese nombre nunca —menos todavía porque habrá quien crea que lo que intentas decirme con la palabra es que soy bien negro—, en cambio puedes llamarme griego: yo llegué a Ítaca por caminos más cortos que Ulises, donde juro sobre los santos Evangelios que no queda una sola Penélope y que reemplazándola está un mundanal de ligeras, tantas que no pueden caber ni en tu puerquísima cabeza. Pero, por cierto, que en esto la legendaria Ítaca no ha sido una excepción: cada vez que hemos hecho puerto, tralalí tralalá, a follar con un sinnúmero de putas; dicen los pajaritos que si vemos caras repetidas no es porque el hábito carnal entregue a todas el mismo antifaz, sino porque hay una ciudad de alegres que nos vienen siguiendo los talones, barcazas cargadas de putas que como sombras rodean a los soldados cristianos dondequiera que hagamos pie. Me pregunto, ¿de qué conde o duque o gran casa será el negocio, la mancebía flotante?), en Candia, te decía, oímos que había caído Famagusta, y con esto cómo había sido el cruel comportamiento de los turcos con los nuestros. Me ahorro más comentario, que sé que también lo has oído tú hasta el hartazgo (y te confieso que si de los despellejadores brinqué a explicar aquesto y lotro no fue para aclarar lo de Candia sino por contarte lo de las tralalí a follar).

Tal fue el primer miedo, el horror natural en cualquier persona a verse despellejada o atormentada de espantosísima manera por los turquescos. El segundo que me despertó fue por el estruendo que los infieles hicieron nomás vernos. En este punto debo aclararte que habíamos sido prevenidos de que tal es su usanza, pero a pesar de saberlo me impresionó sobremanera. No continúo con primeros y segundos y un número pisándole la cosa al otro, que no acabaremos nunca. Abrevio: en el momento en que las balas y las flechas comenzaron a cruzarse, el aire se encendió en llamas, y el cielo mismo, amigo mío, pareció ser el infierno. Supe que la batalla me iba a ser e iba a seguir siéndome intolerable. Intolerable, pero inevitable, que aquí estábamos, metífidos (¡tralalá: el recuerdo me ha alegrado!). Y estábamos con que andábamos enfundados, más todavía: esto éramos y esto seremos el resto de nuestras vidas: los que estuvimos en la batalla de Lepanto, la más grande que ha habido y habrá en la tierra, y apenas sabiendo esto sobrevino la batalla cuerpo a cuerpo y golpearon las cimitarras, los sables, los cuchillos y nuestras espadas. Luego turrún tuntún, el triunfo para los buenos. Y ahora, ¡truenos, rayos y centellas y no para de lloveeeeeer!

Pero con esto que me ha dado de abreviar me estoy saltando completo el cuerpo de lo que quiero contarte, nomás me falta despedirme de mi querido amigo, reiterándote que soy tu seguro servidor, etcétera etcétera, y dar todo por dicho ya. Sí que debo resumir pero con esto no debiera ni guardar silencio, ni atusar, ni mutilar, sino simplemente ir al grano. ¿Qué sentido tiene continuar con mi recuento si nada cuento y si al grano lo desgrano? ¡Seré peluquero de historias y ésta un bacín con su navaja, y no una carta! «Llegué, vencí, dormí.» No, no fue así, porque nomás llegar fue difícil. Cada uno de los pasos de nuestro trayecto estuvieron marcados por un mal signo. Donde no soplaban vientos contrarios, subían marejadas que no las menciono porque se vuelve a revolver mi pobre estómago del temible mareo que me provocan, y en esto de marearse no era tampoco yo el único. Coincidirás conmigo que nada ganamos si entramos en pormenores de las vomitaderas, podemos brincarlo sin llamarnos atusadores y procedo a la reseña de la batalla de Lepanto.

Y sigo: ya desesperábamos cuando la guardia subida en el carcés de *la Real* gritó que había visto una vela y a poco comenzó a decirnos que veía ya toda la armada turca, y todavía la estaba gritando, describiéndonosla (tenía más de 250 galeras y un número considerable de pequeños barquillos para ganar velocidad o darse abasto de lo que hubiere menester, el que gritaba nombraba una por una, describiéndolas), cuando la dicha gigantísima comenzó a aparecer frente a nuestros ojos desplegándose extendida: cerraba la entrada al golfo de Patras, tocaba con una punta Albania y con la otra Morea, cubría el mar de costa a costa, imponente y bien alineada, y no hubo cristiano que no sintiera erizársele el cabello y correrle humos varios por las venas. El cañón de la galera del Gran Turco tiró una bala, don Juan de Austria entendió que Aalí le retaba y respondió aceptando la batalla. De inmediato el Turco repitió su descarga, y nuestra *Real* le contestó con otra.

El viento les era favorable y avanzaban como deslizándose mientras que a nosotros grandes trabajos nos dio ponernos donde aguardábamos. El viento nos traía la grita tremenda que ellos acostumbran, aporreaban las armas contra los escudos, tocaban sus pífanos y tamborines, bailaban y chillaban para infundirnos pavor. Aquellos turcos, que hablaban castilla, nos llenaban de insultos e improperios: «¡Gallinas mojadas —nos decían— cristianos gallinas mojadas! ¡Cri-cri-cri-cri-criiiii-cristianos!»

Los curas en nuestra galeras rezaban desgañitándose, echándonos encima a diestra y siniestra la absolución general. Los más de los cristianos se postraron devotamente y don Juan de Austria se hincó a rezar, también a voz en cuello.

Don Juan de Austria dejó el rezo. Bajo el toldo rojo y blanco que adornaba la entrada a su cámara, sobre el *Lignum crucis* que le había regalado Pío V, y encima de la cadena de oro y la figura del toisón o vellocino de oro que todo caballero perteneciente a la orden del toisón de oro debe llevar puesto, se enfundó la armadura de guerra: el recio arnés pavoneado de negro, con remaches de plata. Mientras, los curas colaban entre sus rezos frases que les venían de ocurrencia: «¡No hay paraíso para los cobardes!» o «¡Más fácil que entre el camello en el ojo de la aguja, que un cobarde por las puertas del cielo!» o «¡San Pedro cierra las puertas a los cobardes!» Estaban inspiradísimos con sus puertas, agujas, camellos y otros objetos, zangoloteaban sus cruces y muchos de los cristianos menearon al mismo ritmo sus rosarios. Los turcos seguían con su grita y sus disparos y comenzaron a lanzar flechas que era de ver la cantidad. En cuanto a nosotros, estaba prohibido, bajo pena de muerte, tirar con ningún arma, que fue un pesar porque lanzar balas o flechas o dardos en algo nos habría serenado, nuestros nervios se ponían como tensas cuerdas de arco con la espera (¡achú!, ¿cómo me oyes, tan fino, diciendo «cuerdas»?).

Don Juan de Austria dio la orden de que los atabales y clarines sonasen la señal para empezar la batalla. Tronaron sus músicas y repicaron tamborazos y, ¿cómo te explicaré?, nos hirvió la sangre. Al primer acorde, se desprendieron todos los espolones de la armada cristiana. Don Juan de Austria había dado la orden de que fueran aserruchados para dejar libre el cañón de proa, pero, porque no lo viera el Turco y lo imitara, no fue sino hasta el último momento cuando —ya preparados con tiempo por los carpinteros de los buques, detenidos sólo por la apariencia—, como decía, cayeron juntos, *a la una, a las dos, ¡a las tres!*: ¡atabales y clarines tocan a batalla y caen al agua los espolones de las galeras! De *la Real* cayó el desnudo Neptuno blandiendo su tridente sentado en un delfín —que representa el imperio sobre el mar—, y como ésta todas las figuras que adornaban la punta frontal de cada galera.

No restaba ningún hombre hincado, bien parados todos se asían a sus armas, las horquillas plantadas bajo los arcabuces, las mechas preparadas, las armas cargadas y apuntando. La música pedía: «¡No tiren!, esperen a que don Juan de Austria lance la primera bala! ¡Pongan sólo atención a su lugar en la formación y estén atentos a la siguiente seña!», que dicho en corto era como decir «¡Apunten!, ¡apunten!, ¡apunten!» y esto muchas veces para que los nervios se nos reventaran. ¡Y la música les habla a todos, como la grita y las voces de los curas, oíamos los hombres y oían las insignias de nuestras galeras! Atentos estaban desde los estandartes: una mujer vestida a la turquesca con un turbante en la mano, una mujer amazona con su arco y un alfanje, Minerva, un Cristo resucitado, un águila dorada sobre una llama, un hombre que se quema la mano en el fuego, san José con la palma, un león dorado con un sol en las manos, nuestra señora con el Hijo en sus brazos, una mujer con las armas de Pisa, un pez dorado y un penacho de plumas, Neptuno, una grulla, un oso herido, una estrella, un corazón en llamas, una cierva dorada, santa Catalina, un dragón, una mano que tiene un ojo, una gitana, un grifo, un hombre desnudo con los brazos abiertos… Detengo la enumeración, pero no me la escondí del todo para darte más con que puedas armar finos versos.

Me sirve lo de detenerme porque aquí hay que decir (lo sabes pero no está de más repetirlo, sobre todo repetírmelo a mí, que no lo pensé entonces ni una fracción mínima de un instante): que solemne y más era este momento, pues daba comienzo la batalla que decidiría el destino de los continentes que baña el Mediterráneo y también el Alma del Nuevo Mundo, que si llegara a caer España en el poder del Gran Turco, con ella va a dar al fondo de la media luna alárabe el Pirú, las dos nuevas Venecias, las Figueras, el Dorado, la fuente de la Eterna Juventud, las amazonas de dos tetas con todo y su río aquel que dicen que es como un mar, y ni qué decir de la China, ésa ya lo sabíamos, y las islas de los mares completos del globo terráqueo. Ya como están las cosas, el imperio de la media luna abarca cuarenta gobiernos: ocho en Europa, cuatro en África, veintiocho en Asia, más Valaquia, Transilvania, Ragusa y Mondalvia. Les toca la victoria, ¡y los turcos se tragan el Mundo, atragantándose!

En cuanto a los franceses, aliados siempre de los turcos, ¡ilusos! ¡Ya veo a cada galo portando muy elegante su pequeña cimitarra! ¡Veo a sus muchos caballeros reemplazando a los enanos de la guardia personal del cruel Selim! ¡Gusto les dará a los turcos tener a esos altaneros de esclavos y adoradores de Alá, pues no les quedará otra que hacerlo! Los que amen la letra, tendrán que dar su afecto a la alarábiga. Poco les importará, que no hay pueblo más afecto al dinero que ellos —excepto, cierto, los venecianos—, pero ahí también sufrirán, ¡y podrán ver sus corazones el fondo negro de su lamentable error! Ahí les dolerá besar El Libro y escribir Alá 28 500 veces en letras de oro, imitando el estandarte de Aalí Pashá; lo ha tomado prestada de la Meca. Dicen, te cuento, que protegidos por el dicho estandarte, los turcos no habían perdido una sola batalla; que los otomanos, de su mano, nunca habían sido derrotados en un solo enfrentamiento de sus innumerables guerras. ¡Para todo hay una primera vez! Pero que nadie sienta compasión por los galos así atados al turco, que nada hay más vil que un corazón francés dado a la zalamería y los halagos tanto como a la traición. ¡Sé generoso con un francés, que él te pagará con la daga en cuanto pueda! ¡Lo digo por experiencia propia! Sólo por un motivo no me alegra la victoria cristiana y es por el bien inmerecido que hemos hecho a esos malditos. (Pero basta, me digo, ¿qué tanta gana traigo de andar sacando lo que no viene a cuento? ¡Basta! ¡Adentro, que aquí no salen torcaces o cuervos del sombrero!) Los únicos tres de esa nación que valen la pena estaban con nosotros en Lepanto. No sé si sobrevivieron a la carnicería, por cierto.

Volviendo al combate, digo que luego que comenzaron a sonar atabales y timbales cristianos dando anuncio a la batalla, cuando se extendía frente a nuestros ojos la poderosa media luna de la armada turca, tocando Albania con una punta y con la otra la Grecia, así nadie se vea inclinado a creerlo (pero no está en mi poder omitirlo, porque cierto fue y pasó y no tiene por qué ser materia de creencia si ocurrió y lo que quiero es contarte lo que fue y que si no lo hubieran visto mis ojos y los de los ahí presentes, confieso que yo mismo me sumaría a los incrédulos o a los que lo llamarán disparate, pero no escapó a la mirada de ninguno de los que lo teníamos al alcance, y don Juan de Austria no tuvo empacho en esconderlo, a la vista de todos lo hizo, y yo qué puedo hacer sino aquí ponerlo), don Juan de Austria, en el preciso momento en que se lanzaran al enfrentamiento las dos armadas más grandes jamás habidas en la historia del mundo, cuando hizo dar el primer tiro de arcabuz, señal convenida para las galeazas, se puso a bailar la gallarda. Oíste bien: la gallarda, la danza española, te lo repito para que me entiendas: que en este solemnísimo momento, el generalísimo don Juan de Austria bailó frente a sus hombres y la danza que eligió fue… ¡la gallarda!

¡No miento!

Los palacios de los países cristianos que han tenido el privilegio de haberlo recibido saben que don Juan de Austria es muy buen bailarín. Pues ya no nadamás para palacios, que el talento se hizo público entre galeotes, marinos y hombres de armas. El generalísimo de la armada cristiana giraba frenéticamente, pero eso sí, respetando la gracia y los pasos del baile, que ni uno se le iba. Lo acompañaba en esto de la danza un soldado menudo, delgadito y pequeño, que según me han contado tenía el privilegio de *la Real* por ser muy ducho al pincel y venir reparando noche y día las muchas figuras que adornan la hermosísima y rica galera. Y no había a quién irle, que los dos bailaban, si me permites usar la palabra precisa, divinamente. Volveré a este pequeño soldado, que hubo de traernos sorpresas.

No tengo por qué alzar una sola mala palabra en contra de un hombre como don Juan de Austria y menos ahora que está cubierto de gloria, si es el primero que ha podido en la historia del cristianismo vencer en la mar a los turcos, pero con el mejor de los espíritus me pregunto: ¿Lo hizo menear el cuerpo su sangre bastarda? ¿Le salió lo Barbara Blomberg? ¿Exagero al decir que sacó su filo de vida galante a la hora en que debiera haberse presentado ante sus hombres como un Carlos V? ¿Cómo explicarse que después de varios días de ayuno y otras prácticas piadosas, habiendo recibido de manos del nuncio vestido de pontifical la bendición apostólica y las indulgencias concedidas a los conquistadores del santo sepulcro, al son de trompetas y atabales, don Juan de Austria, olvidado de todas sus obligaciones y dignidades, se echara a bailar al son de las trompetas, y que entre todas las danzas eligiera ésta, por demás indecente? No me escandaliza a mí —¡me conoces!—, pero repito lo que aquí y allá, etcétera, ¡lo imaginarás, y lo que me ha divertido!

Ya las naves turcas escupían balas, flechas, cuanto estallido quieras imaginarte brincaba echando chispas de sus bordas, cuando llegaron a tiro de las galeazas venecianas. Los turcos recibieron una descarga de cuatro de ellas a la vez que fue un golpe considerable.

Un disparo de esta primera descarga dio en la fanal de *la Sultana* de Aalí, tal vez el turco lo tuvo por mal agüero.

Don Juan de Austria seguía con su gallarda, baile y baile, y no vio la fanal perdida, porque nada veía. Parecía haber cambiado la mar por un patio de Sevilla y los rezos por toneles de alcohol.

Pero no todo era bailar para los generalísimos, que de haber sido así la batalla habría quedado suspendida, todos los hombres bailando los unos contra los otros: aquellos, danzas de Eslavonia, aquestos de Argel, los otros de Constantinopla... Aalí Pashá no estaba para bailes: debió saber nomás ver que intentar abordar las galeazas sería imposible, esas inmensas naves son como fortalezas. Mandó esforzar a los del remo para pasarlas de largo, debían escapar a toda prisa de su alcance. Las galeazas son incapaces de moverse por sí mismas; dejarlas atrás era vencer el peligro.

Ya habían dado las once de la mañana. El fuerte viento del Este cesó de pronto. El mar estaba en calma. De pronto, se levantó un suavísimo Oeste, soplando en favor nuestro. Nada previno de este cambio de viento, dejó de soplar en nuestra contra y comenzó a hacerlo a nuestro favor. Cómete, trágate de un bocado la palabra «milagro» si acaso afloró en tu boca, querido amigo, que yo no estoy para ésas. Los galeotes de los turcos remaban a toda boga, pero, lejos de ponerlos fuera del alcance de las galeazas, tanto remar los colocaba una y otra vez a distancia de tiro.

El mismo viento formidable también detuvo el baile de don Juan de Austria. El mar se le reapareció bajo sus pies y a sus ojos lució la fanal cegada y él debió creer, como Aalí Pashá, que ese cañonazo debía leerse como que los turcos se habían quedado sin luz que los guiara. Por mí que pensó: «¡Están perdidos!»

A la primera descarga de nuestras galeazas siguió una segunda que echó a fondo dos galeras turcas, maltrató otras y —lo más importante para el descenlace de la batalla— desordenó su formación; para cuando pudieron dejar, contra viento y marea, el escollo que don Juan de Austria les había puesto con las galeazas, estaba completamente trastocada.

En cuanto a nuestras filas, avanzábamos hacia los turcos con gran celeridad, provistos de la nueva ligereza que nos regalaba el viento favorable. Algo muy de notar fue que la galera del Gran Turco y *la Real* se dirigían la una directa contra la otra, a todo remo las dos, la nuestra también a toda vela, haciendo lo contrario, me dicen, de la usanza normal en los combates navales. Como si fuera un asunto personal, *la Real* y *la Sultana* se lanzaron la una a la otra a boga directa y sin ambages, sin valerles que las dos cabezas de la batalla más grande jamás habida en la historia estuvieran en juego. Don Juan reconocía la de Aalí Pashá en que aún tenía vivos dos de sus tres fanales, como un cíclope al que le faltara el centro, y por sus llamativos estandartes. En cuanto a Aalí, ni duda podía tener de que nuestra *Real* es nuestra *Real:* pintada toda de figuras, decorada con oros, cargada de esculturas y brillando sus tres fanales, ¿quién podía confundirla?

Don Juan de Austria dio la orden al caballero de Malta que venía al timón de *la Real* de emparejarse cuanto antes a *la Sultana* de Aalí.

Aalí Pashá también se enfiló directo contra nuestra *Real.*

De pronto el viento amainó y la marea se dejó de turbulencias. Obedeciendo la orden de mi capitán, yo me había subido a la primera cuerda del palo mayor. Desde ahí, a todo lo que se extendía el horizonte, las naves enemigas desplegaban sus velas en número tal que era un bosque de banderas y pendones. Los yelmos, los escudos y las cotas agitaban destellos, se afanaban intentando recoger las velas a toda prisa. Pululaban de hombres sus naves, los más vestidos de blanco, sus corpachones, sus cimitarras, sus cabezas cubiertas…

La visión me dio horror y no giré para ver a los nuestros, que debíamos también de ser muchos, sino que, pretextando un tropiezo, me desplomé sobre la cubierta con tal de no ver más, como el niño que cierra los ojos para evitar el peligro.

Yo estaba en ésas, haciéndome el caído, cuando *la Real* y la del Gran Turco chocaron, el espolón de la turca verdaderamente se empotró en la de don Juan de Austria, encajándose hasta el cuarto banco. Pero para que entiendas el alcance de esto, debo describirte la formación que ordenó don Juan de Austria: en el centro, justo en medio estaba *la Real,* a su lado izquierdo *la Capitana* de Venecia con el general Veniero, pasando la popa de *la Real* venía su *Patrona* y *la Capitana* del comendador mayor. Al costado derecho de *la Real* venía *la Capitana* del Papa, mandada por su general Marco Antonio Colonna, seguidas por *la Capitana* de Saboya, *la Patrona* y *Victoria* de Juan Andrea, *la Luna* de España, *la Higuera*, y ojalá me hubiera quedado yo en *la Higuera*, donde me embarqué —o me embarcó mi padre, casi diría yo a las fuerzas—, porque a ésta no le aconteció lo que a la nuestra. Yo formaba parte del cuerpo del marqués de la Santa Cruz, en los reacomodos que hizo don Juan de Austria en Mesina ahí fui yo a dar con todos mis huesos. El marqués no conoce el temor. Cuando vio a *la Real* en tal predicamento —una verdadera nube de turcos se abalanzó contra ella, algunos fueron detenidos por la red de abordaje, cosa nueva traída por los cristianos para esta batalla, pero un buen número había saltado ya sobre los hombres de nuestro generalísimo—, maniobró nuestra galera para que nos acercáramos lo más pronto posible a darle auxilio.

Contra las naves que acompañaban *la Real* se habían lanzado las naves de los turcos.

El cielo dejó de verse. Bajo la nube de explosiones de la pólvora no había más sol que el de la noche.

Teníamos indicaciones precisas de que entre una nave y la otra mediara la distancia de nuestros mutuos remos, cuidando mucho de no agrandarla para no dar paso al enemigo, pero con los ataques turcos y nuestra prisa por auxiliar *la Real* o salvar nuestros propios pellejos y arrancar los ajenos, nada de esto era ya verdad, lo cierto es que no había ni orden ni concierto. En algunos puntos hacíamos verdaderamente un puente con nuestras galeras. No sé dónde fue a quedar la mar, que si acaso uno alcanzaba a asomarse por la borda lo que veía bajo los tablones era una alfombra de cadáveres. En cuanto a nuestros tablones, había más de algunos bastante maltrechos.

Los turcos luchaban por separarnos. Eso oí decir, y a mí también me lo parece. Pero qué puedo decirte, que ni yo entendía gran cosa, ni mucho había que entender, todo era caos y humaredas y un caer de cuerpos que no tenía ni pies ni cabeza.

No eres quién para que me haga yo pasar por un valiente que merece pagos y honores diversos. Yo te digo que moría de miedo, que viendo llegar el momento de una acción a la que no podía rehusarme, maldíjeme a mí mismo por haberme caído falsamente del palo, y de inmediato maldije a mi padre mil veces, que no a la que me parió, porque no soy de los que reparten maldiciones sin ton ni son y no es culpa de ella verme en estos lances, sino de él, que no sé qué ideas tiene de mí que quiere verme siempre o cosido con balas o molido a golpes, y eso digo porque como el viejo carece por completo de imaginación no creo que pueda verme clavadas las cimitarras esas que me blandían en las narices, que me salvé de tenerlas en las costillas por puro milagro. ¡Pero me arrepiento de haber usado esta palabra, que aquí está de lo más mal puesta! Porque con esto del milagro me tienen frito aquí. ¡Si estaremos para milagros!

331

El marqués de Santa Cruz, como te digo, nos conducía hacia el cuerpo un tanto maltrecho de *la Real*. No era la única de nuestras galeras encajadas por los espolones de las enemigas, aquello parecía un ayuntadero como no verás en el establo más fecundo en primavera, que por todos lados yo veía naves nuestras a las que se les habían encajado una respectiva enemiga. Las cornamentas venían de las turquescas, que las nuestras, como te he contado, habían sido desprovistas de espolones, no tenían cuerno, y dicen que por este motivo pudimos infligirles muchas más bajas, pues nuestros tiros fueron mejor a su camino. Yo eso no lo vi, me atengo a las mancornadas, aunque ellos deben estar en lo cierto, porque si ganamos no puede haber sido por lo muy cogidos.

No tan lejos, cuando a boga dura nos apresurábamos hacia *la Real*, vimos hacerse un remolino —todo él también cubierto de hombres, hasta su sima—, y que éste se tragaba como de un bocado una galera nuestra, haciendo un ruidajal espantoso. ¿O el ruido provenía de otro punto de la batalla? Era una pesadilla, hermano, una pesadilla de la que no había cómo librarse.

Íbamos, entonces, los del cuerpo del marqués de Santa Cruz a reforzar *la Real*. Ahí se daba lo más fiero del enfrentamiento entre las dos fuerzas. Don Juan de Austria tenía consigo trescientos arcabuceros; Aalí el mismo número más cien arqueros muy diestros, y esto sin contarlo a él mismo que podemos hacerlo valer por veinte; nadie tiraba la flecha como Aalí, y eso hizo durante toda la batalla.

A más de estos hombres, en esa misma porción de tierra firme falsa que formaran las naves capitanas —*la Patrona* y *la Capitana* del comendador mayor, la de Colonna, la de Veniero, la del príncipe de Parma y la de Urbino por cuenta de los cristianos; la de Aalí, la de Pertev Bajá, la de Caracush, la de Mahamut Saideberbey con dos galeotas y diez galeras de socorro por nuestros enemigos.

Cuando quedamos cerca, nos unimos al conglomerado de naves que hacían un solo cuerpo. Brinqué como todos de una cubierta a otra escalando y bajando los resbalosos tablones de quién sabrá cuántas que se habían aquí ensartado. Tuve a la vista *la Real* bien clavada a *la Sultana*. Don Juan de Austria estaba siendo embestido por todos lados. De Aalí ya dije que hacía uso del arco. De don Juan debo decir que la espada lo acompañaba todo el tiempo. Estaba a su lado don Luis de Requesens, quien tenía indicaciones de Felipe II de no dejarlo solo un segundo ni de noche ni de día, en la proa don Lope de Figueroa, lo mismo que don Jerónimo García; defendía el fogón don Pedro Zapata, el esquife don Luis

Carrillo y el conde Priego —padre de Luis Carrillo, ¿lo recuerdas?— estaba en la popa, cuidándole las espaldas al de Austria.

La galera de Pertev fue la primera de los turcos en caer. Pertev Bajá desapareció, se lo tragó la mar o se dio a la fuga, como algunos dicen que ocurrió, despojándose de sus ropas y vistiéndose de españolas a bordo de una barquilla en que lo rescató su hijo Arcelán. De los nuestros, Barbarigo fue el primero en retirarse del frente porque una flecha se le clavó en el ojo. Sigue en el lecho, debatiéndose entre la vida y la muerte, codo a codo con muchos otros en ese otro frente de guerra, muy vivo por cierto, donde no hay aún asomos de que alguien cante la victoria. ¡Ahí no zumban flechas ni estallan cañones, ni hay humo o ruido! Es otro el fandango, que muy pocas ganas tengo de bailarlo.

Me he asido del ojo de Barbarigo y de la muerte de Pertev para darme yo también a la fuga, o por lo menos regalarme un respiro. Un respiro en fuga, barbarigado, pertevido, desojado y mal fandango. Y vuelvo:

Viendo el revuelo en que el destino me había enredado, lo más que pude hacer fue aglutinarme donde hubiera más cuerpos para guarecerme entre ellos y esto me obligó a abordar *la Sultana*. Atrás de mí vi a nuestros hombres caer como moscas bajo el embate turco, así que yo avancé donde más hubiera que pudieran cubrirme. Que el terror era algo presente, cierto, pero no todos actuaban como me lo pedía mi instinto. Un frenesí parecía haberse apoderado de todos, los poseía y los hacía desconocer el natural temor de perder sus vidas.

La gente de *la Real* se dividió en dos partidas. La una se aglutinaba alrededor de nuestro generalísimo para defenderlo y combatir con él. La dos se había abalanzado sobre la cubierta de *la Sultana*. Yo, que era de los de la segunda, caí en la cuenta de dónde me había llevado la corriente cuando los cristianos ocupábamos ya la enemiga hasta el palo mayor, y bastó conque yo me diera cuenta y me sintiera caer en su resbalosa cubierta —que no sé con qué artes la habían aceitado, más parecíamos pescadillas en sartén que soldados al abordaje— para que nos viera venir de regreso, los turcos conseguían rechazarnos. Rápido estaban todos los enemigos metidos de nueva cuenta en *la Real* nuestra. Y aquí lo cierto es que, aunque no sea yo quién para decírtelo, todos los hombres de don Juan de Austria, armados de valor, peleamos —hasta yo, lo confieso— con tanta gallardía y tanto empeño que, a pesar de la fiereza singular con que nos atacaban, conseguíamos sostenernos en nuestros pies sin ceder un quinto de palmo.

Pero ¿qué digo? Fiereza, cierto, pero ¿gallardía? Nos envolvía una nube de furia, de violencia y exasperación. Nuestro intenso frenesí era de naturaleza ardiente. Atacábamos con nuestras armas, con nuestros miembros, con nuestras cabezas, con nuestras bocas. Vi, te lo juro, cómo, arrinconado y sin armas, un cristiano peleaba a mordiscos con un turco. Cayó —y esto literal— en la mano del cristiano una cimitarra, y pararon las mordidas.

Los turcos estaban decididos a llegar hasta la carroza, pero conseguimos detenerlos a la altura de nuestro palo mayor.

Entre todos los combatientes nuestros sobresalía la ligereza y genial belicosidad de un soldado bajo y delgadito, el mismo que había bailado con don Juan de Austria, el ducho en el uso del pincel (llamado por lo mismo entre la tropa el Pincel), quien manejaba como un maestro su espada. Él era quien iba al frente de nosotros, mondando un turco tras otro. Con él, como te digo, guiándonos y abriéndonos paso, pasamos de nueva cuenta a *la Sultana,* y de pronto ya nos acercábamos a la popa, donde Aalí Pashá lanzaba una certera flecha tras otra, protegido por un anillo de hombres.

Estábamos subidos a bordo del barco de Aalí Pashá. Por una segunda vez los habíamos replegado, ganamos el timón y la popa dirigidos o adelantados por el delgadito y bajo espadachín pintor, que tenía todas sus ropas verdaderamente ensopadas en sangre turca. Te adelanto que dicen que mató cuarenta con la misma espada. Si hubieras visto cómo la meneaba, lo creerías como lo creo yo.

La ola de fiera exaltación que envolvía a todos los soldados, me tomaba y me dejaba ir. En una de éstas que me soltó, yo me dije «¿Pero qué estoy haciendo aquí, qué hago entre tantas bestias?», porque bien recordarás que yo no soy hombre de guerra, que a mí me gusta la vida muelle, el buen comer, el beber con moderación, el dormir las horas que pide el cuerpo. Seguía añorando mi acomodo en el palo del barco —recuerdas que te dije que antes de comenzar la batalla había sido asignado a la altura donde se atan los segundos nudos de las velas, que es como decir el alto de un hombre— que, aunque no es mullido lecho, por lo menos me separaría unos palmos de las hojas chocando y del retumbar de las balas y del caer de flechas, o eso creía yo, y me subí al palo de nueva cuenta, ahora al de *la Sultana.*

Un poco sin querer queriendo, que no tengo por qué hacerme el héroe contigo, un poco por defenderme y otro tanto porque así estaban las cosas y uno hacía porque el ánimo común le hacía a uno hacer, vi bajo la punta de la navaja de mi arcabuz a un moro, un moro joven, de rostro un poco oscuro y muy hermoso, y porque ahí lo tenía le comencé a encajar la punta de la navaja de mi arcabuz, decidido a enterrársela completa. El hombre me miró a los ojos y me dijo en perfecto castellano —te diría que con una prosa perfecta, pero ¿prosa por la boca y sin escrito?—:

—Yo tuve el privilegio, español, de nacer en medio de una vasta selva. Me llamo José, recuérdalo. Yo que jugué toda mi infancia con el río, también tuve al bosque de juguete. Con estas manos que ves, ayudé a mi padre a vender frutas y pescados. Mi madre me enseñó a leer. El nombre de mi familia es el de una nave ligera, la liburnia. Yo, José Liburnia, hice gallos con flores de bucaré —me hablaba, en lugar de intentar defenderse—, y con la esfera negra y dura de la fruta que en mi tierra llamamos *para-para* tiré al blanco. A diario había una interminable tormenta, y la vida era dulce, y por lo mismo yo no muero como un perro.

Dicho lo cual se aventó de un salto contra el filo de mi navaja, hiriéndose de horribilísima y mortal manera.

Aunque no faltaba ruido, oí cómo le tronó el tronco al infeliz, cómo reventaron sus entrañas, cómo salió de él un soplo, diré que un silbido, tras el cual brotó un borbotón rojo y... Oírlo me afianzó fuera del ánimo de los otros, y estuve alerta de su locura, por llamarla así. Prefiero evitar decirte más sobre el ánimo extraño de la soldada. Era algo de espanto. Cuando cayó en mi filo ese moro joven y la ola me soltó del todo y no volvió a recogerme, sintiendo súbito horror sin el frenesí de la marejada colectiva, me subí por el palo un poco más que dos hombres, trepé a las prisas, ágil; haz de cuenta que yo hubiera tenido alas y plumas. A esa altura podía ver de proa a popa *la Sultana* y también qué ocurría en *la Real,* que estaba casi vacía excepto unos cuantos guardias que la vigilaban en puntos estratégicos y por el perro de don Juan de Austria, ese perrillo faldero de pelambre rizada como la de los negros, pero blanco, blanco, el juguete del generalísimo, que corría rebotando de babor a estribor, sin descanso.

Por cierto, que mientras librábamos —o libraban, que como ves yo me deslibré de hacerlo— esta encarnizada lucha cuerpo a cuerpo, pasó algo que debo contarte porque es en sumo grado curioso. Y te lo voy a hacer saber aunque, como ocurre con el baile de don Juan de Austria, sé que cuesta trabajo creerlo. Sé que mucho de lo que aquí te he contado es de la misma naturaleza, porque, para empezar, ¿quién iba a creer que, cerca de donde el caprichudo Marco Antonio y la muy bella Cleopatra se enfrentaron con el amiguete de Virgilio, se libraría una fuerza entre turcos y cristianos de tal magnitud que la batalla de Accio pareciese un estúpido juego entre niños, un capricho entre amantes? Pero así fue, tanto como fue que al empezar este grandísimo acontecimiento nuestro generalísimo bailó la gallarda, y tanto como fue lo que aquí te empiezo a contar.

Y fingiré que el que lo hizo lo dice con sus propias palabras. Palabras extrañas, en efecto, pero no será la primera vez que un maltés hable por escrito. Y va:

55. Donde aparece la relación de Ruf, perro faldero de don Juan de Austria, a quien el can llama con su nombre de infancia: Jeromín

Soy nervioso por naturaleza, los ignorantes dicen que debido a lo pequeño de mi persona, pero son rasgos de mi carácter que no guardan relación. Provengo del perro pastor, de él viene el dogo, tan ducho en la caza, de éste el danés pequeño, el carlín, el perro de Alicante, el perro faldero y de ahí el perro maltés. Del perro pastor me viene el instinto de defensa y la obediencia; del dogo, el olfato agudo y los músculos siempre en alerta. Del carlín heredo la aptitud a dar y recibir caricias. Del perro de Alicante, mi lealtad a toda prueba. Del faldero, la belleza, lo delicado de mis facciones y la finura de mis extremidades, especialmente ahí donde acaban los miembros. Pero eso no describe sino mi raza, no mi familia en particular. Argos, el perro viejo de Ulises que murió de alegría al verlo de regreso, es el primer ancestro de quien guardamos memoria, de él continúa la tradición de lealtad perruna a toda prueba, el dormir ligero y que nuestros sueños sean tan parecidos a los de los hombres. Los perros vulgares pueden ayuntarse con lobos y engendrar hijos, pero no ocurre así con nosotros, nuestra simiente goza de una selecta manera de comportarse y la fecundidad indiscriminada no se cuenta en nuestros dones. Los míos solemos reír por la cola como el hombre lo hace por la boca, y hay quien cree que algunos de los nuestros han sido engendrados por humanos. Lo mismo se decía del infante Carlos, que su padre no era Felipe sino un perro, pero —lo aclaro— sin duda no un maltés, aunque la oreja caída, el cabello largo y rizado, la forma un poco enana invitan algo a pensarlo.

No haré aquí la presunción de los grandes que me han precedido.

Por mi parte, corro todo el tiempo. Salto. Ladro. Me agito. Rara vez me calmo. Mis nervios delicados estallan. Mi amo —¡lo más hermoso que se ha visto nunca!— tiene los pies mejores del orbe. Mi amo Jeromín. Mi amo único. Baja la cabeza, me enseña sus cabellos perfumados, yo enloquezco… Hermosos, suaves, tersos, cabellos de un ángel. ¡Divino Jeromín, nadie se parece a ti! ¡Nadie huele mejor que tú! ¡Sólo tú, Jeromín! Brinco si te agachas. Te lamo tus labios, hermosos como todo lo tuyo. Te saben a dulce, ¡Je-ro-mí-ín!

Cada que ladro digo tu nombre.

Te tengo adoración.

Me dan celos cuando juegas con la mona frente a todos, creyendo que así te encontrarán gracioso. ¡Somos tú y yo los que, nuestros hermosos cabellos bien aliñados, jugando juntos causamos admiración en el mundo! ¡Juega conmigo! ¡No toques a la mona, es un bicharrajo idiota pelisingracia! ¡Yo soy tu compañero, yo soy tu juguete! ¡Tócame, Jeromín!

En *la Real* se ha llenado de piojos, la mona esa, salida no sé de qué mugrosa selva. ¡Que no la toques! ¿No ves que te están viendo tocarla? ¡Puag! ¡Ascos me da esa mona piojosa!

¡Eres mío, Jeromín, mío, tú que eres perfecto!

Profeso la fe de Jeromín.

Me cuidan, me miman, saben que soy delicado.

Me lavan el cabello con agua de rosas olorosas.

Me cortan las uñas.

Llaman mano a mis patas.

Tengo el cabello rizado y de tono blanco pálido como la espuma de las olas. Yo no dudo que en mi sangre haya un tritón.

¡Yo también soy divino, soy igual a Jeromín!

Por algo soy su mascota, yo soy su compañía. Yo duermo con él desde que tengo memoria. A veces él y yo invitamos a alguien más a la cama. A Margarita, que tiene la piel suave. ¡Yo le lamo el ombligo a Margarita!

«Mendoza —le dice Jeromín, y ella le contesta—: ¡Juan!, ¡Juan!», y otras veces el largo y digo que no muy cariñoso «¡Don Juan de Austria!»

Dormimos los tres juntos y él le acaricia el cuello y me acaricia el cuello, y ella me acaricia la barriga.

Somos tres príncipes.

Jeromín me tiene singular aprecio, me da un trato que habla de la calidad infinita de su corazón. Como en bandeja de oro aun cuando en campaña él coma en plato tallado en la mesa. Se arrebata los bocados de la boca para dármelos a mí. ¡Y qué boca tiene Jeromín! ¡La boca más linda que puedan imaginar! Aunque nada es comparable a su cabello, ¡no! Su hermosa, abundante cabellera lisa, suave como una seda.

Ahora que viajamos sobre la mar, escuchamos explosiones que me ponen muy nervioso. En nuestra galera se encaja otra con un golpe. Hombres casi desprovistos de olor caen sobre nuestra cubierta. Yo les ladro.

Estoy furioso.

Les ladro. ¿Qué hacen aquí metidos, desolientes?

Les ladro. Me desgañito: ¡fuera, fuera de aquí, turcos!

Muerdo un talón, me patean (¡nunca nadie me había pateado! ¡He ahí la primera patada de mi vida!), se escuchan innumerables estallidos, la pólvora estalla como en mis oídos.

¿Que quieren volverme loco?

Corro de un lado al otro de la cubierta. Corro. Regreso.

Estoy nervioso. Me matan sus ruidos. Basta. Muerdo al que consigo agarrar. Agarro un dedo.

Me avientan contra la pared del barco. Me duele la cabeza. Estoy furioso. Todo está lleno de humo. ¡Jeromín! Quiero verlo, saber que está bien, mi amo. Me le acerco. Huele a sangre. Tiene el tobillo herido, la camisa manchada.

Me pongo más loco. Me aviento al cuello de un moro que se está agachando y lo muerdo. Alcanzo a pescarle la oreja. Se levanta llevándome de arete. «¡Conque perro que ladra no muerde, moro! ¡Trágala, perro!», y lo muerdo. ¡Cada perro se lama lo suyo!

Me arranca de él y me vuelve a aventar y sale a espetaperro, por piernas, no tiene carne de perro, le falta resistencia.

Esta vez pierdo el lazo que siempre adorna mi cabeza.

¿Dónde cayó? ¡Mi lazo! ¡Mi lazo! Mi lacito predilecto, al que le miro el hilo que cuelga de su colita. Le soplo al hilo, meneo mi lacito, corro tras él. ¿Dónde cayó?

«¡Tarde de perros!», me digo.

«¡Esto se está volviendo el sueño del perro!», me digo también, al ver que aquí las cosas no están saliendo como mi Jeromín manda.

Me enfurezco.

Corro agitado a un lado y al otro. Voy y vengo, estoy ciego de nervios.

Me sereno lo suficiente para ver.

La tripulación de nuestro barco ha desaparecido. Todos han brincado hacia el barco vecino.

Estoy solo en la cubierta. ¿Brinco con ellos? ¡Ansias, ansias, ansias me comen, me estoy ansiando!

¡Ladro, brinco, ladro!

De pronto, veo caer algo en la cubierta, en mis propias narices. Parece una pelota, parece una bola de metal. Rebota hacia un ángulo que no espero, por un golpe me cae en la cabeza. Rebota otra vez.

Salto tras el objeto. No es bola. La huelo, algo me resta de mi frío temperamento germano. Huele a quemado. Es de figura oval y tiene dos asas. Es de latón. La examino mejor: es una granada de fuego, una bola de latón duro cargada en el interior con onzas de pólvora. Tiene una mecha encendida. Reacciono: ¡es una granada! ¡Va a estallar y quemar los tablones de *la Real* si lo permito! La muerdo de una de las dos asas, apretando duro las mandíbulas. No alcanza a quemarme el hocico, pero arde. Aunque arda, la muerdo y más, la sujeto bien fuerte. Corro con ella entre los dientes hacia la popa, subo al puente de mando, me asomo al barandal que mira al mar, la tiro afuera del barco, abriendo las mandíbulas y sacudiendo la cabeza.

La granada cae en el mar que ahora no es de agua sino de cuerpos caídos y tablones rotos y trozos de armaduras y remos.

Atrás de mí, un hombre grita:

—¡El perro de don Juan de Austria es un héroe, ha echado fuera del barco la granada que iba a estallarnos en astillas!

¡Qué más puede esperarse del hijo del perro de Margarita de Parma, que fue hijo a su vez del hijo del perro de la madre de Carlos V! ¡He aquí sangre cristiana y limpia y estoy cierto de que no cargo en ella mancha como tantos de Iberia, yo ni gota mora, judía o gitana! ¡Gente asquerosa, los de Iberia! Yo vengo de Alemania y Flandes y entre todos mis antepasados nadie podrá encontrar gota de suciedad. ¡Yo no tengo ni pizca de judío! ¡Y soy perro, y no soy moro!

¡Grito grito grito grito —lo que ustedes llaman ladrar— grito grito!

¡Ey!, ¿quién me prende del cuello? ¡No me tomes así que me despeinas!

¡Maldito! ¡Suéltame! ¡Perro sucio! ¡Maldito moro, te muerdo el arete!

¡Al perro, al perro con este maldito moro!

¡Suéltame, que me ahogas!

¿Qué me estás haciendo?

¿En qué me estás sumergiendo mi colita? ¡Aceite, aceite negro, maldición, no me hagas estoooooo, no me sumerjas en esa goma negra, pegajosaaaaa!

¡Arf!

Fin de la relación de Ruf.

56. Vuelta a la carta del Carriazo

Doy fe de que esto de Ruf es verdad. Y confieso que aunque doy fe de la más pura, lo que vi fue que el maltés salió corriendo, lo demás lo sé de oídas; lo mismo que en venganza por haber arrojado fuera la granada de fuego, un turco tomó a Ruf del cuello, lo hundió en esa goma negra y pegajosa que usan ellos para hacer bombas, y que desde que terminó la batalla lo están limpiando, sin saber si podrán o si el perro morirá.

Ahora cambiemos de perro, vayámonos a otro hueso:

Bajo mis pies —que trepado estaba— vi la pelea de los turcos y los cristianos. Los más seguían lo que yo llamaré «mi» estilo: se repegaban los unos a los otros para cuidarse las espaldas; haciéndose parecidos a monstruos de cuatro o seis caras peleaban todos juntos, como si hacer bulto les ayudara a esquivar la muerte. Los de este estilo no avanzaban ni un palmo, pero queriéndolo o no eran defensoras murallas, no dejando a los turcos avanzar tampoco un céntimo de espacio. Unos cuantos tenían un estilo diferente, cada uno a su manera. Dejo de lado el de don Juan de Austria, porque te lo guardo para cuando estemos juntos. ¡Te lo voy a imitar y te vas a desternillar! Entre estos estilos diferentes, el más notable era el del soldado delgadito y pequeño que te he mencionado, el ducho en el pincel, el que acompañó en la gallarda a don Juan de Austria. Empuñaba una muy hermosa espada andaluza, la manejaba con una maestría que todavía al recordarla me quita el aliento. No tenía miedo de nada y no daba paso atrás. Parecía sentirse inmortal —también don Juan de Austria, pero ése es de otra naturaleza y, muy entre nosotros, algo ridículo, porque siempre hay dos o tres a su lado para sacarlo de los muchos aprietos en que lo enrosca su vanidad y engreimiento—. El delgadito Pincel iba cortando turcos como el que cosecha frutos o flores, parecía hacerlo con facilidad memorable. Había llegado por sus artes hasta el puente de la popa, destruyendo el anillo humano que protegía a Aalí Pashá, quien se había tenido que desplazar unos pasos a estribor arrinconado sobre uno de los bancos de los galeotes, sin jamás separarse de su arco, que debes saber se dice que no ha habido arquero superior a él. El delgadito, el mago de la espada, parado en la popa de *la Sultana* dando la espalda al mar, era el matadero principal de los turcos. A su derecha, por donde había conseguido romper el cerco, se agolpaban bolas de los nuestros, de los que peleaban apelmazados. El delgadito nos había abierto el camino en el cuerpo del ejército enemigo y la marea de la batalla nos empujaba adentro. Ya actuábamos como los ganadores, nuestras fuerzas se habían crecido. ¡Era muy de ver! ¡La victoria era nuestra!

En esto, uno de los enemigos se le echó encima a nuestro delgadito llamándolo en castellano: «¡María!, ¡a mí no me engañas, bailaora, María la bailaora!» Estas palabras detuvieron al valiente delgadito, asiéndolo, dejándolo inmóvil, atándolo con cadenas. Ningún gigantón turco había causado lo que estas palabras cristianas. Llevaba no sé cuánto tiempo blandiendo su espada a diestra, a siniestra, arriba, abajo, sin que nada la detuviera, y nomás oír el «A mí no me engañas» le hizo poner el arma contra el piso. Así, con la punta de su espada baja, el delgadito le contestó con una sola palabra: «¡Baltazar!», y el llamado Baltazar se le echó encima, lo cogió de las ropas, lo bajó del barandal, le arrancó de un manotazo la red metálica que lo protegía y con otro menos bestial la camisa desnudándole el pecho y mostrándolo, exhibiéndolo mujer: el delgadito, el ducho con la espada es una mujer. Al tiempo que Baltazar hacía esto, otros de los suyos reatacaron envalentonados, cortando el río de hombres que el llamado «María» había empujado hacia ellos y ahorcando a un grupo con su ataque, dejándolos aislados del resto de los nuestros. Los así atrapados entre los turcos reaccionaron con energía para salvarse, peleaban hasta con los dientes. Entre ellos, don Jerónimo Aguilar (que —en honor a la verdad— era uno de los de bulto, uno de los cobardes filiales míos), ardido como los otros que lo rodeaban de valentía súbita, convertido de pronto en una fiera, se aventó con dos enormes zancadillas sobre el dicho Baltazar, que en ese instante levantaba la mano con que sostenía el puñal para tomar vuelo y clavárselo al recién desnudado «María la bailaora». Antes de que su mano, y con ella su puñal, cayeran sobre el delgadito Pincel o María, don Jerónimo dio con la punta de su arcabuz en el medio de las dos espaldas de Baltazar, conteniéndolo, y lo ensartó hondo, dejando a Baltazar herido, para mí que de muerte. De inmediato, una flecha turca, tal vez del mismo Aalí Pashá, dio precisa en el hombro del dicho don Jerónimo. Resumo: que el dicho Baltazar estaba por clavarle un puñal a la desnuda María la bailaora, cuando don Jerónimo Aguilar lo hirió muy malamente, apenas lo cual cayó una flecha sobre este último, haciéndolo caer herido. ¡Caían como moscas, los hombres, y yo mirándolos desde mi balcón de palo por un momento me sentí como un dios terrible, de los antiguos, de aquellos que andan regalando maldiciones sin ton ni son!

En el centro de la escena que te he descrito, entre los dos cadáveres, el llamado María la bailaora, desprovisto de camisa, todavía con la punta de la espada tocando el piso, exhibía sus dos de hembra (unas tetas bien plantadas, te diré, Avendaño, que muy magníficas), continuaba paralizado, encadenado como he dicho. De pronto, con sumo cuidado y ternura, se agachó a ver el estado de don Jerónimo Aguilar, se levantó y volvió a dar muestras de estar ahí clavada.

Como si necesitaran asegurarse de que el guerrero menudo y pequeño que tantas bajas les había causado era una mujer, los turcos se le acercaban a verla, olvidados por momentos de la batalla. Uno de ellos chilló —aclaro que en su lengua, pero uno de los nuestros, que bien conocía el alárabe, le hacía eco, repitiéndonos en comprensible lo que le decía—:

Tú has jugado con mi vida,
y te has burlado de mí a lo lindo.
Ahora te llevas mi corazón entre tus dientes,
como si en la boca tuvieses hojas de cuchillos,
y has hecho, ¡oh cruel!, de mi dolor tu prisionero,
encerrándolo en tu honda garganta.
¡Tu cuello es un cuello de gacela,
eres más fresca que una flor o una niña,
tienes el aire de un muchacho,
pero eres toda una mujer!

Y apenas oír decir estos —que supongo versos de alguno de sus poetas pervertidos—, María salió de su atolondramiento, medio desnuda como estaba blandió la espada furiosa, atacó fiera y los turcos que tenía cerca echaron a correr seguidos de un buen puño de los suyos llevando en los tobillos a muchos de los nuestros. Alguno se aventó a la mar, los más fueron pasados a cuchillo. Y en lo de cuchillo, no era de uno a uno, que los más fueron repetidas veces acuchillados. Poco tiempo duró la lucha de la mujer sin ropas, que ya no contaba con enemigos que batir. Viéndose libre de contrincantes, se hincó en el piso al lado del cuerpo de su amigo, se sacó el casco de la cabeza y la boinica que traía bajo él; una bella cabellera brillante y tupida, aunque no muy larga, cayó sobre su hermoso rostro, se tapó los dos pechos poniendo sobre ellos sus brazos en cruz, y aguardó en esa posición suplicando trajeran auxilio para el que la flecha había herido cuando la salvó del puñal de Baltazar, don Jerónimo Aguilar.

Mientras ocurría esta escena, fue evidente que *la Sultana* estaba ya bajo nuestro completo dominio. Aalí Pashá había caído con una bala de

arcabuz en la frente. Los ánimos del enemigo habían quedado desinfla-
dos por la muerte de su generalísimo y la humillación de saber tantos de
los suyos vencidos por la genial espada de una mujer guerrera. Los galeotes esclavos fueron liberados por los nuestros; ebrios de gusto de verse libres, se apresuraban a violentar con nuestros soldados la que había
sido su prisión. Un esclavo de Málaga se apoderó de Aalí Pashá. Pero
eso es lo que unos cuentan, que otros dicen muy otro, y aquí, me temo,
tengo que hacer una pausa, para dar cabida a:

57. Una interrupción, donde se da cuenta de la cabeza andante de Aalí Pashá

Un esclavo de Málaga, de los que habíamos librado de las cadenas
para que nos ayudaran en la lucha, se apoderó del herido Aalí Pashá. El
generalísimo enemigo, todavía con voz, le dijo:

—Tú, ¡vil!, no puedes matarme.

—¿Y por qué no?

—Porque yo soy Aalí Pashá, el bajá, el generalísimo de la armada turca.

El esclavo, ignorando respetos, formulismos y toda forma elemental
de trato entre honorables —pues nada sino un esclavo era y muy marea-
do de haber perdido apenas sus cadenas—, en un acto aborrecible, qui-
tándole al herido la cimitarra que le caía del cinto, se la hundió en el
pecho privándolo con su propia arma de lo poco que le quedaba de vida
y con enorme esfuerzo le arrancó la cabeza, la clavó en una pica y la
zarandeó jubiloso a diestra y siniestra.

Otros dicen que lo hizo con un hacha que él tenía, por ser el malagueño carpintero de oficio.

Pero esto es lo que cuentan unos, que algunos turcos que se tomaron
esclavos afirman que apenas vio Aalí Pashá perdida *la Sultana,* aventó
al mar una cajita pequeña que dicen que valía una fortuna porque estaba llena de preciosísimas joyas, y que luego le vieron degollarse a sí
mismo.

Otros dicen que un soldado español le cortó la cabeza a Aalí Pashá y
que ebrio de gusto se echó con ella a la mar y que nadando muy presuroso vino a dársela a don Juan de Austria y que a éste no le gustó nada el
regalo de la mojada cabeza, diciéndole que *qué quería él hacer con una
calavera de muerto y que holgara mucho que se lo trujera vivo.*

Otros dicen que apenas ganamos *la Sultana,* la chusma se arrojó sobre Aalí Pashá, estropeando su cuerpo de tal manera que sólo quedó intacta su cabeza. Que viendo esto, la clavaron en una pica y la llevaron a *la Real,* donde fue exhibida con mucho orgullo, para sembrar el miedo y la certeza de la derrota en los turcos.

Otros dicen que mientras zarandeaban la cabeza llevándola de la cubierta de *la Sultana* a la cubierta de *la Real,* había quienes le hablaban preguntándole el futuro, burlándose del poder del caído, y que le gritaban: «¡Cabeza sabia, cabeza habladora, cabeza respondona y admirable cabeza!», y que tanto juego hacían con ella que algunos fingían la voz como contestando, y que en ese teatro estaban haciendo caer a los más ingenuos que la creyeron cabeza encantada y respondona, aunque no tenían sus respuestas sino de profeta perogrullo.

En cuanto a cabezas, lo que yo puedo afirmar seguro de no equivocarme es que en un momento de la tal batalla todas las cabezas de cuantos ahí estábamos andaban como perdidas. La mía sin duda alguna, amigo querido, que ninguna mano de ninguna veintiuna —ahí sabe uno que las monedas se quedan en casa—, ni de ninguna quínola o andaboba pueden ponerle a uno a girar y a volar con ansia tan grande, no la consigue el juego… ¡Y qué digo el juego! ¡Era volar lo de mi cabeza! ¡Qué Ícaro ni qué ocho cuartos! Mi cabeza le hablaba al oído a la estrella Venus… En cuanto a la de Aalí Pashá, me remito a contarte lo que mucho se dijo de ella y pienso que me hubiera gustado ponértela aquí bien viva, por lo que no me extrañaría repitieses lo que unos dicen que dijo el de Austria:

—*¿Y yo para qué quiero una calavera? Más me valdría que me lo hubieras traído vivo.*

Hasta aquí las andanzas de la cabeza andante de Aalí Pashá.

58. Aprovechando la interrupción del Carriazo, aquí alguien se entremete y cuenta

…que en momento en que estalla la batalla de Lepanto, Pío V interrumpe de súbito la reunión que sostiene con el tesorero general del Vaticano, monseñor Bartholomeo Busotti de Bibiena. Se levanta de su imponente asiento y camina unos pasos hasta un altar pequeño que él tiene ahí siempre a la mano para elevar su corazón al Señor cuando siente necesidad de hacerlo, como era ahora el caso, aunque tal vez nunca antes la había sentido tan imperiosa, y dice: «No es instante para tratar del asunto que nos ocupa. He de dar gracias a Dios, porque en este momento la flota va a combatir la turca, y Dios le dará la victoria». Alza los ojos al cielo, expone su aguileño perfil y comienza a rezar a viva voz, con tanto y tan intenso fervor que quienes ahí se encuentran —ninguno de excepcional religiosidad aunque fueran todos altos dignatarios eclesiásticos— se sienten compelidos a rezar también y el salón se convierte en un vertidero de Aves Marías, como un coro. Pío V, que no conoce la ambición de las cosas del mundo, ni del dinero u alguno de los placeres mundanos, que antes de llegar a Papa había comandado con pulso firme y, según algunos, excesiva dureza la Inquisición, reza con tal fervor que le llegan las lágrimas. No es la primera vez que el papa Pío V llora pensando en la muy necesaria derrota militar de los turcos. Pero su llanto es ahora de felicidad: está seguro de que los rezos que durante semanas se han vertido en los conventos harán frutos. Las voces de las mujeres vírgenes han de conmover la cólera divina. El Papa llora de felicidad y satisfacción. Había derramado santísimamente sus lágrimas anteriores cuando los venecianos abandonaron la firma del convenio de la Santa Liga, cuando creyeron que no necesitaban la confederación, que podrían llegar a un acuerdo con el Gran Turco. ¡Poco tardaron en darse cuenta de su error y regresaron vapuleados al Vaticano a pedir firmar cuanto antes, por no perder todas sus islas!

El corazón del papa Pío V reza, temblando, y llora lágrimas dulces.

En este mismo momento, cuando da comienzo la batalla, Felipe II siente la necesidad de castigarse. En su pequeña celda, más monacal que imperial, toma su flagelo y golpea diez veces sus desnudas espaldas, pidiendo perdón al Creador por sus inmensos pecados. Su corazón tiembla solicitando castigo, sabiéndose enemigo de sí mismo.

Selim II (que es poeta como su padre, no tan prolífico pero autor de páginas muy bellas) escribe una qasida. (Pero antes de citarla debe hacerse una aclaración: la frase que Europa le atribuye a su persona no fue jamás dicha por sus labios, ni impresa por su pluma: «Con nuestra espada os haremos cruelísima guerra por todas partes». Si apareció en una misiva fue porque la encajó ahí uno de sus secretarios por mero ejercicio de retórica. Y otra siguiente aclaración que no sobra: Selim II escribe en la ciudad de Istambol, que es el lugar que une al Islam, también llamada Qostantaniyya, la ciudad de Constantino, Der-i Sa'ádet, el portal de la felicidad, Asitana, el vano de la puerta, o Asitana-i Sa'ádet.) Mientras se baten las dos armadas, las más grandes que ha visto la historia, Selim II escribe:

> Deja que brille en un cielo despejado
> la belleza del sol y la luna, amor.
> Desnúdate del velo, sacúdete las preocupaciones, amor.
>
> Mira de lado estos ojos alegres y deseosos,
> ven, deleita y enloquece este corazón mío, amor.
>
> Que yo beba de tus labios, serán vino para mi enfermo espíritu,
> ven hacia mí, dame respuesta y licor, derrama bondad, amor.
> No dejes que el mal de ojo maltrate tu belleza,
> mantente fuera de la mirada maligna de tu rival, amor.
> Oh, corazón, si hay agua de la vida en medio de las tinieblas,
> escondida en la media noche, apúrala de un trago en el vino.
> [...]
> Oh, querida mía, entrega a Selim tus labios húmedos de vino,
> luego, con tu ausencia, torna mis lágrimas en vino, amor.

Selim II comienza a dibujar con palabras su qasida, aún inseguro de cuáles serían las definitivas; vibra de placer por la vida y tiembla con fervor poético.

Por su parte, don Juan de Austria siente que toda su vida cobra sentido. No recurre al flagelo, ni al rezo, ni tampoco al poema. No necesita de ellos.

Termina la relación del entrometido.

59. Nota al margen, con letra muy distinta, escrita según resulta evidente varios años después

Igual habrían de morir estos tres: diferentes. Selim, el sultán perverso y buen poeta, envenenado por su propio puño: en completa ebriedad, empinó el frasco entero de la tinta negra que apenas le habían preparado, creyéndola ser vino, y, sintiéndose asfixiar, echó mano de otra que tenía guardada, de modo que terminó sus días retorciéndose envenenado de manera horrenda, que en los delirios de alcohol no permitió ninguno de los grandes médicos de su diván se le acercara, recibiendo justo castigo, porque su religión prohíbe el alcohol y porque distrajo su mandato en placeres, fiestas y ebriedades; Pío V, porque no quiso enseñar sus vergüenzas, que tenía una enfermedad de piedra que podían muy bien haberle curado, pero permitió que mejor lo comiera el cáncer antes que le tocasen y viesen sus partes púdicas; Felipe II, también algo joven, murió de remordimientos, que quien asesina a su hijo luego de haberle arrebatado su mujer y por esto enloquecerlo y empujarlo a herejías tales como el protestantismo, tiene sobrado motivo; y don Juan de Austria, en la flor de la edad, de almorranas (también las padeció su padre), víctima de un cirujano estúpido que, en la ausencia de su médico personal, el gran Daza Chacón, se las atusó como si mejor hubieran sido cabellos y al cercenárselas le provocó una hemorragia mortal. Y hay quien dice que no fue error de cirujano, sino voluntad criminal y que murió asesinado.

Fin de la nota al margen, escrita en un puño distinto y algo posterior al del resto.

60. Vuelta al cuerpo de la carta de Avendaño

María la bailaora —que así se llama el menudo delgadito espadachín, el valeroso, el de la danza gallarda y el pincel; la soldadesca se hacía lenguas, pues la había reconocido— continuaba hincada en el puente de la proa de *la Sultana,* tapándose discreta el torso desnudo y pidiendo a voces algún auxilio médico para su defensor, el sacrificado don Jerónimo Aguilar.

Nuestro generalísimo había pasado a *la Sultana* para presenciar la solemne ceremonia acompañada de música en la que sus hombres bajaron el pendón con el Alá escrito 28 500 veces en letras de oro e hizo se levantara en su sitio el papal. La enseña personal de Aalí Pashá quedó colgando para dar mejor prueba de nuestra victoria. María la bailaora permaneció hincada cuanto duró esta ceremonia, vestido el pecho sólo con sus propios brazos. Durante el subir y bajar de banderas dejó de implorar auxilio, pero apenas terminaron volvió a lo suyo, a pedir le trajeran un médico a su amado don Jerónimo Aguilar que a su lado se desangraba. Don Juan de Austria le prestó atención: hizo le llevaran

camisa buena para cubrirse, hizo venir al mismísimo Dionisio Daza
Chacón, su médico personal, el mejor de España para remediar heridas
de guerra y enfermedades serias, para atender al hombre que le había salvado la vida al Pincel y espadachina, e hizo llamar a la mujer aparte.

(¿Recuerdas a Daza Chacón? Aquel que escribió: «El buen médico ha
de ser viejo, experimentado, de buena estimativa y de buen seso… docto
en práctica y en teoría, y reposado; no jugador, ni putañero; y no intere-
sal; sino que su principal intento sea curar al doliente; y no sacarle los
dineros… ha de tener renta o salario para poderse mantener honrada-
mente y para curar los pobres de balde, que ha de ser obligación… no
codicioso, ni malicioso, ni murmurador, ni mentiroso, ni vicioso, ni
hipócrita. Ha de ser dado a su estudio y no a vicios… ha de andar siempre limpio y bien ataviado y aun oloroso porque alegre al paciente».
Y aquí me he largado con esta interrupción. Digo, ¿te acuerdas? ¿Las
risas que hacíamos de estos pasajes? No sé por qué conservaba yo éste
entre los muchos papeles que me habían pertenecido en mi estancia
anterior en Salamanca, cuando creía yo que iba estudiando medicina,
porque mi padre decía que me haría rico. Y a ese mismo honorable
médico fui a encontrar. Pero déjame dejarme de memorias y correr
retornando a lo que estábamos.)

Pasaron a *la Real*. Yo brinqué a cubierta. Ya éramos dueños únicos de
la nave del Gran Turco. Estaba también muy bellamente adornada, aunque no tan exquisita y refinada como nuestra *Real*, que es verdaderamente como un libro de horas, sólo que con motivos latinos. Un libro
abierto, en tablones, lleno de hermosas figuras, navegando en el mar,
ilustrando todas las virtudes que debe tener un guerrero y un cristiano,
esto sin usar imágenes bíblicas sino sólo a Diana y el can, a Neptuno,
Mercurio, con un dedo en la boca y unos Jasones muy peculiares, aquí
luchando contra un dragón, allá contra un toro.

Encontramos en la cámara de Aalí Pashá, muy cosa de ver, recamada
por completo en nácares, oros, marfiles, piedras preciosas, bordados
refinadísimos. Había un olor intenso a no sé qué hedentina que los turcos tienen en muy alto aprecio. El olor este que te digo hizo salir por
piernas a nuestros soldados, asiendo lo que habían podido tomar a las
prisas sus brazos, dándose por muy bien pagados, que eran tantas las joyas que parecía mina del rey Salomón o cueva de Moctezuma. Salieron, te digo. A mí, no sé por qué, la hedentina me excitaba la curiosidad
al tiempo que no dejaba de repugnarme y me puse a husmear. Bajo el
lecho del Pashá, que habían ya pelado los codiciosos soldados nuestros,

vi un tablón que no hacía juego con su vecino. Tenía una hendedura como para meterle dos dedos y se los metí. La alcé y encontré un arcón cargado de doblones de oro. Era la fortuna personal de Aalí Pashá, su capital acumulado durante décadas que no quiso dejar en Constantinopla temiendo caprichos y arbitrariedades de Selim y que creyó más a salvo bajo su propio lecho. ¡Qué poco sabemos de la vida los hombres y de cómo protegernos! Más propio sería decir: «Nadie sabe para quién trabaja», porque cómo iba a imaginar el Pashá que tu servidor, el que esto escribe, iba a dar con tal hallazgo.

Tuve que compartir el descubrimiento con otros dos bribones para encontrarle salida. No hemos dado cuenta de esto a nuestros capitanes ni a otras personas. Los tres nos hemos dividido el tesoro, lo traemos pegado a las carnes. Ideamos cómo portarlo con nosotros en la cámara misma de Selim. ¡No sabes tú lo gordo que me he puesto de pronto, forrado de telas y cueros y cuanta cosa te imagines, todos ellos vueltos bolsas de monedas, joyas, contenedores de espléndidas riquezas!

Lo que sigue será sobornar astutos y si tengo suerte conseguiré eludir las vigilancias y llevarme conmigo a casa la fortuna del descabezado Aalí Pashá. Atarazanado estoy, como bien ves, forrado de una fortuna…

¿Quién eres tú para darme honores?, pero quiero dejarte muy claro que cuando brinqué a la nave enemiga yo no iba «Por atún a ver al duque», como dicen del que hace alguna cosa con dos fines. Yo no sabía del tesoro que encontraríamos. Pasé a la galera de Aalí Pashá porque no había qué otra cosa hacer sino defender a mi gente y defenderme —y en parte, como ya te confesé, porque atrás de mí venían otros turcos comiéndonos los talones—. Y mayormente por este deseo, casi le diría yo instintivo, irracional, exaltado e incontenible del hombre de guerra, que en el ardor de la batalla no puede retener el deseo de defender con el riesgo de su propia vida a su generalísimo.

En cuanto al tesoro encontrado, me doy por bien pagado.

Cuando salimos a cubierta reforzados del oro turco, habiendo puesto algunas monedillas en la mano de éste y el bolsillo de aquél —incluido a un sacerdote que pasó por casualidad cuando estábamos untándonos de lo lindo (quien dicho sea de paso no se me ha despegado de los talones, tal vez cree que soy como aquella ave que cuentan que ponía huevos de oro)—, ya se habían ido los hombres del marqués de Santa Cruz, y el puente que se había formado con las galeras unidas estaba destruido, los capitanes habían hecho lo pertinente para separar las unas de las otras, para hacerlas de nueva cuenta móviles, que todas hechas una no había cómo menearlas un ápice, ni el mar parece moverlas. Sin querer queriendo —pero muy presa del ansia que me decía dejarla, que temía ser agarrado con las manos apenas saliendo de la masa— brinqué a la primera embarcación que pude. A ella acababa de subir la bella guerrera, de nuevo vestida de varón. Sujetaba la mano de su herido amante, don Jerónimo Aguilar, muy encamillado y más inmóvil que un tronco en tierra. Ahí explicaron que don Juan de Austria quería recibir en *la Real* a la valiente guerrera con don Jerónimo —o lo que restaba de él, que a mis ojos no era mucho—, pero Daza Chacón explicó que el herido tenía que reposar en alguna galera donde pudiera encontrar silencio completo. Que como los hijos de Aalí Pashá se habían instalado en la carroza de *la Real*, al lado de la cámara de don Juan de Austria, donde hasta entonces había dormido su secretario Juan de Soto, y que como en la otra punta de la nave habían comenzado los carpinteros de inmediato las reparaciones —*la Sultana* se le había encajado hasta el cuarto remo, debían sellarle las heridas para asegurar un buen retorno, protegida lo más de los caprichos mediterráneos; también le retornaría el espolón a su sitio para regresarle su belleza y dignidad— y que el ruido de los carpinteros no iba a ser poco, y alteraría el descanso que pedía el delicado estado de don Jerónimo, los enviaban a otra embarcación. Eso dijeron cuando subí a la barquilla que nos transportaba a otra que no fuera *la Real*, pero la habladuría que corrió fue que así se hacía porque no podía viajar mujer en la del Austria, que era inaceptable, que ésta era la Santa Liga, que etcétera.

En esta navecilla venían junto con don Jerónimo otros heridos y un médico jovenzuelo y con cara de embaucador del que no puedo citarte libro alguno, porque el mozo no había tenido tiempo ni de leerlos. De él sólo puedo decirte que venía cargado de extractores de balas, jeringuillas, enemas, pesas de balanza, morteros de bronce, un pedestal de balanza, un alicate, algunos frascos de medicinas. Si atendemos al número, lo que más había en esa pequeña liburnia eran gallinas vivas, complemento imprescindible de los tratamientos médicos, todas a la espera de ser abiertas para dar albergue en sus entrañas al muñón de algún herido. Daza Chacón recomienda desta manera cerrar los miembros mutilados, y así evita las infecciones y dicen las víctimas que hace más soportable el dolor. En cada vientre de esas cluecas se refugiaría lo que resta de una pierna, de un brazo. No vuelvo a esto, porque repugna.

El médico jovenzuelo que te he dicho veía a la María la bailaora con una cara que uno se veía obligado a pensar en su maestro, el médico Dionisio Daza Chacón, cuando escribe sobre los que son enamoradizos:

«Otros hay enamoradicos, que en cualquier cosa que van a curar se enamoran, teniendo deshonestos pensamientos. Estos merecen por lo menos ser privados perpetuamente». Éste bien que lo ameritaba, y yo diría que unas dos veces.

Así fuéramos hacia la entrada del golfo de Lepanto, no nos regresábamos a la valerosa retaguardia del marqués de la Cruz, sino a las del perezoso Doria —¡veneciano despreciable!, si todos los de ahí fueran como él, nunca hubiera pasado de ser un mercaducho de cuentas de vidrio—, quien toda la batalla se comportó no como un hombre de guerra, sino como un negociante que hace cuanto puede por defender su mercancía, que para él esto eran las galeras y los esclavos que traía como galeotes.

Es de sobra conocido que no era ésta la primera vez que Doria se comportó cobardemente, guardando sus galeras de luchar como el que cuida su bolso en la plaza llena cuando hay lidia. Lo había hecho en Malta, fue una de las vergüenzas de la cristiandad, que en lugar de pelear iba Doria cuidando que nadie raspara siquiera una sola de las tablas de sus naves. La de cosas que he oído contar de Doria, amigo, más de las que tú quieres oír y de las que yo hubiera querido escuchar. Como tanto se le desprecia, le cargan a su fama lazos y adornos de infamia. Lo que consta que es cierto es que sus galeras se mantienen bajo asiento, y esto no quiere decir sentadas como tú y yo nos asentaríamos frente a la mesa y el juego si no nos anduvieran jalando para aquí y para allá nuestros respectivos padres. Asiento se llama el contrato de arriendo, que Doria tiene más de una docena de galeras rentadas a la Corona, de lo que obtiene no demasiadas monedas —¡aunque más de las que tú has jamás visto!—, pero sí una jugosa cantidad de beneficios, como licencia para exportar trigo de Sicilia (sólo esto lo ha enriquecido), para confeccionar bizcocho a expensas del Rey, y para hacerse de galeotes dónde le venga en gana. Participó en la revuelta de Córcega, y su actuación en Gerba fue también deshonrosa; a las dos fue como vino a Lepanto, a cuidar sus tablas. Aquí trae cuarenta y ocho galeras, algunas propias y otras de nobles genoveses. Doria, hijo de un hombre importante, que conoce a Felipe II desde que eran niños.

61. Nota al margen, escrita con letra muy distinta, sin que se tengan elementos para decir si es posterior o contemporánea a los demás papeles aquí transcritos

El papa Pío V, al escuchar cómo había sido el desempeño de Doria, comentó enfurecido: «Más se comportó como un corsario que como un caballero cristiano».

Termina la nota.

62. Sigue la carta dicha

Hacia allá nos llevaban, y entonces yo me preguntaba si era para guardar a los heridos al lado de los inmóviles perezosos, o si para llevar refuerzos y avivar esa escuadra, pero esta segunda conjetura mía era tan errada como la primera, porque la batalla estaba muy acabada ya, y si me la hice fue porque en la barquilla hospital oí de la gente que venía en una ligera liburnia que se nos acercó a pedir y dar noticias, que el Uchalí había atacado arteramente a una de Malta mientras se daba a la fuga.

Y ahora sé que mientras nos llevaban hacia las de Doria, Scirocco casi vencía a los venecianos. Seis galeras de esa llamada República habían sido ya hundidas, Barbarigo había caído, dejándole el mando a Federigo Nani, y la victoria se inclinaba hacia los turcos, cuando, tal vez envalentonados por lo que pasaba en el centro de la armada, los galeotes cristianos se amotinaron: bien coordinados saltaron todos a una, tomaron por sorpresa a los turcos, les arrebataron sus armas por la espalda, y en la revuelta quitaron a Scirocco la vida.

El desorden era total. Los galeotes venecianos —convictos, algunos deudores, otros herejes, aquel judío, o ladrón o pervertido—, que habían sido liberados de sus cadenas por sus amos para que auxiliasen a la lucha, se dieron a la fuga brincando a las aguas rojas y muy bajas de la costa albania y, cargados de las armas de que habían sido provistos, se hicieron ojo de hormiga en las montañas para recomenzar su vida como bandidos.

Mientras tanto, algún veneciano reconoció el cadáver de Scirocco flotando en la mar roja por las ropas excelentes que vestía, lo subieron de nueva cuenta, le cortaron la cabeza, y otra vez lo de la pica, que llenó a todos de exaltación e hizo ver al resto de la flota que el brazo veneciano había vencido.

Nosotros navegábamos, entonces, hacia las de Doria —ahora es sabido que al enviar ahí enfermos don Juan de Austria le hacía una señal a Doria: «Tus galeras sirven más de hospitales que de barcos de guerra»—, cuando vimos una hermosa galera turca muy bien aderezada que navegaba como si estuviera perdida. La alcanzó *la Capitana* del comendador mayor. Era la nave de los hijos del bajá Aalí Pashá, Mahamet Bey y Sain Bey, dos niños que el padre había traído consigo dizque para enseñarles el arte de la guerra —pero yo me sospecho que por lo mismo que había portado sus doblones, para protegerlos de la posible cólera de Selim—. Buscaban desorientados a su padre.

Una de las naves del marqués Santa Cruz la atajó. Los turcos opusieron resistencia ejemplar, causando numerosas bajas e hiriendo a don Juan Mejía con una flecha en el pecho. Por fin pudieron entrar en ella los españoles, al frente don Alejandro Torrellas y gente principal de Cataluña y Valencia, que terminaron por hacer suya la galera de los hijos de Pashá. Me han contado que de inmediato fueron presentados en *la Real* a don Juan de Austria, que los dos niños lloraban, y digo poco, que aullaban, porque al abordar *la Real* habían alcanzado a ver en la vecina *Sultana* la cabeza del padre clavada en la pica del malagueño que seguía zarandeándola, envanecido. En momentos, y de manera inexplicable, el mundo se les había venido abajo.

Nosotros seguíamos hacia las de Doria y pronto nos vimos entre ellas, replegadas todavía como las había ordenado su muy cobarde capitán. Elegimos para desembarcarnos una que requería urgente servicio de los médicos; Uchalí la había lastimado fuertemente en su fuga, cañoneándola y arcabuceándola a su paso, manifestando no haber olvidado las rencillas personales contra Doria, dejándole un regalo de muerte, ya que tiempo no había tenido para hundirle naves, que es lo que más hubiera querido, conociendo que eso era el mayor dolor para el mercachifle. Había muchos heridos, y muertos más de tres decenas. La nave se llamaba *La Marquesa*. El acomodo de nuestros heridos llevó poco tiempo. El médico jovencillo procedió a operar a éste y a aquél. Don Jerónimo Aguilar fue una de sus víctimas. Lo sacaron de la no corta sesión ya con más aspecto de cadáver que de persona, pero alcanzó a murmurar: «Ya se verá si me reúno este año con Santiago o no», y pasó a mejor vida.

¡Cómo se le abrazó entonces la guerrera varona! ¡La de lágrimas que derramó, las palabras dulces que le dijo! Aquí entre tú y yo, si ni por un momento me pasó por la cabeza pasarle siquiera un doblón a los hijos chillones de Aalí Pashá, sí que pensé en darle algunos a la bella, pidiéndole, como puedes imaginar, que a cambio me dejara volver a verla sin ropas, como Dios la trajo al mundo, hecha hermosa.

Y aquí tengo en el hombro al cura ese que te cuento que se me quedó repegado luego de que le unté con una moneda, un vejete medio ciego y muy empeñoso, que cuando yo aún no cierro el ojo ha terminado ya de dormir, y viendo que soy el único otro despierto en la galera, se ha venido a sentar a mi lado —lo primero fue preguntarme qué hago y yo contestarle: «Escribo una carta donde hago una relación de esta batalla, santo padre»—, me insiste añada en mi relación ciertas señas de milagro. ¡Para milagros estoy yo! Pero ya que él las dicta, y que es el papel tan abundante y bueno, y la pluma y la tinta excelentes, y que no me dejará poner mi atención en otra cosa hasta que yo le obedezca, porque insiste que más parece chinche que cura, me apresto.

—Dígame, padre, estoy listo:

63. Relación del capellán de *la Marquesa* —tan andrajoso trae el hábito que no puede saberse si es un fraile capuchino, teatino o de qué orden— en que cuenta lo que él llama *señales de Dios*

Hermano mío, así estoy medio ciego y poco puedo ver lo que me pasa frente a la nariz, Dios no me ha privado aún del privilegio de la vista, siempre y cuando sea a cierta distancia. Leer, no puedo más ya, las letras se me borran. Mirar las escenas, como las que hoy mi alma despavorida ha tenido que ver, tengo y recontratengo los ojos para verlas.

En esto de no poder ver de cerca, creo que Dios me lo ha dado para mi virtud, que así ignoro mejor al cuerpo y al que se me ponga a la mano que pudiera tentarme. Digamos que Dios me ha hecho ciego para lo del diablo, y me ha dejado con ojos para lo divino.

Yo quién soy para contar detalles de los enfrentamientos. De eso te encargas ahora tú, y los días siguientes se encargarán otras personas, que no ha habido nunca una batalla como ésta.

Doy fe, solamente, que en cada cristiano nació un Marte nuevo renovado. Los nuestros pelearon hasta el fin sin jamás reblandecerse. Estaba la mar ya completamente roja y cubierta de cuerpos mutilados, y ni aun así sus corazones se hicieron de pichones. Vi cómo algunos de esos infieles ahí, haciendo cuanto podían por flotar, mientras agonizaban sangrando a mares —aquí el fraile este se ríe, dejando ver una bocaza llena de no sé qué cosa pastosa— y pedían «¡Misericordia!», y no hubo afeminado que diera un paso por entregarles una inmerecida clemencia. Antes bien, se empinaban desde las cubiertas de nuestras naves para atizarles con las picas, o aventaban si aún tenían pólvora de arcabuzazos, y era muy cosa de ver cómo sobre los cadáveres regaban más cadáveres, cosa santísima…

Esto que te estoy diciendo mejor no lo anotes. Si ya lo escribiste, bórralo. Esto que ahora te comienzo a decir, sí, anótalo bien claro.

Mira que la santísima fe cristiana tiene el poder de hacer de la noche día y del día noche profunda. Hoy quedó esto demostrado cuando cambió de súbito el viento contrario, tornándolo a nuestro favor cuando lo necesitamos al comenzar la batalla.

Porque antes de ésta soplaba el viento contrario y había mareta y, apenas nos llegó el momento de embestir a los infieles, se nos mudó a nuestro favor el aire, y donde había sido en contra se volvió favorable. El humo de la artillería de las dos armadas se les fue encima, y no veían nada, estaban cegados, no podían combatir. Esto nos ayudó a la victoria, aunque no hay humo que valga si no está la voluntad de Dios de nuestra parte, que es de lo que quiero decir y te estoy diciendo.

El bendito estandarte que el santo Papa bendijo con sus propias cinco veces pías manos, donde está pintado el crucifijo, no recibió ni un arcabuzazo, ni una flecha, ni lo rozó ninguna otra arma porque lo guardó el cuerpo mismo de Cristo. Y esto es muy de notar, porque no hay estandarte entre los amigos o los enemigos que no esté lleno de éstas; los árboles, las entenas, las jarcias, las popas y los estanteroles están picados como un cuerpo de san Sebastián, todos los estandartes, todas las banderas, todas las entenas, todas las jarcias fueron flechadas, arcabuceadas.

El mismo estandarte real tiene ensartadas dos flechas… ¡pero nuestro Cristo de Lepanto, no!

La otra es que no hubo un solo fraile herido. Ninguno que sostuviese en su mano un crucifijo recibió el embate de ningún arma ni de un filo ni de una flecha, nada. El cuerpo de Cristo y el cuerpo vivo de su santa Iglesia fueron guardados durante la batalla para hacer mayor la gloria de Dios en la tierra.

Y esto que el italiano capuchino de *la Marquesa* del de Santa Cruz, parado sobre el barandal de popa, haciendo casi piruetas, agitaba hacia los infieles su crucifijo dorado... ¡Quién no lo vio, dando de voces, diciendo «Viva Cristo; victoria, victoria para los cristianos»!, y no se guardaba de nada, sino que saltando del barandal se aventó hacia el esquife y desde ahí siguió gritando, amenazando con su Cristo a los turcos, y no hubo bala que lo rozase, ni flecha, ni espada...

Y así, llegando, llegando y toda a nuestro favor, se nos apareció el fin de la gloriosa jornada hecha el 7 de octubre de 1571, domingo, día de santa Justina, en la que los turcos conocieron cuánto importa ir en justa demanda y tener a Dios de su parte, el cual, aplacado por las oraciones de tan santo pastor como lo es Pío V, fue servido de nos dar la victoria.

Fin del relato de los dones recibidos.

64. Sigue la carta

El capuchino o teatino, o el fraile que éste sea, puso los ojos en blanco y se echó a orar con un fervor que parecía de enloquecido. Le pregunto:
—¿Ya?
No me escucha.
—Bien, usted ha terminado, yo continúo con mi relación, que es la carta para un amigo....
Y aquí estoy, terminando de escribírtela, Avendaño, enfundada te llegará de olor a santidad por la intromisión de este santo. No quiero distraerme más, que el sueño me ha venido a visitar, creo que en mala hora, porque empiezo a escuchar a más despiertos. Sólo debo entonces agregar una cosa que debo aún decirte, y despedirme... cuando siento que ahí está el fraile, este chinche, diciéndome:
—¿Y ya escribiste tú que: «Es la cosa más hermosa y admirable del mundo el ver tantas galeras llenas de flámulas y gallardetes, de variados colores cubriendo la mar, haciendo un muy ancho y espacioso bosque de entre ambas partes»? Anota, hijo, ¡anota!
¿Pues de qué habla este hombre? ¿Y por qué se dice mi padre?
Y de lo primero, le pregunto: «¿Dice usted *hermosa y admirable, un muy ancho,* de qué habla que no le entiendo, padre?» Y de inmediato me contesta:

—Al comenzar la batalla, hijo, no había cosa más hermosa de ver que lo que te estoy diciendo. Escucha...

¡Ay, Avendaño, que el fraile quede hablando solo y yo fingiendo que anoto, que quiero terminar antes que sea la chusma completa quien venga a dictarme! Además, como digo, ya el sueño llegó y me agarra de la nuca...

Retomo donde habíamos quedado, para ya acabar presto. Que *la Marquesa*, cuando llegamos, parecía tener más de hospital que de galera. Varios de sus hombres habían sido muertos en la lucha, y ahí varios quiere decir cuarenta. Los pusilánimes como Doria no tienen empacho en sacrificar a sus soldados; con tal de no rayar sus tablones están muy prestos a perderlos por docenas. La nave daba grima. Todo estaba en desorden, y nadie cuidaba de separar los vivos de los muertos, ni de atender a los que hacía necesidad. No parecía del bando vencedor. Aquí no había llegado ninguna minúscula ráfaga del espíritu de nuestra gran victoria. Por otra parte, *la Marquesa* no tenía capitán, el tal Pietro Sancto o no sé tanto —como le apodaban sus hombres: «¿Sancto él?, ¡no sé tanto!»— ya se había ido a visitar a sus ancestros, y en los que acabábamos de abordarla no había ninguno que pudiera ser designado para el cargo que no fuera María la bailaora, porque todos éramos o gallinas o pedazos de principales. Que todos lo supiéramos, ella era la única que había hecho un gran papel en la batalla, pero siendo mujer quedaba descargada de cualquier capitanía. Un favor le hubiéramos hecho, que no habría podido concentrarse como lo hacía en su duelo:

—¡Tengo un muerto!, ¡tengo un muerto! —grita como una loca—. ¡Mi querido, mi corazón, mi cielo, mi amigo, mi amor, mi amado está muerto!

«¡Ay! —me lamentaba yo adentro de mí—, ¡esto sólo empeora las cosas, y agria lo poco que no estaba agriado! Lo único que nos faltaba era esta hembra gritando, desgañitándose en sus lamentos». Peleaba como un varón, lloraba como mujer y aullaba como una loba.

No se detenía. El mismo empeño incansable que había mostrado echando mano de la espada estaba ahí, el mismo vigor y la vehemencia y la pasión que nos había enseñado en Nápoles, la María esa no se contenía. Porque «¡Dale, dale, dale...!» —como ella había bailado, ¿quién no la vio y la admiró en las plazas de Nápoles?—. Yo le preguntaba adentro de mí: «¿Qué te da, María, un muerto más, un muerto menos? ¡Mira abajo de ti, no la mierda pegajosa del fondo de la galera, asoma la vista hasta el agua! ¡Sobre el mar hay cientos, flotando! ¡Fíjate bien en ellos, que están a punto de hundirse! ¡Mañana tal vez ya no los verás más!»

Y en eso estaba yo también equivocado. Que todo Lepanto es equivocarse solamente. Mequivocomequivoco. Aquí nadie pone el dedo en la llaga, porque todo dedo es llaga puesta, todo dedo es el mochado, y el que no llega a tronchado es ulcerado. Mira, mira, María, María, qué más te da, uno menos… Alza tu mirada y ve, cuántos hay en línea, no los llorará un corazón bravo como el tuyo. Descuenta los heridos, los mutilados, si no tienes gana de ayudar a alguien con sus heridas. Descuéntalo, y anda.

Pero nada de descontar, que chillaba como una loca, diciéndole mil palabras de dolor a su muerto.

Éstas me han hecho un efecto que debo anotarte. Comencé a escribirte, más que para cumplir con la promesa de hacerlo, porque el corazón no me cabía adentro y la lengua se me salía de la boca, como un perro, de lo agitado que estaba. Pero oírla chillar me ha enfriado el corazón y encogido la lengua. ¿Pues qué tienen las mujeres que le ponen tantísima pimienta al caldo y nos escaldan el paladar y nos arruinan el guiso? Sí, sí, ya sé que ellas mismas son la pimienta, que sin las bellas qué desgracia sería la vida, pero ¿y el caldo?

Me dejo de lenguas y caldos. Yo bastante tenía con lo que tenía como para ponerme a atender esto o aquello. Pero pronto cambió todo, que los no heridos que venían con nosotros, rápido revolcaron, cambiaron, hicieron y ordenaron, echando los muertos a la mar y poniendo a los sobrevivientes a atar cuerdas, de modo que en breve nos habíamos reunido con los nuestros en lo que era entonces la mayor labor: robar de las naves vencidas cuanto hay de algún valor, cuidando de liberar a los cristianos que todavía estaban atados a las cadenas, que un par había todavía a los remos, de atar turcos a las mismas para suplirlos y de rebuscar oros y más cosas.

La bailaora dejó de gritar porque se llevaron a su hombre los médicos, que dijeron que le coserían las heridas. ¡Coser podrán mis huesos, pero cómo remendar ese cedazo!

Como yo tenía ya mucho conmigo, y ya no quería atender a más, pretextando un malestar cualquiera, del que ahora ya ni me acuerdo, me tendí en la crujía. Bajo ésta había una especie de bodegüela. Abajo de mí, te cuento, un hombre enfermo de malaria gritaba como un furioso. Tú dirás que en qué me ando fijando si uno u otro grita, y más estando aquí la cosa como te cuento, que aunque la gritadora se hubiera callado y desvanecido, los heridos bastaban por quejones, y además todavía me resonaba en los oídos el estruendo de la pólvora que recién acaba de pasar

—y no anoto los ladridos chillones del perro de don Juan de Austria, que a los que estábamos cerca de *la Real* nos traspasaron los oídos—. Pero lo que él gritaba (un tal Saavedra, que así le decían todos, aunque a él mismo le daba por gritarse «¡Cervantes!») te lo tengo que poner aquí, amigo mío, porque es parte de lo que no me deja dormir. No te lo voy a repetir como él lo dijo, porque ni me acuerdo ni quiero. Lo voy a decir con las palabras que aquí me vienen, que ya más dormido que despierto, me siento poeta. Poeta y con musas, aunque musas sean los gritos del que digo. El tal Cervantes clamaba manos:

«De mis manos tronchadas brotan manos, ríos de manos rojas.

»¿O es sólo una la mano? De mi sola una mano rota brotan seis manos. Ahí se quedan. Seis manos tengo donde una vez tuve una completa.

»¡Fuera ropa! ¡A remar he dicho! ¡Castigo con el azote!

»¿Con qué mano azoto? ¿En qué mano me azotan?

»¡Da! ¡Pega!

»Los doce: disparen, apunten, ¡fuego! ¡El último fuego en lugar de cena!

»¡Maldita sea la malaria que mana manos de la manca… ¿O son dos las mancas?

»¡Sangra!

»¡Arillo! ¡Apunten el gatillo!

»¡Ayyy! Este maldito sudor me llora en los ojos, ¡no veo! ¡Vengan a parpadearme! ¡Que me parpadeeeeen, les digo!

»¡Parpadeo! ¿Paso mi mano para limpiarme el ojo? ¡No veo, digo! ¿No ven que no veo? ¡Cuál no veo! ¡Cuál mano! ¡Cuál tengo! ¡Sangra! Brota mano de la mano, te digo.

»Soy la Carcayona para servirle a usté, mi príncipe. ¡Las dos soy, mis turcos! ¡La ley!

»¡Que no me corten la mano! ¡Pago pero no me la corten! ¡Pagaré lo que sea! ¡Rodrigo, hermano mío! ¡Paga, paga, Rodrigo! ¡Págales ya que ya me la están serruchando! ¡Entra y sálvala, sálvame la mano, Rodrigo!

»¡Tírales a estos bellacos una moneda!

»¡Al peso, la moneda! ¡Al bellaco, la salchicha! ¡Salchichas y monedas a los perros bellacos, y chorizos! ¡Un chorizo te doy, y tú me das mi mano! ¡No me la cortes!

»¡No me cambien mi mano por un arcabuz!

»¡Rájame la mano! ¡Inmovilízala! ¡Atúsala, que carcayonamente yo creo, creo en Dios padre, mano! Échame fuera de España. Creo, igual creo. Un solo Dios. Un solo altísimo. Un solo padre. Un solo hijo. Un solo Espíritu Santo. ¡Una sola mano!

»Creo tanto en tantos únicos que por lo menos son tres, y la mano. ¡La mano!

»¡Creo, creo y creo!

»¡Me faltan tres manos!

»Tengo tres manos, las tres arcabuceadas, abiertas como flores despertadas... ¡Despiertan las flores, cuando se abren sus botones, o siguen dormidas, nomás petalotas?

»¡Flor abierta y rota a un mismo tiempo, mi mano sangra!

»¡Que no me la corten!

»¡Que no, que yo no conozco a Sigura, maldito albañil de mierda!

»¡Me batí en duelo porque su hijo y yo en las calles de Sevilla jugábamos

»con un año de más,

»con un año de menos,

»con un culo perdido,

»en un barco marino!

»¡Quién no va a ver, dígame!

»¡Yo no, yo no, yo no!

»¡A nadie lo convierte en puto un espadazo! ¡En Sevilla quien no nefando peca no sevillanea!

»¡Déjenme en paz! ¡A ustedes qué!

»¡El orden, el orden lo cargo yo, pasa eso, tengo tres manos!

»¡Las puertas del cielo están abiertas para los sin manos, para los que tienen cinco manos, seis cerraduras tengo, las llaves son mis dedos!

»¿Cuántos me quedan?

»¡Manos! ¡Las puertas del cielo están abiertas para los sin manos!»

Yo, que ya no le aguantaba sus estúpidos gritos delirantes —que no eran como te confesé, tal como estos que escuchas, sino de otros, palabras rotas las más por su delirio—, le contesté, por atajarlo:

—¡Las puertas del cielo están cerradas para los cobardes, abiertas para los valientes! ¡Y tener o no tener mano cuenta para maldita la cosa, que no habrá cómo cogerlas para abrirlas!

Lo hice nomás citándole lo que los capellanes han andado diciendo a voz en cuello en la batalla, y añadiendo unas poquillas de palabras de mi cuenta. Pero el hombre sólo me oyó para recomenzar en su principio, siguió su delirio sin que ya nadie lo escuchase:

«¡Sangra! ¡Mi mano sangra! ¡Me rompo por el camino de la mano atusada!

»Nadie, nadie me dará la mano, nadie.

»Nada.

»Tengo cuatro manos. Camino el mundo como un perrillo, y ladro. Ladra mi mano, ladra sangre. Todo ladro, escupo por la mano, por el muñón de lo que fue mi mano.

»Pierdo mi mano para gloria y suerte de Dios Padre, y ahí se la encomiendo. Le encomiendo las dos manos. Le envío por el momento un trozo de la izquierda. ¡Que la tome la ley, que a la ley le pertenece! Para su mayor gloria, por el camino de los arcabuzazos, el de Sigura, segura Sigura, el que se deje promete!... y el delirio se perdió en el silencio.»

Y de pronto calló. Y, Avendaño, el Carriazo te lo ha anotado todo, que estoy fatigado y como una veleta me dejo llevar por lo que me zumbe más cercano. Y miento.

Pero debo concentrarme. Si yo, que aquí lo cuento, pierdo el cuento, ¿qué nos queda? El generalísimo bailaba, y el último de los soldados alucinaba con manos extras y manos menos, convertido por momentos en un insecto de esos que tienen más de muchas patas, y con un tris tornado en gusano, que ésos ni a patas llegan. ¡Nadie conservaba consigo un ápice de cordura!

Eran las cuatro de la tarde, la batalla se dio por terminada, y perdón si me repito. La armada turca estaba destruida. El saqueo propiamente dicho comenzó. Mientras navegábamos viento en popa buscando qué otra nave turca limpiar en nuestro provecho —en la nuestra se apilaban los candelabros de bronces, las salseras, las servilleteras de plata, las monedas de distintas denominaciones, las prendas de seda, los aretes, las cadenas de oro, lozas muy diversas, pipas, bases para pipas, tenazas de la cocina, navajas de afeitar, bacinillas, frascos de perfume, una cantidad verdaderamente abominable de vasos y botellas, algunas de brandy—. En una de esas que alcé el tronco, vi en una galera vecina, más baja que la nuestra, a un cura preso de un fervor curioso: había desatado el lazo de su sayal y lo ataba al cuello de un infiel. ¿Una venganza, una enseñanza, una amenaza? ¿Es que el turco se negaba a tomar el remo y el cura quería hacerlo entrar en razón? ¿Es que el cura intentaba convencer al turco de cuál es el Dios bueno? ¿Es que vi mal?

¡Lepanto es un infierno, amigo! ¡Habías de haber estado conmigo aquí para ver a cuánto puede llegar un hombre, qué olvidadizo puede ser de su naturaleza hombril, qué cerca sabe estar de la fiera, cuán poco lo guía la razón!

La noche llegó lluviosa y cargada de ventarrones.

Antes de dormir, oía yo murmurar a voces que nuestra victoria se debía a una sucesión de milagros. ¡Milagros! ¡Milagro es que yo, que no nací para ganar una moneda, ni para conseguir por mi pulso ningún cometido, sea rico! ¡Y a costa de qué, por qué casualidad, dejando a cuáles dos niños pobres! ¿Llamarás milagro a mi suerte? Yo no me atrevo.

¿Te dije ya que después de que conseguimos la victoria ha habido un desorden inmenso?

Al comenzar esta carta te hablaba yo de no querer traernos a ti y a mí más líos, y te dije que aceptaría que me cayera encima otro, si fuera otra carga de oro, pero ya que he revivido lo que fue la batalla, me desdigo. No quiero líos y tengo más oro del que pueda imaginar saber gastar.

Ve planeando adónde iremos, dónde nos hospedaremos, qué mujerzuelas visitaremos, qué triquiñuelas plantaremos.

Tuyo,

(Firma ilegible, letras minúsculas, trazos nerviosos. Ni con mucha imaginación puede uno leer en ella «Carriazo».)

65. Posdata

Estamos varados por el mal clima, a mis ojos que llevamos aquí ya mil días. Amigo mío, Avendaño, ¡con decirte que suspiro por mirar de nuevo los muy sin gracia Peloritanos, que, aquí te explico, son los montes que guardan y protegen a Mesina en la isla de Sicilia, donde unos enfadosos piratas de Cumas fundaron su Zancle, ¡y Zancle yo creo que le pusieron porque ninguna gracia le vieron al sitio!... Ahí donde nuestras tropas fastidiadas desgastaban los días en rencillas. Ahí quiero volver, ¡vernos otra vez metidos en ese hoyo, comparado con lo que habemos me parece un paraíso!

Para detener las dichas rencillas, Veniero hizo ahorcar a justos y troyanos, esto es a españoles y venecianos, que una grande se armó por culpa de un bañista español de nombre Alvarado. Se bañaba, como digo, lo insultaron de la manera más grosera unos italianos, incendiándole la sangre. No pudo vengarse ahí mismo, pero los siguió a la galera, ahí entró a dar de furibundas cuchilladas, porque la verdad es que había perdido el seso...

La que se armó. Los españoles, sabes, no somos nada queridos fuera de casa, y en Mesina, cuando se alborotaron las aguas, la tirria al español llegó al ridículo. Hubo un ir y venir de cuchilladas, y aquello parecía terminaría en un mar de sangre. Luego un muchacho comedido, al que llaman el Pincel, afable y siempre sonriendo fue hablando con uno y dos y tres, los cabecillas de los que más se revolvían, y consiguió traer serenidad, mientras sobre sus cabezas bramaban don Juan de Austria y el Veniero, y hasta Doria se metió aquí, que se dice que fue atizado por su impertinencia, que Veniero se atrevió a ahorcar al español, yo no lo sé.

El muchacho ridículo (o, como le dije, «comedido», que el uno rima con el otro), recordarás, es el mismo que demostró ser un maestro de la espada en *la Real,* y para mayor sorpresa ser María la bailaora. No ha dejado *la Marquesa* sino por un momento, que la hizo llamar el mismísimo don Juan de Austria.

Pero ¿cómo me atrevo a ponerme a contarte aquí cosas? ¡Vieras, Avendaño, el espectáculo que me rodea! Nada peor nunca he visto, amigo. Esto no quiero dejarlo escrito aquí porque no sueño sino conque desaparezca. ¿Por qué lo he de dejar fijado en tinta?

66. Posdata segunda, y más principal (y que si pudiera borraba la anterior, que no lo hago para no darte un papel sucio, todo lleno de borrones)

Arribamos a Corfú, medio muertos de hambre y de mareo, el día 24 de octubre. Añado datos que deben satisfacer tus curiosidades, si no he conseguido barrerlas de tu persona: los enemigos perdieron 35 000 personas, entre ellos 34 capitanes de fanal y 120 gobernadores —enlisto a Kapudán-Bajá, Mehemet Sirocco, los beys de Angora, Lepanto, Metelin, Nicópolis, Biglia, Tchurum, Kara-Hissar, Sighadjik y Chio, y el gobernador y el escribano de Constantinopla, más el bajá de Nicosia, Cumbelat Bey, el Sanchae de Antipo, y otro de Arabia, Solimán Bey, y Mustafá Bey, el general de los aventureros, Fergat rey de Malatia (que otros llaman Melitine, cual fue su nombre en tiempos antiquísimos)—. Son ahora nuestras 108 de sus galeras. Fueron 150 000 sequines de oro los encontrados en *la Sultana.* El corsario Kara Hodja traía 40 000 sequines. De los nuestros 7 756 personas, 4 800 venecianos, diez voluntarios ingleses murieron —Neville, Clabourne, Beaumont, Brooke— pero restaron vivos los doce voluntarios franceses.

Rescatamos 12 000 cautivos, que es decir sinvidas, más cristianos acabamos vivos que los que hubimos al comenzar la lucha. ¡Hubo multiplicación de cristianos! Pero esto no fue un milagro como la de los panes. ¡No! ¡Nada de milagro! Es simple aritmética y tomar por muerte la vida de un cautivo.

Hicimos nuestros 117 arcabuces de cañones largos y 274 pequeños. De los 80 000 turcos que se presentaron al combate, creemos que habrán vuelto a Constantinopla unos 10 000, y esto con mucha suerte. El número de esclavos que hemos hecho no te lo puedo decir, barajan tantas cifras distintas que todo son cartas marcadas. Algunos pocos escaparon a tierra firme o a Morea.

Llegando a Corfú hubo tres noches y sus días de celebraciones. Las putas que te decía reaparecieron. La grita que se expande es: «¡Ahora vamos contra Jerusalén!» ¿Sabes qué, Avendaño? ¡Conmigo que no cuenten!

67. Anotado al margen, en el mismo puño con que va escrita esta carta

¿Quieres más cifras, Avendaño? Obligado como he estado a quedarme este papel escondido entre mis ropas —y qué digo ropas, que lo traigo tan pegado a mí que más parece enredado a mis carnes—, por no haber aquí correo confiable, seis días después te anoto al margen los números: apresamos 130 galeras enemigas, les hicimos perder treinta mil hombres, nos zurraron los malditos con 7 600 muertos nuestros. Los que hemos hecho presos no han sido todavía contados.

Termina la anotación al margen. Llegamos al fin de la segunda parte de la novela, que consistió en la carta de un bribón que relata la batalla de Lepanto.

Cuatro:
El nuevo mundo

68. En que se narra y describe qué ocurrió el 8 de octubre del año de 1571 en el puerto Petela, sito a la entrada del golfo de Patras, el mismo que llegará a conocerse como Lepanto por la celebridad que ganó con la batalla del mismo nombre. Háblase de lo que ahí se ve, y continúa la historia de María la bailaora

Hoy el mundo comienza. Ha quedado roto el poder de los infieles. Principia para la cristiandad la nueva era. Es el primer día, hecho a imagen y semejanza del Día Uno, tal y como el hombre lo es de Dios, imitación del inicio, cuando el Creador comenzó su gran Hechura y todo era Caos revuelto.

Después de la prolongada tormenta nocturna, se asoma el amanecer entre diminutos chubascos y violentos ventarrones que se apagan tan intempestivamente como empiezan. El sol, tímido, tartamudeando, ilumina apenas el pequeño y pobre puerto de Petela con sus dos disimilares muelles.

Petela queda equidistante entre el puerto de Lepanto y las islas Escochulazas. Más de dos decenas de galeras se agolpan alrededor de su largo y semiderruido muelle, puesto ahí por quién sabe qué ejército en quién sabe cuál remota campaña que tal vez no terminó en enfrentamiento bélico, apagándose en alguna caza boba, persiguiendo desarmados enemigos en fuga. Pisándoles a estas veinticuatro galeras los talones, se agolpan cientos más, apeñuscadas, la arrogancia perdida, sin sus velas, banderines, estandartes, flámulas y otros adornos, tan cerca las unas de las otras que parecen una sola nave monstruosa, descomunal o, mejor todavía, una masa insensata de tablones mal armados, puestos ahí sin ton ni son, enclenques e indefensos ante los caprichos intempestivos del desgraciado clima. El otro muelle, insignificante como el propio puerto Petela, es el de los pescadores, mucho más pequeño y en bastante mejor estado. A su vera no hay galera alguna por dos motivos: porque las naves de más de dos remos encallarían en la poca profundidad del agua que lo rodea y porque rodeándolo, cercándolo, han clavado palos de afiladas puntas en pico, acomodados en dos o tres hileras y en cantidad muy considerable, formando un bosque de picas.

El agua marina, presa de un rubor maligno, sanguinolenta, llega a la costa más cargada que las galeras, pero decir llegar es exageración y lo de cargar es un error. Estancada en esta pronta inmovilidad, es un agua en pedazos, un agua desgarrada, cortada por la multitud de cosas y cadáveres que ha traído a la orilla. Está rojiza, hiede a sangre, a carne y a restos del fuego. Agua, fuego, aire y tierra, los cuatro elementos primordiales están aquí revueltos. El aire es agua, el agua es tierra, la tierra es fuego, el fuego es aire. Ya quedó dicho al comenzar estas páginas: estamos en el territorio del Caos primero.

La luz del amanecer ilumina: vida y muerte también se revuelven.

En cuanto deja de llover, una súbita calma chicha amortaja a los soldados con pegajosa humedad. Acaban de levantarse, deambulan lerdos. Los heridos graves no tienen fuerzas para gemir, los médicos pierden esperanzas y toman un respiro antes de redoblar sus esfuerzos en los que aún ameritan cuidados. En las galeras cristianas reina el desorden completo. Las cadenas de los galeotes están vacías y sueltas, las bancas son lechos para los heridos; entre la mierda y los orines cuelgan las vendas, los escudos, los petos, los cascos estropeados, algún desafortunado y ya silencioso tambor, allá un clarín arruinado por una bala de arcabuz, palos rotos, cabezas humanas y chirimías. Sobre la crujía, se amontonan los objetos producto del pillaje: caftanes, cajas de diversos tamaños, armas, sombreros, zapatos, vestidos de seda, brocados y telas riquísimos, armaduras de oro, cascos trabajados de hermosa manera, tapices persas, turbantes, garzotas de plumas, esculturas de oro y de marfil, tallas doradas, joyas de cuanta clase imaginable, bolsas llenas de monedas. Tanto hay que a veces las pilas se vienen abajo y caen al fondo del casco —mierda y orines acumulados de los galeotes cubren los suelos volviéndolos resbalosos, si así puede uno llamar al fondo infernal de las galeras—, pero nadie le da importancia. ¡Cuánta cosa hay aquí en Petela! ¡Qué variedad revuelta se ofrece a nuestros ojos! ¡Todas las telas, los colores, los materiales! ¡También hay comidas, bebidas y frutas diversas! ¡El mercader más viajado no podría ofrecer una cornucopia más opulenta!

Las infinitas curianas que habitan las galeras —que así llaman aquí a las cucarachas, por ser muy largas y gordas—, así como los muchos ratones, se revuelcan y recorren la nueva carga, excitadas, como si tuvieran la inteligencia necesaria para gozar del nuevo banquete. ¡Ya caerán las chinches, que aquí son tantas que hay los que las hacen correr unas contra otras, cruzando apuestas para matar el fastidio de las frecuentes marinas esperas!

A los vivos los amortaja una neblina espesa, insidiosa, grisácea, repegada a todo cuerpo en movimiento. Ataviados así, intentan reproducir alguna rutina. Pero es el día primero, todas parecen no corresponder a la siguiente. Aquí no existe el concierto. Antes, durante semanas, se prepararon oficiosos para el ataque. Vencido el Gran Turco, revueltos, regresados al caos original, no hay en qué afanarse —azacanarse, según el habla de la gente de mar—, y laxos, confusos, desordenados no están ni en la juerga ni en el día laboral.

Los vivos parecen todos prestos a abordar la que cruza el Leteo, porque en mañanas así la Muerte no descansa. Los cadáveres flotan alrededor de las galeras y los dos muelles, o se agolpan en la playa: ¡buscan cuál barca por piedad los lleve pronto al otro mundo!

Sobre el muelle pescador, los cristianos han improvisado un campamento de esclavos. Turcos, albanos, personas de aquellas naciones que conforman el imperio otomano o víctimas repetidas, que lo serán ahora de los cristianos como lo fueron de los infieles. Los hay de piel oscura, pálidos de ojos rasgados, rubios que parecen venidos de donde la tierra es hielo y desierto. Restan pocos heridos, los que engañaron el cedazo celoso del ojo carnicero, eligiendo a los viables y echando al mar los que consideraron desechables. Están ahí rodeados por la cerca de palos picas, a los pies de los cuales se agolpan de manera grotesca los restos de la batalla.

Vuelve a soplar el viento, arrecia golpeando impío, tal y como si amase a los turcos y manifestase el enfado de verlos perdidos. Las naves chocan unas contra otras, remedan toros enjaulados, sus cuernos se enganchan en la cerca, golpean inútilmente sus cabezas contra el corral. Mientras más se dan, más atoran sus cuernos.

El viento deja de soplar y otra vez la calma chicha desespera. Entonces la lluvia arrecia, parece provenir de las olas, gotas muy pequeñas, mareadas, que bailan en desorden, cada una como una gota rota. Gotas sucias, cargadas de sangre, el mar aquí está tinto como el vino de tanto llevar cuerpos, miembros, heridos. Algunos desesperados nadan aún, son de la flota turca; no encuentran cómo llegar a tierra sin ser vistos por las masas de soldados cristianos.

En la galera que se hace llamar *Marquesa*, María la bailaora acaba de caer dormida. Pero no es insensible a lo que la rodea. Sabe dónde está. Lleva días en este orden trastocado. Su vigilia se comporta como el sueño y los sueños están vestidos de una serena vigilancia. Pasó la noche velando a su amado, el cuerpo de don Jerónimo Aguilar, despierta vivió la noche entera en el agitado mundo de los sueños. Pasaron frente a sus ojos confusas escenas vertiginosas donde ella no tenía cabida; no había lugar para nada en esos cuadros; eran la escenificación de un dolor que María no había conocido, como si al morir don Jerónimo Aguilar una parte de su persona viajara por donde viven los que están bajo las tumbas antes de emprenderla hacia los infiernos o el cielo. Pero no viajaba ahí en su nombre sino en el de la sangre turca que había hecho correr el filo de su espada. Estaba cebada, como el tigre. Había matado. Había oído el quejido que exhala el pulmón cuando es penetrado por el acero. Su puño sabía cómo camina la punta en el pecho que le ofrece resistencia, y cómo y cuándo rompe. Conocía el olor de la muerte.

Al dormir cree que se dice con más claridad lo que le ocurre: que anoche, ayer, en el día de la gran victoria, en la gloriosa batalla de Lepanto, perdió a su amado, su dueño, el amo de su corazón, el que la volvió soldada en Lepanto, enemiga de los otomanos, aliada de la cristiandad, que debiera serle odiosa. Por él, por eso, por lo que ahora no es más que un bulto, por un cadáver, por carne que está a punto de comenzar a heder, María la bailaora no se comportó como correspondería a una gitana granadina, la amiga de los moriscos, la que porta bajo el brazo un valioso encargo. Se engañó diciéndose que defendía a Famagusta. Se defendía a sí misma al perseguir al hombre que amaba. Ahora cree que incluso lo adoró, así se lo dice.

Pero sólo ve un poco y no se atreve a saberse cebada, asesina, a decirse «Soy la Muerte». No se atreve a confesarse que al oír el silbido del aire salir entre borbotones de sangre, una voz le bramó, la de Caín, una que no canta, que aúlla, que quiere volver a salir. No piensa en esto. Sólo en «su» don Jerónimo, que dio la vida «por ella», que la hizo «por él» engancharse en la Santa Liga. La Fiera de la Naval miente, se miente.

Sólo hay una pasión mayor que la que ahora siente: los celos. Los incontenibles, los afilados, los insidiosos, los incontrolables celos. De un muerto no puede sentir celos. Aunque la intensidad de su sentimiento es tal que se diría que María siente celos de los ángeles, los demonios y aquellos otros seres que andan donde ella no puede andar, que se lo han robado, que disfrutarán de la presencia de Jerónimo.

«Por él —ella se dice, ahora que duerme, cuando puede asir de alguna manera congrua sus pensamientos—, ¡por él!» ¡Por él, que murió por ella en un acto de amor supremo! «Se sacrificó por mí», María sueña, sin despegarse un ápice de la vigilia. No descansa, atrapada entre el sueño y el despertar. Pero cualquier otro podría pensar que el corrupto capitán se sacrificó. El fragor de la batalla le calentó los helados huesos; que se aventó porque tuvo que hacerlo. Muy probablemente se vio a sí mismo haciéndola de héroe, y no resistió cumplir con la imaginación.

María no sabe cuáles fueron los últimos pensamientos de Jerónimo, ni tiene idea de qué era él, quién, cuál, ni sus cómos ni sus qués. Porque al caer sobre el piso de *la Real,* con los ojos aún abiertos y la última exhalación de su conciencia, se vio, se reconoció. Vio a sus padres fingiéndose ricos, sus bolsillos vacíos, afanándose en aparentar para acomodar a sus vástagos; vio a sus hermanas entrar al convento, dotadas de dotes imaginadas y prometidas; vio a la mujer que él amaba también entrar al convento: en su pobreza, no pudo ofrecer ninguna dote aceptable para su casamiento, y lo más que pudo hacer fue, luego de deshonrarla una única vez, regalarle las influencias para hacerse entrar como si fuera muy rica. Vio desfilar des-rostradas a la serie de mujeres con quienes tuvo sin tener historias de amor y de deseo. Olió a las cuscas, bailó y abrazó a algunas bonitillas, se asqueó, cambió de amada, todo en segundos. Vio su habilidad para ganar dinero echando mano de artes no muy limpias, vio su certeza al invertirlo, con tino convertirlo en bienes. Vio que no dejaba herencia, que no tenía hijos, que sus hermanas tampoco los tenían, que no hay sobrino ni pariente alguno, que todos sus bienes serán de la Iglesia y, por un instante, con una turbia carcajada que no alcanza a salir de su yerto pecho, ve cómo el producto de sus malos usos, hurtos, abusos y corrupciones, le abrirán, a punta de misas y dádivas, las puertas del cielo.

San Pedro se le aparece meneando una bolsa de doblones. Lleva una campana que en lugar de badajo trae colgado un real. Tiene los dedos cubiertos de dedos, los más parecen turcos.

Pero eso fue allá, cuando don Jerónimo aún vivía y vio de frente a la Muerte, cuando escapó a María de última y definitiva manera. Ahora, sobre *la Marquesa,* cuanto rodea a María es confusión. Nadie marca distancia con el Caos y nadie dice nada claro. Todo pertenece a la imitación del Día Primero. ¿Quién no lleva todo revuelto? ¿Qué hace a María excepción? ¿Es una más entre los confusos, los miles de hechos a medias, los aún no creados como lo fueron el Día Primero, los del comienzo, en el Caos? María celebra la ceremonia íntima, la amorosa, como nunca lo ha hecho. Posee a su amado entero para ella, lo tiene en sus brazos, entregado completamente a ella, él es suyo, ¡suyo!, sin que la sombra de sus escapatorias marque distancias. La realización amorosa ocurre entre un cadáver inmóvil y un corazón en duelo. Son el uno para el otro. Son la entrega completa, el instante que semeja la eternidad. Se consuma el ágape. Y la sublime unión de dos almas contagia su alrededor: la luz abraza el cuerpo de la oscuridad cubriéndola del todo, las olas besan la pedregosa costa. El contagio de inmediato se enferma: sobre la costa, aquellos cadáveres emulan el amor, abrazándose con una lasitud que conmueve; la esperanza y el horror se dan la mano y bailan, y creen que son amigos.

Las corrientes del mar han depositado en la costa, junto a las galeras y alrededor del campamento de esclavos, la pedacería que dejó la pólvora: miles de cadáveres y restos humanos, trozos de remos, tablones, palos, velas y picas. El mar vomita los restos de la batalla a los pies de los victoriosos y sus cautivos. Grupos de cristianos andan como buitres, caminando malamente sobre la alfombra de cadáveres, buscando botín de guerra. Rebuscan en busca de aretes, anillos, monedas escondidas en los vestidos, las ropas, los entresijos del cuerpo. Remueven las pilas de cuerpos que el mar les ha depositado en la arena, y en cuanto van tocando —buenos agentes del caos reinante— dejan la impronta de su codicia.

Las naves turcas aún llevan a bordo un número importante de cadáveres. Don Juan de Austria ordena no tirarlos por el momento al mar, pues todos son arrastrados a sus pies. Las pocas embarcaciones pequeñas con que cuentan no se dan abasto para remolcarlos a donde la corriente los arrastre a otras costas.

Los más de los cadáveres dan un espectáculo horroroso cuando no vomitivo, flotan aquéllos hinchados de agua; éstos muestran las tripas fuera, los vientres abiertos, las cabezas separadas de los troncos; los miembros arrancados descansan en la arena; hay dedos, infinidad de dedos, hay manos y pies, hay piernas, hay narices; si la armada turca fue rota, sus hombres quedaron en pedazos y han sido empujados a la costa; la marea inocente los trajo aquí creyendo que, al contagiarse del buen espíritu de los victoriosos, los trozos encontrarían a sus respectivos trozos y los cuerpos podrían volver a reunirse, a formarse, como si éste no fuera el primero sino el último día. Los cuerpos se despedazarían. Pero el contagio ha sido en sentido inverso. Allá, dos soldados cristianos que no han dormido se refocilan atormentando a un herido turco. Comenzaron a golpearlo para obtener informes de dónde hallar riquezas escondidas. El turco no ha hablado y ya no podrá hacerlo nunca más, que sus verdugos lo han dejado sin lengua ni labios, pero aún tiene vida, le infligen sufrimientos lentamente, en festiva disposición. Si algún ser superior hiciera valer en ellos la ley del «ojo por ojo y diente por diente», los golpeadores estarían tuertos y las bocas huecas, vacías. ¿Nadie irá a acusarlos con los altos mandos de la armada cristiana? ¿Qué sentido tiene cebarse así con el dolor ajeno? Don Juan de Austria ha permitido el libre saqueo, creyendo a sus valientes justos merecedores de éste —la paga no es mucha y acostumbra a ser irregular—, pero no dijo «Den rienda suelta a toda crueldad». Su recomendación no hizo falta. Los que tienen piedad usan el cuchillo para cortar gargantas, han soltado las amarras dejando ha mucho toda piedad. Don Juan de Austria celebra. Si llegaran a decirle que sus hombres se cobran el pago del triunfo machacando las carnes de los vencidos para obtener bizarros placeres, ¿lo impediría? ¿Los reprendería siquiera? Cuando zarparon de Mesina llevaba la recomendación de Pío V: que todos los soldados se comporten ejemplarmente y que se rece mucho. ¿Cómo fue que lo dijo? En una carta expresó muy bellamente a don Juan de Austria que le encargaba encarecidamente que «se viviese cristiana y virtuosamente en las galeras, que no se jugase ni se jurase». El generalísimo lo tomó muy a pecho e hizo colgar a un hombre en Mesina por haberle oído decir una maldición que lastimaba el nombre de Cristo y su familia. Pero, para empezar, no hay quien vaya a informar de estos goces a don Juan de Austria, quien ajeno al caos reinante, está a todas luces eufórico de alegría. Con su camisa negra... dijo quien lo vio: «Su Alteza estaba herido en el pie de un flechazo, aunque fue poca cosa. Comió ayer en la galera de Juan Andrea, donde también llegaron convidados el príncipe de Parma, el de Urbino, el conde de Santa Flor, Marco Antonio Colonna y el comendador mayor. Juan Andrea estuvo muy comedido y le rogó y porfió porque se sentase, deseoso de ganarse la aprobación que no mucho merecía por su cobarde gobierno en la batalla, pero don Juan de Austria se negó, ostentando su estar de pie contra la cobarde tacañería de Doria. Yo entré en ella con dos caballeros. Y Su Alteza, muy regocijado y con una camisa muy negra que no se la había mudado después de la batalla y que mostraba bien el trabajo que había tenido, habló efusivamente a lo largo de toda la comida de la batalla, y engrandeciéndola como lo merece, dijo: *"Esta jornada era para mi padre"*». Otro motivo por el que no se alza una sola voz para informarle de los goces negros de sus hombres es porque una espesa cortina de humedad recubre todas las escenas. Los hechos se desdibujan: de poca cosa ha servido este amanecer que nada más instalarse se ha enturbiado.

Por el momento, la galera *Real* está en silencio, no canta. Durante el trayecto —incluso cuando el mal tiempo flagelaba la armada cristiana—, así como a todo lo largo de la batalla —también cuando quedó encajada por *la Sultana*—, al son de sus tablones catalanes golpeando las olas, *la Real* cantó sin parar: «Yo soy la más bella, soy sabia, soy fuerte; reúno todas las virtudes, soy la única que se cumple en sí misma. Yo no necesito Guerra, ni requiero de la Paz, ni del mar siquiera, ni me importa un bledo tierra de quien he tomado lo que necesito; soy plena, me basto a mí misma».

La Real continúa siendo bella porque no sabe evitarlo, pero rodeada del escenario descrito y poblada por los carpinteros que la trabajan para regresarle su aspecto impecable, parece más un taller que el asiento del generalísimo. Como se ha dicho, está en silencio, en silencio total, como cuanto la rodea es una cosa deshecha, sus cuerdas destensadas, incapaz de un canto armónico. Alrededor del casco en reparación, los cadáveres la golpean, azotados contra ella por el movimiento de las olas; parodian a las abejas frente al panal. Así, y sin cantar, sin decir en sonora voz sus cualidades, *la Real* algo tiene que repugna. Se diría que ella misma está asqueada, aunque esto no puede jurarse, ¿cómo saberlo, si *la Real* ahora no se expresa? Chirrían las sierras, golpetean los martillos, los cadáveres, como se ha dicho, zumban, y la gorda satisfacción de don Juan de Austria, aún reposando en la cámara real, es tanta que parece que la eructa, y esto repetidas veces. Don Juan de Austria se embelesa pensando que se vuelve rey de Albania (¡hic! —se escribe aquí *hic* por desconocerse grafía mejor para el eructo—), que se hace de un reino tierra adentro en Túnez (¡hic!), que se casa con la reina de Escocia, María Estuardo (¡hic!), o con la reina Isabel, la inglesa (¡hic!), que es nombrado rey de los Países Bajos (¡hic!).

La Real sabe no ver e ignorar, pues es su propio centro. Ignoró cómo, en la primera vuelta del saqueo, junto con las más visibles riquezas que eran muchas, despojaron las galeras vencidas de los barriles de vino y extrajeron los muchos que sumaban los dos de agua que cada forzado lleva bajo el banco. En la cuarta ronda hurtaron las velas otomanas —¿se le puede llamar hurtar a lo que les pertenece por legítimo derecho?—, que son mucho más ligeras que las cristianas, dos veces menos pesadas que las nuestras porque los turcos echan mano de una tela de algodón muy ligera, de tejido cerrado, mientras que las nuestras son de hilo de cáñamo, cuando se mojan pesan tanto que inclinan las galeras. En la quinta ronda, el botín consistiría solamente de cobertores y otras menudencias.

Pero la quinta vuelta queda ya lejana y no dejan de visitarlas, siguen dándoles vueltas, buscando, hurgando, arañando, husmeando, revisan hasta las junturas de los tablones.

Los buitres dichos, los cristianos que rebuscan entre los caídos que ha traído aquí la mar, meten los dedos en las bocas de los muertos, removiéndolos bajo la lengua y entre los dientes; ¿habrá un anillo, una monedita, una pepa de oro bajo la lengua, en la garganta? Los más remueven también adentro de los anos y no hay quien no desnude las medias rotas para ver qué halla entre los dedos de los pies. ¡Los vencedores están como machos en brama, buscando ansiosamente dónde meter la punta y sacar jugo!

En cuanto a María la bailaora, luego de mucho intentarlo, cae un instante, inmensurable de pequeño, en el *verdadero* territorio del sueño, donde el mundo se apaga y comienza aquella otra vida. Un instante, y en él también, simultáneamente, regresa al odioso mundo: «Yo soy la muerte, yo sola», se dice María, en su sueño. Asqueada de sí, atemorizada por sí misma, regresa a la vigilia, a donde arriba agitada, como si viniera de correr en campo abierto. Pero no se ha movido. Cayó dormida tal y como veló, las dos rodillas en el piso, la capa colorada a los hombros, el cabello alborotado. Despega la cabeza del cuerpo que ha velado durante la noche. La ha traído en firme a la vigilia oír unos remos batir rítmicos el agua. Ya está bien despierta cuando oye que los tablones de una pequeña embarcación golpean contra *la Marquesa*. María la bailaora se levanta. Camina hacia el barandal para ver quién ha llegado, quiere oír qué dicen porque cree haber escuchado «don Jerónimo Aguilar». ¿Vienen por él? Por un instante milagroso, el mal clima se calma, la espesa niebla se levanta, cae un rayo cruel de sol y se detiene la sucia lluvia:

375

frente a María, sobre la superficie del mar, al pie de las muchas galeras y hasta donde alcanza a ver el ojo, miles de cadáveres se exhiben despojados, rotos, hendidos; vaciados navegan en el agua rojiza. Como para dejarla ver, las naves están alineadas de tal suerte que hay un claro entre ellas por el que puede pasar perfecto el ojo de María y ver, ver lo dicho bajo ese primer rayo de sol del nuevo día. Esto dura un momento. El viento vuelve a soplar, el rayo aquel de sol corre a ocultarse tras los grises nubarrones, caen gordas gotas de una lluvia pertinaz, la neblina se acerca caminando de puntitas: lo último que es visible a María es una jauría de perros devorando algún cuerpo en la playa. ¡Ay, la marea se enfurece también! ¡El mar regurgita, haciendo coro a los sueños de grandeza de los generales vencedores!

La visión que María la bailaora acaba de presenciar se le ha encajado en la retina, se niega a entrar en su conciencia, está clavada como una paja en el ojo, como una arenilla en el párpado o una irritante pestaña.

A su lado está ya el cuerpo de soldados que tiene asignada la labor de peinar las galeras y llevarse consigo los cadáveres de los soldados cristianos. Tienen la orden expresa de llevarse al que sujeta María la bailaora. En María no hay fuerzas para objetarlo. Los comisionados solicitan a otros firmen testificando que el muerto responde al nombre del muerto, lo hace el alférez Santisteban; no piden a María la bailaora que lo haga porque ya es a ojos de todos *sólo* mujer.

Entre dos soldados cargan a don Jerónimo Aguilar tropezando en la espesa neblina, van a lo ciego. Lo bajan del barco sin mayor ceremonia y lo tiran sobre la pila de cadáveres que van alzando en la liburnia fúnebre. Se van, los remos esquivando escollos, que son todos restos de la batalla.

El peso del día de ayer completo cae sobre los hombros de María y por un momento piensa que no puede sobreponerse. Le tiemblan las rodillas. Toda María es memoria reciente, la de ayer. No tuvo tiempo de vivir lo que vivía. Separada del cuerpo de don Jerónimo, su conciencia despierta, regresa a un punto, se adhiere a éste y recuerda. El que ha elegido para hacer nido y recordar, o el que la ha elegido a ella, es el momento en que *la Real* ha sido capturada gracias a sus buenas labores guerreras. Entonces, mientras a su lado la soldadesca se crecía sin el temor del enemigo y con la exaltación natural de la visible victoria, María la bailaora oyó, sintió y pensó lo que aquí sigue:

69. De lo que aconteció a María la bailaora apenas ganó para los cristianos *la Real* con su muy magnífica participación en la de Lepanto, según quedó impreso en su memoria. Se desglosa cuál fue el ánimo que la sobrecogió, así como el modo en que ella imprimió el orden de los hechos. El lector notará que el recuento no es fiel, que María la bailaora corre tropezándose, que la neblina que la rodea se coló pertinaz en los recuerdos

—¡Cuarenta, mató cuarenta moros! —gritan sus compañeros con una exaltación que raya en la locura.

—¡Más de cuarenta, que yo perdí la cuenta cuando esta fiera llevaba descontados a cuarenta y cinco! —rebate alguno.

—¡No está herida ni de un raspón: es un milagro! —grita alguien, y repiten otros haciéndole eco:

—¡Milagro!

—¡Milagro!

Gritan, se menean, nadie se está quedo, zarandean hasta a los cadáveres. María la bailaora necesita cerrar los ojos, contenerse. La cabeza le da vueltas. ¿Qué pasó? ¿Cómo pasó esto? Por su brazo derecho resbala sangre fresca, sangre humana, sangre turca. ¿Cómo, en ella, por qué? La sangre gotea a sus pies, revolviéndole el estómago. Tiene los vestidos y la desnuda piel del torso también profusamente salpicados de sangre. Tiene la ropa desgarrada, los revueltos cabellos también batidos, ¿dónde quedó el bonete aquel que le dio el calabrés? No se mueve. Se mira hacer, mira lo que hizo en este mismo lugar, con su misma espada, lo mira con la memoria: *La Fiera* —como la llaman sus compañeros— fue un mecanismo de furia, no cejó, nada la detuvo, voló llevando muerte. ¿Cómo una bailaora, entrenada para defenderse en la espada, se convirtió en la guerrera más feroz, la mejor entre todas las armas a bordo de la nave capitana? Su cuerpo de bailarina entona siempre con lo que la rodea: en Nápoles bailó Nápoles, en Granada bailó Granada, en Argel supo bailar Argel. (Porque María la bailaora, creyendo dar la espalda a Argel, no hacía sino repetir lo que hacían los recién llegados a ésta: intentar conservar intactas las costumbres de su tierra; bailaba como cualquier argelina, atenta a la repetición de lo propio.) De esta misma manera *bailó* Lepanto, su bailar quedó poseído por el fragor bestial de la batalla, entonaba con el cañón que escupe la bala, con la mecha del arcabuz y su estallido, con la hoja de la espada. El cuerpo de María la bailaora fue el estallido de la pólvora, encarnó el filo, se poseyó del estampido, hablaron sus pasos con la lengua de la guerra. Ella, ella había sido el puño mortífero, ella la boca del averno, ella el sable encajado en el corazón, ella el filo rompiendo el vientre, ella fue la Muerte.

Alrededor de María la bailaora, los soldados corean, celebrándola, festejándola, vitoreándola. Y en todos crece el deseo de continuar. La batalla ha durado cuatro horas, la lucha cuerpo a cuerpo menos de tres; les sobran energías. Ebullen. Hierven. Efervecen. Ha llegado la hora del pillaje. «¡Ay, María, María la bailaora!» —le cantan y le bailan a ella, los soldados cristianos le bailan *a ella*—, la besan eufóricos, la cargan en andas. El grito corre por las galeras cristianas. Celebran la victoria. Se encomiendan a Dios algunos, dándole las gracias, otros gritan vivas y la cadena del nombre de María la bailaora no se rompe sino hasta llegar a tierra. Los tambores y las trompetas que están a bordo de las galeras para llevar el golpe de los remos, son parte de la fiesta. Los remos están desiertos. A media batalla, una parte importante de los galeotes de las naves otomanas se amotinó, echando a nadar hacia tierra, y otra entre los de los cristianos, como imitándolos, hizo lo mismo: los galeotes saltaron al agua; esquivando tablones en llamas y cadáveres se afanaron por alcanzar la arena, perderse en tierra firme y recomenzar su vida como bandidos, pues no soltaron las armas de que los habían dotado para pelear al enemigo. Sus cadenas están vacías, quedaron viudas de sus galeotes.

Bajo *la Real* el mar parece arder y parece que el fuego pone a saltar a los soldados, los cristianos dan saltos, están como enloquecidos, se preparan para saltar a las naves enemigas, ya no necesitan sino de las uñas, celebrarán la victoria hurtando. Inquietos, se impacientan. Se apresuran a desvalijar a muertos y heridos antes de tirarlos por la borda, vueltos afanados coleccionistas de anillos; van apresuradamente de cuerpo en cuerpo, zafando de sus manos las sortijas; otros buscan cadenas, otros monedas. No María. María no *siente* con ellos, no es más parte del grupo; tampoco los baila; su cuerpo, separado de los otros, le pide actos muy diferentes. María sólo quiere cerrar los ojos, tumbarse a dormir *donde sea*. Pero aquí no había un vulgar *donde sea*. María lo supo de pronto: va a comenzar a menstruar en cualquier momento y no lo ha previsto, no está preparada. Se acerca a la pila de cadáveres y (compitiendo con los que quitan de los cuerpos armas, prendas buenas, o esculcan las bolsas en busca de monedas, joyas o baratijas, descalzando y desvalijando a los muertos, en un ritmo muy distinto que el de los escrutadores) quita a uno de los muertos una rota camisa blanca de basto algodón, prenda sin importancia que habían perdonado al cuerpo, dejándosela para que lo acompañara a pudrirse bajo la mar-tumba.

—También en esto eres distinta a las demás mujeres, niña —le dijo uno de los urracas, un barbero valido en una mano de papel (en él iba anotando los despojos para la posterior repartición del saqueo) y en la otra de sus pinzas, con las que en este momento arrancaba un diente de oro—. ¿Eres insensible al fasto y las monedas? ¿Vienes a revolver muertos para quitarles prendas malas y medio viejas? ¿Quién te entiende? —bajó la vista para dar un último tirón con sus pinzas—. ¡Ten! —le dijo, arrojándole el diente apenas extraído—. ¡A ti te debemos una buena porción de la victoria! —agregó en más baja voz—. ¡A ver si también en esto te diferencias de las otras y guardas para ti el secreto de lo que te he dado! Yo no lo anoto en mi cuenta de cirujano, ignoro el diente como si no existiera, y tú no se lo dices a nadie, ¿de acuerdo? —María le agradeció el regalo, le aventó a su vez un beso con la mano, mismo que lo hizo sonreír con la cara entera y hasta con los hombros, que los subió hasta casi tocarle las orejas. María dobló la camisa vieja alrededor de su puñal y metió el bulto en su cinto. El diente lo guardó en su boca, no repugnándole la baba del turco muerto. Caminó hacia la popa, esquivando abrazos, festejos, cadáveres; pasó frente a un grupo que se cambiaba de ropas, tomó al vuelo un bulto de prendas que le ofrecía algún compañero y otro más que le traía el ayudante de cámara del generalísimo.

Contra su voluntad, y sin saber bien a bien cómo, se vio subida en una pequeña embarcación, al lado de don Jerónimo herido. María por momentos lo había borrado de un pasaje de su memoria, lo había olvidado, lo había vuelto cenizas antes de tiempo. Mientras los remos los llevan en la barquilla de los cirujanos y las gallinas, María regresa a don Jerónimo, el héroe que se interpuso entre ella y la muerte. Don Jerónimo está herido muy malamente, se está muriendo por salvarla a ella, a María la bailaora. Aunque María se había convertido en *la Fiera*, en la hacedora de la muerte, don Jerónimo Aguilar no la repudió, dándole señas de esto en que la protegió y hasta se sacrificó por ella.

María miró al pálido don Jerónimo Aguilar, más blanco que un lirio. Al golpe de una de las agitadas olas, un hilo de sangre le brotó entre los labios escurriéndole por el cuello. María se lo hizo saber al médico. Trató de ver a la distancia por no ver, pero la lluvia tupida tapaba como un muro el horizonte. Cuanto la rodeaba le repugnaba. Mordisqueó el diente de oro, buscando distraerse. Allá una galera ardía. Acullá, un fraile dominico, la cruz atada a su mano izquierda, blandía su espada a su

paso, gritando como un loco: «¡Yo maté turcos!» Ascos, todo le da
ascos, incluyéndose, mojada en sangre que se le va secando encima pegajosa, se provoca náuseas… Alguien le dice: «¿Qué, te dio camisa don
Juan de Austria?», pero ella no supo de qué le hablaban. Escupió el diente turco y lo acomodó en su cinto, asegurándolo al lado del bulto del
puñal para que no se le cayera.

Pasaron al lado de una galera turca donde toda la tripulación había
sido degollada. Los hacedores bebían vino y cantaban festivos entre los
cadáveres. María cerró los ojos. Ya no soportaba. «Son iguales a los turcos —pensó para sí—; basta ganar y se suelta el monstruo.»

Llegaron a una galera de nombre *la Marquesa*. Aquí habrá, según el
cirujano, «un lugar donde pueda reposar don Jerónimo». La nave fue
muy golpeada por el Uchalí. La cubierta está sembrada de cadáveres y
heridos. Llevan a don Jerónimo a la cámara del capitán, que también ha
muerto. Apenas tender al herido en la camastra, éste empapa el colchón,
se está desangrando en un tris. Deben hacerle de manera urgente una
cirujía para intentar detener la hemorragia. Le piden a María que espere
afuera. María barre con la vista la cubierta, mira dónde quiere refugiarse,
porque quiere refugiarse, debe cambiarse, prepararse y tenderse un
momento a cerrar los ojos, está por romperse desde muy dentro: «Ya no
puedo más, ya no puedo más»…

María se detiene frente al aguador, pidiéndole la abastezca de agua. En
el castillo de popa, sube a la pasarela de crujía, el que comunica el barco
de punta a punta. No están ahí ni el cómitre ni los alguaciles al mando de
los galeotes. Nadie marca el ritmo de la boga. Los tambores y las trompetas dispersos en la cubierta festejan ebrios la victoria, saltando entre
heridos y cadáveres. En los talares, en sus bancos, los galeotes despliegan
emociones mucho más variadas que los soldados y la gente de mar. Éstos
no eran de los que habían huido tierra adentro, *la Marquesa* era una de
las naves de Doria, el que intentó hasta el final quedarse al margen de la
batalla, replegándose exageradamente a un lado, desoyendo las órdenes
del de Austria. Por algo no perdió una sola nave: sólo pensó en cómo
poner naves y esclavos a salvo. No preparó nunca a sus galeotes con
armas, ni los soltó de sus cadenas. Quién no lo sabe: Doria se comportó
en la de Lepanto más como un comerciante que como un guerrero.
Doria consiguió dejar al margen de la naval sus naves, hasta que muy al
final vino contra él el Uchalí, atacando un par de sus embarcaciones, más
por causarle algún daño que esperando de él alguna resistencia.

Era el caso de *la Marquesa*. Los galeotes exhibían todo tipo de actitudes y emociones: había los exhaustos, los dormidos o semidormidos, los que reclamaban pan y agua y vino en premio de haber ganado la batalla, los que charlaban agitados, los que veían serenos, los que escuchaban atolondrados. Había los felices, los que se sentían victoriosos. Había los que detestaban la victoria, conociendo en ella una prolongación de su infortunio. Un alboroto generalizado, eso sí había, nada del orden, del ritmo, ni de la desolación gris que solía reinar a los dos lados de la galera. Los galeotes hacían lo que les venía en gana. Los cuatro o cinco hombres de cada remo, apretujados como siempre, se removían en los bancos. Hasta los dormidos se agitaban, meneando sus pelonas cabezas con o sin coleta por el zafarrancho reinante. Mal que bien, la muerte no había bajado a visitarlos y lo celebran.

María encontró una de las portezuelas —si así puede llamarse al agujero dejado en los cajones de madera que componen la crujía, rústicas cajas— y asomó la cabeza. Esperó un momento a que sus ojos se acostumbraran a la penumbra. En esta larga caja no cabía ni un alfiler. Pasó a la siguiente abertura. Metió la cabeza. Hizo lo mismo, esperar. Parpadeó: ahí, sobre una cama de paja seca —de aquí sacarían los fusiles antes de la batalla— había un hombre acostado, junto a él quedaba sitio. ¿Quién era? ¿Un turco escondido, esperando así salvarse? ¿Los galeotes lo habrían protegido, dejándolo deslizarse como un gato en sus tablones, esquivando el golpe de sus remos, escondiéndolo bajo el pie de sus bancos? La vista de María se acostumbró a la poca luz. El hombre no vestía a la turquesca, traía ropas de arcabucero cristiano, la roja cruz cosida en uno de los faldones de la camisa, algunas prendas de colores chillantes, por las que los llaman papagayos. Como los más de éstos, su uniforme estaba incompleto. Esto ocurría porque no todos los recibían al entrar al ejército y porque algunos de los que los tuvieron, luego los perdieron, jugándolos o empeñándolos a las primeras de cambio. El parcialmente papagayo estaba inmóvil. ¿Herido?, ¿ahí, herido, metido en los cajones de la crujía, fuera del alcance de los médicos? Difícilmente. Acomodó sus dos cuartillos de agua del lado izquierdo de la abertura del cajón, buscándoles apoyo en la paja. A sus lados puso los bultos de ropas y su hermosa espada. Del cinto sacó el puñal, lo desnudó de la camisa vieja, que dejó junto a las demás cosas, y se guardó el arma en la boca, apretando la hoja entre los labios. Se encorvó para meterse en el metro de altura, entre los palos, las velas y la cabullería ahí estibados. El espacio reducido se engrandecía. Las paredes de la bodeguilla eran más amplias que el cielo que afuera miraba el sembradío de cadáveres. Revisó al hombre que ni cuenta se había dado de su existencia. Éste, delgaducho, dormía agitado; deliraba, sudaba, tenía fiebre.

María la bailaora se sentó a su lado, quitó el puñal de su boca, lo blandió con la derecha, amenazando, y sacudió con la otra al hombre para despertarlo («Mejor oírlo hablar, saber si es turco de cierto»). Le espetó:

—¡Tú! ¿Tienes sed?

—Saavedra tiene sed —contestó el hombre con voz rasposa.

—¡Valga con Saavedra! ¿Y tú?

—Yo soy Saavedra. Miguel de Cervantes y Saavedra, para servirle a usted, a Dios y por desgracia a esta maldita fiebre que me está matando.

María acercó uno de los dos cuartillos de agua, cuidándose de no darle la espalda.

—¿Quieres?

—¿Que si quiero agua? ¡Un trago de agua! —se levantó, apoyándose sobre su débil brazo. Bebió el Saavedra, y preguntó, con voz un poco más audible—: ¿Acabó?

—¿Quién acabó?

—¡La batalla!

—¡Ganamos! Aplastamos a los turcos.

—Loado sea Dios.

—¡Dirás que el nuestro!

Ante su respuesta, Cervantes peló los ojos y la revisó de arriba abajo.

—El verdadero y el único. ¡Conque mujer a bordo y encima medio hereje! ¿Puedo tomar más agua?

—Puedes y puedes. Voy a ir a pedir tu cuota, espérame aquí.

No que le sobraran energías, que lo único que deseaba María la bailaora era echarse a dormir, pero el hecho de que un hombre no estuviera ebrio de la victoria sino atado a los lazos de la fiebre le cambiaba el ánimo para bien. Como el pobre hombre sudaba a mares, se acabaría el agua en menos que canta un gallo, dejándola a ella con sed. María la bailaora dejó el puñal junto a sus ropas y salió a cubierta. La radiante luz del sol la encegueció por un momento. La borrasca había despejado, el viento soplaba muy furioso y el cielo no estaba limpio, pero en distintos puntos los rayos del sol se colaban, brillantes. María sintió más su debilidad, un ligero desvanecimiento, su vista se puso en blanco por un segundo. Algunos de los galeotes se habían puesto de pie y bailaban. Los galeotes bailaores, pensó María. Blanca la vista, blanco el sol, y estos ebrios pálidos… Las nubes ocultaron de nueva cuenta el rayo de sol que iluminaba al galeote, y al mismo tiempo el mareo de María se esfumó. Repuesta, se acercó al aguador, pidiéndole una ración para «Saavedra o Cervantes, el que tiene fiebre».

—¿Está vivo? —le preguntó el aguador.

—Está vivito y coleando, sudando mucho…

—Eso lo sé, yo lo llevé a la bodega izquierda de la crujía, no se podía tener en pie… Es la malaria. Además, cayó en la batalla, creo que está herido.

—No lo sé. La fiebre es lo que se ve…

Al oír la mención de la fiebre, de golpe la borrasca se volvió a desatar. La mareta zarandeaba la galera, los nubarrones cubrían el cielo por completo, el viento venía cargado de goterones de lluvia. El meneo, la lluvia y el viento acercaron a María al aguador. El hombre no era demasiado robusto, pero tenía una cara fenomenal. Ésta era tan grande y de tantos colores y texturas que vista así de cerca parecía un paisaje. En medio de la cara, casi al centro, como dos pequeños errores, le chisporroteaban dos ojillos redondos y negros, rodeados por ondas de piel, aquí rojizas, allá moradas, las más lejanas de los ojos eran blancas, desaparecían como devoradas por la protuberante nariz. Al verla tan próxima, el horrendo abrió la boca, diciéndole en voz baja lo que aquí anotaré:

70. De cómo el aguador cuenta a María la bailaora los chismes y bajezas que corren sobre el tal Cervantes. De lo que el aguador no le dijo, ni nunca dirá

—Debes saber, bonita, que ese que ahí duerme la malaria se llama Miguel; aquellos que ves ahí son sus amigos, son todos poetas.

María giró la cabeza para ver a los dichos, pero no pudo identificar al grupo.

—También anda por ahí su hermano, o eso dice ser un tal Rodrigo —el carota volvió a señalar, María volvió a intentar ver, otra vez sin suerte—. Parece que ahora mismo ya no están donde andaban, vaya Dios a saber dónde cayeron. Brincaron a *la Marquesa* apenas terminó el combate, anduvieron aquí husmeando como perros sin dueño, parece que ya se echaron a volar. Andan de galera en galera preguntando por sus amigos y enemigos (de los segundos tienen más). Hablan como papagayos, de lo que algunos de ellos visten.

»Yo te voy a decir lo que oí, nada me consta, te lo paso al costo. Lo oí de los poetas, que ya ves tú que son tan maledicentes y se odian entre ellos tanto que es muy de ver. Los poetas sólo andan entre poetas y todos entre sí se detestan, ¿que para qué andan juntos?, ¿que por qué se detestan? ¡Porque son poetas!

»Todos, por cierto, maletes, malillos o peores, te lo digo, y todos pobretones como buenos poetas. ¡Mejor ni acercárseles!

»El que está aquí bajo la crujía, el que te digo que se llama Miguel, nació en la judería de Henares, o eso dicen sus pares, yo nomás repito. El padre —sordo, dicen, dicen— es cirujano, más malo que el peor barbero, sus sangrías no las procura ni el muerto de hambre. Son pobres, los Cervantes. El padre de Miguel va tres veces que da en la cárcel por no pagar sus deudas. De una ciudad a la otra ha ido llevando infortunios y esperanzas, viajero a la fuerza, siempre sin suerte. Pasaron la vida como gitanos, yendo de una ciudad a la otra. Pesa haber nacido en barrio judío si eres pobre, y lo son. Las hermanas son muy famosas, puedo decirte que muy *queridas*, de varios *queridas*…

Cuando entonó de manera peculiar, sardónica, la palabra «queridas», el de la carota se rió. La boca era inmensa también, los gordos labios escondían enormes dientes grisáceos. Olía en grande. Luego de reír, por suerte la cerró y volvió a acercar la cara al oído de María, diciéndole:

—Las llaman las Cervantas, las dos se ganan la vida queriendo a quien les dé regalos costosos o monedas buenas. Las dos tienen quevers con los dos hijos del gran Portocarrero, Alonso y Pedro, ¡bonito grupo, hermanos y hermanas; cosa de familia! Los poetas andan diciendo que Andrea, que es la mayor, que tiene una hija que es Constanza, van dos veces que consigue de sus amigos, o queridos o como quieras llamarles, reparaciones financieras legales a cambio de promesas incumplidas de matrimonio. No sé si me entiendas. Ha conseguido que le paguen plata por hacerle una hija y compartir placeres. Dicen que es muy encantadora, como Miguel, y que algo tiene de hermosa. La otra hermana se llama Magdalena, es tierna, tendrá dieciséis añicos, pero ya sigue los pasos.

»Luego oí decir que este Miguel dejó España porque se batió en duelo con un tal Sigura, que es albañil, y lo hirió, aunque no de gravedad, y le sentenciaron culpable, condenándolo a perder la mano derecha y a vivir fuera de su tierra diez años. *Para que un alguacil vaya a prender a Miguel de Cervantes. Secretario Pradera. Crimen… A vos, Juan de Medina, nuestro alguacil* —yo te digo, niña, exactas las palabras de quien me dijo haber leído dicho documento—, *salud y gracia. Sépades que por los alcaldes de nuestra casa y corte se ha procedido y procedió en Rebeldía* con un *Miguel de Cervantes, ausente, sobre Razón de haber dado ciertas heridas en esta corte a Antonio de Sigura, andante en esta corte, sobre lo cual el dicho Miguel de Cervantes, por los dichos nuestros alcaldes, fue condenado a que con vergüenza pública le fuese cortada la mano derecha y en destierro de nuestros reinos por tiempo de diez años y en otras penas contenidas en dicha sentencia; y para que lo en ella contenido haya efecto.* Dice el hombre que esto leyó que a estas palabras seguían otras que han quedado desde el momento en que fueron dichas borradas, sabrá de qué lo acusarían que tanto lo castigaron. ¿Por herir a un albañil? ¿Estaban en los patios de la Corte? ¿Hay en el centro de este lío, no faldas, sino pantalones haciendo de faldas, que por esa razón sí se cortan manos? ¡Y si a mí me preguntan: otras cosas deberían cortarse! Por esta sentencia salió Miguel de Cervantes huyendo.

—Pero la mano que tiene maltrecha es la izquierda —dijo María, que aunque ya demasiado impaciente por volver a su refugio no había podido contenerse la observación.

—Los poetas no lo saben, que no lo han visto. Yo te digo lo que dijeron. También vi lo que tú ves. Tú me dirás. De esto hay algo más que puedo decirte, que no me consta, que oí de oídas, y que oí de oídas de otro que lo había oído de oídas. Es una historia que te paso al costo:

71. La verdadera o imaginada historia del artilugio de los malos poetas

Resulta que dicen que dijeron que cuando los amigos se enteraron de que los guardias iban tras el tal Miguel de Cervantes, y que lo que iban a quitarle era una mano, y entre las dos la derecha, los poetas maletes aquí dichos, por tenerlo por muy su amigo, tramaron un artilugio. Poca plata tenían, de modo que más echaron mano de la fábula que de la bolsa. Dicen que alguien dijo —y en nada me consta, pero aquí yo te digo lo que oí— que los poetas forzaron a punta de tretas al verdugo para que no le cortase en pública vergüenza la dicha mano derecha, que se fuese contra la izquierda, y que ya que lo habían convencido de esto —habiéndole amenazado con divulgar cosas nada hermosas de su muy hermosa hija— consiguieron unas cuantas monedas de la generosidad de las entonces muy ansiosas Cervantas. Que el verdugo, al ver las monedas, se dio por un poco pagado y sólo le lastimó, sin cercenársela, la dicha mano, apuntando frente a testigos que había hecho la labor que pedían en nombre del Rey, la de tomar al tal Cervantes, echarle el filo sobre una mano y expulsarlo de España.

Pero esto no me consta, dicen que es el artilugio de los poetas, porque aunque todos entre ellos se detesten, la verdad es que precian eso de escribir más que nada en el mundo y que no consideran a ninguna mayor desgracia que la de no tener con qué miembro tomar la pluma y echar a actuar la tinta. Te digo aquí de paso, niña, que son tan amigos de la copa como del tintero…

En que se termina de contar la posible fábula del artilugio de los poetas.

—Pero dejémonos de cosas que dicen los que dicen que las oyeron decir, y volvamos a las que yo oí decir de primera fuente. Entonces, María, en lo que estábamos: lo que dicen los poetetes de Cervantes. Que cuando vieron esa orden promulgada, tan terrible, como no tenían monedas las hermanas, ¡que según lo que aquí dijeron ni para eso sirven las Cervantas!, el dicho Miguel dejó Madrid, corrió a Roma, entró a servir al cardenal Aqua Viva, al que estos poetas también conocen. El cardenal tiene la misma edad que Miguel, y dicen que eran amigos íntimos en más de un sentido, no sé si mentirán; yo, como lo otro, al costo.

»Y ahora es soldado de la Santa Liga, con la mala suerte de que fue a contraer malaria. Así y todo participó en la batalla, anduvo aquí afuera, donde el grupo del esquife, ahí estaba aún cuando pasó el Uluch Alí a arruinarnos. Iba huyendo, pero al ver las naves de Doria se retrasó unos minutos para lastimarlo en alguna medida, son enemigos personales desde hace tiempo. Disparó repetidas veces contra la nuestra y siguió su curso. No tuvimos tiempo de hacerle ningún…

Alguien llamaba al aguador. Apresurado, da a María la porción del enfermo de malaria, y de inmediato la espalda para atender al siguiente y continuar propagando algunas de las muchas murmuraciones que ha oído, o bien oirá, fatigado de hablar, y escuchará una nueva maledicencia, que a su momento regará…

De haber seguido hablando, no hubiera podido decirle a María otras muchas cosas que nosotros querríamos saber de Cervantes, porque aún no le han ocurrido. Ni ha escrito *El Quijote* y sus novelas, ni ha sido esclavo en Argel o recaudador de impuestos en Granada, ni entonces excomulgado por la Iglesia por esto de recaudar para las galeras del Rey, ni llevado a la cárcel tres veces por sus malas cuentas y pésima suerte, que cuando le cuadraban los números, se iba a la quiebra el banco donde dejaba los dineros, a sus malas matemáticas debemos sumar su muy mala fortuna. Tampoco le habría contado cómo hizo llegar a su hija ilegítima a la casa de las Cervantas cuando murió su madre, ni cómo entró la niña como sirvienta y luego pasó a las filas de las mañosas. Ni que luego él casó en Esquivias, con mujer muy joven y con alguna dote, cómo vivió poco con ella y cómo padeció el infortunio de ser llamado cornudo. Por eso la casa de las Cervantas sirvió mejor a su nombre, porque él no sólo vivió de las ganancias de las damas, también proveyó de cornamenta al nido. El aguador no contó cómo el éxito de Lope de Vega desplazó a Cervantes de los escenarios españoles, cómo la gloria de Lope fue tanta que hasta el Rey y sus hijas jugaron a ser actores en una de sus obras, *El premio de la hermosura*, mientras la Loca —su amante en turno— rabiaba de ira por verse desplazada de la fiesta real. Ni cómo Lope y Quevedo y hasta Góngora atacaron a Cervantes. Ni cómo nadie se atrevió a escribir una sola línea sobre su *El Quijote*, por no llevarle la contra al papa literario que era Lope. Ni cómo fue que murió pobre, ni más etcéteras...

María la bailaora cargó con la cuota de agua de Saavedra, más un par de cuartillos extra que el aguador le diera por compasión, y regresó a su puesto adentro de los cajones de la crujía. Saavedra parecía dormir como un lirón en una propia y recién desencadenada tormenta, porque hablaba agitado sin parar, parecía estar a un pelo de convulsionar. ¿Qué decía? ¡Quién sabe! Hablaba tan rápido que seguro que es de Sevilla —pensó María—, a un sevillano hasta dormido se le notan sus gestos.

72. En donde continuamos la narración de lo que pasaba en *la Marquesa* después de la batalla de Lepanto

—Saavedra, te traje más agua —María revisó el cuartillo que le había dejado, ya no quedaba ni un trago. Saavedra no contestó y siguió con su jerigonza incomprensible: «¡Que me la tien!», «¡péguenla!», «¡zafareles su tim!»

—Este hombre está loco —dijo María la bailaora en voz alta—, ¿me oyes, Saavedra, loco? —María se sentó al lado del parlante. Sacó la vieja camisa del cinto, la desdobló, la extendió, la alisó con las manos. Mordió una orilla de la camisa y tiró fuertemente de la hendidura para hacer de ella una tira, separando sus manos (los hilos chirriando con cada abrir de brazos), y tras la primera, otras. Dobló cada tira y acomodó unas encima de otras, hasta armar tres cojinetes atados con delgadas tiras de tela enroscadas a modo de cordeles. Dobló dos y los regresó a su cinto. Dio la espalda a Saavedra, se puso en cuclillas, se alzó las faldas y bajándoselas se revisó las bragas. Como lo había sentido y sospechado, había muestras en sus ropas de menstruo, rojo oscuro, el conocido tono casi negro de las primeras manchas. Acomodó el tercer cojinete, atando los tres con sus cintas a los muslos. Bailar y menstruar a un tiempo requiere cuidados especiales, María la bailaora sabe y muy de sobra cómo arreglárselas a prueba de cualquier torrente. Hay las que se encierran los días de menstruo, atemorizadas de ver sangre correr en sus piernas o delatada en las faldas, si no es dobladas con dolores que semejan tenazas en las tripas o ardiendo de ganas de llorar, humilladas de vivir una vez al mes abiertas. María ni unas ni otras. Sólo el primer día le ocurría siempre esto: el cansancio, el agotamiento repentino, una extraña sed, posteriores a una alterada irritación, que a veces estallaba en accesos de corta cólera, y otras en cantos nuevos e imprevisibles, de gorgoritos a gorgoreos, a borbotones gordos. ¡Ah, cómo canta María la bailaora esos días, como raspando contra la arena el alma! El primer cansancio se le quita con dormir un par de horas, un sueño profundo, cargado de sueños repletos de imágenes teñidas de brillantes colores. María se levanta como nueva, la piel más radiante que nunca (como si hubiera robado del mundo de los sueños el resplandor recio y preciso), el cuerpo más deseoso de baile y más expresivo. Buscó con las manos el bulto de tela que había traído consigo para hacerse un lecho cómodo, no dio con él, no estaba donde lo había dejado. Buscó más con los ojos: cuando fue a traer agua, el yerto había despertado. Saavedra había tenido la misma idea que ella: había medio acomodado bajo sí las ropas enrolladas. Siquiera había dejado a un lado la camisa fina que le habían dado a vestirse.

Se quitó las ropas rasgadas y manchadas de sangre turca, se talló lo mejor que pudo para limpiarse y se puso el fino lino limpio sobre el cuerpo. Luego, en voz muy alta, le echó encima al hombre un reclamo:

—Mucha fiebre, Saavedra, pero me has dejado sin lienzos para mi cama.

Saavedra, sin abrir los ojos, le contestó:

—Eso hacemos los locos cuando las buenas personas corren a traernos agua. Ya no aguantaba mis huesos, niña, discúlpame, quise hallarles acomodo… Toma tus trapos, si quieres… Y no me digas Saavedra a secas, que soy Miguel de Cervantes y Saavedra.

—¿Y de dónde voy a sacar el tiempo para andarte diciendo tan largo nombre cada que te hablo?

—¿Dónde está Rodrigo?

—¿El Cid Campeador?

—Rodrigo, Rodrigo mi hermano.

—No lo sé. El aguador me dijo que andaba con un grupo de poetas, no hacía mucho los había visto en la cubierta, pero dice que cree que ya saltaron a otra galera.

—¡Están vivos y sanos!

—Y muy hablando.

—Eso siempre, que aunque mueran ya los oigo…

Saavedra estaba acomodado boca arriba, con la cabeza levantada por el bulto de ropas turcas. María se puso de rodillas y con cuidado levantó la cabeza del febril Cervantes.

—Vamos a hacer buen uso de esto, que ni le sacas provecho, ni me lo das.

Extendió la ropa, eligió algo que parecía ser una capa roja de seda —María recordó haberle clavado la espada a alguien con una prenda así, pero de inmediato lo reprimió sintiendo náuseas—, la tendió sobre la paja al costado de Saavedra y bajo él acomodó dos camisas. Dobló las ropas que quedaban en dos almohadillas, una para el enfermo y otra para su cabeza, y sobre el suave lecho se acostó. Se arrebujó, la almohadilla era poca cosa, no le daba acomodo a su cabeza. Dobló su brazo bajo la cara. Tampoco. Se puso boca arriba: odiaba dormir boca arriba, encima de esto mancharía sus ropas con el menstruo de quedarse dormida en esa posición. No había mucho espacio donde elegir, de modo que María puso la cabeza sobre el pecho de Saavedra, diciéndole:

—Tú me dejas sin con qué hacer mi lecho, pues yo me arrellano en ti.

—Bienvenida seas, portadora de agua, bonitica y más que bonitica, preciosura, que si el enfermo estuviera sano…

—¡Sevillano! —María confirmó su sospecha.

—Sevillano, sí —le contestó Saavedra—, aunque sólo un poco.

—Pues yo de Granada.

—No pongas ahí tu cabeza, que me duele, muévela un poco más arriba, que recibí un golpe que me rompe de dolor el vientre.

—¿Aquí? —María la bailaora se reacomodó—. ¿Te cabe aquí la granadina?

—Y gitana, lo sé, niña, bailaora la más bella que se ha visto. ¿Quién no te ha visto bailar?, ¿yo?, ¿dónde?, ¿sería en Sevilla?... ¿Dónde te vi? ¿Te vi? —como pasando a otra cosa, como si ya no hablara con María, arremetió veloz—: ...este olor, qué pestilencia la de los galeotes, atados noche y día y ni quien limpie sus inmundicias. Si nosotros traemos galera y los turcos nave sin galeotes, a puro golpe de olor los habríamos derrotado... de que no se aguanta, ¡no se aguanta! ¡La...!

«¡Olor! —pensó para sí María—, ¡vaya, qué idea! ¡Matar a punta de pestilencias! ¡Fácil lo pones, Saavedra, que más que olor a mierda hizo falta para acabar con esos perdidos!»

Cervantes recobró un poco la sensatez, y le habló:

—¿Qué haces aquí, mujer?

—Soy María la bailaora, de Granada. El destino me volvió soldado en Lepanto, porque a mí me interesaba Famagusta —María se mordió la lengua: ¿por qué estaba confesándole todo a este hombre?, pero desmordiéndosela siguió—, porque vine tras el hombre que amo, don Jerónimo Aguilar.

—¡El pillo! —dijo Cervantes.

María ignoró su comentario, y continuó:

—Yo gané *la Real* para los nuestros, y dicen que maté cuarenta turcos. Me hirieron ayer a mi amado. Arriba lo están curando los cirujanos.

—¡Llámales lo que son: carniceros!

—Déjame dormir.

Cervantes guardó silencio. María añadió:

—Me voy a dormir ya, pero antes tengo que decirte que la espada con que maté tanto turco es un regalo que me hicieron en Granada los moriscos. Tú sabrás si es pecado, si asesiné hermanos con el filo de su hermana.

María la bailaora cerró los ojos y se dispuso a dormir. Qué bien que se estaba ahí, sobre la paja, la cabeza en el flaco pecho del Saavedra. Por las rendijas que median entre los tablones de la caja vio a uno de los galeotes empujar enfurecido a su compañero. ¿Qué pasaba allá afuera? «Por mí, que caiga Troya. Estoy agotada», se dijo y cerró los ojos. Una ola de sueño se vació de inmediato sobre María. La bailaora se sintió como si fuera ella misma un saco de sal agujereado en varios puntos, percibió que se vaciaba con vertiginosidad. Casi le dio risa saber que estaba yéndose. Su cabeza estaba bien plantada en la vigilia, mientras su cuerpo cabalgaba completo en el sueño, todos sus músculos como plantas mochadas, sin tensión alguna.

Las gitanas saben leer la mano —incluso las que no saben, que esto lo vimos con María cuando, creyendo más conjeturar que atinar, leyó en la de la Peregrina—. Ahí leen el carácter de la persona, el presente, y si no pueden ver su futuro es porque eso que se llama futuro es algo que no existe y lo que no existe no puede ser visto por nadie. Saben leer lo que es dable leer, porque miran, abren los ojos, observan, sienten cómo responde el pulso a sus palabras, y escuchan al que es leído. Leen las palmas porque saben leer las demás señas del cuerpo. Nuestra gitana está que se cae de sueño, ya no puede más, pero es gitana. La vigilia y el sueño han quedado separados para ella porque el delirio del febril enfermo de malaria le ha dividido las aguas de la tierra. Está ya durmiendo, ha caído en un pozo de sueño. Con la oreja pegada al pecho de Saavedra, con su oído aguzado, lee. Y esto es lo que María la gitana leyó en el pecho de Miguel de Cervantes y Saavedra:

73. Lo que leyó la gitana en el pecho de Miguel de Cervantes y Saavedra

Al poner el oído en el cuerpo frágil de Cervantes, María echa a andar su oído de gitana. Siente al hombre. Lo escucha: su oído es como una palma abierta y sensible, María está puesta toda en su oído. ¡No esperemos un milagro, que si no lo ha habido cuando María estuvo más necesitada, no tiene por qué aparecer aquí! No ve sino lo que ve, porque no tiene poderes para mirar más allá de lo que la vida regala a sus sentidos e intuición. Si pudo leerle a la Peregrina su destino fue por poner en el lugar apropiado la atención y por creerle a su corazonada. Dio en el clavo porque supo observar. Pero aquí no tiene cómo atinar. Aquí no puede ver gran cosa. El hombre está enfermo, delira, ni siquiera le da las claves que todos extendemos cuando nos movemos de un sitio al otro, cuando caminamos o sentados gesticulamos. Tirado en el piso, bajo su cara, está la conciencia de un hombre, su tiempo, su memoria y la de sus pares. Así éste se llame Cervantes y sea en un futuro —lo sabemos— el autor de *El Quijote* y otras joyas ejemplares, aquí no es sino un Miguel, único, irrepetible, pero en esto un fiel escritor de su tiempo. No escucha el genio del artista, porque el genio se hace y ese hombre que ahí está enfermo no se ha hecho: es pasta, materia, masa; pero esa pasta, esa materia, esa masa es una persona; en él está la conciencia que tiene cualquier hombre, la inteligencia, eso que llaman el corazón, las memorias. En sí, como cualquiera, trae escrito el universo que conforman los otros, sus pares. Tiene ojos y ve, y siente y conoce y sabe, y lo une a los otros esa red que llamamos la Lengua.

Una mujer gitana que por error del destino ha sido héroe en Lepanto, pone el oído en el pecho de un enfermo de malaria. El hombre delira. En medio de la carnicería y el esperpento que es Lepanto, el hombre vive el esplendor de su fiebre. La fiebre le da un privilegio: lo arrincona. Y a ese rincón ha ido a dar María para percibirlo con el oído pegado a su pecho, para no saber qué dice, para no verlo, para no observarlo. El horror que los rodea los deja a solas. Y ella ve en él todo lo visible. Está perdida y se siente rota: ha actuado no sabe por qué de esa bestial manera; no puede olvidarlo, está llena de una extraña vergüenza y nada la hace sentirse orgullosa. Y, enardecida de esta otra manera, ve al hombre que tiene bajo su oreja, ese universo que es un hombre, cualquier hombre.

Se duerme, porque su razón no puede más, se le ha quebrado de tanto hacer, perder, ver. Y entonces lee otra cosa en el pecho de este hombre. Regresa, subida en su conciencia, regresa en él a Granada, vuelve a su celestial infancia, vuelve a cuando su madre la abrazaba sin temor de verla robada por los cristianos, vuelve a cuando va a buscar agua al aljibe y oye hablar a las negras, a las cristianas, a las moriscas, vuelve a ver salir a su padre desorejado por las losas de la iglesia, vuelve a oír a Farag hablar, vuelve a viajar con sus dos amigos y a su joven complicidad placentera, vuelve a Argel y a sus bailes, vuelve a oír la voz de su amado don Jerónimo Aguilar, vuelve a disfrutar los frutos de su riqueza corrupta y la cómoda holgura de su afecto distante y distanciador; vuelve a oír su música, la suya que le hizo Iberia, la que viene cargada de alma mora y cristiana, la que tiene ecos del África y otros de Venecia; ve a los espectadores de *El retablo de las maravillas*, al licenciado Vidriera, a Loayza, el músico que rompe el cerco de Carrizales, a varios indianos, los más muy ricos, entre éstos ve al llamado el celoso extremeño, por ser muy celoso y necio; ve a Constanza, la hija de la Peregrina, fruto de una artera violación; ve a Leyhla y a Marisol convertidas en Teodosia y Leocadia, ambas vistiéndose de varones para perseguir a su pretendido amado tomapelos Marco Antonio, a jóvenes como don Antonio de Isunza y don Juan de Gamboa, o el Carriazo y Avendaño, que siendo de buena familia muerden el deseo de la aventura, de ver mundo, de gozar de formas de vida distintas que las trazadas para ellos por sus padres, los dos primeros empujados por su natural a la gloria de la guerra y la universidad de Boloña, el segundo par llevado a las almadrabas y el placer de ver una hermosa.

Observa pasar un desfile de personajes, pero más que verles a cada uno sus rasgos y particularidades, ve el mundo del que son fruto. Lee y mira que la línea entre la fantasía y la realidad se desdibuja, que Alonso de Quijano pisa firme en ese punto borroso, y María la bailaora ríe, y goza, y no entiende cómo goza y ríe si está mirando, al tiempo que este desfilar de personajes, la España sangrándose a sí misma.

Fin de lo que leyó la gitana.

74. Termina el sueño de María

Escondida en la crujía, la cabeza apoyada en el cuerpo de Cervantes, María durmió un par de horas. Despertó cuando la noche ya cubría el mundo porque oyó que la llamaban. Parecía que Cervantes otra vez hablaba desde la fiebre, decía:

> Vayse meu corachón de mib, ya Rab,
> ¿si se me tornarad?
> ¡Tam nal meu doler li-l-habib!
> Enfermo yed, ¿cuándo sanarad?
> ¿Que faré yo o qué será de mibi?
> ¡Habibi, non te tolgas de mibi!
> Garid vos, ay yermanelas,
> ¿com'contener é meu mali?
> Sin el habib non vivreyu,
> ed volarei demandari
> Tant' amare, tant' amare,
> habib, tant' amare,
> enfermiron welyos nidios
> e dolen tant male.

No era sólo un habla febril de palabras inconexas, el hombre recita una jarcha que María no comprende. Algo familiar le suena, más a palabras tronchadas, sueltas de sí, fuera de sus cabales. María salió de su refugio bajo la crujía, vestida sólo con la fina camisa, la cabeza cubierta por el sudor ajeno, el del febril compañero en el pajar y la capa roja sobre la que ha dormido tirada encima de sus hombros. La esperaba un pequeño revuelo. Acababan de acostar a su don Jerónimo Aguilar sobre la cubierta, recién salido de la muy larga cirugía. Lo habían cubierto con una especie de túnica blanca, que a camisa no llegaba, de cáñamo burdo. Bajo ésta se adivinaban abultadas vendas. Parecía dormir profundo.

El médico comisionado por Dionisio Daza Chacón para atenderlo —que gesticulaba imitando al dedillo los gestos de su maestro— le dio la mala nueva: «No le queda sino un hilo de vida». La operación no había tenido el resultado esperado. Don Jerónimo Aguilar se desangra sin remedio. El médico tiene la frente perlada de sudor y éste no era el sudor ebrio de la malaria, hasta la última gota es producto de sus esfuerzos. Da a María la nueva y, sin enjugarse la frente, pasa a atender al siguiente paciente. Ignora a María, que aturdida le hace una retahíla de preguntas. Da órdenes a sus asistentes. Procederá a amputar una mano, sus asistentes preparaban ya la gallina. Se oyó el cacarear, luego el golpe de un aleteo nervioso, luego nada. Pasaron con la gallina muerta enfrente de María, envuelta en sus propias alas para sellarle el pecho abierto hasta verse amarrada al muñón del herido.

María dejó de preguntar. Se hincó en el piso. Se abrazó a don Jerónimo. Lo oyó respirar con más ritmo que el tal Cervantes pero como si aspirara y expirara desde muy lejos. «¿Dónde estás? —pensó María—, ¿dónde te has ido que te oigo tan lejos?» Se le abrazó más estrechamente. Oyó su corazón, remoto, como ya en otro mundo. Se quedó adherida a él toda la noche. Primero lo oyó dejar de respirar. Luego escuchó cómo se apagó la última y muy débil palpitación de su corazón.

Ya no lloró, ni se lamentó ni aulló, como lo hizo en *la Real*. Guardó su intensa emoción para sí. No quería compartirla con nadie.

Lo veló ahí toda la noche, leyéndolo, leyendo en él, sabiéndolo. Lo vio por primera vez. Lo conoció. María se contuvo, no se levantó, no se agitó, no bailó, aunque el cuerpo le pedía: «¡Salta, escapa, exorciza, abandona, baila!» Lo amó, contra todo sentido común y toda esperanza. El sagrado lazo de los amantes corrió por su cuello, atándola a él, hasta que llegó la mañana siniestra —que era noche y era día, que era el caos—, la que se ha descrito. La despertó la llegada de la barca que se abría paso entre las galeras vencedoras y vencidas cosechando los cadáveres de los capitanes. La niebla le impidió ver cómo lo apilaron junto con otros frutos de la batalla naval.

En cuanto bajaron el cuerpo de don Jerónimo a la embarcación dicha, María regresó a su guarida, la que había escogido el día anterior bajo la crujía, al lado del tal Cervantes. Se dijo algo así como «¡Bonito, dormir en cajón de difunto pobre!», o «hallele abierto y como sepultura que esperaba cuerpo difunto, y a buena razón habrá de ser el mío, si yo tuviera entendimiento para saber sentir y ponderar tamaña desgracia».

Pero dejemos a María ahí con el sevillano, si es sevillano, y vayámonos un momento con don Jerónimo, porque emprende su último viaje.

75. Comienza el último viaje de don Jerónimo Aguilar. Si el lector teme la muerte, el relato de este primer tramo de su viaje bien le servirá para huirla a su vez. Si no la teme, que lea lo que aquí sigue porque hay fábula

Los cadáveres de los capitanes cristianos iban siendo apilados sin mayor ceremonia, los unos encima de los otros; ya la harían y con toda dignidad, pero ahora lo importante era juntarlos, apartarlos de los vivos y de los otros miles de cadáveres, identificarlos y prepararlos antes de que los capellanes celebraran misa por ellos. ¡Día favorable para dejar este mundo, que ni brilla el sol, ni la neblina despeja sino por segundos —y mejor nunca lo hiciera, nadie quisiera ver lo que ella emboza—, día propicio para abandonar a los vivos! Uno de los barqueros de esta triste barquilla, el nuevo Caronte, va acunando con su voz a los muertos, les regala un trago dulce para ayudarlos en el trance. Aventados ahí sin ton ni son, como si fueran cosas, van el comendador Heredia y don Jorge de Rebolledo, capitanes del tercio de Sicilia; los caballeros de san Esteban León, Quistelo, Bonagüisi, Salutato, Tornabuoni y Juan Maria Pucini de *la Florencia* del Pontífice; de *la Piamontesa* de Saboya, don Francisco de Saboya, muerto con once heridas; don Juan de Miranda, don Bernat de Marinon, don Juan de Contreras y don Lope de Biamonte... ¿Para qué seguir enumerando los nombres anotados bajo el listado «muertos de manera heroica»? Decíamos que el barquero, el nuevo Caronte, quiere dar a estos hombres un algo de dulzura antes de que se presenten a san Pedro. Les cuenta historias, todas sobre hechos que no vieron sus ojos por partir antes de tiempo de este mundo. Y una que les dice es la siguiente, que aquí anotamos porque es la que correspondió al tramo que hubo entre *la Marquesa* y las del de Santa Cruz, que no hubo necesidad de rescatar cadáveres de otras de las del cobarde Doria, el único caído de sus capitanes venía a bordo de ésta, van sus nalgas sobre la cara de don Jerónimo. ¿Quién recuerda ahora que el capitán se llama Pietro Sancto? Lo han anotado en la lista, previo a don Jerónimo, pero ahí confundido con los otros es uno más —se acuerda de él el arcabucero de su compañía que le robó las monedas que llevaba en la bolsa, lo acaricia con gratitud en su memoria, sin ningún remordimiento, diciéndose: «Si realmente hubiera sido un santo el tal Pietro... ¡pero nos robaba la paga, nos escatimaba la comida! ¡No tomo sino lo que es mío, y si no lo tomo yo, otro lo tomará tarde o temprano!» En este instante ninguno más piensa en él—.

Anotado queda aquí lo que les dijo el nuevo Caronte a don Jerónimo Aguilar y a Pietro Sancto, el capitán de *la Marquesa,* cuando como recién nacidos daban sus primeros pasos en eso que se llama, según algunos, el más allá (¿Más allá de dónde? ¿Hay más allá posible para los que van viajando en pila, vueltos bultos, revueltos como huesos que le echa un ogro al caldo del mundo? ¿Más allá de qué? ¿Podrán entrar al cielo cuando llegue el fin del tiempo? ¿Sabrán encontrarse a sí mismos, o quedarán para siempre confundidos?). El Caronte les habla, les cuenta, les narra, para que no olviden que un día tuvieron forma en el mundo, y tuvieron nombre, y fueron principales y respetados y queridos y detestados por los suyos. Les dice:

76. La historia de Ana de Austria, la hija de don Juan de Austria, que no la esposa del monarca español

—Caballeros —les decía el barquero, con más aire en sus pulmones del que humanamente uno creyera puede tener quien empuña el pesado remo, de tamaño tan considerable que hacen falta dos hombres para meneallo. Pero Caronte va solo, habla con voz vigorosa—, caballeros: tal vez alguno de ustedes acompañó a don Juan de Austria en la guerra de las Alpujarras. No lo sé. Fue con él Lope de Figueroa, que no ha sido anotado en la lista. ¡Más los lleva la lista que yo! ¡Más queda de ustedes en la palabra que en el cuerpo! Pero no me pongo filósofo, que ya tendrán la eternidad para filosofías. Yo aquí voy a contarles una historia que espero sepa hacerles dulce el tránsito, menos rudo el paso por el umbral. Si alguno de ustedes, les decía, acompañó a don Juan de Austria en la campaña de las Alpujarras, conoció seguramente a doña Margarita de Mendoza. Pues ella tiene ya una niña del generalísimo, y le han puesto por nombre Ana de Austria. Ésta es su historia, que como las más comienza con una pregunta, a saber: ¿La engendraron en la terraza trasera de Galera? La malaventurada Ana de Austria, que veinte años después y muy en contra de su voluntad vivirá recluida en un convento, el de Santa María de la Gracia. Escapa de ahí casada con un falso rey, el impostor Gabriel de Espinosa, ayudada por el capellán del convento, fray Miguel de los Santos, el agustino que aprovecha el extraordinario parecido de Gabriel con el hermoso rey Sebastián I del Portugal, el Ambicioso, de la dinastía de Avís, caído en la batalla de Alcazaquivir —en la que murió de cierto quien lo derrotara, Abd-el-Malek, sultán de Marruecos, casado con la hija de Agí Morato, enviado del Gran Turco, la que se casará en segundas nupcias con Hasán Bajá, el Siniestro, a quien por desgracia tendremos más adelante en nuestra historia—. Como nadie pudo dar con el cadáver del rey Sebastián, corrió la leyenda de que no estaba muerto, que con su flamante cabellera recorría monasterios de Europa. Al fraile y emprendedor capellán lo ahorcan en la plaza Mayor; al impostor, apodado por el pueblo «pastelero del Rey», le castigarán igual en Medina del Campo, en una pequeña ceremonia que casi pasa desapercibida. ¡Solamente los perros sin dueño lo ven colgar con el lazo al cuello! La desdichada Ana regresa con sus huesos a un convento de total clausura, años después es nombrada abadesa de Las Huelgas de Burgos. Ahí ejerce un poder absoluto sobre numerosas tierras, y aunque ya no era usanza acuñar moneda propia como lo hicieron las abadesas en otros tiempos, se hace de una notable fortuna que no le sirve sino para conservarse prisionera. Vive en panteón de reyes, pues para albergarlo fue fundado este monasterio de las cistercienses, como una reina enterrada. Pero no enloquece, no cree, como la segunda abadesa del convento, que tiene el poder de sacramentar la hostia y perdonar los pecados de sus hermanas, ni cae en delirios. Mira la reja, ve girar el torno a la hora fijada, y en las noches se remueve sola en sus sábanas, sola, noche tras noche, sin siquiera poder suspirar por el pastelero del Rey, que no hay mujer de su calibre que encuentre verdadero deleite en un impostor bonitillo y sin mayor talento. Se remueve, no suspira, no conoce aquello por lo que se puede suspirar en las noches solitarias. En alguna medida vivirá toda la vida muerta.

»Ustedes, capitanes, hombres de buenas familias, sangres limpias, entre los que se dice no hay ningún bastardo, ya verán cuánto tuvieron, cuando puedan abrir sus ojos en el más allá.

Lo interrumpió una voz. El secretario encargado de anotar a los muertos gritaba: «¡Estos traemos: don Bernardino de Cárdenas y su sobrino don Alonso, Monserrate de Guardiola, don Juan de Córdoba Lemos, el conde de Biático, *caballero napolitano de dulcísima voz, con maravillosa y regalada armonía* (así escribió su amigo, para testificar que el cadáver era de él), Virgilio Orsini…»

Siguió la enumeración de cadáveres recientemente apilados, tapando por unos minutos las fábulas del barquero. Dejémoslos ahí, y volvamos a María la bailaora, que entra al cajón —¡también parecería ser de muertos!— donde la malaria se ensaña contra Cervantes:

77. Don Jerónimo Aguilar continúa su trayecto sin que quien aquí escribe pueda jurar que desemboque en el infierno. Él mismo, como ya lo anunció, regresa a María la bailaora, misma que está ahora con Cervantes

Al verla entrar, el enfermo se medio incorpora. El trago de agua parece haberle restituido algo de fuerzas, aunque, por el tono en que le espeta la frase, parece también haberle exacerbado la incordura.

—¡Dime quién soy, niña, niña!

—Eres un afortunado que no ha salido a cubierta. Agradécele a Dios que tienes malaria. No quieras ver el mar de Lepanto.

—Desde que te fuiste, no hago sino pensar que no soy quien soy, que no sé quién soy, que la cara se me desdibuja. Toda la noche…

—Nadie sabe quién es aquí, en Lepanto. Pero mira, tú sí sabrás.

María removió entre sus ropas. Sacó el espejo que le habían regalado los moriscos. No se separaba de él nunca, como si éste la defendiera contra todo. Lo iba cambiando conforme cambiaba de ropas, siempre guardándolo con sumo cuidado. Abrió el espejo y lo puso frente a Cervantes.

—¿Ves?

—Veo que veo, que este espejo no me mira, acostumbrado como está a ver tus bellezas.

—No es mío el espejo, es de Granada. Cada que lo abro, la miro.

—Yo miro Sevilla, de ahí vengo. Por Roma pasé, pero no la veo.

—Mira bien, Cervantes. Lo que miras eres tú y es lo que te rodea.

Cervantes se vio largo tiempo en el espejo. Por un momento pareció un hombre sano.

—¿Qué ves? —le preguntó María—. Lo que tienes que estar viendo es a un varón de veinticuatro, nariz afilada, delgado, barbilla rubia. Si te lo acomodo para que veas más abajo, verás tu cuerpo delgado pero no mal formado, tu mano maltrecha, la venda que va al pecho… ¡un enfermo de malaria!

—Miras mal, María. Yo soy Miguel de Cervantes y Saavedra. Eso que detienes en tus manos apuntándolo a mí es mi espejo, es el espejo de Cervantes. Cuanto ha visto, cuanto verá, cuanto proveerá, incluyendo ilusiones o desilusiones, se deberá a mí.

—¿Miras tu vida en él?

—¡Qué va!, ¿mirar pobrezas, papeles y legajos culpándome de lo que me acusen los infames? ¡No! Miro lo que me rodea. Por eso es el espejo de Cervantes: en él mirarán lo que hay, lo que hubo y lo que habrá, así como el vano por el que sale todo aquello que hoy no permite el reino. En mi espejo —que no será como el que traes de frágil vidrio— mirarán sobre la tinta lo que hubo antes de que se dispusieran a limpiar el reino. ¡El reino que hoy gobierna a los vivos, que es el reino de España, el sagrado Imperio Católico que Isabel…! ¡Que melapeg! ¡Marra-marra-los marranos! ¡Perro-perro los perros! ¡Vibromp! ¡Salpiszzz!

Otra vez Cervantes deliraba. Sus palabras se aglutinaban formando una masa incomprensible.

Había pasado la noche en vela, y demasiadas cosas, María necesitaba descansar. Su Jerónimo comenzaba el último viaje a bordo de la pequeña barquilla fúnebre. La soldadesca se entregaba al segundo día de pillaje. María, guarecida en la pequeña bodega sita bajo la crujía de *la Marquesa*, al lado del enfermo de malaria en delirio, durmió, cuidando muy bien de no apoyar su cabeza en ningún punto del cuerpo de Cervantes. Necesitaba sueños vacíos para continuar el rito de la muerte de don Jerónimo Aguilar, su amado. Y para intentar entenderse a ella misma.

Soñó María la bailaora que flotaba en las aguas del Mediterráneo. Iba navegando a ras de agua, como si ella fuera solamente sus ojos. A su lado, dedos sueltos, cabelleras, zapatos. Pero nada parecía roto. Navegaba incompleta en el mar donde todo es de por sí roto, tronchado, mochado. A prueba de cualquier destrucción. Inmune a la vida o a la muerte, o a la violencia.

Ya pasado el mediodía, la despertó oír que voceaban su nombre repetidas veces. De nuevo una barquilla venía en comisión del generalísimo a *la Marquesa,* llamaba a María la bailaora: «Responde también al nombre del Pincel o al de Carlos Andrés Gerardo, del tercio de Lope de Figueroa», gritaban. Salió de la bodegüela ni dormida ni despierta, sin saber muy bien a bien si estaban ahí para llevársela porque también era ya un cadáver. Pidió al aguador proveyera de más cuartillos de agua al Cervantes y brincó a la pequeña embarcación. Sobre ésta, cerró los ojos. Ya no quería ver, ya sabía qué los rodeaba. Varias galeras ardían en llamas. En breve llegaron a *la Real.* María abrió los ojos y oyó. Porque es parte de su oficio, tiene muy buen oído, un oído tierno que la hace a veces muy irritable, atenta a cosas que sería mejor no atender. Por este oído que tiene, cuando la pequeña nave está por tocar *la Real,* los remos alzados para no entorpecer el último golpe del remo, así aquí arrecie el tronar de las olas —así muchas vengan aquí a romper, a unos pasos hay una especie de dique, señalado con una despreciable torreta—, María oyó que don Juan de Soto, el secretario personal del generalísimo, pregunta: «¿Qué número de gente venía en esta armada y de qué calidad?» Don Juan de Soto está interrogando para obtener las valiosas respuestas de los hijos del caído Aalí Pashá. María desembarca en *la Real* mientras escucha que la pequeña partida de los hijos de Aalí Pashá habla muy quedamente en lengua árabe, discutiendo si dar cuál cifra o la otra, la que mejor dejara a los otomanos, la que no humillara a los cristianos. Cuando ya todos convienen en qué decir, se oye en voz de Mahamet, el ayo, que en español contesta en nombre de los hijos de Pashá:

—Ésta es la respuesta: que vendrían hasta 25 000 hombres, 2 500 jenízaros, y los demás de otros países y de otras naciones que forman el imperio otomano, en nada comparable a ninguno.

Preguntó la siguiente Soto: «¿Tomó la armada alguna gente en Lepanto y otros lugares vecinos?»

Regresó el murmullo dicho, pero frente a esta segunda pregunta respondió mucho más alebrestado; las voces pelean por algo, algo que María no alcanza a entender pues empalman unas frases a otras y además el ruido de las olas ha arreciado. ¿Qué tanto le discuten a la posible respuesta? Calmadas y acalladas las voces de desavenencia, dice Mahamet, el ayo:

—La respuesta es que la armada de Aalí Pashá tomó toda la gente que pudo de Lepanto y todos los sitios cercanos al puerto, sólo quedaron las mujeres para cerrar las puertas de las casas. En Grecia se embarcó el Beylerbey, que es primo hermano del Gran Turco, trayendo consigo unos 1 500 soldados de primera calidad.

María la bailaora escucha decir esto al ayo cuando tiene ya los dos pies bien plantados en *la Real*. Los carpinteros reposan momentáneamente de sus labores, en parte para no entorpecer la difícil entrevista de don Juan de Soto. Están empapados, han trabajado noche y día bajo la borrasca, los más jóvenes tienen las manos ampolladas de tanto laborar, es el primer descanso que se toman desde que se conoció la victoria. Apenas ver a María, se alegraron sobremanera y, sin querer hacer mayor alboroto, la saludan con vivas muestras de amistad y admiración. El que no le decía quedo un «¡Bravo!» le gritaba un «Viva María la bailaora, la bella espada que salvó *la Real* y con ella al ejército del gran Felipe II».

María era «su» María la bailaora, «su» compañera de nave, «su» héroe, y le atribuían más mérito por hacerse personas que han escrito el resultado de la historia.

María agitó muchas manos, recibió abrazos cordiales y algunos regalos, los más monedas, ninguna de mucho valor («¡Más recibiera de ustedes, hombres, si les bailara!», se dijo a sí misma, pero no abrió la boca). Cuando llegó al tendal de la entrada de la recámara real, escuchó la no muy aplomada voz de Juan de Soto, el secretario, diciendo:

—Siguiente pregunta: don Juan de Austria tiene la voluntad de saber si el Uchalí, gobernador de Argel, venía en la armada y de ser así con cuántos bajeles.

Aquí Mahamet contestó sin preguntar a sus amigos. ¿Qué había pasado que los otros callaban? María no tenía ni idea. Tenía curiosidad, pero no estaba en su poder retirar los cortinones que dividían la cámara real.

—Venía con siete galeras y tres galeotas —dijo aplomado Mahamet, el ayo.

De nuevo Juan de Soto:

—¿Qué hombres particulares y de cargo venían en la dicha armada?

Ante esta pregunta, el avispero se volvió a alborotar y de manera más acuciada que en las anteriores preguntas. «¿Y ahora por qué?», se pregunta María, «no entiendo un comino a estos turcos, qué más dan sus respuestas».

El avispero no se tranquiliza, arguyen entre ellos sin llegar a un acuerdo, es tanto el tiempo que les lleva formular la respuesta que Juan de Soto sale a dar la bienvenida a María, poniéndose un dedo en los labios le pide silencio y con otra seña de los dedos le pide paciencia, debe aguardar a que acabe la entrevista con los hijos del Gran Turco, hecho lo cual regresó a su papel y tinta y todavía tardó un poco el ayo en contestar:

—Que venían los siguientes: el dicho Haly-Bafsá, general de esta armada; Pertaú Bafsá, general de tierra, que es uno de los dos bafsás más principales que están cerca del Turco y se sienta a su mano derecha.

»Yaser Bafsá, que tiene el gobierno de Tripol de Berbería; Hacan Bafsá, hijo de Barbarroja; Aluchialí, que tiene el cargo de bafsá y gobernador de Argel; Dardalan Bely Bafsá, mayordomo del Atarazanal o Darselan; Sirocco, virrey de Scandinavia y Alejandría; Cayabey, gobernador de la provincia de Hezmit, cerca de Constantinopla; Abduxebar, gobernador de Chío.

«¡Tanto aguardar para salir con esto!», pensó María. Todavía tuvo que esperar un rato, aunque muy regalado por el resto de la tripulación de *la Real* así como por los hombres principales que venían a bordo, pues si no éste era aquél quien se le acercaba y con voz muy baja le preguntaba por su espada o la felicitaba de la manera más encarecida, todos mostrando las máximas formas de admiración y de respeto, entre los principales mojándose en la lluvia por ir de un tendal a otro y ponerse por un momento cerca de ella. El cocinero vino y le regresó la cadena donde colgaban todos sus implementos de pintar, que ella le había dado a guardar antes de la batalla, también sus pinceles («Deben querer que les pinte, que repare, para eso me han hecho venir...», se dijo María), quien le ofreció de comer y beber. María la bailaora sólo aceptó un trago de espléndido vino y un puño de higos secos, que le sentaron la mar de bien. Llovía, llovía sin parar. El viento golpeaba de vez en cuando, enviando golpes de agua a diestra y siniestra. Los pies de María no estaban muy secos.

Salieron de la cámara real los dos hijos del generalísimo de la armada vencida, dos niños muy hermosos, Mahamet Bey y Sain Bey, el mayor de diecisiete y el menor de trece, los ojos enrojecidos de tanto llorar, vestidos más como piratas que como correspondería a su dignidad. Don Juan de Austria les había regalado a ambos camisas suyas, viendo el estado en que habían devenido las ropas que traían en la batalla, y pidió a sus hombres les reunieran las más de calidad turcas que pudieran encontrar, pero los esfuerzos por bien vestirlos no habían servido de gran cosa, porque como eran de edad tan tierna todas les quedaban largas y demasiado holgadas.

La sangre salpicó en Lepanto sobre tirios, troyanos y hasta niños. ¡Para limpiar pecados debía ser esta lluvia y el mal clima que no cejaba!

Juan de Soto asomó la cabeza y llamó a María muy cordialmente. La bailaora entró en la cámara real. El secretario de don Juan de Austria, Juan de Soto, se pasaba las manos por el cabello, imitando el gesto de su amo. Abordó el asunto para el que la había hecho traer de manera rápida y nada ceremoniosa. María no respondió ni un pío, ni dio las gracias ni dijo sí ni dijo no. Asintió, puso en su cara una de esas expresiones que había aprendido en los últimos años, que eran como decir «aquí estoy para que todos me quieran», pues la hacían en efecto muy adorable, pero también, para quien la conociera, fría, calculadora, lejana.

Juan de Soto, agotado y sobrecogido, no puso en ella mayor atención. Le recitó el corto mensaje de don Juan de Austria, sin esperar ninguna respuesta, porque no era en nada necesaria. Terminó en un tris, le manifestó admiración cuando la vio escribir completo su nombre, la despidió muy afable, y pasó a la siguiente entrevista.

María la bailaora salió de ahí tan rápido como el de Soto había hablado, diciendo a sus amigos y el resto de la tripulación adiós de lejos, que cada que ella pasaba todos alzaban la cara a verla, admirados y también, lo digo en honor a la verdad, divertidos.

Alguno dijo cuando ella pasaba:

—La única de las barraganas que sabe comportarse como un soldado.

A lo que alguien contestó, defendiéndola:

—¡Que ésta no es barragana, era la prometida de don Jerónimo Aguilar, la muy famosa María la bailaora!

El comentario de «la barragana» terminó por arruinar el ánimo de María. Era verdad, algunas amantes de soldados cristianos acostumbran seguirlos vestidas de varones, pero ella no era «barragana», ni merecía lo que acababa de escuchar de don Juan de Soto.

A los pies de *la Real,* la esperaba la barquilla que la había traído. Apenas puso un pie en ésta, se enfilaron tan presurosos como pudieron hacia *la Marquesa,* eran pocos los esquifes o barquillas que había en Petala y se sabían de necesidad para las mil labores requeridas.

Sorteaban con agilidad los siniestros escollos, todos residuos de la lucha del día anterior. Uno de los que llevaban los remos era el mismo barquero que condujo a don Jerónimo por la mañana; así haya pasado el día completo ensopado y batallando contra el mal clima y el pavoroso entorno, no deja de hablar, agitado, ensimismado, sin pretender que nadie lo escuche. María también va haciendo lo mismo, se habla a sí misma, repelando en voz alta sin darse cuenta de que lo va haciendo. Los dos se hablan solos, no hay quien les preste ninguna atención.

Llegando a *la Marquesa,* apenas puesto un pie en el escandalar —que ocupa el sitio de dos bancos, y es donde uno entra a la galera—, María cruza la pavesada y verdaderamente corre hacia su guarida.

Ahí la espera ansioso el enfermo de malaria, el tal Cervantes y Saave-dra, los ojos inyectados, una inexplicable sonrisa bien plantada en su delgado rostro.

78. El espejo de Cervantes

—¡Tengo sed!

—¡Nadie puede tener sed con este clima! —dice María—. ¡Todo es agua allá afuera, todo! —María está mojada; al navegar contra la mareta revuelta la pequeña embarcación no había estado muy a salvo del golpe de las olas. Eso dijo María, pero llevándole la contra al tono de su voz, con un gesto muy paciente toma agua del pocillo rellenado por el dadivoso aguador, la acerca a los labios resecos del enfermo de malaria.

—Me siento mejor, infinito mejor. Estoy sanado. ¡Sano sanísimo!

—¡Sanado vas a estar! Lo único sano que hay en ti es el comienzo de tu nombre, sa-no saa-vedra —y agrega—: ¡Tan sano tú como yo reina de Corfú! —aprieta los labios para que no se le escapen más palabras. Está furiosa. La entrevista con Juan de Soto, secretario de don Juan de Austria, la ha humillado. No, ella no podría aceptar el puesto que estos cristianos le ofrecían creyendo ser generosos. «¡No!», se repetía, y alegaba que si había subido a *la Real* vestida de hombre era por cosas personales, por seguir a Jerónimo (ahora María le arrebataba el «don» en sus memorias, apoderándose de toda su persona, incluso de su dignidad), por proteger la ciudad de Famagusta de la invasión de los turcos, por... Famagusta le interesaba por su misión morisca, y en cuanto a Jerónimo, no lo podía explicar tan sencillo y claro como el asunto chipriota, pero era claro que si se había enrolado era por él, por el imán que el hombre ejercía sobre ella. Esto no la hacía precisamente orgullosa, pero así era y tampoco de causar vergüenzas, cualquiera que sea sabe la fuerza del amor, la resaca poderosa de los celos. Ahora Famagusta ha caído a los turcos, no hay plan alguno de irla a recuperar y su Jerónimo es uno más de los miles de cadáveres que los cercan. Así no flote apestando sobre las turbias, rojizas aguas porque es un don cadáver, pero es cadáver de cualquier manera. María comprende que ha participado en una guerra que no es la suya, y que ha recibido como honores lo que es una insufrible humillación.

¿Algún día volverá este mar a lucir formado de agua y no de sangre?

Al oír María su nombramiento —y proveniente de la mayor dignidad de la Santa Liga, ¡el propio don Juan de Austria lo había decidido!—, lo que recibió fue una humillación inesperada. ¿Creían, en verdad, que había peleado *para* ellos, *para* su causa, *para* el rey Felipe II? Le costó trabajo contenerse frente al de Soto, desde el primer momento de la entrevista, cuando el cretino le hizo saber que estaba «perdonada» por haberse alistado vestida de varón siendo mujer; se contuvo por no decirle: «¡Perdonada! ¡Yo no estoy pidiendo perdón! ¡Soy María la bailaora, y a mucha honra!» No abrió la boca frente al de Soto. No por protección propia: porque entendió que el secretario del bastardo no la comprendería. No oiría, don Juan de Soto sólo repetía, releía y se relamía mientras imitaba los gestos de su amo.

Con la humillación se le ha ido acercando la furia, y de pronto está furibunda. Cualquiera que hubiera tenido su desempeño en la defensa de *la Real* hubiera aspirado a honores altísimos, no a un simple perdón por haber nacido «mujer». «¡Olvidaron *perdonarme* lo gitana, qué imbéciles! Cuando de rodillas debieran estar suplicándome ellos a mí perdón por haber desorejado a mi padre, por haberlo atado a un remo, por haberme quitado lo que era mío…» María despertaba de la ensoñación en que había estado a la sombra de su afecto por don Jerónimo y puede formularse lo que no había querido ver: «No me mencione usté una sola vez más a ese hombre, que él me arrebató a mi padre y me robó mi ciudad; él es quien hostiliza a mis amigos, quien les hace la guerra, quien quiere despojarlos de Granada. Por mí que no es Rey, que Rey es quien trae el bien del Creador a la tierra, según tengo entendido».

Lo que María había recibido como premio a su desempeño heroico, además del «perdón», era «merecer» su ratificación como soldado, el «derecho» a continuar peleando para ellos. Ni una moneda, ni un honor, ni un título, ni un derecho, ni una licencia… ¡Le permitían seguir de mala paga, como soldado sin grado! ¿Su carne de cañón, carne-nido, capaz de procrearles más de lo mismo?

María no dijo nada al de Soto. Sonrió, aceptó el papel, continuó sonriente, cargando como una idiota su «Yo-soy-Carlos Andrés Gerardo y respondo al nombre de "el Pincel"». Juan de Soto le manifestó su sorpresa al ver en el sitio reservado a su firma su nombre completo. Le había preguntado: «¿Sabes escribir tu nombre?»

«Y leer, tanto como lo sabes tú», pensó decirle María, pero se lo guardó.

«¡Bonita tu letra!», le dijo el Juan de Soto. «Tan bonita como tú, bailaora!»

¡Tamaño imbécil! ¡Llamarla «bailaora» en el momento en que debiera haberle estado entregando condecoraciones y hasta una cinta al pecho que la llamara con algo muy alto! «¡Pedazo de nada!», tal cual se dijo adentro de sí María mientras ponía esa cara de qué-linda-que-soy-preciosa. Y más: «¡Así me pagas, don Juan de Austria; dejas que se hinchen de oro los cobardes sin pensar dar quinto al Rey, dejas cebarse a los crueles, a los que desollaron naves completas de turcos indefensos ya que habíamos conseguido la victoria, los dejas hurtar a gusto, mientras que a mí, que fui una valiente, que fui guerrera en buena lid, me pagas con nada: con sueldos de hambre que sólo muy de vez en vez arriban!»

Es que esto era una burla: creían hacerle *un favor* al darle el nombramiento de soldado, «perdonándole» lo femenil, asignándole una paga miserable mensual, que ella bien sabía no llegaba sino muy de vez en vez. ¡Que se vayan estos cristianos a la porra! Sintió tanta ira que pensó que, de no haber dejado la espada al cuidado del tal Cervantes —¡buen cuidado!, cualquiera que quisiera hurtarla no tenía sino que estirar la mano, que el Cervantes ése en estado tan febril no miraba ni sus narices—, de no haberla dejado quién sabe qué habría hecho.

Pero no hubiera hecho nada. La humillaba lo que le decía el de Soto, pero más la humillaba comprender que era un error estar aquí, que no debió nunca participar en esta guerra, que no…

Sintió las manos sucias, los brazos sucios sin remedio: por primera vez le disgustaba que esa sangre que hubiera hecho correr fuera turca. «Alá manda», recordó, «el corazón manda».

La ira le aumentó en la pequeña nave que la llevó de vuelta a *la Marquesa*, ira contra todos, contra sí misma. Sintió el impulso de esconderse. La situación completa la indignaba.

—¿Qué tienes, que chirrías? —le preguntó el enfermo.

—Tengo un enfado que no me contengo, ¡que no me contengo!, y si no me contengo será mi condenación. Debo contenerme, pero no me contengo, no… ¡Que siquiera «amigo de Ruf» me hubieran nombrado, merecía yo que me dieran alguna dignidad! ¡Mejor le iría a un perro que a mí! ¿Sabes para qué me querían? ¿Sabes qué me dieron en premio a mi «heroico desempeño»? ¿Quieres oír? —puso el papel que le habían entregado frente a la cara de Cervantes—. ¡Mira! ¡Me nombraron soldado, soldado raso! Tengo *derecho* a mi paga, a continuar laborando al servicio del Rey… ¡Yo maté cuarenta turcos, yo sostuve la defensa de *la Real,* yo fui la más desacobardada entre sus hombres! ¿Por qué me hacen esto? Dime, a ver, Cervantes, ¿por qué me hacen esto? ¡Yo soy la hija del duque del pequeño Egipto! ¡Yo soy amiga de los más principales moriscos de Granada, yo que departí en Granada con la gente más principal, yo que toqué con los músicos de San Marcos! ¿Qué se creen que soy? ¡Aquí cualquiera se hace rico y se llena de honores, y para mí no hubo una, siquiera *una* moneda o un honor, un nombramiento digno! ¡Ni me premian, ni me dan mi lugar! ¡Eso son ellos, así son!...

—¡Préstame tu espada, niña! ¡Acércamela!

—¿Niña? —le dice furiosa María la bailaora—. ¿Niña, yo? Ayer maté cuarenta turcos, yo guié a los hombres de mi galera, por mí tomamos *la Real*, tres veces eché fuera de nuestra cubierta a los hombres del Gran Turco, yo fui tenaz y fui valiente, y yo fui pasos delante de ellos, y no temí, y...

—¡Te quito lo «niña», calma! Vamos, ¡préstame la espada!

María le acerca la espada, se la desenfunda, y la pone en la mano buena del hombre.

—Salgamos de aquí, que esto debe hacerse de pie. Si no tenemos capilla a la mano para hacerlo como Dios manda, por lo menos no aquí tirados como dos bultos, que no lo somos, ¡anda!

—Tú no puedes andar...

—Puedo andar y bailar, que sí puedo.

Trastabillando él y rabiando ella, salen de la crujía a la cubierta. El viento se ha calmado. La marea se ha calmado también. El tal Saavedra se tiene de pie muy malamente, pero habla con un vigoroso aplomo que mucho tiene de festivo.

«¡Que no vea qué hay alrededor de nuestras galeras, la mortandad y el horror, porque se le termina el bailecito!», pensó María. «¡Que no vea lo que está alrededor!»

—Ahora que ya estamos entrados en la capilla de este castillo —dijo Saavedra—, yo voy a armarte caballera y no de baja orden, que te daré la del toisón de oro. Y mira, María, presta muy bien atención a lo que te estoy diciendo: la orden del toisón de oro —repitió—, que fue fundada en reverencia de Dios y defensa de nuestra fe cristiana para honrar y exaltar la noble orden de caballería, también por tres causas aquí declaradas, que son —te digo que prestes muy bien atención que yo digo a pie juntillas lo que es verdad absoluta—: la primera, honrar a los antiguos caballeros, que por sus altos y nobles hechos son dignos de recomendación. Segunda, a fin de que aquellos de presente son fuertes y robustos de cuerpo y se ejercitan cada día en hazañas pertenecientes a la caballería, tengan motivo de continuarlas de bien en mejor. Tercera, a fin de que los caballeros y nobles que vieren llevar la insignia de la orden honren a aquellos que la llevaren y se animen a emplearse aún mejor que ellos en nobles hechos y a ejercitarse con tales virtudes que por ellas y por su valor puedan adquirir buena fama y hacerse dignos de ser a su tiempo elegidos para llevar la misma insignia. Te digo de memoria y sin faltar lo que dijo el duque de Borgoña, si el de Borgoña fue en Flandes, cuando instituyó y estableció la orden del toisón de oro, para su propia persona y para hombres de armas sin tacha alguna, nacidos y procreados de legítimo matrimonio. ¡Como don Juan de Austria, que es caballero de esta orden! Tú bien que puedes serlo, si recuperaste su nave para la cristiandad y ayudaste en todo lo que estuvo en ti para que obtuviésemos nuestra victoria contra los turcos.

Aquí el enfermo febril estalló en carcajadas estentóreas. Ni María se rió, ni ninguno de los ahí presentes, que algunos soldados se les habían congregado en su torno, curiosos de ver qué hacía el tal Cervantes, pero él pareció ignorar por completo esta respuesta, porque siguió:

—Hagamos de cuenta que hemos velado ya las armas, que de alguna manera lo hemos hecho y que no tiene un pelo de fingimiento, porque velar, lo que se dice velar, sí hicimos, que la fiebre nos tuvo en la vigilia a mí y a ti... ¡No te ensombrezco este solemne momento!... Y armas ahí había, que estaba tu espada junto a ti, mi arcabuz ahí metido, por no contar la pólvora que velamos la noche entera. Haremos las debidas ceremonias. Encomiéndate a tu amado, anda. Que esté muerto, qué quita. Di que le dedicas a él de hoy en adelante todas tus glorias, que son en su honra y memoria.

Apenas terminó de decir esto el flaco Saavedra, golpeó a María en el cuello con la espada y luego en la espalda más quedo, las dos veces rociando los golpes (si así puede llamarse a tales blanduras, que más eran caricias) con murmullos que querían parecer rezos. Todavía tuvo fuerzas el Saavedra para llamar a uno de los de guerra que por ahí como un fantasma andaba —que todos en esa mañana parecían espíritus— y le pidió que por favor y por lo más querido —si es que algo apreciaba en su vida— le ciñese la espada a la nueva caballera del toisón de oro, María la bailaora, de Granada, para servirle a usted. El de guerra, que entendió todo era a risas, se puso muy serio por habérsele levantado el ánimo, se hincó frente a María un momento y, parándose a su lado, le ciñó la espada, diciéndole:

Dios haga a vuestra merced muy venturosa
caballera y le dé ventura en lides,

porque quién en su tiempo no conocía las aventuras de los de caballería, habiéndolas leído en novelas. El Cervantes lo corrigió, diciéndole:

—En el caso de esta orden, la que he dicho del toisón de oro, lo que hay que decir es esto: «Otro no habrá», queriendo con esto expresar que los de la orden no darán descanso a los turcos hasta acabar con ellos.

El de guerra volvió a hincarse mientras Cervantes más balbucía que hablaba, que se iba quedando cada vez más con menos fuerzas, y desde ahí le cantó una cosa tan horrible que es mejor no intentar describirla. Tal vez por el efecto del canto —que hubiera bastado, aunque nada era necesario para tumbar al dicho gallina— el Cervantes se puso pálido y como si le faltara el aire le dijo:

—¿De dónde saco yo ahora el collar de oro que debe distinguirte? Debe estar compuesto de eslabones y pedernales, despidiendo llamas, y llevar la inscripción o mote: *Ante ferit, quam flamma micet*, que quiere decir, por si no lo entiendes, gitanilla, «Antes hiere el eslabón que resplandezca la llama», de donde se infiere que ninguno que no haya sufrido los golpes de la guerra puede portarlo.

Parecía asfixiarse más a cada momento, se removía de tal manera que lucía como una gallina en la olla o el caldero.

—¡Mi dedo, mi dedo te impongo, el que podemos dar por perdido! ¡Mira! —le dijo, desgallitándose o, aún más, agallinándose—, ¡mira! —se volvió a asomar al barandal de la galera, y señaló—: ¡Un dedo de esos que ahí flotan, ahora bajo por él y te lo cuelgo!

El de guerra, tal vez conmovido por el espectáculo de la dicha gallina u horrorizado por la idea de ver a un cristiano nadar en esas aguas sanguinolentas por ir a pescar no un tesoro sino un dedo —«¡No flotan! ¡los dedos no flotan!», se decía el hombre, «¡ya veo a este flacucho vuelto pez, revolviéndose en las aguas rojas, buscando *un dedo*!»—, removió en sus ropas y sacó un collar de oro que en efecto tenía pedernales y eslabones, y se lo puso en el cuello a María. Apenas pasó esto, el Cervantes, como una pirinola de ésas con las que juegan los niños, comenzó a bambolearse, giraba sobre sus pies como buscando su centro, la mano maltrecha pegada al herido pecho, pues le había sobrevenido un mareo que casi lo hace dar al piso. La frente se le perló de sudor, los labios se le pusieron resecos, y la novísima caballero del toisón de oro —¡mujer y gitana!— lo sostuvo a tiempo de que no quebrara alguno de sus débiles huesos contra los tablones de la cubierta, porque el de guerra, habiendo dado la muy generosa donación (que habrá quien la crea excesiva), como avergonzado de ésta, comenzaba a hacerse ojo de hormiga, queriendo pasar desapercibido entre los demás hombres de la galera. María alcanzó a decirle:

—Necesito saber su nombre, para emprender alguna hazaña en agradecimiento —jugando como él y el Cervantes a las mismas risas.

—Soy el Carriazo. Y si algo has de emprender hazlo en nombre de nosotros dos: mi compañero Avendaño y tu servidor, María bellísima, el Carriazo.

El Cervantes se reanimó de nuevo fuego y gritó muy fuerte:

—Y ya que eres caballero del toisón de oro, bailaora, también te hago hija del que supo ser el padre del bastardo general...

—¡Sht!, ¡sht! —algunos acallaban los improperios de Cervantes, mucho había hecho ya jugando con tan altísimo honor, pero esto era ir demasiado lejos. ¡Cómo decirles a bordo de una de las naves de la Santa, Santísima Liga! ¡Basta! Pero el Cervantes no se arredró hasta terminar de decir, con lo que espantó a los que los rodeaban, que se echaron a volar lo más lejos de él, nadie quería parecer amigo del loco—: Te nombro hija del que supo ser padre del bastardo, el buen hombre, valiente aunque más cero a la izquierda que otra cosa, don Quijano. Eres su hijo. Te protejo así de que te llamen gitana, que es lo mismo que bastarda, que la sangre limpia... Y he de quitarte lo de mujer, siquiera un poco, que para mí que el de Soto porque eras muj, blut, zaparrín, gledorr, blaguí... —y otra vez comenzó con esa jerigonza que apeñuscaba una palabra con la otra, el manco y maltrecho enfermo de malaria; muy pena daba verlo otra vez alucinando por la fiebre y temblando que era un...

Valida sólo de sus propias fuerzas, María la bailaora, luego de volver a enfundar su hermosa espada, arrastró a Cervantes a la portezuela debajo de la crujía y, con mucho cuidado y no poca dificultad, lo puso adentro de la estrecha bodeguilla. Lo primero, darle agua.

79. En donde se copia una de las muchas cartas que los altos mandos del ejército cruzaban en esos días con S. M.

A su majestad:
Le escribo para advertirlo sobre las trapacerías de Juan Antonio Renzo. Son embustes todo lo que trae. Ni se le vio en la batalla de Lepanto, ni sus renegados hicieron lo que en su nombre prometía. Le ha quitado unos papeles por temer que abusa de ellos. Mostafá genovés, renegado

prisionero, recibió dinero de Renzo; pide se suelte a Mostafá, capitán de una galera [...]

V. M. conoce a J. M. Renzo y no sé si le tiene en la opinión que yo desde que le vi en Roma agora cinco años, y después que le he topado muchas veces en España y en Italia... no pude contenerme de no estar con él con alguna cólera por parecerme que era todo embustes lo que traía, y no le vi más hasta agora en Corfú, cuando volvíamos de Levante, y dice que se halló en la batalla, aunque yo no lo vi en ella, ni sus renegados hicieron en esta ocasión todo lo que él en su nombre prometía... antes el Marranca, para quien éste llevaba carta y grandes promesas de V. M., peleó contra nosotros, como los demás, y le costó la vida...

Fin de la dicha carta que acusa a Renzo de transa.

Pasaron los días, y María no se separó del tal Cervantes que ya no tuvo ni momento de cordura, ni tampoco el poco de salud necesaria para poder estarse de pie sin que lo desplomara la malaria.

Cuatro días pasaron en el purgatorio de Petatas. De ahí se dirigieron a Mesina, donde fueron recibidos con todos los honores y quedaron enganchados por el muy mal clima, que ahora la temporada se había soltado ya sin ambages.

80. En donde se cuenta qué pasó con Zaida en Venecia mientras la Santa Liga se fatigaba en Petatas

Llegó a Venecia la noticia de la victoria de la Santa Liga. La ciudad se entregó enfebrecida a la fiesta. Tres días completos todo fue celebrar. Las tiendas decían: *Chiuso per la morte dei Turchi*, «Cerrado por la muerte de los turcos», y no se laboró de ninguna manera, ni siquiera se hizo pan. El clima pareció también contagiarse del buen ánimo. Una mañana despejó. Noches atrás, Zaida había convencido con la promesa de una cantidad algo excesiva de monedas a un grupo de expertos marinos —que aunque no ven con buenos ojos navegar a estas alturas del otoño están medio muertos de hambre, por la amenaza de guerra y el azote de los piratas ha sido fatal la temporada mercante—, y aprovechando el buen clima se embarcaron rumbo a Mesina. Cierto que la bonanza no perdura, pero una buena estrella los va guiando y, aunque tardan varios días, terminan por arribar al deseado puerto de Mesina. Una vez ahí, Zaida espera impaciente la llegada de la Santa Liga. Los pocos adelantados han llegado con las manos llenas de noticias. Zaida sabe ya qué ha hecho la bailaora, cómo peleó, cómo se la considera, en qué galera viaja; sabe que ha perdido ya su disfraz varonil, que es conocida ya como mujer, que le ha sido otorgado el permiso de continuar soldada de los odiosos cristianos. Zaida se siente estallar de odio: desea ansiosamente la venganza.

81. Anotación pertinente

Dicen que esos mismos días, no lejos de las playas de Almuñécar, donde el viento arreciaba y el mar alebrestado tragaba naves sin dar saciedad a su torvo apetito, una pequeña embarcación combatía intentando salvarse. Nadie la recordaría si no fuera porque antes de naufragar, comida por la tempestad, se oyó decir en ella esta plegaria:

> Yo, que niego llamarme Zoraida y quiero ser María,
> yo, que nací hija de Agí Morato, el infiel, ya no soy sino de Cristo
> y su paloma,
> yo, que navego dejando atrás las tierras árabes para buscar alojo
> en el convento donde sólo viven dulces mujeres, donde se venera
> a la Virgen María, la Nana Moraita,
> me alejaré del mundo vil para alcanzar la paz y buena vida
> de los cristianos.
> ¡Allá voy, hacia ti, Europa, espejo del cielo y único refugio del bien!
> ¡Sólo en ti los ricos no cruzan el ojo de la aguja, sólo en ti vale la
> pureza del alma! ¡Dios Santísimo, que tu rojo corazón palpitando
> nos proteja, nos deje llegar a puerto! ¡En ti confío!

Fin de lo que se dice de Zoraida.

82. De lo que ocurrió de vuelta a Mesina, sita en Sicilia, a quien llamaban en su tiempo «el granero de Europa»

Apenas hacen puerto en Mesina, María la bailaora hace las averiguaciones necesarias sobre qué documentos o sobornos son necesarios para sacar a Miguel de Cervantes de *la Marquesa,* y para dejar ella misma la armada. No escribe las cartas que le piden, no llena los cien formularios pertinentes para obtener los permisos que dicen necesarios, porque don Juan de Austria ha dado la orden de que las formaciones del ejército se conserven tal cual, que no se otorguen permisos ni salidas. El bastardo espera convencer a los aliados y a la corona de que es imprescindible seguir contra los turcos sin pausa alguna, para hacer su humillación mayor y más vasta la gloria cristiana, y la malaria de Saavedra no es suficiente como pretexto para dejar el ejército, puede ser curada a bordo. Tampoco lo es que ella sea mujer, el «privilegio» obtenido por su buen desempeño en la batalla la ha convertido en soldado enrolado en toda forma y así cautiva hasta que se dé la orden de disolver la armada. María recurre al soborno. Pone en la mano apropiada una de las dos monedas de oro y nuevo cuño recibidas en pago por sus servicios en Mesina. Con ésta consigue lo que no hubieran podido mil papeles, y así es como los dos dejan *la Marquesa.* Miguel de Cervantes y María la bailaora pisan tierra, él ataviado a medias de papagayo, ella otra vez vestida de mujer, que lleva bajo el brazo su traje de soldado y viste un atuendo femenil que ella se ha hecho con porciones de prendas de caídos. Bajo las ropas de María está un valioso collar de oro, del que no quiere echar mano, sabe que con la otra moneda nueva tienen, y de sobra, para pagar doctores para Cervantes, y los gastos que hagan falta a María para dejar el puerto rumbo a Nápoles.

María lleva al enfermo de malaria al hospital de Mesina. Apenas puede el pobre tenerse en pie, a la fiebre se han sumado mareos y vómitos y un malestar que le hace creerse muy cerca de la muerte. María lo entrega, afirmando que fue en Lepanto donde este hombre se estropeó la mano y no por ser ningún tipo de «malhechor»; explica con detenimiento cómo peleó valiente, venciendo el peso de la enfermedad, y testifica que es hombre de mucha valía. La palabra de esta gitana tiene peso de oro: todos se hacen lenguas de su heroísmo y la creen a pie juntillas.

María se hospeda en un mesón no lejos del hospital, donde le dan un trato amable y respetuoso. Ha pagado su estancia con las ropas soldadas, sus pinceles y lo poco que le resta de sus pinturas. Para su comida va dando en metálico. En sus idas y venidas por el puerto, el mesonero le cuida la espada, porque en sus nuevas ligeras ropas de mujer ésta no tiene cabida. La llevará consigo cuando se embarque, pero no la carga consigo en sus andanzas de Mesina; va desarmada y aunque no baile —porque no encuentra el clima propicio, ni tiene músicos que la acompañen— se hace llamar «la bailaora». El cabello le ha comenzado a crecer, cualquiera que le ponga los ojos encima la encontrará hermosa.

Una mañana, María está de suerte y consigue hacer arreglos para salir de Mesina en una de las liburnias que carga el correo. Se desvía un poco de su regreso al mesón, donde irá a recoger su espada y quemar un poco el tiempo antes de que llegue la hora de embarcar, para visitar un momento el hospital y despedirse del Saavedra. Lo encuentra en mucho mejor estado. Está despierto, acaba de comer y parece tener la cabeza despejada. Viéndose en tan buenas manos —que hasta una cama para él solo le ha conseguido María, como si fuera hospital de los caballeros de Malta—, animado y seguro de que en cualquier instante estará por completo restaurado, Miguel de Cervantes le dice a María la bailaora que quiere retribuir su generosa atención, que «en todo punto desmerezco», y le recuerda «que soy pobre y nada tengo a darte, haré lo que hacemos los poetas, que es vestirte de versos, llenarte de gloria y de oro en el papel. Pero necesito me digas quién eres, dónde vas, de dónde vienes».

—Yo te voy a contar mi historia, tú la guardarás en tu memoria y debes prometerme que algún día la escribirás. No hay mejor retribución posible para esta gitana, me apego a tu ofrecimiento. Lo que te voy a decir, en cambio, no se apega a la línea a la vida que he tenido, pero así quiero que digas que la tuve. Mejor regalo no puedes hacerme. Luego, si quieres perder el tiempo conmigo, te cuento la otra, la que no quiero que tú repitas.

—Y valga, que vaya este trato. Yo te prometo que escribo la que me cuentas. Pero no quiero oír la otra, tu verdadera, porque la guardaría en mi golpeado pecho y te traicionaría, ¿y yo por qué he de querer traicionarte, si lo que quiero es retribuirte? Dime, cuéntame la historia que tú hubieras querido tener.

83. La historia de la gitanilla contada por sí misma a Cervantes

—Mi nombre es Preciosa. Vagaba yo con los míos por España, bailando, leyendo la suerte, como todas las mujeres de mi tribu, mientras los varones mercaban jamelgos. A mí me cuidaba una que se decía mi abuela, y a la que yo llamaba con esa palabra. Cumplí mis quince años, y siendo de aspecto hermoso y de bailar gracioso, habiéndome Dios dotado de una voz dulce y de una cabeza buena, seduje —perdone usted aquí mi confesión, que si pasará por arrogante tiene la virtud de ser precisa—, seduje a todo Madrid. Había los que me llamaban, encima del Preciosa, «la muy hermosa María»; había los que me enviaban recados, poemas escritos en papeles doblados, cargando un doblón; había los que me daban barato, interrumpiendo sus juegos; había los que hacían llover sobre mi abuela puños de cuartos; había los que me abrían las puertas de sus palacios para verme bailar y queriéndome cubrir de regalos me mostraban sus pobrezas domésticas, que en toda su casa ni una sola persona tiene blanca —el dedal me dio la criada por forma de pago, con tal de oír decir su suerte—; había los que decían: «Lástima es que esta mozuela nació gitana, en verdad, en verdad que merecía ser hija de un gran señor». La vieja que me cuidaba diciéndose mi abuela, sabía que yo era su fortuna, y más me enseñaba a ser prudente con objeto de guardarme en su bolsillo. Un hombre se enamoró de mí, un hombre que merece el nombre. Nos atajó una mañana volviendo a Madrid, quinientos pasos antes de llegar a la villa. Era un mancebo gallardo y ricamente aderezado, la espada y daga que traía eran, como decirse suele, un ascua de oro; sombrero con rico cintillo y con plumas de diversos colores adornado. Era caballero, traía un hábito de los más calificados que hay en España, era hijo único a la espera de un razonable mayorazgo, su padre tenía un cargo en la Corte —fuimos a saber si era el que decía, visitamos la casa de su familia, les llevamos música, nos dieron la información que yo necesitaba para asegurarme de sus palabras—, era rico; dijo que me quería de veras, y que no deseaba burlarme sino servirme; dijo que mi voluntad era la suya; me dio cien escudos en arra y señal de lo que pensaba darme; yo le pedí, para prueba de su amor, que nos siguiera, y que si pasados un par de años aún tenía en la cabeza los mismos sentimientos —y no ardiendo con la primera flama, que ciega a cualquiera—, «para que no te arrepientas por ligero, ni quede yo engañada por presurosa», le daría mi mano, y nos uniríamos en muy santo matrimonio. Le pedí que dejara de usar su nombre, que era don Juan, y que respondiera al de Andrés. El flamante Andrés aceptó cuanto yo le pedía para aceptarle su propuesta de matrimonio, y sólo pidió por su parte que dejáramos Madrid y sus inmediaciones, que no quería darle el pesar a su padre de verlo reconocido. Lo consulté con mi gente, y aceptamos hacerlo.

»A los pocos días, mi querido Andrés dijo a su padre que se iba a la guerra de Flandes. Andrés dejó todo lo que le era propio, enterró sus ropas, obligó a los míos a matar su jamelgo porque no lo reconocieran, y disfrazándose de uno de los nuestros nos acompañó en las siguientes correrías. Por no robar, sacaba monedas de su bolsa. Decía a los otros hombres que él haría solo sus expediciones, y llegaba con puños de plata, pasaba por ajena la que era propia. Hacía los caminos a pie, con tal de llevar las riendas de mi montura. Me daba siempre muestras de veneración y de respeto. Pasaron los meses, tantos que ya íbamos juntos como hermanos más de un año. Estábamos a tres leguas de Murcia, hospedados en el mesón de una rica viuda, que tenía una hija de unos diez y ocho años, bastante feúcha...

Cervantes la interrumpió: «¡Llamémosla entonces la Juana Carducha!»

Y María continuó:

—La Carducha se enamoró de Andrés como si la hubiera aconsejado el diablo, y dio por hecho que lo tomaría por marido. Encontró ocasión de decírselo cuando Andrés perseguía dos gallos en un corral.

»Por su buen temperamento, Andrés hallaba en cuanto hacíamos diversión y motivo de asombro. Pero no era el caso ahora que intentaba asir a los esquivos pollos. Por su cabeza pasó un pensamiento: «En lugar de agarrar pollos, debiera estar yo persiguiendo herejes, poniendo en alto el nombre de mi familia».

Cervantes volvió a intervenir, diciéndole a María la bailaora que eso de poner a Andrés a pescar pollos para el caldo es demasiado inconveniente, que hiciera mejor ir a dar de comer a las monturas, que así no pasaría por su cabeza ni un instante la sombra de ningún remordimiento.

—De acuerdo —contestó María, y siguió—: Justo entonces sus manos encontraron como asir al pollino, como si el pensamiento de la espada y la gloria le hubieran puesto en los puños sabiduría campesina. Acomodábale el lazo a este pollino y se disponía a agarrar el segundo para darle de comer, cuando la Carducha se le acercó, oliendo más a puerco que a dama:

»—Andrés, aquí mismo traigo una buena noticia. Mira, que me quiero casar contigo. Soy la única hija de mi madre, somos dueñas de este mesón y de muchas tierras de cultivo y de dos pares de casas. Soy doncella y soy rica.

Intervino Cervantes, fingiendo la voz de la Carducha:

—Verás qué vida nos damos.

416

—Andrés —siguió María— le contestó que esto era imposible, no sólo porque los gitanos sólo se casan únicamente entre gitanos —que en esto mentía—, sino porque…

Terminó la frase Cervantes: «Ya estoy apalabrado para casarme… Guárdela Dios por la merced que me quiere hacer, de quien yo no soy digno».

Siguió María la bailaora:

—La Carducha se enfureció por la respuesta tan inesperada del vil gitanillo, y echó a correr a esconderse en la habitación de su madre.

»Andrés temió la venganza de la feúcha. No esperó que llegara la noche, cuando alrededor de la hoguera se juntan a bailar y conversar los gitanos, sino que de uno en uno fue corriendo la voz de que debían huirse cuanto antes. Los gitanos se apresuraron a cobrar sus fianzas esa misma tarde, y se fueron.

»La Carducha, viendo que se le iba el tesoro de su vida, puso entre los trebejos de Andrés unos ricos corales que le había dejado su abuela, y dos patenas de plata, entre otras cosas de valor, y cuando los gitanos iban saliendo del mesón, comenzó a dar de gritos.

Cervantes robó la palabra, para decir qué decía la Carducha:

—¡Me roban estos malditos! ¡Que me roban! Parece que los gitanos y las gitanas solamente nacieron en el mundo para ser ladrones: nacen de padres ladrones, críanse con ladrones, estudian para ladrones y, finalmente, salen con ser ladrones corrientes y molientes a todo ruedo, y la gana de hurtar y el hurtar son en ellos como accidentes inseparables, que no se quitan sino con la muerte.

Y siguió María:

—Corrieron a sus gritos la justicia y el pueblo. Pidieron a los gitanos dieran razón del reclamo de la Carducha. Todos negaron la acusación. La vieja que se hacía pasar por mi abuela temblaba, porque ella escondía los vestidos de Andrés, desoyendo sus consejos de nomás enterrarlos, y unos dijes míos —de los que ni yo misma tenía conocimiento— que no quería enseñar a nadie por ningún motivo. Pero la Carducha le quitó toda preocupación, porque apenas habían revisado a un gitano cuando ella dijo, señalando a Andrés:

»—Revisen a ése. Yo lo vi entrar a mi habitación dos veces.

»Encontraron las cosas que ahí había encontrado la misma Carducha. El alcalde, que estaba ahí presente, lo insultó a voz en cuello llamándolo ladrón y salteador de caminos. Un sobrino del alcalde, soldado bizarro, se sumó a los insultos de su tío, subiéndolos de tono y dándole un bofetón a Andrés que le recordó que él no era Andrés palafrenero, sino don Juan y caballero. Don Juan saltó sobre el soldado, le arrancó la espada y se la envainó en el cuerpo.

»No me extiendo describiendo el alboroto que esto causó. El alcalde hubiera querido ahorcar ahí mismo a Andrés, pero hubo de remitirlo a Murcia, encadenado de manos y pies, junto con todos los demás gitanos, que en bloque los hicieron presos. Entrando a Murcia, la corregidora pidió verme porque mi fama de buena bailarina, de sabia y de hermosa, me había precedido. Me apartaron, pues, junto con mi dicha abuela, y nos llevaron a verla. La corregidora me preguntó mi edad, mi abuela se la contestó, y ella dijo:

—La misma tendría mi Constanza —contestó Cervantes.

—Se deshacía en cariños a mi persona, tantos que —debo confesarlo— mi corazón se movía entre la ternura y la desconfianza, porque su cariño por mí me parecía exagerado. Me apegué a la ternura, ignorando la desconfianza, y le pedí piedad para mi Andrés. Le juré que él era todo en la vida menos un ladrón, y más le hubiera dicho si no me ahoga el llanto las palabras.

»Mis palabras movieron a la que no esperaba. La vieja que se decía mi abuela estalló en lágrimas. Pidió una promesa a la corregidora:

»—Voy a decirle algo que le alegrará el alma. Le pido perdón desde antes de decirlo, y le suplico que me prometa que no tomará venganza.

»—Se lo prometo.

»—Esta niña que usted ve aquí y que responde al nombre de Preciosa, es su Constanza.

»La vieja gitana le extendió un cofrecito, donde guardaba aquellos dijes que ya dije que yo no conocía.

»—Ábralo. ¿Reconoce esos colguijos?

»La corregidora estalló en llanto, y con los ojos inundados se arrojó sobre mí, abrazándome, y qué digo abrazándome, asiéndome convulsa, y llamándome "¡Hija, hija, hija!" —y que casi me asfixia, Miguel, pero eso no lo pongas—. En pocos minutos entendí lo que ocurría: la gitana me había robado de mi cuna, de esta casa precisamente. La corregidora era mi madre, yo era su Constanza. Le expliqué, apenas consiguió calmarse, quién era mi Andrés, don Juan, hijo de tal y tal, y que si no lo salvaban no me recuperarían, porque sin duda mi dolor estaba por dejarme sin vida.

»Hizo llamar al marido, mi padre, quien se congratuló, llamó al cura, llamó a Andrés, y nos hizo casar. Para este momento la Carducha había venido ya de su pueblo, arrepentida, imaginando que su venganza llevaría al hermoso Andrés a la horca, y había confesado toda su mentira. Ahí mismo nos casamos Andrés y yo, y vivimos muy felices.

»Lo que te cuento no es demasiado cierto. Aquí y allá me reconocerás, y acullá y en ese otro sitio te confundirás, sabiendo bien a bien que yo no puedo ser quien ha vivido de esa manera. Pero eso a ti no te importa, si yo no quiero contarte lo que conmigo aconteció en Granada, ni cómo de ahí hube de viajar a Almuñécar, donde presencié algo pavoroso con lo que no quiero aturdir tus oídos. Yo pago por mentirosa: mi vida quedará en el silencio. Me daré por bien pagada de saber que tú la contarás como yo te la he contado, que tal vez tú vas a escribir un día mi historia, de esta misma y mentirosa manera. La que viaje en esas páginas tuyas, seré yo, seré y no lo seré, que muy otra soy. Pero soy, vaya, uno es tan uno mismo en sus verdades como en sus mentiras, y mentira mía es ésta. Interrumpes cuando me caso con el bello hombre, y eso basta. Si yo me hubiera casado con él, ¿cómo te explicas verme aquí, viajando contigo en la mar océana, peleando contra los turcos, enterrando al hombre que yo amé, apoyando mi cabeza en el pecho de un enfermo de malaria? Pues digamos que ya los dos matrimoniados, y reintegrados a nuestras sendas casas cristianas, yo desgitanizada y él también desgitanizado de su temporal gitanización, sin la desgracia sin par que hubiera tenido que ocurrirnos para que yo descendiera a este predicamento, tú la acabas.

»Y certifico que la historia que yo te cuento de mi persona es la que yo te conté. Que llevo tantos días certificando en tu nombre, que bien puedo ahora hacer lo mismo con el mío.

Fin de la historia de la gitanilla.

84. Donde se cuenta el final de este libro

Cervantes le dio su palabra de honor de guardar dicha historia. «Aunque mejor me gustaría verte gitana y preciosa, como eres, que para qué tanto desgitanizarte. ¿Y tú por qué quieres ser no-hija-de-gitanos, María?» «¿Me lo preguntas tú?, que si no hubieras nacido en barrio de judíos, quién quita, y muy otra sería tu vida.» «Que yo no nací en barrio de judíos, ni siquiera de conversos.» «Guárdate tus mentiras para otro, que yo ya sé de ellas. Te he estado oyendo y oyendo hablar de ti todos estos días, ya te vi. El que miente una vez, miente diez veces, Cervantes. Pero a mí qué me importa, que si es por salvar el pescuezo o tener qué llevarse a la boca, o siquiera por mejor parecer, como quiero yo mi historia, lo que es por mí, tú miente. Y te contesto que si me desgitanizo es porque si mi padre hubiese sido idéntico a quien era pero no gitano, no lo habrían tomado preso los guardas, ni lo habrían desorejado, apaleado y atado a una cadena… ¿Te basta mi motivo?»

—Me basta.

María estaba por salir cuando sorrajó a Cervantes lo siguiente:

—Quiero pedirte algo más. Tengo un padre en las galeras, como te he dicho, el bello Gerardo. ¿No podrías escribir que lo liberan? ¿O podrías liberarlo antes de que se vea sujeto a padecer tamaño infierno, antes de que su camisa se vea llena de piojos, antes de verse los pies enterrados en como hemos visto que los traen esos miserables, condenados a sentarse entre sus inmundicias?

(Si porque Cervantes es un hombre de palabra, muy fiel en el mentir, si porque olvidando esta petición terminó por recordarla, muchos años después pondría por escrito su liberación: don Quijote suelta de las cadenas a un grupo de hombres que, por mandato del Rey, van camino a las galeras. En respuesta, en lugar de agradecimientos, los convictos recién liberados le zumban una tunda célebre.)

Apenas escuchar la segunda petición de María, el enfermo cae de nuevo en su estado febril. En sus calenturas, enmedio de muchas palabras comidas, dice una frase comprensible: «¡Viva la verdad y muera la mentira!» María lo revisa, la frente perlada de sudor. En su agitación, el joven gira los ojos, no reconoce nada, da muestras de pavor. Dice: «¡Tengo frío, tengo frío!» María se desprende del manto que trae a la espalda, lo tira sobre el hombre, bajo éste le sujeta una mano con sus dos, él cierra los ojos, cae en un sopor profundo, deja de sudar, y de pronto queda dormido. La bailaora escurre lentamente sus palmas y sus dedos, separándolos de él con delicadeza para no despertarlo. Lo observa unos minutos, confirma que duerme. Le quita el manto. El enfermo se despierta, de nuevo agitado, «¡Tengo frío, tengo!», María le regresa el manto, y él cae de nuevo dormido profundo. María deja su lado, va con las manos vacías. Cruza la enorme habitación donde camas de distintos tamaños se han acomodado en completo desorden. En las más, hay dos enfermos o heridos, pero hay algunas donde se encuentran tres, y en la pequeña que ocupa una esquina hay cuatro, tendidos inmóviles como cadáveres, casi desnudos y sin lienzos, son cuatro malamente mutilados, con muy poco cuerpo, desechos de guerra. Uno de ellos tiene la cabeza vendada casi por completo. No se ven sus ojos, de su boca siempre abierta escurre un «¡Aaayy!» continuo.

María la bailaora sale, la habitación desemboca en uno de los patios interiores sobre el que cae una lenta llovizna de gotas diminutas y grisáceas. Ignorando la lluvia, dos niños juguetean adentro de una fuente seca. Del otro lado del patio, María atisba la puerta a la calle y camina hacia ella por los corredores laterales, no tanto por esquivar la lluvia como por darse tiempo para acabar de dejar atrás a su amigo. A fin de cuentas, amurallados en sus propias dos personas habían resistido con fortuna al asedio de la humillación y la malaria, el pillaje y el cadaverío inmediatos, el hambre de la tropa victoriosa y los lamentos de los miles de prisioneros, revueltos los esclavos con los que fueron generales, unos viéndose despojados de sus honores y otros redoblados los cautiverios. Habían compartido sus miserias, enfermedad y enfados, habían puesto coto al horror. Pero no piensa en esto. Divaga en otras cosas, no con mucho orden; se dice frases que no la llevan a ningún sitio: «¡Conque *viva la verdad, muera la mentira*! Si así fuera, ¿dónde estarías, Saavedra?» Termina de bordear el patio y alcanza el acceso a la puerta. Bajo el arco de la entrada hay tres mendigos que pasan los días completos ahí varados: un viejo soldado que no fue aceptado en la Liga porque apenas puede tenerse en pie en su tembladera, ciego como un topo; una anciana tuerta, el ojo bueno cubierto de cataratas, sus hinchadas piernas juntas tienen más volumen que la de un elefante, y un niño que tienen esos dos para ayudarles en todos los menesteres, comenzando por invocar la piedad y generosidad de quienes cruzan. El niño es su lazarillo, su ayudante y el mayor de los tres granujas, el ladrón que roba al ladrón, y también el más baldado: algún cruel, por vengarse de sus padres en alguna oscura guerra, le mochó las dos piernas con un hacha. Extiende sus dos muñones desnudos, con un orgullo impúdico: son su trofeo de campaña.

Al ver a María pasar a su lado, los tres chilletean al unísono: «¡Una limosna, piedad, un mendrugo, socorro a los desposeídos!» El niño agita sin cesar los muñones dichos. La bailaora les contesta al vuelo, sin detenerse: «Dios da, Dios quita». El niño la describe a sus dos cómplices, siguiéndola con la mirada, pensándola tacaña, ¿no les dará un poco de pan, un cuenco de semillas, algo? Les dice que es hermosa, joven, y que está llena de gracia y salud. Los ciegos le codician sus virtudes, le embeben sus dones con los ojos del niño.

—¿Carga bolso? —pregunta la vieja.

—No…

—¿De dónde quieres que saque pan para darnos?

—¿Alguna monedilla? —el niño no le despega la mirada de encima. Sin manto, descubierta, se va contoneando con su gracia bailarina.

—Si trae ropa de seda —dice el viejo—, no carga monedillas. Debe ser morisca, esos muertos de hambre…

El niño no le hace caso, la sigue viendo: esa bella no puede ser una muerta de hambre.

La ciudad tiene un aspecto muy diferente al celebratorio con que recibió y despidió a la armada camino a Lepanto. No porque el clima haya empeorado, ni porque sin respiro el tronar del mar furioso invada todos los rincones o llueva sin descanso, sino porque no queda un solo racimo de obispos púrpuras recorriendo las calles, ni hay procesiones que paseen al Corpus Christi y otorguen dones enviados desde el trono mayor del Vaticano. En los arcos triunfales, las guirnaldas han sido peladas de hojas y pétalos por el viento y la lluvia, cuando no arrancadas completas, y los colores de sus decoraciones han sido embarrados y barridos. Los adornos con que los balcones celebraron a los valientes, desgarrados, ondean aquí y allá sus jirones. Tampoco hay asomada en éstos alguna bella que alegre la vista. La tropa ha sido llamada a las galeras para revisión. Las calles están sucias, vaciadas, lodosas, teñidas del pardo color que se ha derramado del cielo al mar y del mar a la isla.

María no se deja contaminar por el espíritu gris que ronda Mesina. Su ánimo no puede ser mejor. Siente en las venas correrle la premura. Se le ha desatado la urgencia de irse. Apenas se enfila hacia el mesón a recoger sus cosas (de ahí se irá al muelle; no hay necesidad de pararse a comprar abastos, porque los del correo se encargarán del matalotaje), cuando ya se siente lejos, cree que llegó a Nápoles, que reencontró a sus amigos, que ha vuelto a bailar, que tiene en las manos el libro con hojas de metal que le confiaron sus amigos moriscos, y se ve llevándolo donde pueda ser «descubierto» y validado. Como su destino no puede ser Famagusta, ya se siente ir hacia el lugar preciso donde aconteció la asunción de la Virgen, en Éfeso, en Grecia. Entierra ahí el libro plúmbeo, a unos pasos del sagrado sitio; encuentra quién lo «descubra» en breve, quien divulgue el milagro y lea como ciertas y antiguas las páginas con la hermosa historia de san Cecilio.

Pero de pronto vacila, se hace una pregunta: «¿Habrían dado Carlos y Andrés con *otra* bailaora?» No ha dado sino unos cuantos pasos, cuando se detiene. El mendigo niño la mira, la ve parecer dudar. Piensa en desplazarse a remo de sus brazos para ir a pedirle «una caridad, por el amor de Dios» y para verla otra vez de cerca, pero antes de que le dé tiempo, María se echa a andar de nueva cuenta. Se ha contestado a su pregunta con un «¡ni soñarlo!»; engreída, no cree que haya quién pueda suplirla, ella *es* María la bailaora; está deseosa de regresar a tener de vuelta su vida. No mide las consecuencias de sus actos, no piensa que tal vez Andrés y Carlos no estén en Nápoles, que tal vez se han dedicado a otro oficio, que tal vez no quieran volver a bailar con ella, que tal vez no quieran volver a verla nunca... Ni lo pondera, eso está fuera de su alcance imaginario. Ha retomado la marcha con su paso bailarín.

Junto con este sentimiento de premura y la certeza de que dejará atrás la isla y la Liga, se siente feliz; se sabe radiante, luz, belleza, baile. Cada paso que da, se siente mejor, hasta quedar invadida por un inmenso algo que no es solamente alegría, no sólo satisfacción; María está con el alma ancha como un vuelo de gaviota. Se le queman las habas para regresar a tierra continental y volver a ser quien ella es. Quiere ser otra vez real, una auténtica bailaora. Quiere seguir al pie de la letra lo que es su persona, no más una guerrera, no más una enamorada, siguiendo incondicional y a costa de todo a un hombre que no... Pero esto lo deja completamente de lado María, mejor ignorar lo de «hombre», Jerónimo no puede entrar a sus memorias. Le cierra la puerta en las narices, con fría decisión. No quiere tampoco ser una gitanilla que va y viene con el nombre de Preciosa, que mucho más le gusta ser la bailaora, ni menos impuesta a ser hija de quién-sabe-quién que ni siquiera es gitano para salvar el pellejo y evitar el desprecio y la persecución. No es ya una mujer vestida de varón peleando en una guerra ajena. A mucha honra ella es gitana de Granada, y lleva en la sangre la de Gerardo, el duque del pequeño Egipto. Y tiene pies, y tiene honra, y ninguna necesidad tiene de ser el caballero del toisón de oro.

Rápida, María va volando con la imaginación. Invisiblemente grita, ríe, se sacude y agita sin que su cuerpo lo denote. Caminando baila, estalla y vuela. Y como cualquier otro paseante, desde que traspuso la puerta del hospital camina casi rozando su costado para que los aleros de tejas rojas la ayuden a protegerse de la persistente y fina lluvia. Lleva la cara volteada hacia el cuerpo del edificio; en lugar de mirar la desolada apariencia de Mesina, fija su vista en la textura y los detalles del muro. Como lo ve desde tan cerca y se va desplazando, sus ojos la engañan y cree ir rápida, mide su paso con el territorio de las hormigas, las pequeñas imperfecciones de la pared, aquí una ranurilla, allá una grieta... Por esto se cree que va como un bólido, y arrullada con esta sensación imagina, sueña. No ha dado sino unos pasos, cuando ya fue y vino de Éfeso. Y así dé cada paso más distraída, más en babia, los ojos la engañan, haciéndola creer que va corriendo, y su imaginación sí que va veloz. Los pensamientos agitados son caballos cimarrones que recién llegados al corral de María la bailaora se niegan a estar inmóviles. Se agitan, se encabritan; están frescos, vigorosos; alborotados rebotan, zumban, saltan… María está llena, y es decir poco, repleta. Recuperada, quiere comerse el mundo. Ni un ápice en paz o serena, pero no quiere estarlo; necesita de toda la energía posible para volver a sus propias alpargatas. Libre de su vestimenta guerrera, sin armas y ataviada de mujer hermosa en sus ropas de seda, vuelta a ser una simple bailaora, se siente volar.

Jamás se ha sabido más viva. Sigue con la mirada la pared, las pequeñas imperfecciones la ilusionan y fascinan, y la ciegan; no ve más allá de sus narices, no ve que va pisando sobre la mierda de las palomas que viven en los aleros, porque el muro del hospital es como su antifaz. Perdido todo sentido de la proporción, se aísla más a cada paso; siente su caminar un correr vertiginoso; ve sin ver, pero ve lo suficiente como para sentirse volar. Da más alimento a lo que va soñando. Que por dónde viajará. Que, ya entregado el libro, dónde se irá a vivir, que si una ciudad flamenca; que si cómo será su vida, que si invitará a los músicos célebres a tocar con ella, que si las ropas, que si las riquezas, que si los cantos, que si más viajes, que si cómo la adorarán, que si bailará cómo, que si vivirá en su propio palacio… Hace algo que no había hecho antes: fantaseándose, María juega a ser su propia hacedora. Su alma ríe, que no su cara. Su alma baila, que no su cuerpo. Grita en silencio: «¡Soy de Granada, soy María la bailaora!», ninguna de sus palabras sube por su garganta, ninguna toca sus labios.

Su cuerpo la conduce mecánico, mientras que con la imaginación, flexible y por caminos inesperados, va más lejos, a cada momento más lejos, más… ¡Las nubes le quedan muy abajo! ¡Deja atrás a todo Ícaro! Sigue caminando, sin separar un ápice la cara de la pared, casi rozándola, ya en franca ebriedad iluminatoria, transportada: sus pensamientos han dejado de tener toda forma, toda palabra. Su agitación se ha ido lejos, impulsada por la imaginación, tan lejos que ni le roza la razón. Ciega, vuela, vuela, María siente y allá ríe, ella misma es puro aire feliz, es vida, pura, espléndida, completa vida, liberada de toda carga, de toda sombra de pesar, del fardo que es la Palabra.

—¡Bailaora!, ¡eh, tú, la de Granada, María!

424

María se detiene, con el cuerpo y en lo imaginario. Oír decir su nombre la interrumpe, de golpe la encaja al piso. Todas las altas fantasías caen sobre ella, se precipitan sobre ella, difusas, como una cortina de espesa materia acuática que abrupta y enceguecedoramente la envuelve. Escucha otra vez:

—¡María la bailaora!

Cegada aún, trata de desperezarse, de salir del líquido que fue vital cuando la detenía allá en lo alto. Todavía en la embriaguez, pero no ya en imaginarias grandezas sino con franca tontería, María voltea, como abotagada, sin tener ninguna gana, obligada a caer de sus altos cielos por quien la ha llamado, como un títere sin voluntad. La voz le repite:

—¡Ten! ¡Mierda! ¡Traidora!

Y María reconoce la voz. El cuerpo de quien le ha hablado se le viene encima, como un plomo. No le ha dado tiempo de reaccionar, responder o siquiera de comprender, cuando entra en su vientre encajándose un puñal. Entra, y certero sale para volver a penetrarla y asestarle un segundo golpe, ahora en el pecho, cerca del cuello. El puñal se remueve en su carne, camina partiéndole el corazón en pedazos.

María se desploma sobre el empedrado de la calle empinada de Mesina, el puñal todavía enterrado en el pecho. La cortina de sus imaginaciones no ha terminado de caer de su frente cuando ella no puede ya saberlo o sentirlo. María la bailaora está tirada en el piso, sin que la hayan acogido o acojinado las muchas alas que hacía un instante la llevaban por los cielos de la fantasía.

Desde la puerta del hospital el niño mendigo ve cómo otra mujer se le ha echado encima, y ve a María caer ensangrentada. Los dos viejos le preguntan «¿Qué pasa?» Sin detenerse un segundo a contemplar su obra, Zaida echa a correr carrera abajo, hacia el muelle, envuelta en capa y embozo. El niño mendigo se arrastra hacia María, impulsándose veloz con sus dos ágiles brazos. Llega a ella en un santiamén, toquetea sus ropas de seda, a la altura de su cintura, le mete la mano en el refajo. Rápido, le saca unas monedas y un objeto: el espejo que María ha venido cargando desde Granada. Se los guarda en sus ropas, y apenas lo hace, da de gritos pidiendo vengan a socorrerla:

—¡Se nos muere!, ¡se nos muere!, ¡auxilio!

Los dos viejos mendigos se unen al coro de sus gritos, pidiendo ayuda.

Apenas dar la vuelta a la siguiente esquina, Zaida se desembaraza de capa y embozo. Nadie podrá dar con ella, si no la cubre lo que podría servir para identificarla. Trae su velo bien acomodado sobre la cabeza, escondiéndole la roja cabellera que la distingue. Tirados sobre la calle, el embozo y la capa reciben la lluvia, la absorben, luego la dejan correr encima de ellos, y ahí quedan.

¿Qué siente Zaida ahora que ha matado a la varias veces traidora María, la que no supo cumplir el pacto firmado con Luna de día un día que ahora parece tan lejano; a la *deleznable* amiga de los cristianos, a la *asquerosa* soldada de su ejército contra los *mahometanos*? Zaida ha quedado sin pensamientos hace ya meses. Perpetra una venganza tras la otra mecánicamente, sin pensar, sin sentir. Si Zaida hubiera hablado, si algo le hubiera salido por la boca, si hubiera podido formular de alguna manera su odio, su ansia de venganza, si hubiera sabido poner en palabras un poco siquiera de lo que sentía por María, muy probablemente hubiéramos podido ver cuán desquiciada está la vengadora.

A pocos pasos de la entrada del hospital de la ciudad se ha armado un gran alboroto y mucha gente se ha congregado alrededor de la mujer malherida. Alguien reconoce sus ropas, dice su nombre, «¡Ella es el Pincel de *la Real*», «Es María la bailaora», «Es la más valiente entre todos los valientes de Lepanto». ¿Quién podía haberla atacado de tan artero modo? La reconoce el que le había impuesto la espada cuando jugaba María con el tal Cervantes a las risas, el que pidió lo recordara con el nombre de «el Carriazo», el que le regaló el collar de oro que María todavía trae al cuello, bajo sus ropas, la joya que la distingue como caballera del toisón de oro. Si el niño mendigo se hubiera atrevido a palpar el pecho, lo habría sentido.

La fama de María atrajo a la multitud. Del hospital salió auxilio y fue el doctor Daza Chacón en persona quien hizo hasta lo imposible por salvarle la vida, sabiendo también de su prestigio glorioso, habiéndola conocido en persona —según explicó a diestra y siniestra— cuando atendió a don Jerónimo Aguilar, «que dio su vida por ella, por la bailaora». Rodeado de los mutilados que lucían gallinas muertas en lugar de manos o piernas, echó mano de toda su sabiduría para volverle la sangre al cuerpo. Primero desgarró la camisa, quitó el puñal y limpió la herida para poder observarla, luego vació sobre ésta aceite hirviendo para cauterizarla de inmediato, obligando a la sangre a un alto. Pero todo fue inútil. Ni el más genial de los magos hubiera podido volverla a la vida.

La sacaron del hospital en camilla, toda cubierta con una sábana algo blanca de la que sobresalía colgando su mano izquierda. Cuando pasó por la puerta principal, aún atestada de los mesinenses que habían venido a verla caída, la gente se pregunta si es ella: «¿Es la bailaora?», pero nadie les da noticias. El mendigo niño, apoyado en el muro, dando la espalda a la gente, se estaba mirando en su nueva pertenencia. La mano de María quedó reflejada al pasar, y el niño creyó ver en su meneo un gesto de amenaza, un «¡Ya verás!» que lo hizo cerrar el espejo y temblar. Dijo a sus dos cómplices y dueños: «¡Ahí va, la bailaora esa!»

—¡Que Dios la acompañe! —dijo la anciana, y se santiguó.

El viejo soldado bajó la cabeza, y musitó una pequeña oración, encomendando al Creador el alma de María. La gitana tendría que contentarse con esto, porque no hubo barquero que acunara su camino con historias o fábulas.

La llevaron a la morgue militar de Mesina. Ahí los cadáveres de los soldados cristianos se apilaban en decenas. Eran los dichosos que habían venido a morir a tierra, los que no se habían dejado tragar por el océano, los que no padecieron la humillación de ser cadáveres flotantes acompañando a los vencedores en el puerto de Petela, golpeando los tablones de las naves, sin dignidad, desechos entre los desechos, desprovistos de toda humanidad. Eran los que tuvieron suerte, los que resistieron el plomo del arcabuz, el filo o la flecha, pero cayeron en la trampa pegajosa de la infección, los que sobrevivieron varios días ahogándose en pus, los que se fueron lentamente desangrando, porque su carne no encontraba cómo reparar la ausencia de una pierna; los que tuvieron huesos afuera de la piel; los que navegaron en la fétida peste de sus heridas desafiando la muerte. Los que pelearon segundas y terceras batallas mientras los cristianos se decían vencedores; los que en la victoria comprendieron la humillación y padecieron el tormento; los que conocieron el dolor; los que comenzaron a pudrirse en vida; los que vieron largo los ojos de la muerte.

Los apilaban, pero llegado el momento de amortajarlos, a cada uno se le daba el trato merecido. A algunos los despojaban de sus ropas, a otros los vestían con las ajenas; los amortajaban según sonara el son de las monedas provistas por los deudos. Luego los regresaban a velar, a que escucharan su última misa, a que fueran llevados en hombros al camposanto, o a que compartieran con otros, metidos en un saco, la fosa común. Todos eran varones. No que las féminas sicilianas hubieran decidido en bloque esperar momentos mejores para dejar la tierra, que pudibundas pensaran que entre tantos varones era una indecencia cruzar la puerta que vigila san Pedro, sino que como es la morgue del ejército, sólo arriban a ella los varones. Las faldas largas de María alegran con sus vivos colores el siniestro cadaverío, viene a compartir bellezas en sus últimos momentos sobre la tierra. Sus largas pestañas, su palidez, la tersura de su piel, las manos delgadas, hermosas; sus piececitos delicados, su cintura, sus dos pechos, sus ropas cayéndole graciosas donde la sangre no las ha vuelto crocantes, oscuras, rígidas. Parece descansar. Se le cumple un deseo: años atrás, lamentó verse encerrada entre mujeres, cuando salida del convento se vio rodeada por las moriscas en el patio granadino. La rodean muchos varones, la acompañan tan silenciosos como ella, pero ninguno es un muerto tan fresco. Ella no estuvo enferma, no luchó contra las heridas que le infligieron los turcos, no padeció ni supuraciones ni gangrenas ni fiebres o malestares. Llegó a la muerte directa de la vida, sin tránsito alguno, sin preparaciones o fastidiosos preámbulos, sin que nada le robara un ápice de su belleza.

Llega a refrescar, a alegrar, es un bálsamo. Pero los muchos muertos que la rodean la ignoran. Han perdido la vista, el olfato, el tacto, el oído; son insensibles. No lo son los amortajadores, los que manejan los cuerpos conforme les baile el bolsillo de los deudos. Éstos ven a María y, apenas lo hacen, la contemplan: su carne aún tiene grandísima belleza. En el hospital, intentando curarla, le habían arrebatado la camisa, aquí un muchacho le quita los faldones, apenas manchados en el cinto, y las medias; la deja toda desnuda, los muslos, las caderas, el torso, los dos pechos… ¡María, completa eres hermosa! La pequeña herida por donde entró el puñal a romperte el corazón en dos, que ha dejado de surtir sangre gracias a Daza Chacón, es la única muestra de que no estás viva, no parece posible que por ese pequeño orificio se te haya escapado la vida.

¿Dónde quedó el collar que la hacía ser la del toisón de oro, el que la envalentonó a pensar en un palacio *propio*? ¿Quién se lo quitó? El cura amigo del Carriazo se apresuró a darle bendiciones diversas, untarle los bálsamos propicios, recitarle los rezos indicados. ¿Él se quedó la cadena de oro? ¿Fue Daza Chacón mismo, el médico honorable? ¿Alguno de los asistentes del doctor? ¿Quién? Daza Chacón dice que él nunca lo vio, y puede ser, preocupado como estaba en curarla. El cura dice que él tampoco tuvo conocimiento. El collar desapareció como por embrujo, sin que nadie supiera decir bien a bien dónde había parado. La gitana no tiene quien reclame, quien pida, quien quiera protegerla. Y en las aguas revueltas…

A las pocas semanas, el collar llegó a la mesa de un artesano joyero de muy medio pelo, en la magnífica Venecia. Insensible a sus adornos, lo fundió para hacer cruces con el oro.

No hubo quién quisiera pagarle a María un funeral como Dios manda. Para el soldado raso no hay sino la bolsa de lona; ni las arcas regias ni los bosques de Mesina están como para proveer a todo soldado de un ataúd de madera. Preparan a María metiéndola en la bolsa de color arena que le ha sido asignada, más clara que las que la rodean. Está desnuda, los cabellos echados hacia atrás; no tiene una sola prenda. Sobre la bolsa, uno de los embalsamadores escribe: «Ésta es María la bailaora, la de Granada». Es su epitafio, que nadie podrá leer porque será guardado con ella bajo tierra.

Al amanecer vendrán a llevarse a los embolsados, serán conducidos a las afueras de Mesina. A medianoche, alguien extrae la bolsa de la pila de muertos, y de la bolsa de lona saca el cuerpo de María. Va camino al más allá sin prenda que la cubra, sin joya que la adorne. Y esa que ella llamaba su joya más querida, le es ahora arrebatada en las sombras. El hombre la penetra, con una excitación lenta, algo dolorosa. Está con ella un tiempo largo, usándola de varia manera. Luego la vuelve a su bolsa de lona, la acomoda entre los hombres. Al primer rayo de luz del sol, así deshonrada, María es llevada a la fosa común. La enterraron sin cantarle una misa fúnebre, como debe darse la sepultura a un héroe de guerra. No llevaba ni bolsa, ni monedas, ni cargaba un espejo para mirarse a la cara antes de cruzar al otro mundo, como si ella nunca hubiera sido la hija del duque del pequeño Egipto. Ahí sigue, yace brazo a brazo con muchos varones, esperando el Día del Juicio Final, el último de la tierra.

Andrés y Carlos, y el padre de María, en Nápoles, bajo el mismo techo, supieron de su muerte cuando ya habían pasado tres semanas. Zaida misma fue quien los informó al regresar a Nápoles. Omitió decirles que ella había sido la vengadora, que el peso de su puño había terminado con la María. El un día bello Gerardo, ya cuerdo del todo pero también muy enfermo por el maltrato de la vida del remo, sobrevivió la triste nueva sólo tres días. Que descanse en paz. Mejor hubiera sido poder narrar su historia de otra manera: que nadie lo hubiera echado de Granada, que sus riquezas hubiesen crecido, que no hubiera perdido a su mujer, fallecida de tristezas por las persecuciones de que eran objeto. Que su hija no hubiera corrido con la suerte de ser criada en un convento, ni cautiva en Argel, ni amante sin lecho de amor, ni mucho menos guerrera de Lepanto sino sólo baile y gracias, encanto y buena suerte.

Andrés y Carlos siguen hasta hoy llenando con su música las calles de

Nápoles. Hablaron a Zaida del libro de hojas de metal, a lo que Zaida contestó: «Necedades de ésas sólo llevaron a mi gente directo a los mercados de esclavos, déjense de libros plúmbeos». Le hicieron caso. El libro reposa donde María lo dejó, y no hay quién escarbe, lo desentierre, lo descubra y lo anuncie como prueba de que fueron los moriscos los primeros que llevaron la palabra de Jesús a Iberia. Muchos otros de los libros plúmbeos corrieron con mejor suerte.

Los dos granadinos han reparado la ausencia de María. Carlos es el bailarín, viste de mujer, se hace llamar «María la bailaora». Se presenta: «Yo soy María la bailaora de Granada, para servirle a usté», imita todos los gestos artificiales de María y suena muy hermosamente las castañuelas, como María no le permitió nunca hacerlo, por detestarlas, alegando que arruinaban la armonía de su canto. Andrés se hace tambor tocando con sus pies. La guitarra la han puesto en manos de un tal Loayza, que anda de vagabundo enfermo de mal de amores. La turba los adora, es siempre generosa con ellos.

A los músicos elegantes nunca han vuelto a verlos. Nunca han regresado a Nápoles, oyen nuevas de sus glorias en Madrid, Venecia y Roma.

Hay quien afirma que unos años después, más precisamente entre febrero y marzo de 1574, Miguel de Cervantes los vio bailar, los abordó, y díjoles haber conocido en Lepanto a la verdadera María la bailaora. Andrés le pidió todo tipo de pormenores. No había conseguido consolarse de su pérdida, «¡de la pérdida de esa perdida!», según sus propias palabras. Pero esta anécdota es leyenda.

De Nápoles, Zaida partió hacia Constantinopla, a buscar a Selim II para continuar su serie de venganzas. Pretende visitar antes a la bella Fátima, la hija del generalísimo de la armada del Gran Turco, quien merece la muerte por haber escrito una carta infamemente servil al llamado don Juan de Austria, el cruel bastardo. Zaida muere antes de intentar matar a Selim II, el poeta, acusada por un converso traidor al que ella por error cree su amigo, el hijo de Adelet el espadero, que en Constantinopla es mercader de armas blancas y de fuego. Adelet la acusó no por defender a Selim II, a quien no tenía en tan alto aprecio, sino por proteger a Marisol y Leyhla, sus dos queridas compañeras de exilio. Zaida le había confesado que deseaba asesinarlas por «traidoras».

En cuanto a Mesina y el ejército vencedor, la armada de la Santa Liga quedó atrapada muchas semanas en el puerto, presa del mal clima. Que un par de navecillas se atrevieran a desafiar el mar furioso, era cosa de ellas, pero era una imprudencia impensable arriesgar la flota completa. No le fue posible navegar contra los turcos, como era la voluntad del Austria, ni tampoco volverse a puertos cristianos. Por lo mismo las galeras que han salido de puertos cristianos a abastecerlos no consiguen hacerles llegar las provisiones y auxilios, y siendo tantos los hombres que ahí había —a cuyo milenario número habríamos de sumar los doce mil esclavos hechos en la batalla (números no muy fáciles de llevar: si hubo 7 500 muertos [omitiré los veinte mil heridos, que ellos comen si hay comida], y quince mil esclavos recuperaron la libertad, había un total de 7 500 nuevas bocas que alimentar)—, ya no hablaban de nada sino del hambre que pasaban, que no comían otra cosa que el arroz y las habas que tomaron de los turcos. Añoraban la pequeña hambre que habían padecido al término de la batalla de Lepanto, comparada con la de su espera en Mesina. Muy llenos de oro estaban los soldados, pero no pueden meterse el oro por el pico, y más de uno lamenta la situación, ridícula y siniestra, preguntándose a lo serio si son siempre «de este natural tan poco *comestible* todas las guerras santas».

El 20 de octubre llegaron a socorrerlos tres galeazas cargadas de comida y vino, con la nueva de que venían pisándoles los talones otras trece también provenientes de Venecia, enviadas por el Papa especialmente para el socorro de la armada. El hambre de la tropa se acalló. Hubo una ligera mejoría en el clima, que sirvió para que en un respiro todos volvieran a sus ciudades de origen, Nápoles, Venecia, Barcelona, Valencia, Cartagena, Mallorca, Sicilia, Malta, Génova, Corfú y Creta.

A pesar de los esfuerzos del papa Pío V y de don Juan de Austria, la Santa Liga nunca volvió a reunirse. En breve, los otomanos tenían vuelta a armar su flota. Y el Mediterráneo volvió a ser terreno de disputa.

Fin de la tercera y última parte de esta novela.

85. Nota escrita en una caligrafía muy diferente, definitivamente posterior

Cervantes, junto con los demás heridos de *la Marquesa,* convaleció en Calabria, no en Mesina, de los tres arcabuzazos, por uno de los cuales quedó inutilizada su mano izquierda, según él mismo escribe en varios de sus textos, y como lo confirman diversos testigos de la época *(los nombres han sido tachados)*. Lo acompañó en todo el trance su hermano Rodrigo, compañero con él de la compañía del capitán Diego de Urbina, vecino de los Cervantes en Henares, quien también peleó heroicamente en la guerra de las Alpujarras contra los alzados moriscos. Otros Cervantes presentes en Lepanto fueron: Alonso de Cervantes Sotomayor, su hermano Gonzalo de Cervantes Saavedra —un poeta nada mediocre, al que mucho ensalzó Cervantes—, primos los dos del autor de *El Quijote*. También estaban ahí otros cercanos amigos poetas de Cervantes: Pedro Laínez, a quien Cervantes reconoce su maestro en el arte poético, chambelán del infeliz infante don Carlos; Gabriel López Maldonado; Cristóbal de Virrúez; Antón Rey de Artieda, valenciano, que como Cervantes fue herido tres veces. Con ellos departió en Mesina —y probablemente también con Juan Rufo, el autor de la célebre *Austriada*— antes de la insigne batalla de Lepanto. A Cervantes le sobró compañía y apoyo de sus muchos amigos literarios para sobreponerse de sus heroicas heridas cristianas, nada tenía que estar haciendo al lado de una barragana. Si quien escribió estos papeles quería enlodar la memoria de la máxima figura de la cultura hispana, no lo consigue. No existió la tal María la bailaora, quien no pudo haber estado a bordo de *la Real,* donde el orden cristiano era absoluto, porque don Juan de Austria prohibió expresamente que las damitas acompañaran a los soldados en esta campaña. Si algunos cronistas de su tiempo así lo afirman es respondiendo a malsanas imaginaciones. La sarta de mentiras que el autor de estas páginas hilvana —de seguro un pervertido, y a ojos vistas un antipatriota, protestante prevaricador, un enemigo de España— no hierven la sangre de nadie. Invitan al desprecio.

Para confirmar lo de Calabria, cito un manuscrito anónimo contemporáneo que no es apócrifo ni mentiroso como estas páginas: «Después del dicho vencimiento, la dicha armada de su magestad fue á la dicha ciudad de Mezina donde fue curado el dicho proponente, y de allí fueron á Rijols (que yo deduzco es Reggio de Calabria) en la Calabria, donde invernó dicha companya». ¡Texto de la época!

Cualquier niño de escuela sabe que Cervantes perdió la mano en Lepanto. Por eso se llama «El manco de Lepanto». Cito al propio Cervantes (¿a quién mejor que a él hemos de creer?), que llamándose autor de uno de sus libros, se describe como el que perdió «el movimiento de la mano izquierda, para gloria de la diestra».

Por otra parte, para rebatir que el llamado Miguel de Cervantes del

dicho documento que decreta se le corte una mano es Cervantes, no basta sino el sentido común: ¿no pudo haber dos Miguel de Cervantes en su
año y en su ciudad? El apellido Cervantes es bastante común, ¿y quién
no se llama Miguel?

Nota de agradecimiento

Este libro no hubiera sido posible sin la generosa beca del Center for Scholars and Writers de la biblioteca pública de Nueva York, ni sin el año que tuve en suerte pasar con la Cátedra Andrés Bello en el Centro Rey Juan Carlos de la Universidad de Nueva York. Mi agradecimiento a quienes hicieron posible esos dos años de trabajo en ambientes generosos y fértiles. Durante mi estancia en la UNY la novela cobró su actual forma: a mis colegas y alumnos les debo líneas, pasajes, ideas y su vigor, si las páginas lo tienen.

Tampoco la hubiera empezado sin el contagioso entusiasmo loco del gran Roberto Bolaño, que no debió morir. Dejo asentado que extraño su correspondencia y el diálogo.

Agradezco a Alejandro Aura su atenta lectura, correcciones y comentarios, una vez más le doy las gracias.

Índice de capítulos

Este libro se terminó de imprimir y encuadernar en enero de 2005 en Impresora y Encuadernadora Progreso, S. A. de C. V. (IEPSA), Calz. de San Lorenzo, 244; 09830 México, D. F. En su composición se usaron tipos StempelGaramond de 9:11, 10:12, 11:13 y 15 puntos. La edición consta de 5 000 ejemplares.